SPANISH
for MASTERY 2

Entre nosotros

Jean-Paul Valette
Rebecca M. Valette

Editor-Consultant
Teresa Carrera-Hanley

Contributing Writer
Frederick Suárez Richard

 D.C. HEATH AND COMPANY
Lexington, Massachusetts / Toronto, Ontario

TEACHER CONSULTANTS
Susan Crichton, Lynnfield H.S., Massachusetts
Karen Davis, McLean Middle School, Texas
Elena Marsh, Columbine H.S., Colorado
Judith Morrow, Bloomington H.S. South, Indiana
Delores Rodríguez, San Jose Unified School Dist., California

LINGUISTIC CONSULTANT
Kenneth Chastain, University of Virginia

EXECUTIVE EDITOR, MODERN LANGUAGES
Roger D. Coulombe

PROJECT EDITORS
Jayne Cotton
Valentia Dermer

NATIONAL MODERN LANGUAGE PRODUCT SPECIALIST
Teresa Carrera-Hanley

MODERN LANGUAGE PRODUCT MANAGER
Natalie St. John

D.C. HEATH CONSULTANTS
Alison King
Karen Ralston
Ramón Morales-Sánchez

DESIGN AND PRODUCTION
Will Tenney, Executive Designer
Donna Lee Porter, Senior Production Coordinator
Marianna Frew Palmer, Editorial Services
Susan Gerould/Perspectives, Cover Designer
M. L. Dietmeier, Illustrator

Contents

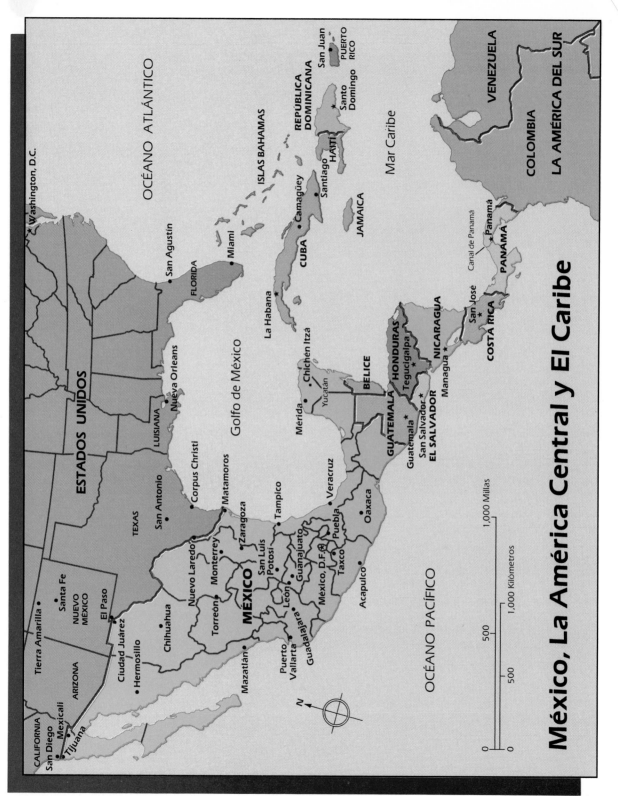

México, La América Central y El Caribe

La América del Sur

España

Unidad **1**

¡Nosotros, los jóvenes!

¡Hola, amigos norteamericanos!
Me llamo Enrique Pirelli.

Soy de Chile.
En el colegio, estudio matemáticas, biología e inglés.
De hecho, el inglés es mi clase favorita porque me gustan las canciones norteamericanas.
Canto todo el tiempo. ¡Soy un cantante maravilloso!
(¡No es verdad!)
También me gusta la fotografía.
Quiero ser fotógrafo y viajar a varios países.
Un día espero visitar los Estados Unidos.
¿Cuándo?
En uno, dos, cinco o diez años. ¡No sé!
Y Uds., ¿esperan visitar Chile?
¡Es un país muy lindo!

colegio: *high school*
De hecho: *In fact*

cantante: *singer*
maravilloso: *marvelous*
¡No es verdad!: *That's not true!*
Un día: *One day*

NOTAS CULTURALES

Los inmigrantes

¿Piensas que el nombre° Enrique Pirelli es más italiano que español? ¡Tienes razón!° Chile es un país hispánico, pero muchos de sus habitantes tienen antepasados° de otros países además de España: Italia, Alemania, Francia, Inglaterra y hasta° la China y el Japón. De hecho,° el héroe de la independencia de Chile se llama ... ¡Bernardo O'Higgins!

Esta misma mezcla° de inmigrantes es típica en la Argentina, en el Uruguay y en muchos de los países latinoamericanos.

nombre *name* **Tienes razón** *You are right*
antepasados *ancestors* **hasta** *even* **De hecho** *In fact*
mezcla *mixture*

Chile, un país de contrastes

Sí, ¡Chile es un país de muchos contrastes!

Este país sudamericano tiene una extensión de más de cuatro mil kilómetros o dos mil seiscientas millas de norte a sur, por las altas montañas de los Andes hasta° la Isla° de la Tierra del Fuego. Esto° explica la gran variedad de climas y paisajes.° Se puede° esquiar en los Andes y nadar en las playas del Pacífico. En el norte el clima es caliente° y en el sur es frío y húmedo.°

Y con sus territorios, Chile se extiende° también hasta la parte sur del Pacífico. La Isla de Pascua,° con sus famosas estatuas gigantes de piedra,° es una posesión chilena.

hasta *down to* **Isla** *Island* **Esto** *This* **paisajes** *landscapes*
Se puede *One can* **caliente** *hot* **húmedo** *humid* **se**
extiende *extends* **La Isla de Pascua** *Easter Island* **piedra**
stone

Vocabulario

sustantivo	**la verdad**	the truth
adjetivo	**maravilloso**	marvelous
expresiones	**de hecho**	in fact
	¡Es verdad!	That's right. That's true.
	¡No es verdad!	That's not true.
	un día	one day, some day

CONVERSACIÓN

Vamos a hablar de las actividades de la escuela.

¿Cómo te llamas?

¿Estudias español?

¿Estudias mucho? ¿Sacas buenas notas?

¿Hablas español bien?

¿Siempre hablas español en la clase?

¿Qué más estudias? ¿inglés? ¿matemáticas? ¿biología? ¿historia?

¿Cómo se llama tu profesor(a) de español? ¿de inglés? ¿de matemáticas?

VOCABULARIO PRÁCTICO   Algunos verbos que terminan en *-ar*

actividades de todos los días

cocinar	to cook
escuchar (música)	to listen to (music)
estudiar (matemáticas, francés)	to study (math, French)
ganar (dinero)	to earn (money)
hablar (español, inglés)	to speak (Spanish, English)
llevar (libros, discos)	to take (books, records)
mirar (la televisión)	to watch (television)
sacar (una buena o mala nota)	to get (a good or bad grade)
tomar (el autobús, el tren)	to take (the bus, the train)
tomar (café, té, agua)	to have or drink (coffee, tea, water)
trabajar (en una oficina)	to work (in an office)

Ahora vamos a hablar de tus actividades del fin de semana.

¿Trabajas? ¿Dónde trabajas?

¿Miras la televisión?

¿Qué programas te gustan? ¿los programas de deportes? ¿las comedias?

¿Escuchas música?

¿Qué tipo de música escuchas? ¿música clásica? ¿música popular?

¿Te gusta nadar? ¿esquiar?

¿Te gusta jugar al volibol? ¿al tenis: ¿al ping pong? ¿al fútbol?

¿Te gusta bailar? ¿cantar? ¿Cómo cantas? ¿bien o mal?

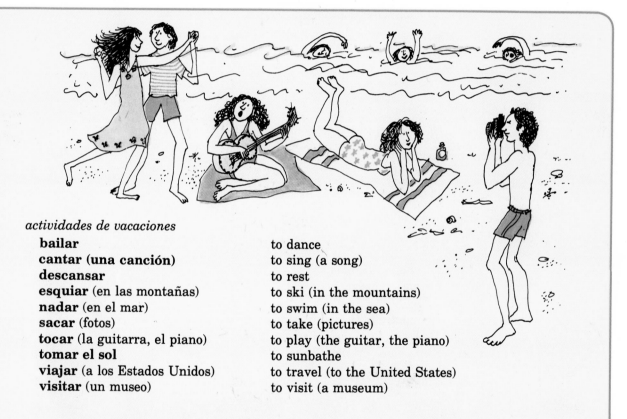

actividades de vacaciones

bailar	to dance
cantar (una canción)	to sing (a song)
descansar	to rest
esquiar (en las montañas)	to ski (in the mountains)
nadar (en el mar)	to swim (in the sea)
sacar (fotos)	to take (pictures)
tocar (la guitarra, el piano)	to play (the guitar, the piano)
tomar el sol	to sunbathe
viajar (a los Estados Unidos)	to travel (to the United States)
visitar (un museo)	to visit (a museum)

NOTA: Note the difference between **tomar** *(to take, to drink)* and **llevar** *(to take along, to carry)*.

Elena **toma** un taxi.   *Elena is taking (riding in) a taxi.*

Felipe **toma** leche.   *Felipe is drinking milk.*

Clara **lleva** discos a la fiesta.   *Clara is taking records (along) to the party.*

Carlos **lleva** a Ana a la fiesta.   *Carlos is taking Ana (along) to the party.*

Estructuras

A. Repaso: los verbos que terminan en -ar

In Spanish, the *present tense* is a *simple tense*. It is composed of one word which is formed as follows:

> stem + ending

Review the present tense of **estudiar** *(to study)* in the affirmative and negative sentences below. The stem for each form is **estudi-** (the infinitive minus **-ar**). Pay attention to the endings which correspond to each subject pronoun.

INFINITIVE	estudiar			
PRESENT				
(yo)	Estudio	español.	No estudio	italiano.
(tú)	Estudias	inglés.	No estudias	física.
(él, ella, Ud.)	Estudia	matemáticas.	No estudia	geografía.
(nosotros)	Estudiamos	historia.	No estudiamos	latín.
(vosotros)	Estudiáis	biología.	No estudiáis	francés.
(ellos, ellas, Uds.)	Estudian	música.	No estudian	ciencias.

- Most verbs ending in **–ar** follow the above pattern. They are called *regular –ar verbs*.

- The Spanish present tense has several English equivalents:

  Estudio español.
  $\begin{cases} I\ \textbf{study}\ Spanish. \\ I\ \textbf{am studying}\ Spanish. \\ I\ \textbf{do study}\ Spanish. \end{cases}$

- Since the verb endings usually indicate the subject, Spanish subject pronouns, except for **Ud.** and **Uds.**, are often omitted. Subject pronouns are used for emphasis or clarification.

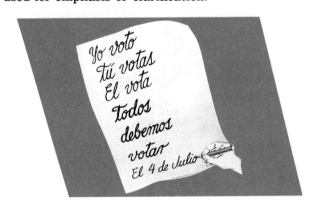

ACTIVIDAD 1   En Santiago de Chile

Imagina que estás en Santiago de Chile con tus amigos. Prepara diez frases describiendo algunas actividades. Usa los elementos de las columnas A, B y C.

A	B	C
yo	visitar	Santiago
tú	mirar	la alameda Bernardo O'Higgins
Mónica	admirar	el Cerro Santa Lucía
nosotros	sacar fotos de	el Museo de Arte Popular
Luis y José		los monumentos
		el Jardín Zoológico
		la catedral
		la Virgen de San Cristóbal

∞ (Nosotros) visitamos Santiago.   Sacamos fotos de los monumentos...

B. Repaso: la negación

Review the negative sentences in the verb chart for **estudiar**. Then read the sentences below.

Elena **no** habla inglés.   *Elena does **not** speak English.*
Carlos y Enrique **no** trabajan.   *Carlos and Enrique do **not** work.*

To make a sentence negative, Spanish speakers use the construction:

$$\textbf{no} \;+\; \text{verb}$$

∞ In sentences where **nunca** *(never)* is used, the constructions can be either:

$$\textbf{no} + \text{verb} + \textbf{nunca} \qquad \text{or} \qquad \textbf{nunca} + \text{verb}$$

Andrés **no** trabaja **nunca**.   Andrés **nunca** trabaja.

VOCABULARIO PRÁCTICO   Algunos adverbios

bien	≠	mal	well	≠	badly
mucho	≠	poco	much, a lot	≠	a little
más	≠	menos	more	≠	less
siempre	≠	nunca	always	≠	never
también			also		
muy			very		
bastante			rather, enough		
demasiado			too, too much		

ACTIVIDAD 2 Nunca los domingos *(Never on Sundays)*

Durante la semana, Miguel y sus amigos hacen las siguientes cosas, pero no las hacen los sábados, y nunca las hacen los domingos. Expresa eso según el modelo.

∑⊘ Miguel estudia.   Los sábados no estudia.
                       Los domingos no estudia nunca.

1. Carmen trabaja.
2. Felipe mira la televisión.
3. Esteban y Carlos sacan fotos.
4. Luisa toma el tren.

5. Uds. viajan.
6. Nosotros trabajamos mucho.
7. Yo hablo inglés.
8. Tú ganas dinero.

ACTIVIDAD 3 ¿Qué haces bien?

Di si haces las siguientes cosas. Entonces da una explicación según el modelo.

∑⊘ nadar   Nado. Nado muy bien (mal, un poco, bastante bien).
            (No nado.)

1. cantar
2. esquiar
3. bailar
4. hablar español

5. hablar francés
6. tocar la guitarra
7. cocinar
8. tocar el piano

ACTIVIDAD 4 Diálogo: Actividades

Pregúntales a tus compañeros si hacen las siguientes cosas.

∑⊘ tocar el trombón   Estudiante 1: ¿Tocas el trombón?
                        Estudiante 2: Sí (No, no) toco el trombón.

1. hablar ruso
2. hablar japonés
3. estudiar filosofía
4. trabajar en un zoológico
5. trabajar como mecánico
6. bailar el rock
7. cantar ópera

8. ganar mucho dinero
9. llevar discos a la clase
10. descansar en la clase de español
11. descansar en la clase de matemáticas
12. tomar café en la cafetería
13. viajar mucho
14. tomar el sol en la cafetería

C. Repaso: el uso del infinitivo

In Spanish, the infinitive is used after certain verbs and expressions.

desear	to wish	**Deseo hablar** español bien.
esperar	to hope	**Espero visitar** Chile.
odiar	to hate	**Odio escuchar** canciones tontas.
me / te encanta	I / you very much like	**Me encanta viajar.**
me / te gusta	I / you like	**Me gusta estudiar** inglés.
me / te gusta más	I / you prefer	**Me gusta más estudiar** español.
me / te gustaría	I / you would like	**¿Te gustaría visitar** Puerto Rico?

ACTIVIDAD 5   Diálogo

Pregúntales a tus compañeros si les gusta hacer las siguientes cosas.

∅ escuchar música clásica   Estudiante 1: ¿Te gusta escuchar música clásica?
                               Estudiante 2: Sí (No, no) me gusta escuchar música clásica.
                                             (Odio escuchar música clásica.)

1. viajar
2. nadar en el mar
3. hablar español
4. estudiar
5. trabajar en una oficina
6. bailar
7. ganar dinero
8. tomar el sol
9. mirar la televisión

10. tomar el tren
11. cantar canciones españolas
12. llevar libros a la clase
13. cocinar
14. visitar museos
15. tomar medicina
16. esquiar en las montañas
17. sacar fotos
18. sacar malas notas

ACTIVIDAD 6 Según las circunstancias (According to circumstances)

¿Qué te gusta hacer y qué no te gusta hacer en las siguientes situaciones?

 En una fiesta . . .
> En una fiesta me gusta (me encanta, no me gusta, odio) bailar (escuchar música, hablar con mis amigos . . .).

1. En la cafetería . . .
2. En casa . . .
3. Con mis amigos . . .
4. Con mis amigas . . .

5. Cuando estudio . . .
6. Cuando viajo . . .
7. En el verano . . .
8. En el invierno . . .

ACTIVIDAD 7 Esperanzas (Hopes)

Di lo que esperas hacer en las siguientes circunstancias.

 Después de la clase de español . . .
> Después de la clase de español, espero hablar con mis amigos (tomar una Coca-Cola . . .).

1. Esta noche . . .
2. Mañana . . .
3. El fin de semana . . .

4. Durante las vacaciones . . .
5. Después de la escuela secundaria . . .
6. En la vida (life) . . .

D. Repaso: preguntas

Note the position of the subject in the following questions.

¿Habla español **María?**	Does **María** speak Spanish?
¿Trabaja mucho **Luis?**	Does **Luis** work a lot?
¿Escucha la radio **Carlos?**	Is **Carlos** listening to the radio?
¿Dónde trabajas (**tú**)?	Where do **you** work?
¿Qué estudian **Uds.?**	What are **you** studying?

To ask a question, Spanish speakers usually use the following construction:

¿question word(s) + verb + rest of sentence + subject?
  (if any)   (if any)   (when expressed)

 The subject may also come immediately *after* the verb.

ACTIVIDAD 8 Los estudiantes chilenos

Imagina que un grupo de estudiantes chilenos va a visitar tu escuela.
Quieres saber algo de ellos. Haz las preguntas necesarias según el modelo.

 Carlos: hablar inglés   ¿Habla inglés Carlos?

1. Adela e Inés: hablar inglés
2. Tomás: cocinar bien
3. Silvia: bailar bien

4. Enrique: tocar la guitarra
5. Paco y Felipe: sacar fotos
6. Emilia y Rosita: cantar bien

ACTIVIDAD 9   Preguntas personales

1. ¿Cómo hablas español? ¿bien o muy bien?
2. ¿Cómo nadas? ¿bien o mal?
3. ¿Cómo cantas? ¿bastante bien?
4. ¿Dónde estudias? ¿en una escuela pública o en una escuela privada?
5. ¿Dónde hablas español? ¿en casa o en clase?
6. ¿Cuándo miras la televisión? ¿por la noche o por la mañana?
7. ¿Qué estudias? ¿italiano o español?
8. ¿Qué te gusta escuchar? ¿música clásica o música popular?

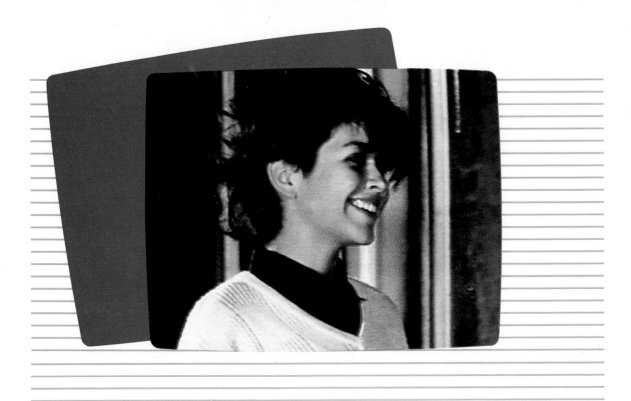

Me llamo Ana María González.
Soy mexicana, de Puebla.
¿Cómo soy?
Soy alta, morena y tengo el pelo corto.
Tal vez no soy la mexicana típica pero soy ciento por ciento
  mexicana.
¿Qué tipo de persona soy? A ver . . .
Según mis amigos soy idealista y muy independiente.
Y aunque soy independiente también soy buena compañera.
En clase soy un poco tímida, pero generalmente soy buena alumna.
Después del colegio espero ir a la universidad y estudiar química o
  geología.
Me gustaría mucho ser ingeniera y trabajar para la industria
  petrolera nacional.
Y a ti, ¿qué te gustaría hacer en la vida?

Tal vez: *Maybe*
ciento por ciento:
  100%

A ver: *Let's see*

Según: *According to*
aunque: *although*
compañera:
  companion
química: *chemistry*

ingeniera: *engineer*
industria petrolera:
  oil industry

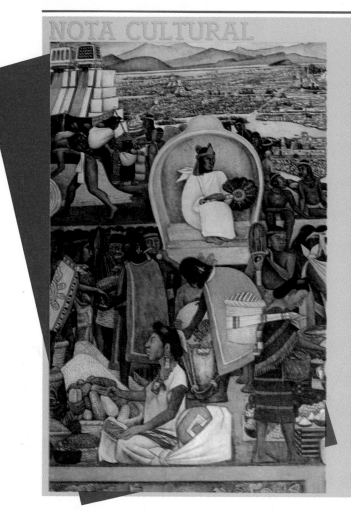

México, el país más grande de habla hispana

Con unos sesenta millones de habitantes, México es el país que tiene más hispanohablantes.° Pero el español no es el único idioma° de México. Muchos mexicanos hablan también náhuatl o maya, las lenguas indias nativas.

El México de hoy es el producto de dos culturas: la española y la indígena.° Muchos mexicanos son descendientes directos de los aztecas, una civilización indígena que existió hace quinientos años.° Esta avanzada° civilización fue conquistada° por los españoles que llegaron a México en 1519 (mil quinientos diez y nueve), bajo el mando° de Hernán Cortés. Pero el verdadero° héroe es Cuauhtémoc, el último jefe° azteca y sucesor de Moctezuma. Él fue capturado en 1521 (mil quinientos veinte y uno) durante su intento° de libertar Tenochtitlán (ahora la moderna ciudad de México) de los conquistadores españoles. Hoy día, es a él y no a Cortés a quien se erigen° muchas estatuas por todo el país. De hecho, en 1949 (mil novecientos cuarenta y nueve), Cuauhtémoc fue declarado oficialmente «el símbolo del pueblo° mexicano».

hispanohablantes *Spanish speakers*
único idioma *only language* **indígena** *native* **hace quinientos años** *500 years ago* **avanzada** *advanced* **conquistada** *conquered* **bajo el mando** *under the command* **verdadero** *true* **jefe** *chief* **intento** *attempt* **se erigen** *are erected* **pueblo** *people*

— Vocabulario —

expresiones		
	a ver	let's see
	además	besides, moreover
	aunque	though, although
	ciento por ciento	one hundred percent
	según	according to
	tal vez	perhaps, maybe

CONVERSACIÓN

Vamos a hablar de ti.

¿Eres un chico o una chica?

¿Eres moreno(a)? ¿rubio(a)? ¿Eres alto(a)? ¿bajo(a)?

¿Eres de origen hispano? ¿europeo? ¿norteamericano? ¿africano? ¿oriental?

¿Eres deportista? ¿Eres dinámico(a)? ¿activo(a)? ¿ . . . o un poco perezoso(a)?

¿Eres egoísta o generoso(a)?

¿Eres romántico(a)? ¿imaginativo(a)? ¿sincero(a)?

¿Eres optimista o pesimista?

¿Eres reservado(a)? ¿tímido(a)?

¿Eres paciente o impaciente? ¿Eres ambicioso(a)?

¿Eres independiente e individualista?

¿Eres una persona intelectual?

¿Eres buen(a) estudiante? ¿Eres un(a) estudiante serio(a)?

VOCABULARIO PRÁCTICO La gente

Las personas

un amigo	friend	**una amiga**	friend
el mejor amigo	best friend	**la mejor amiga**	best friend
un compañero	classmate, comrade	**una compañera**	classmate
un chico	child, boy	**una chica**	child, girl
un muchacho		**una muchacha**	
un joven (pl. **jóvenes**)	young person	**una joven**	young person
un niño	boy	**una niña**	girl
un novio	boyfriend	**una novia**	girlfriend
un estudiante		**una estudiante**	
(o **alumno**)	student	(o **alumna**)	student
un hombre	man	**una mujer**	woman

La familia

el padre (papá)	father	**la madre (mamá)**	mother
el hijo	son	**la hija**	daughter
los hermanos: el hermano	brother	**la hermana**	sister
los parientes	relatives		
los abuelos: el abuelo	grandfather	**la abuela**	grandmother
los tíos: el tío	uncle	**la tía**	aunt
los primos: el primo	cousin	**la prima**	cousin

14

Vamos a hablar de tu escuela.

¿Son estrictos los profesores? ¿Son pacientes? ¿justos?

¿Son dinámicos los profesores? ¿Son divertidos? ¿simpáticos? ¿interesantes?

¿Son simpáticos tus compañeros? ¿Son interesantes? ¿perezosos? ¿ . . . un
   poco locos (crazy)?

Vamos a hablar de tu familia.

¿Son estrictos tus padres? ¿Son justos? ¿pacientes? ¿generosos?

¿Tienes un hermano? ¿Es guapo? ¿alto? ¿moreno? ¿simpático? ¿divertido?
   ¿aburrido? ¿loco? ¿listo (smart)?

¿Tienes una hermana? ¿Es bonita? ¿simpática? ¿divertida? ¿perezosa?
   ¿lista?

¿Tienes primos? ¿Son simpáticos? ¿aburridos? ¿tontos? ¿flacos?
   ¿gordos?

La personalidad
el aspecto físico

moreno	≠ **rubio**	dark	≠ blond
guapo }		handsome, beautiful }	
bonito }	≠ **feo**	pretty	≠ ugly
bajo	≠ **alto**	short	≠ tall
flaco }		skinny }	
delgado }	≠ **gordo**	thin }	≠ fat
joven	≠ **viejo**	young	≠ old

el aspecto moral y social

bueno	≠ **malo**	good	≠ bad
activo	≠ **perezoso**	active	≠ lazy
deportista		athletic, sports-loving	
divertido }		amusing, fun }	
interesante }	≠ **aburrido**	interesting }	≠ boring
inteligente	≠ **estúpido**	intelligent	≠ stupid
listo	≠ **tonto**	clever, smart	≠ foolish, silly
serio	≠ **loco**	serious	≠ crazy
rico	≠ **pobre**	rich	≠ poor
simpático	≠ **antipático**	nice	≠ { unpleasant, disagreeable

La nacionalidad

canadiense	Canadian	**inglés (inglesa)**	English
español	Spanish	**mexicano**	Mexican
francés (francesa)	French	**norteamericano**	American (from US)

Estructuras

A. Repaso: *ser*

Review the forms and uses of **ser** *(to be)* in the following sentences.

(yo)	**Soy** simpático.	(nosotros)	**Somos** mexicanos.
(tú)	**Eres** estudiante.	(vosotros)	**¿Sois** de aquí?
(él, ella, Ud.)	**Es** de México.	(ellos, ellas, Uds.)	**Son** muy inteligentes.

ACTIVIDAD 1   La conferencia internacional

Los siguientes estudiantes asisten a una conferencia internacional. Cada uno(a) habla el idioma de su país. ¿Puedes decir de qué ciudad es cada estudiante? **Buenos Aires, París, Chicago, Roma, Moscú**

꙰   Linda habla inglés.   Es de Chicago.

1. Juan habla español.
2. Nosotros hablamos italiano.
3. Uds. hablan inglés.
4. Yo hablo francés.

5. Tú hablas ruso.
6. Mario y Teresa hablan italiano.
7. Nancy e Irene hablan inglés.
8. Ud. habla francés.

B. Repaso: el género: sustantivos, artículos y adjetivos

Look at the forms of the articles and adjectives in the following sentences.

Roberto es **el** amigo de Luis.   Es **un** chico **inteligente, simpático** e **intelectual.**
Amalia es **la** amiga de Roberto.   Es **una** chica **inteligente, simpática** e **intelectual.**

All nouns, whether they designate people, animals or things, have a *gender:* they are either masculine or feminine.

Most nouns ending in **–o** are masculine.
Most nouns ending in **–a** are feminine.

꙰   Masculine nouns are introduced by masculine articles (**el, un**) and are modified by masculine adjectives.

꙰   Feminine nouns are introduced by feminine articles (**la, una**) and are modified by feminine adjectives.

Adjectives which end in **–o** in the masculine end in **–a** in the feminine.
Many adjectives which do not end in **–o** in the masculine remain the same in the feminine.

꙰   Adjectives of nationality which end in a consonant in the masculine add an **–a** in the feminine.

Juan es **español.**   Juana es **española.**

ACTIVIDAD 2   Retratos

Usa por lo menos *(at least)* tres adjetivos del **Vocabulario práctico**
para describir a las siguientes personas.

Robert Redford   Es norteamericano. Es rubio. ¡Es muy guapo!

1. el amigo ideal
2. la amiga ideal
3. el hijo ideal
4. la hija ideal
5. el profesor ideal
6. Michael J. Fox
7. Raquel Welch
8. Bill Cosby

9. Tom Cruise
10. Dan Rather
11. Whitney Houston
12. Blancanieves *(Snow White)*
13. Carlitos *(Charlie Brown)*
14. Drácula
15. King Kong

C. Repaso: el plural: sustantivos, artículos y adjetivos

Note the forms of the articles and adjectives in the following sentences.

Luis tiene **(unos)** **amigos** en México.
  Los amigos mexicanos de Luis son **simpáticos, interesantes** e **intelectuales.**
Olga tiene **(unas)** **amigas** en México.
  Las amigas mexicanas de Olga son **simpáticas, interesantes** e **intelectuales.**

Plural nouns are introduced by plural articles and are modified by plural adjectives.

The plural of nouns and adjectives is formed by adding:

  -s   if the singular form ends in a vowel;
  -es   if the singular form ends in a consonant.

Exceptions:

Nouns and adjectives ending in **-z** in the singular end in **-ces** in the plural.
  Raquel Welch es **actriz.**   Jane Fonda y Barbara Streisand son **actrices.**

Nouns and adjectives which have an accent mark on the last syllable
in the singular drop this accent mark in the plural.
  Pierre es **francés.**   Jean y Jacques son **franceses.**

The articles **unos** and **unas** *(some)* are usually omitted.

Resumen:

	DEFINITE ARTICLE		INDEFINITE ARTICLE		ADJECTIVES	
MASCULINE	**el**	**los**	**un**	**unos**	**simpático(s)**	**inteligente(s)**
FEMININE	**la**	**las**	**una**	**unas**	**simpática(s)**	**inteligente(s)**

ACTIVIDAD 3   Las personas que figuran en mi vida

Describe a las personas que figuran en tu vida, completando las siguientes frases con adjetivos apropiados. ¡Usa tu imaginación!

1. Mis profesores son . . .
2. Mis padres son . . .
3. Mis amigos son . . .
4. Mis amigas son . . .
5. Mis hermanos son . . .
6. Mis hermanas son . . .
7. Mis compañeros son . . .
8. Mis compañeras son . . .
9. Mis abuelos son . . .
10. Mis primos son . . .

ACTIVIDAD 4   Estereotipos

Los estereotipos son exageraciones de la realidad. En tu opinión, ¿cuáles son los estereotipos más comunes de las siguientes personas? Usa los adjetivos de la lección en frases afirmativas o negativas.

🦋 los actores   Los actores son guapos y ricos. No son siempre muy inteligentes.

1. las actrices
2. los atletas
3. los políticos
4. los artistas
5. los estudiantes
6. las personas flacas
7. las chicas francesas
8. los abuelos
9. las mujeres norteamericanas
10. los hombres latinoamericanos

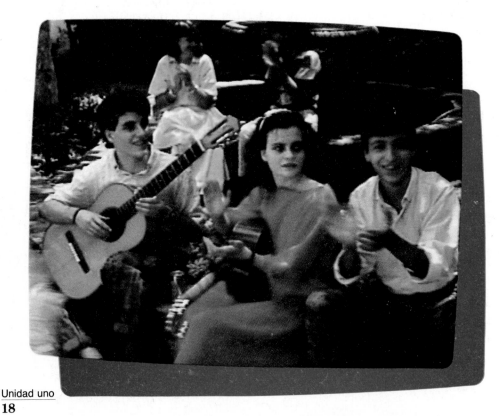

D. Repaso: la posición de los adjetivos

Note the position of the adjectives in the following sentences.

Luis es un chico **simpático**.   *Luis is a **pleasant** boy.*
Amalia es una muchacha **mexicana**.   *Amalia is a **Mexican** girl.*

In Spanish, descriptive adjectives usually come *after* the nouns they modify. A few such adjectives may come before or after the noun:

bueno *(good)*   La Srta. Montez es una **buena** profesora.
malo *(bad)*   Luis y Felipe son estudiantes **malos**.

⟡ When used before a noun, the masculine singular adjectives **bueno** and **malo** become **buen** and **mal**.

Enrique es un **buen** compañero pero un **mal** estudiante.

ACTIVIDAD 5   Los amigos

Algunas personas tienden a seleccionar amigos que tienen características similares. Expresa esto según el modelo.

⟡ Laura es intelectual.   Tiene amigos intelectuales.

1. Luis es perezoso.
2. Marta es inteligente.
3. Felipe es divertido.
4. Carmen es seria.
5. Alberto es deportista.
6. Inés es lista.

7. Juan es tonto.
8. Tere es guapa.
9. Mónica es aburrida.
10. Dolores es simpática.
11. Manuel es interesante.
12. Concepción es delgada.

ACTIVIDAD 6   ¡Un poco de lógica!

Describe la personalidad de las personas en la columna A. En cinco minutos, ¿cuántas frases lógicas puedes crear? Usa los elementos de las columnas A, B, C y D en frases afirmativas o negativas.

A	B	C	D
yo	estudiar	chico(a)	pobre
Roberto	trabajar mucho	estudiante	rico
el Sr. Montez	nadar bien	muchacho(a)	serio
la Sra. de Ochoa	ganar mucho dinero	hombre	activo
nosotros	sacar buenas / malas notas	mujer	perezoso
Mari-Carmen y Adela		joven	deportista
mis amigos			listo

⟡ Isabel   Isabel (no) saca buenas notas. (No) Es una chica (muchacha, estudiante) seria (lista, perezosa).

Lección 3 · Panamá: Graciela Cortez

Me llamo Graciela Cortez y tengo diez y nueve años.

Uds. son estudiantes, ¿verdad?

¡Yo no!

Trabajo para Panavisión, en el canal 5. *canal: channel*

Tengo un trabajo muy interesante.

Soy asistente de producción.

Ayudo a las personas que presentan las noticias.

Trabajo mucho, pero no todo el tiempo. *todo el tiempo: all the time*

Generalmente, los sábados voy al cine con mi novio, y los domingos voy a la playa con mis compañeras.

Pero, el sábado próximo no vamos al cine.

Vamos a una gran fiesta en casa de mi primo Andrés.

Es su cumpleaños y va a invitar a mucha gente.

¿Qué regalo le voy a comprar? ¿un libro? ¿un disco compact? ¿una camisa? ¿y por qué no una corbata bonita?

¡Caramba esto sí que es un problema! *¡Caramba!: Wow!*

¡Qué complicada es la vida! *la vida: life*

NOTA CULTURAL

Panamá: el cruce° del mundo

Tú sabes que hay un Canal de Panamá. Pero, ¿sabes que en 1524 (mil quinientos veinte y cuatro) el rey° de España Carlos V ya° se interesaba° en construir° el canal? Y, ¿sabes que sus ingenieros hicieron las primeras investigaciones? En 1880 (mil ochocientos ochenta), el ingeniero francés Ferdinand de Lesseps empezó la construcción del canal actual,° pero su proyecto° fracasó.° Finalmente, los Estados Unidos empezaron a trabajar en el canal en 1904 (mil novecientos cuatro), y lo inauguraron en 1914 (mil novecientos catorce). El canal conecta el Atlántico y el Pacífico. Es la conexión entre° Europa y Asia y Australia, entre el viejo y el nuevo mundo.

Los habitantes de Panamá representan una mezcla° de muchas culturas. Son de origen indio, negro, europeo y asiático. Hablan español, pero también hay gente que habla inglés, portugués, chino, japonés, árabe . . .

Hoy día, Panamá es sin duda el cruce del mundo.

cruce *crossroads* **rey** *king* **ya** *already* **se interesaba** *was interested* **en construir** *in building* **actual** *present* **proyecto** *plan* **fracasó** *failed* **entre** *between* **mezcla** *mixture*

— Vocabulario

sustantivos	**el mundo**	the world	**la vida**	life
expresiones	**¡Caramba!**	Wow!		
	todo el tiempo	all the time		

CONVERSACIÓN

Vamos a hablar de ti.

¿Cuántos años tienes?

¿Tienes muchos amigos? ¿muchas amigas?

¿Cuántos años tiene tu mejor amigo? ¿tu mejor amiga?

¿Tienes hermanos? ¿Cuántos? ¿Cuántos años tienen?

¿Tienes hermanas? ¿Cuántas? ¿Cuántos años tienen?

¿Tienes abuelos? ¿abuelas? ¿tíos? ¿tías?

¿Tienes una guitarra? ¿un piano? ¿otro instrumento musical?

¿Tienes un radio? ¿un tocadiscos? ¿una grabadora? ¿discos? ¿cintas?

¿Tienen tus padres un coche? ¿De qué marca *(make)*?

VOCABULARIO PRÁCTICO   **Algunos objetos de la vida diaria**

algunos objetos

un objeto	object, thing	**una cosa**	thing
un coche	car	**una bicicleta**	bicycle
un disco	record	**una calculadora**	calculator
un libro	book	**una cámara**	camera
un periódico	newspaper	**una cinta**	tape, cassette
un radio	radio	**una grabadora**	tape recorder
un regalo	present, gift	**una moto**	motorcycle
un reloj	watch, clock	**una pelota**	ball
un televisor	TV set	**una raqueta**	racket
un tocadiscos	record player	**una revista**	magazine

algunos verbos

comprar	to buy	**tener**	to have
necesitar	to need		

algunos adjetivos

nuevo	new	**viejo**	old
grande	big, large; great	**pequeño**	small, little
¿cuántos?	how many?	**muchos**	many
otro	other, another		

Ahora vamos a hablar de tu vida diaria *(daily).*

¿Estudias mucho? ¿Tienes que estudiar mucho para la clase de español?
  ¿para la clase de inglés? ¿para la clase de matemáticas?
¿Tienes que hablar español en la clase de español?
¿Ayudas mucho en casa? ¿Tienes que ayudar a tu papá? ¿a tu mamá?
¿Tienes trabajo? ¿Tienes que trabajar mucho?

Ahora vamos a hablar de tus diversiones.

¿Vas a menudo al cine? ¿al teatro? ¿a los conciertos? ¿a las fiestas?
El fin de semana próximo, ¿vas a estudiar? ¿a mirar la televisión? ¿a visitar
  a tus amigos? ¿a comprar discos?
Durante las vacaciones de Navidad, ¿vas a trabajar? ¿a viajar? ¿a esquiar?
Durante las vacaciones, ¿vas a menudo a la playa? ¿a la piscina? ¿al campo?

otras palabras y expresiones

para	for	¿Tienen Uds. un regalo **para** Amanda?
pero	but	No me gusta cantar, **pero** bailo muy bien.
y (e)	and	Luis **y** Ana tienen un libro nuevo **e** interesante.
o (u)	or	¿Desea Ud. un periódico **o** una revista **u** otra cosa?
a menudo	often	Compro revistas **a menudo**.
a veces	sometimes	**A veces** compro discos nuevos.

NOTAS: 1. **Nuevo** and **grande** may be used before the noun.

When used before a singular noun, **grande** becomes **gran**.
Note the two meanings:

Nueva York es una ciudad **grande**. *New York is a **big** city.*
¡Nueva York es una **gran** ciudad! *New York is a **great** city!*

When used before a noun, **nuevo** means *another* or *different*.
When used after a noun, **nuevo** means *brand new*.
Note the two meanings:

Tengo un coche **nuevo**. *I have a **new** car (a **brand new** car).*
Tengo un **nuevo** coche. *I have a **new** car (**another car**).*

2. Note the following variants of y and o.

y becomes **e** before **i** or **hi**
o becomes **u** before **o** or **ho**

ACTIVIDAD 1   El regalo ideal

¿Cuáles son los regalos ideales para las siguientes personas?

〰 Para un chico intelectual . . .
        Para un chico intelectual, el regalo ideal es un libro.

1. Para un chico de 12 años . . .
2. Para una chica de 14 años . . .
3. Para un chico de 16 años . . .
4. Para un chico de 18 años . . .

5. Para una chica de 20 años . . .
6. Para una persona que no es puntual . . .
7. Para una chica a quien le gusta
   la fotografía . . .

ACTIVIDAD 2   ¿Cuánto?

Di cuántos dólares necesitas para comprar las siguientes cosas. No necesitas
el precio exacto.

〰 un disco   Para comprar un disco, necesito cinco dólares.

1. una bicicleta nueva
2. un televisor de color
3. un reloj viejo
4. una calculadora pequeña
5. una cámara grande

6. una pelota de béisbol
7. una buena raqueta de tenis
8. un libro interesante
9. un radio pequeño
10. un periódico

11. diez cintas
12. una grabadora nueva
13. una moto vieja
14. un coche nuevo
15. un coche viejo

Estructuras

A. Repaso: tener

Review the forms of **tener** (to have) in the following sentences.

(yo)	**Tengo** un radio	(nosotros)	No **tenemos** raqueta de tenis.
(tú)	**Tienes** una revista.	(vosotros)	No **tenéis** grabadora.
(él, ella, Ud.)	**Tiene** un reloj.	(ellos, ellas, Uds.)	No **tienen** bicicleta.

〰 After **tener**, the indefinite article (**un, una**) is sometimes omitted,
   especially in negative sentences.

〰 **Tener** is used in many idiomatic expressions.

tener . . . años	to be . . . (years old)	¿Cuántos **años tienes**, Marta? **Tengo** diez y seis **años**.
tener suerte	to be lucky	Pedro tiene una moto. ¡**Tiene** **suerte!**
tener que + infinitive	to have to	**Tenemos que** hablar español en la clase de español.
tener ganas de + infinitive	to wish to, to feel very much like	¿**Tienes ganas de** visitar Puerto Rico?

ACTIVIDAD 3   ¿Suerte?

¿Tienen suerte las siguientes personas? Expresa tu opinión según los modelos.

👤 Carlos (un coche)   Carlos tiene un coche. ¡Tiene suerte!
👤 Esteban (muchas tareas)   Esteban tiene muchas tareas. ¡Tiene mala suerte!

1. Juan (una moto)
2. Silvia y Luisa (un tocadiscos nuevo)
3. Anita (amigos simpáticos)
4. tú (un hermano aburrido)
5. yo (un profesor estricto)
6. nosotros (una profesora muy seria)

7. mis primos (padres muy estrictos)
8. mis amigos (un televisor de color)
9. mis padres (un[a] hijo[a] muy inteligente)
10. mi prima (hermanos tontos)

ACTIVIDAD 4   El baile *(The dance)*

Esta noche hay un gran baile. Las siguientes personas quieren ir pero desgraciadamente tienen que hacer otras cosas. Di esto según el modelo.

👤 Carmen (estudiar)   Carmen tiene ganas de bailar.
                         Pero tiene que estudiar.

1. Luis (trabajar)
2. nosotros (estudiar para el examen)
3. tú (estudiar)

4. yo (reparar mi bicicleta)
5. José y Felipe (estudiar)
6. Antonio y Rita (trabajar)

B. Repaso: el artículo definido con los días de la semana

Review the days of the week: **lunes, martes, miércoles, jueves, viernes, sábado, domingo.**

Note how the days of the week are used in the following sentences:

> Hoy es **lunes**.
> Tengo una cita **el viernes**.
> **Los sábados** no trabajamos nunca.

> *Today is **Monday**.*
> *I have a date **(on) Friday**.*
> ***(On) Saturdays** we never work.*

Except after the verb **ser,** the definite article is always used with days of the week.

> **el** lunes, **el** martes . . .
> **los** miércoles, **los** jueves . . .

> *(on) Monday, (on) Tuesday . . .*
> *(on) Wednesdays, (on) Thursdays . . .*

ACTIVIDAD 5   Citas

Las siguientes personas tienen citas. Expresa eso según el modelo.

👤 Héctor: lunes   Héctor tiene una cita el lunes.

1. yo: sábado
2. nosotros: miércoles
3. Juana: viernes

4. Enrique: martes
5. mis parientes: domingo
6. tú: jueves

ACTIVIDAD 6   Obligaciones

Di que las siguientes personas siempre tienen que hacer las mismas cosas los mismos días de la semana.

✗⟩ El profesor descansa el domingo.   Siempre tiene que descansar los domingos.

1. Las muchachas cocinan el sábado.
2. Llevo los libros a casa el lunes.
3. Trabajamos el miércoles.
4. Margarita viaja el martes.
5. Sacas fotos el viernes.
6. Ud. visita el museo el jueves.

C. Repaso: *al, del*

The prepositions **a** and **de** contract with **el** to form **al** and **del**.

a + el → al	de + el → del
el chico Luisa habla **al** chico.	Cora habla **del** chico.
el profesor ¿Por qué hablas **al** profesor?	¿Tienes el libro **del** profesor?
el teatro ¡Vamos **al** teatro!	Paco saca una foto **del** teatro.

There is no contraction with **la, los** and **las**.

ACTIVIDAD 7   Entrevistas *(Interviews)*

Mientras *(while)* Luisa habla a ciertas personas, Felipe habla de ellas. Expresa esto según el modelo.

✗⟩ el chico mexicano   Luisa habla al chico mexicano.
Felipe habla del chico mexicano.

1. la chica argentina
2. el muchacho canadiense
3. los muchachos españoles
4. el profesor de francés
5. la profesora de inglés
6. las amigas de Luis
7. el abuelo de Carmen
8. el primo de Roberto

D. Repaso: la *a* personal

In the sentences on the left, the direct objects are things. In the sentences on the right, the direct objects are people. Compare each pair of sentences.

Enrique visita **Puerto Rico**.
Paco busca **los libros de Miguel**.
Luisa espera **el autobús**.

Manuel visita **a Teresa**.
Ana busca **a los hermanos de Miguel**.
Roberto espera **al estudiante mexicano**.

When the direct object is a person, Spanish speakers use the construction:

$$\text{verb} + \textbf{a} + \text{person(s)}$$

✗⟩ Also note the construction:

¿**A quién (quiénes)** invitas al baile?   ***Whom*** *do you invite to the dance?*

✗⟩ The personal **a** is not used after **tener**: Tengo hermanos.

VOCABULARIO PRÁCTICO

Algunos verbos que usan complementos directos

admirar	to admire	**¿A** qué tipo de personas **admiras?**
ayudar	to help	**¿Ayudas a** tu papá?
buscar	to look for	**¿Buscan** Uds. **a** Ramón?
criticar	to criticize	El profesor no **critica a** los estudiantes.
esperar	to wait for	Susana **espera a** Josefina.
invitar	to invite	**Invito a** mis primos al café.
llamar	to call	La mujer **llama a** los niños.
llamar por teléfono	to phone, call up	**Llamo a** mi tía **por teléfono.**
respetar	to respect	Los niños **respetan a** los abuelos.

ACTIVIDAD 8   Invitaciones

Imagina que estás organizando una fiesta para estudiantes españoles. Di si
vas a invitar a las siguientes personas o no.

> el profesor de francés   Sí (No, no) invito al profesor de francés.

1. el (la) profesor(a) de español
2. el (la) director(a) de la escuela
3. los chicos de la clase de español
4. las chicas de la clase de español
5. mi mejor amigo
6. mi mejor amiga
7. mis padres
8. el (la) presidente del club de español

ACTIVIDAD 9   Tomás el distraído *(Scatterbrained Thomas)*

Tomás no sabe nunca dónde están sus amigos y sus posesiones. Siempre
está buscándolos. Expresa esto según el modelo.

> el libro de español   Tomás busca el libro de español.

1. el profesor de español
2. María
3. Pedro
4. los libros
5. los discos
6. el chico mexicano
7. la chica española
8. la grabadora
9. el tocadiscos
10. sus amigos
11. la calculadora
12. los niños
13. la cámara
14. la pelota de tenis
15. la raqueta de tenis

ACTIVIDAD 10   Preguntas personales

1. ¿Ayudas a tu mejor amigo? ¿a tu mejor amiga? ¿a los otros alumnos?

2. ¿Criticas a los profesores? ¿a tus amigos?

3. ¿Llamas por teléfono a tus amigos? ¿a los amigos de tus amigos?

4. ¿Respetas a tus padres? ¿a tus profesores?

5. ¿Admiras a los actores? ¿al presidente? ¿a Mohamed Alí? ¿a Martin Luther
   King? ¿a Jorge Washington? ¿a tus profesores? ¿a tus padres?

6. ¿Esperas a veces a tus amigos? ¿a tus hermanos? ¿a tus padres?

E. Repaso: *ir, ir a*

Review the forms and uses of **ir** *(to go)* in the following sentences.

(yo)	**Voy** a la playa.	**Voy a** nadar.
(tú)	**Vas** al concierto.	**Vas a** escuchar música latina.
(él, ella, Ud.)	**Va** a la escuela.	**Va a** estudiar.
(nosotros)	**Vamos** a casa.	**Vamos a** mirar la televisión.
(vosotros)	**Vais** a la fiesta.	**Vais a** bailar.
(ellos, ellas, Uds.)	**Van** al centro.	**Van a** comprar discos.

To express an action which is going to happen, Spanish speakers use the
construction:

$$\boxed{\textbf{ir a} \quad + \quad \text{infinitive}}$$

María **va a comprar** una raqueta.   *María **is going to buy** a racket.*

ACTIVIDAD 11   Un año en el extranjero *(A year abroad)*

Los siguientes estudiantes van a pasar el año en el extranjero. Di adónde va
cada uno y qué idioma va a estudiar.

⟩⟩ Vicente (Nueva York: inglés)   Vicente va a Nueva York.
                                     Va a estudiar inglés.

1. nosotros (París: francés)
2. yo (Roma: italiano)
3. Linda (Madrid: español)
4. tú (Lisboa: portugués)
5. Enrique y Paco (Tokio: japonés)
6. Uds. (Moscú: ruso)
7. Ud. (Chicago: inglés)
8. Luisa y Carmen (Quebec: francés)

el almacén	(department) store	la biblioteca	library
el campo	country	la casa	house, home
el centro	downtown	la ciudad	city
el cine	movie theater	la escuela	school
el concierto	concert	la fiesta	fiesta, party
el mercado	market	la piscina	swimming pool
el restaurante	restaurant	la playa	beach
el teatro	theater	la tienda	store

NOTA: Review the expressions with **casa**:

Voy **a casa**.   *I am going **home**.*
Voy **a la casa de Roberto**.   *I am going **to Roberto's (house)**.*

TEATROS DEL

IMSS

'87 AÑO DEL TEATRO MEXICANO

EL PORTON

EL PORTON RESTAURANTE

ACTIVIDAD 12   ¡Un poco de lógica!

En cinco minutos, ¿cuántas frases lógicas puedes crear? Usa **ir a** y los elementos de las columnas A, B y C.

A	B	C
yo	el centro	escuchar música
tú	la biblioteca	bailar
el profesor	la playa	nadar
nosotros	el café	tomar el sol
mis amigos	el almacén	tomar té
	la discoteca	comprar cintas
	el supermercado	mirar revistas
	el cine	trabajar
	el campo	sacar fotos
	el concierto	escuchar una comedia musical
	la fiesta	visitar los monumentos
	la tienda	comprar discos

≫   Voy a la fiesta. Voy a bailar.

ACTIVIDAD 13   Preferencias

Di adónde te gustaría ir los siguientes días.

≫   domingo   El domingo me gustaría ir a la piscina.

1. lunes   3. sábado   5. martes
2. jueves   4. miércoles   6. viernes

España: Carlos Espinel

Me llamo Carlos Espinel y tengo diez y seis años.

Soy de Madrid, España.

Soy bastante atlético y juego muchos deportes.

Mis favoritos son el fútbol y el tenis, un deporte muy a la moda
ahora.

¿Qué tipo de persona soy?

Generalmente soy muy tranquilo, pero en este momento estoy un
poco nervioso.

¿Por qué estoy nervioso?

Porque mañana tengo un partido de fútbol muy importante.

Ahora, mientras que mis amigos están en el café escuchando música,
yo estoy practicando con el equipo.

Ellos me preguntan: Carlos, ¿por qué no pasas
tiempo con nosotros?

¡No es justo! ¡Qué barbaridad!

Tal vez no es justo, pero entre las diversiones,
hay que escoger.

Y yo prefiero los deportes.

a la moda: *in style*

¡Qué barbaridad!:
What nonsense!

escoger: *choose*

NOTA CULTURAL

España: un país de tradiciones

España fue el país más próspero y poderoso°
del mundo durante los siglos° XVI (dieciséis) y XVII
(diecisiete). Durante estos siglos los españoles ex-
ploraron, conquistaron y colonizaron el Nuevo
Mundo.

Hoy día,° gracias a° la industria y un turismo°
muy desarrollado,° España es todavía un país próspero. Es moderno y dinámico y al mismo tiempo°
mantiene° su larga tradición de cultura.

poderoso *powerful* **siglos** *centuries* **Hoy día** *Today*
gracias a *thanks to* **turismo** *tourism* **desarrollado**
developed **al mismo tiempo** *at the same time* **mantiene**
maintains

sustantivo	**la moda**	fashion
adjetivos	**justo**	fair
	único	unique, only
expresión	**¡Qué barbaridad!**	What nonsense!

CONVERSACIÓN

Vamos a hablar de tu personalidad.

¿Eres generoso(a)?
¿Eres paciente con todos?
¿Eres una persona optimista?
¿Eres buen(a) compañero(a)?

Ahora vamos a hablar de cómo te sientes actualmente *(at present).*

¿Estás tranquilo(a) o nervioso(a)?
¿Estás cansado(a)?
¿Estás alegre o triste?

Ahora vamos a hablar de lo que *(what)* **haces en este momento.**

¿Estás en casa o en las escuela?
¿Estás en clase o en la biblioteca?
¿Estás hablando con tus amigos?
¿Estás hablando español?
¿Estás escuchando al profesor?
¿Estás mirando a los otros alumnos?

VOCABULARIO PRÁCTICO   Algunos sentimientos

¿Cómo estás?

alegre

contento

enamorado

de buen humor

preocupado

triste

irritable

furioso

de mal humor

cansado

enfermo

nervioso

aburrido

tranquilo

ahora	now	(por) la mañana	(in) the morning
hoy	today	(por) la tarde	(in) the afternoon
mañana	tomorrow	(por) la noche	(in) the evening, (at) night
antes (de)	before	el fin de semana	(on) the weekend
después (de)	after	(el sábado) próximo	next (Saturday)
durante	during	(el viernes) pasado	last (Friday)

ACTIVIDAD 1   Preguntas personales

1. ¿Miras la televisión por la noche?
2. ¿Cuándo estudias en casa, por la tarde o por la noche?
3. ¿Vas a jugar después de la clase de español?
4. ¿Vas a nadar el próximo fin de semana?
5. ¿Vas a ir al colegio mañana por la mañana?
6. ¿Vas a ayudar a tu mamá antes de la comida? ¿después de la comida?
7. ¿Quién estudia contigo?
8. ¿Quién va al cine contigo? ¿al teatro? ¿a la heladería (ice cream parlor)?

Estructuras

A. Repaso: *estar*

Review the forms of **estar** in the following sentences.

(yo)	**Estoy** en la clase.
(tú)	**Estás** aquí.
(él, ella, Ud.)	**Está** allá.
(nosotros)	**Estamos** en los Estados Unidos.
(vosotros)	**Estáis** en casa.
(ellos, ellas, Uds.)	**Están** con sus amigos.

ACTIVIDAD 2   El sábado

Es sábado y las siguientes personas no están en casa. Expresa esto y di
dónde están.

⟩⟩ Carmen (en la playa)   Carmen no está en casa. Está en la playa.

1. Felipe (en la piscina)
2. Silvia y Mónica (con sus amigos)
3. Luis y Ramón (con sus amigas)
4. nosotros (en el campo)
5. yo (en el centro)
6. tú (en el museo)
7. Ud. (en el cine)
8. Uds. (en el restaurante)
9. Dolores (en el mercado)

B. Repaso: *ser* y *estar*

Compare the uses of the verbs in each pair of sentences.

Carlos **es** de México.   Ahora, no **está** en México. **Está** en España.
El Sr. Gómez **es** médico.   Ahora **está** en el hospital.
Elena **es** inteligente.   Ahora **está** muy nerviosa.

Although **ser** and **estar** both mean *to be*, they have very specific uses. **Ser** and **estar** cannot be substituted for one another in most cases.

Ser is used to describe basic traits and permanent characteristics. **Ser** tells *who* the subject is.
Ser is used to indicate:

nationality or origin	Paco **es** mexicano. **Es** de Puebla.
profession	**Somos** estudiantes. El Sr. Montero **es** profesor.
physical traits	Carmen **es** morena. Enrique **es** bajo.
basic personality traits	María **es** inteligente. Pedro **es** generoso.

Estar is used to describe temporary conditions, that is, conditions which may change. **Estar** tells *where* the subject is and *how* the subject feels.

Estar is used to indicate:

location	**Estamos** en la clase. Alberto **está** en Puerto Rico.
physical condition	¿Cómo **estás?** **Estoy** cansado.
feelings	Luisa **está** enamorada. Felipe **está** preocupado.

After **ser**, nouns designating professions are usually used without **un** or **una**, unless they are modified by an adjective.

El Sr. Gómez es dentista. Es **un** buen dentista.

Sometimes the meaning of an adjective changes, depending on whether it is used with **ser** or **estar**.

	ser: permanent trait	**estar:** temporary condition
malo	Lucía **es mala.** *(a bad person)*	Elisa **está mala.** *(sick)*
aburrido	El profesor **es aburrido.** *(boring)*	Los alumnos **están aburridos.** *(bored)*
listo	Emilio **es listo.** *(smart, clever)*	Jaime **está listo.** *(ready, prepared)*

ACTIVIDAD 3   Lugares de trabajo

A menudo es posible saber dónde trabajan las personas si uno sabe qué trabajo tienen. Expresa esto según el modelo.

> la Sra. de Montez (profesora: la escuela)   La Sra. de Montez es profesora. Está en la escuela.

1. nosotros (alumnos: el colegio)
2. la Srta. Ochoa (secretaria: la oficina)
3. la Sra. de Muñoz (doctora: el hospital)
4. Luisa (estudiante: la universidad)
5. Carmen (ingeniera: el laboratorio)
6. mi padre (farmacéutico: la farmacia)
7. tú (actor: el teatro)
8. yo (presidente: la Casa Blanca)

ACTIVIDAD 4   Sentimientos

¿Cómo te sientes en las siguientes situaciones? Expresa tus sentimientos en frases afirmativas o negativas, usando una de las expresiones del vocabulario.

> Cuando estoy con mis amigos . . .

>> Cuando estoy con mis amigos, estoy alegre (de buen humor . . .).

1. Cuando estoy en la clase de español . . .
2. Cuando hablo en público . . .
3. Después de un partido de básquetbol . . .
4. Cuando estoy en una fiesta . . .
5. Antes de un examen . . .
6. Después de un examen . . .
7. Cuando saco una mala nota . . .
8. Cuando saco una buena nota . . .
9. Cuando tengo una cita con una persona simpática . . .
10. Cuando tengo una cita con una persona aburrida . . .
11. Cuando no tengo dinero . . .
12. Cuando mis padres me critican . . .
13. Cuando estoy de vacaciones . . .
14. Cuando estoy en un avión . . .

ACTIVIDAD 5 Retratos *(Portraits)*

Describe a las siguientes personas en un párrafo corto. Usa las expresiones entre paréntesis y la forma apropiada de **ser** o **estar**.

⟡ Paco (español / de Sevilla / en Barcelona / estudiante / simpático / enamorado de Felicia / alegre)

> Paco es español. Es de Sevilla, pero ahora no está en Sevilla. Está en Barcelona. Es estudiante. Es muy simpático. Ahora está enamorado de Felicia. ¡Está alegre!

1. Luisa (fotógrafa / mexicana / morena / alta / de Guadalajara / en Los Ángeles / contenta)

2. Roberto (moreno / alto / puertorriqueño / de San Juan / en Nueva York / mecánico / ambicioso)

3. Felipe (en la clase / aburrido / irritable / un alumno malo)

4. Cora (deportista / en el estadio / con amigas / alegre / cansada)

5. mis abuelos (viejos / de Italia / en Boston / enfermos / de buen humor)

6. mis primos (nunca puntuales / nunca listos / preocupados / irritables / nerviosos / antipáticos)

7. yo (triste / enfermo / malo / en casa / aburrido / de mal humor / furioso)

C. Repaso: los verbos que terminan en -er y en -ir

Review the forms of **aprender** *(to learn)* and **vivir** *(to live)* in the sentences below.

INFINITIVE	**aprender**	**vivir**	ENDINGS
PRESENT			
(yo)	Aprend**o** francés.	Viv**o** en París.	**-o**
(tú)	Aprend**es** italiano.	Viv**es** en Milán.	**-es**
(él, ella, Ud.)	Aprend**e** inglés.	Viv**e** en Nueva York.	**-e**
(nosotros)	Aprend**emos** español.	Viv**imos** en Lima.	**-emos, -imos**
(vosotros)	Aprend**éis** japonés.	Viv**ís** en Tokio.	**-éis, -ís**
(ellos, ellas, Uds.)	Aprend**en** portugués.	Viv**en** en Río.	**-en**

Many verbs ending in **-er** and **-ir** in the infinitive are conjugated like **aprender** and **vivir**. They are regular **-er** and **-ir** verbs.

aprender (algo)	to learn (something)
beber (leche)	to drink (milk)
comer (dulces)	to eat (candy)
comprender (la tarea)	to understand (the homework)
correr (rápidamente, despacio)	to run (fast, slowly)
creer (la verdad)	to believe (the truth)
deber (diez dólares)	to owe (ten dollars)
leer (un cuento)	to read (a story)
responder (a una carta)	to answer (a letter)
vender (helados)	to sell (ice cream)
ver (a alguien)	to see (someone)
abrir (la puerta)	to open (the door)
escribir (una carta)	to write (a letter)
recibir (una tarjeta)	to receive, get (a card)
vivir (con la familia)	to live (with the family)

NOTAS: 1. Note the construction: **aprender a** + infinitive

¿**Aprendes a tocar** la guitarra?   *Are you learning to play the guitar?*

2. The verb **ver** is irregular only in the **yo** form: **veo.** Note the expressions:

¡**Vamos a ver!**
¡**A ver!** } *Let's see!*

3. The construction **deber** + infinitive is used to express an obligation.

Debemos respetar a los profesores.   *We should (ought to) respect the teachers.*

ACTIVIDAD 6   **Las bebidas nacionales** *(National drinks)*

Las siguientes personas beben las bebidas nacionales de los países en donde viven. Expresa eso según el modelo.

꧂ Carlos (en el Brasil: café)   Carlos vive en el Brasil. Bebe café.

1. yo (en los Estados Unidos: Coca-Cola)
2. Felipe (en Inglaterra: té)
3. nosotros (en la Argentina: mate)
4. mis amigos (en Francia: vino)
5. Lucía (en Colombia: café)
6. tú (en Guatemala: chocolate)

ACTIVIDAD 7   Preguntas personales

1. ¿Aprendes italiano? ¿francés?

2. ¿Aprendes a tocar la guitarra? ¿a tocar el piano? ¿a jugar al tenis? ¿a esquiar?

3. ¿Comprendes bien cuando el (la) profesor(a) habla español?

4. ¿En casa bebes leche? ¿Coca-Cola? ¿té? ¿agua?

5. ¿En casa comes muchas frutas? ¿vegetales? ¿tacos?

6. ¿Comes bien en la cafetería de la escuela?

7. ¿Te gusta correr? ¿Corres rápidamente o despacio? ¿Cuántos kilómetros corres?

8. ¿Recibes muchas cartas? ¿De quién?

9. ¿Respondes inmediatamente cuando recibes una carta?

10. ¿Escribes poemas? ¿cuentos? ¿artículos para el periódico de la escuela?

11. ¿Lees mucho? ¿Lees poesía? ¿novelas? ¿cuentos de ciencia-ficción? ¿historietas (comics)?

12. ¿Dónde vives? ¿Vives en una ciudad o en el campo?

13. ¿Ves a menudo a tus abuelos? ¿Dónde viven?

14. ¿Ves a menudo a tus primos? ¿Dónde viven?

15. ¿Crees en los fantasmas (ghosts)? ¿en el Papá Noel? ¿en la percepción extrasensorial? ¿en la amistad (friendship)? ¿en la vida extraterrestre? ¿en la vida en Marte (Mars)?

16. En tu opinión, ¿deben los hijos ayudar a sus padres? ¿Deben los estudiantes respetar a los profesores? ¿Debe un estudiante ayudar a un compañero en un examen?

ACTIVIDAD 8   ¡Un poco de lógica!

En cinco minutos, ¿cuántas frases lógicas (afirmativas o negativas) puedes crear? Usa **estar** y los elementos de las columnas A, B, C y D. ¡Estudia el modelo!

A	B	C	D
yo	alegre	comer	cartas
Mari-Carmen	contento	beber	buenas / malas notas
el gato	de buen / mal humor	correr	buenas noticias (news)
el Sr. Camacho	cansado	leer	diez kilómetros
nosotros	triste	recibir	leche
mis amigos	preocupado		dulces
			helados
			una novela interesante / triste

 (No) Estoy de buen humor cuando (no) recibo cartas.

D. Repaso: *estar* + el participio presente

Review the present progressive in the sentences below.

Cora **está escuchando** discos.	*Cora is listening to records.*
Pedro y Luis **están comiendo.**	*Pedro and Luis are eating.*
Estoy escribiendo una carta.	*I am writing a letter.*

To express an action which is currently in progress, use the construction:

estar + present participle

In such constructions, only **estar** changes with the subject. The present participle is formed as follows:

infinitive	−	-ar	+	**ando**	cantar	**cantando**
		-er		**iendo**	beber	**bebiendo**
		-ir		**iendo**	vivir	**viviendo**

The present participle of verbs ending in **–eer** is formed by replacing **-er** by **-yendo**.

leer → leyendo   ¿Qué estás **leyendo** ahora?

The present progressive occurs much less frequently in Spanish than in English. It is used to emphasize that an action is occurring *now*. It is not used to refer to regular activities or to future actions.

Carlos **repara** coches.	*Carlos repairs cars.* (generally speaking)
Carlos **está reparando** un Mercedes.	*Carlos is repairing a Mercedes.* (now)

¿Por qué el SEAT 127 es el coche más vendido?

SEAT - 127

1.000.000 de coches fabricados en España.
4.000.000 en el mundo.

ACTIVIDAD 9 En la biblioteca

Los siguientes estudiantes que están en la biblioteca no están estudiando.
Expresa esto y di lo que están haciendo.

 Carlos (mirar una revista)   Carlos no está estudiando.
                                      Está mirando una revista.

1. Felipe (mirar a las chicas)
2. Isabel y Patricia (mirar a los chicos)
3. nosotros (hablar con nuestros amigos)
4. tú (hablar con el profesor)
5. yo (comer dulces)

6. Uds. (escuchar a un muchacho)
7. Pilar (escribir una tarjeta)
8. Ud. (leer un periódico)
9. Margarita (abrir una carta)
10. Esteban y Jorge (descansar)

ACTIVIDAD 10 ¡Un poco de lógica!

¿Dónde están y qué están haciendo las siguientes personas? En cinco
minutos, ¿cuántas frases lógicas puedes escribir? Usa los elementos de
A, B y C.

A	B	C
yo	en casa	trabajar
el (la) profesor(a)	en clase	estudiar
mi papá	en la oficina	hablar por teléfono
mi mamá	en la Casa Blanca	tomar café
mis hermanos	en el restaurante	mirar la televisión
mis amigos	en el centro	comprar revistas
el presidente	en el café	comer helados
nosotros		beber Coca-Cola
		aprender español
		escribir cartas
		leer un cuento
		ayudar a los estudiantes

 Ahora mi mamá está en la oficina.   Está trabajando.

Estamos
haciendo futuro.

Telefónica

Variedades   Unos ruidos en español

¿Son diferentes los ruidos° para las personas que hablan español y las personas que hablan inglés? ¡Claro que no! Pero los hispanos expresan los ruidos en una manera diferente.

ruidos: *sounds*

Aquí tienes una lista de algunos ruidos de la vida diaria.°

la vida diaria: *everyday life*

VISTA

Los Estados Unidos

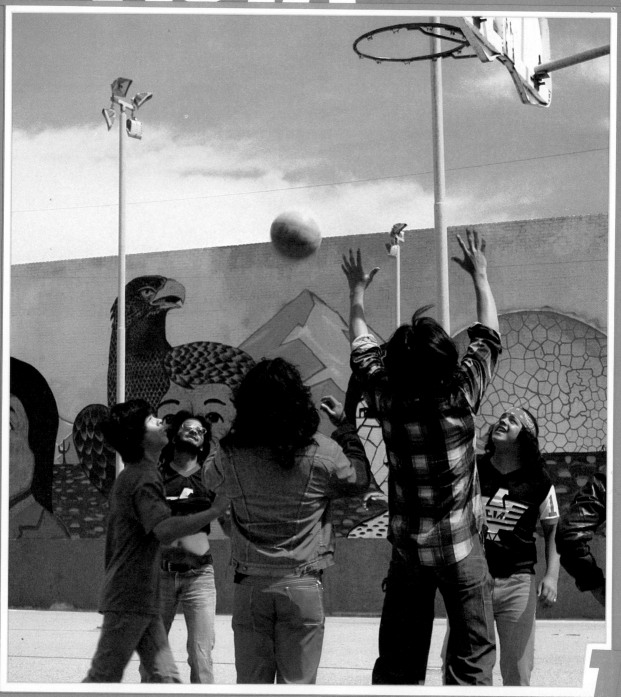

1

Un poco de historia

¿La historia de los Estados Unidos en un libro de español? ¡Sí, claro! Pero no vamos a hablar ni de Jorge Washington ni° del Cuatro de Julio. Vamos a recordar otros hechos° que también son memorables.

Juan Ponce de León

1513

El conquistador español Juan Ponce de León accidentalmente descubre la Florida. Lo que realmente quiere encontrar es la fuente° de la eterna juventud.° Según la leyenda,° la gente vuelve a ser° joven cuando se baña en esta fuente.

1528

Un tornado destruye una expedición española cerca de las costas de Texas. Álvar Núñez Cabeza de Vaca es uno de los pocos° hombres que sobreviven.° Durante ocho años tiene aventuras fantásticas, huyendo° de los indios de Texas o viviendo entre ellos como esclavo.°

1539

Cerca de Tampa, Florida, 570 hombres y 220 caballos° desembarcan. Dos años más tarde, esta expedición, bajo el mando de° Hernando de Soto, descubre el río° Misisipí.

1565

Pedro Menéndez de Avilés funda° la ciudad de San Agustín en la Florida. Es la primera ciudad permanente de origen europeo en los Estados Unidos.

Pedro Menéndez de Avilés

1610

Pedro de Peralta funda otra ciudad importante: la Villa Real de la Santa Fe de San Francisco. Hoy esta ciudad es la capital del estado de Nuevo México y se llama simplemente Santa Fe.

---

ni . . . ni *neither . . . nor* **hechos** *facts* **fuente** *fountain* **juventud** *youth* **leyenda** *legend*
vuelve a ser *are again* **pocos** *few* **sobreviven** *survive* **huyendo** *fleeing* **esclavo** *slave*
caballos *horses* **bajo el mando de** *under* **río** *River* **funda** *founds*

1718

El padre Antonio Olivares funda la Misión de San Antonio de Valero para cristianizar a los indios de Texas. Así empieza la ciudad de San Antonio. Hoy la misión del padre Olivares se llama El Álamo.

1769

Comienza° la colonización de California. Fray Junípero Serra, un sacerdote° franciscano, funda la primera misión, San Diego de Alcalá. En menos de 60 años los franciscanos fundan 20 misiones más. Todas estas misiones forman una cadena° por una ruta que todavía se llama El Camino Real.°

1819

La Florida deja de ser española. España cede° este territorio a los Estados Unidos por cinco millones de dólares.

1836

En San Antonio ocurre una batalla famosa. Bajo el mando de David Crockett, 183 texanos mueren° defendiendo el Álamo. El ejército° mexicano batalla con los separatistas texanos. Texas (entonces parte de México) declara su independencia.

1910

Comienza una fuerte emigración de mexicanos hacia los Estados Unidos. De 1910 a 1930, medio millón de mexicanos vienen a vivir en este país, especialmente en los estados fronterizos.

1917

El Congreso declara ciudadanos° de los Estados Unidos a los puertorriqueños. (España cedió° Puerto Rico a los Estados Unidos en 1898.) Miles° de puertorriqueños comienzan a emigrar a las ciudades industriales de este país.

1966

Comienzan los «vuelos° de la libertad». Bajo el auspicio del gobierno° de los Estados Unidos, de 3000 a 4000 refugiados cubanos comienzan a llegar a Miami cada mes. Son cubanos que no quieren vivir bajo el régimen de Fidel Castro.

1990

Unos diecinueve millones de las personas que viven en los Estados Unidos son de origen hispano.

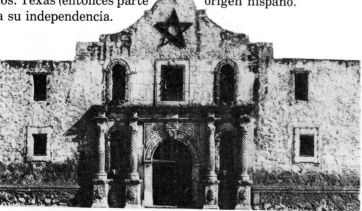

El Álamo

Comienza *Begins* **sacerdote** *priest* **cadena** *chain* **El Camino Real** *The Royal Way*
cede *gives up* **mueren** *die* **ejército** *army* **ciudadanos** *citizens* **cedió** *ceded*
Miles *Thousands* **vuelos** *flights* **gobierno** *government*

MÉXICO-AMERICANO: UN CORRIDO

Rumel Fuentes es un méxico-americano del estado de Texas. A su padre le gustan°
mucho los corridos, canciones° típicas del pueblo mexicano que hablan de la vida
diaria.° Desde niño, Rumel los oye° cantar en casa. Más tarde él escribe sus
propios° corridos.

El corrido MÉXICO-AMERICANO muestra° el orgullo° de Rumel, que pertenece°
a dos países° y tiene dos culturas. Para comprender al méxico-americano, es
necesario comprender que viene° de dos mundos.

El Grito Vol. 6 No. 3 Spring 1973. Copyright © Rumel Fuentes.

Por mi madre yo soy mexicano,
Por destino soy americano,
Yo soy de la raza de oro,
Yo soy méxico-americano.

Yo te comprendo el inglés
También te hablo el castellano,
Yo soy de la raza noble,
Yo soy méxico-americano.

Zacatecas a Minnesota,
De Tijuana a Nueva York,
Dos países son mi tierra,°
Los defiendo con mi honor.

Dos idiomas° y dos países,
Dos culturas tengo yo,
Es mi suerte y tengo orgullo,
Porque así lo manda° Dios.

44   **le gustan** *likes*   **canciones** *songs*   **vida diaria** *daily life*   **oye** *hears*   **sus propios** *his own*
muestra *shows*   **orgullo** *pride*   **pertenece** *belongs*   **países** *countries*   **viene** *comes*
tierra *homeland*   **idiomas** *languages*   **manda** *commands*

Población hispana en algunas ciudades norteamericanas

CIUDAD	POBLACIÓN TOTAL	POBLACIÓN DE ORIGEN HISPANO (%)	
Miami	380.000	194.000	(51%)
San Antonio	843.000	422.000	(50%)
Los Ángeles	3.215.000	815.000	(25%)
Nueva York	7.165.000	1.406.000	(20%)
Chicago	2.992.000	423.000	(14%)

Pequeñas biografías

Aquí presentamos una galería de hispanos famosos. ¿Sabes quiénes son?

RITA MORENO

Rita Moreno es la puertorriqueña más famosa del mundo del espectáculo.° Actriz de cine, ella apareció° en películas clásicas como *Singing in the Rain, The King and I* y *West Side Story.*

Es la única actriz que tiene los cuatro premios° más importantes de su profesión: ha ganado° un «Oscar», un «Tony», un «Grammy» y dos «Emmies». Todos recuerdan° su participación en programas de televisión para niños como *Los Muppets* y *La Compañía Eléctrica.* Su interés en los niños incluye° las causas humanitarias. Es miembro° de la junta directiva° de la «Free Arts Clinic» en Los Ángeles, que presenta obras de teatro a los niños pobres. Orgullosa° de su herencia,° lucha por mejorar° la vida° de los hispanos.

PLÁCIDO DOMINGO

Plácido Domingo es uno de los mejores tenores del mundo de la ópera. Nació° en España pero creció° en México donde empezó su carrera° a los 18 años. Se conoce° por su magnífica voz° y su excepcional calidad° de actor. Ha cantado° en los teatros de ópera más importantes del mundo.

Plácido no sólo se conoce por ser gran músico, sino° también por ser gran amigo de la humanidad y de su patria adoptiva.° En 1985, cuando un terremoto° devastó una parte de la ciudad de México, Plácido tomó parte° en las operaciones de salvamento.° Ayudó a buscar a los perdidos° y, mediante° la televisión, pidió ayuda a los Estados Unidos. Poco tiempo después, viajó por el mundo° dando° una serie de conciertos a beneficio de° las familias de las víctimas. Todos los mexicanos le agradecen° mucho su sincera compasión y su generosa labor.

---

espectáculo *entertainment* **apareció** *appeared* **premios** *awards* **ha ganado** *she has won* **recuerdan** *remember* **incluye** *includes* **miembro** *member* **junta directiva** *board of directors* **Orgullosa** *Proud* **herencia** *heritage* **lucha por mejorar** *she strives to improve* **vida** *life* **Nació** *He was born* **creció** *he grew up* **carrera** *career* **Se conoce** *He is known* **voz** *voice* **calidad** *quality* **Ha cantado** *He has sung* **sino** *but* **patria adoptiva** *adopted country* **terremoto** *earthquake* **tomó parte** *participated* **salvamento** *rescue* **los perdidos** *those who were lost* **mediante** *via* **viajó por el mundo** *travelled throughout the world* **dando** *giving* **a beneficio de** *to benefit* **agradecen** *are grateful for*

de grandes hispanos

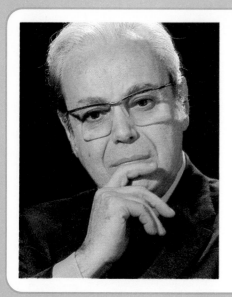

JAVIER PÉREZ DE CUÉLLAR

Javier Pérez de Cuéllar, originario° del Perú, es Secretario General de la Organización de las Naciones Unidas (ONU) desde° 1982. Empezó su carrera diplomática en la embajada° peruana en Francia, Inglaterra, Bolivia y Brasil. También fue el embajador° del Perú en Suiza, la Unión Soviética, Polonia y Venezuela. Más tarde sirvió en la ONU como representante del Perú en la Asamblea General y en el Consejo de Seguridad.°

El Secretario General de la ONU es uno de los más importantes puestos del mundo. En esta posición, Pérez de Cuéllar desempeña un papel crucial en mantener la paz° y la armonía° entre las naciones del mundo.

ROBERTO CLEMENTE

Roberto Clemente fue° uno de los grandes jugadores° hispanos de béisbol de todos los tiempos. Tuvo° una carrera impresionante con los Piratas de Pittsburgh. Clemente recibió su primer contrato profesional en Puerto Rico a la edad de 17 años. Desde entonces° recibió todos los premios que un jugador de béisbol puede recibir. Él es el primer jugador hispano elegido° miembro del Salón de la Fama.° Pero Clemente fue más que un buen jugador de béisbol; luchó° por las causas humanitarias. Murió° trágicamente en un accidente de avión° cuando iba° a Nicaragua a ayudar a las víctimas de un terremoto.

Puerto Rico todavía recuerda al atleta más famoso de la historia de la isla. Recientemente,° en San Juan, se presentó° *Clemente,* una obra musical basada° en la vida del gran jugador. También en su honor existe la "Ciudad Deportiva Roberto Clemente" en San Juan. Éste es un lugar° donde los jóvenes de todas las razas° y clases sociales vienen para competir juntos° en deportes.

originario *native* **desde** *since* **embajada** *embassy* **embajador** *ambassador* **Consejo de Seguridad** *Security Council* **paz** *peace* **armonía** *harmony* **fue** *was* **jugadores** *players* **Tuvo** *He had* **Desde entonces** *From then on* **elegido** *elected* **Salón de la Fama** *Hall of Fame* **luchó** *he fought* **Murió** *He died* **avión** *airplane* **iba** *he was going* **Recientemente** *Recently* **se presentó** *was performed* **basada** *based* **lugar** *place* **razas** *races* **juntos** *together*

EL RODEO Y OTRAS COSAS DE ORIGEN ESPAÑOL

¿Qué es un rodeo sin «broncos»?

¿Qué es una película del oeste sin vaqueros?°

¿Qué es la comida norteamericana sin rosbif o hamburguesas?

Y todo porque a lugares como Texas y Nuevo México, los españoles trajeron caballos,° vacas,° toros° y otros animales.

Los toros y las vacas vinieron de Europa. Las primeras cabezas de ganado° llegaron al Caribe en el segundo viaje de Colón. Del Caribe pasaron a México y de México a los Estados Unidos.

Con los toros y las vacas, llegaron los vaqueros. Los primeros vaqueros de los Estados Unidos fueron españoles y mexicanos. Los norteamericanos aprendieron a ser vaqueros cuando ocuparon el lejano° oeste.° Y así muchas palabras españolas se hicieron° inglesas.

Éstas, por ejemplo:

español	*inglés*	*español*	*inglés*
lazo	lasso	corral	corral
la reata	lariat	bonanza	bonanza
vaquero	buckaroo	rancho	ranch
rodeo	rodeo		

vaqueros *cowboys* **caballos** *horses* **vacas** *cows* **toros** *bulls* **ganado** *cattle* **lejano** *far*
oeste *West* **se hicieron** *became*

La cocina del suroeste

¿Te gusta el chile con carne? Éste, y otros platos° populares en el suroeste,° son adaptaciones norteamericanas de la cocina° mexicana.

En Texas, el chile con carne es un plato especial. Para muchos texanos es otro de los símbolos de Texas, como el escudo° y la bandera° del estado.

Cuando el chile con carne se prepara en casa, huele° muy bien y . . . ¡es exquisito! Para prepararlo necesitas:

1 libra° de carne molida°

1 cebolla° mediana° en rodajas°

2 dientes de ajo picados°

3 tazas de jugo de tomate

2 cucharadas° de chile en polvo°

1 cucharada de comino° molido

sal y pimienta al gusto°

Preparación:

1. Dora° la carne en una sartén,° con la cebolla y los ajos.
2. A la carne dorada° échale° el jugo de tomate y todos los condimentos: el chile, el comino, la sal y la pimienta.
3. Ahora, deja que la carne se cueza° despacio,° durante una hora. ¡Eso es todo! Fácil, ¿verdad?

NOTA: Los puristas dicen que el chile auténtico no lleva frijoles. Si lo que más te gusta del chile son los frijoles, olvídate de esta receta.°

---

platos *dishes*   **suroeste** *Southwest*   **cocina** *cooking*   **escudo** *coat of arms*   **bandera** *flag*   **huele** *it smells*
libra *pound*   **molida** *ground*   **cebolla** *onion*   **mediana** *medium-sized*   **rodajas** *slices*   **dientes de ajo**
picados *cloves of chopped garlic*   **cucharadas** *spoonfuls*   **en polvo** *powder*   **comino** *cumin*
al gusto *to taste*   **Dora** *Brown*   **sartén** *frying pan*   **dorada** *browned*   **échale** *add*   **se cueza** *cook*
despacio *slowly*   **receta** *recipe*

49

Los caballos°
tienen nombres españoles

El caballo no es un animal de origen americano. Los primeros caballos llegaron° al continente americano con los conquistadores españoles. Por eso varios° tipos de caballos tienen nombres° que vienen de° palabras españolas.

La palabra inglesa «mustang» viene de la palabra española «mesteño». Mesteño significa salvaje.° Este tipo de caballo vive en un estado de semi-libertad en las mesetas y desiertos del suroeste° de los Estados Unidos.

Otro tipo de caballo es el «jennet». La palabra «jennet» en inglés es una transformación de la palabra española «jinete».° Un «jennet» es un caballo de mezcla° árabe y española. Son pequeños y muy trabajadores.°

Los palominos son caballos hispanoamericanos que viven en el suroeste de los Estados Unidos. Se llaman palominos porque tienen el mismo color que las palomas.°

caballos *horses* **llegaron** *arrived* **varios** *several*
nombres *names* **vienen de** *come from* **salvaje** *wild*
suroeste *southwest* **jinete** *rider, jockey*
mezcla *mixture* **trabajadores** *hard-working*
palomas *doves*

50

Los artistas del barrio

San Francisco. Estamos en la esquina° de las calles Misión y Veintidós . . . ¿O es la Veinticuatro? Bueno, no importa. Éste es el corazón° del barrio chicano de San Francisco.

Los niños juegan en el parque. Los jóvenes conversan en una esquina. La gente va y viene. Nadie se da cuenta° . . . Sólo nosotros. Éste no es un barrio. ¡Es un museo! Estamos rodeados de° murales.

¡Qué artistas los chicanos!

Actividades culturales

1. *Escoge° uno de los españoles de las páginas 42–43 y prepara un informe° sobre° su vida y sus logros.°*

2. *En el periódico, busca un artículo sobre un(a) hispano(a). Prepara un resumen° del artículo en español para la clase.*

3. *Prepara una lista de 10–15 palabras inglesas de origen español.*

4. *Prepara una lista de 10–15 ciudades norteamericanas con nombre° de origen español.*

5. *Ve° al supermercado° y prepara una lista de los productos agrícolas típicamente hispánicos que allí se venden (por ejemplo: chile, frijoles, tacos). Si es posible, ilustra la lista con etiquetas.°*

Escoge *Choose*   **informe** *report*   **sobre** *about*   **logros** *accomplishments*   **resumen** *summary*
nombre *name*   **Ve** *Go*   **supermercado** *supermarket*   **etiquetas** *labels*

Unidad 2

Nuestro mundo personal

Lección 1   Un psicotest: ¿sociable o no?

Conoces a tu familia y tus amigos muy bien, ¿verdad? ¡Por supuesto!
Pero hay otras personas fuera de tu familia y de tus amigos que
figuran en tu vida . . . personas que ves a menudo, quizá todos los
días . . . ¿Conoces bien a esas personas? ¡Vamos a ver!

fuera de: *outside of*
quizá: *maybe*

	A muy bien	B solamente un poco	C muy poco	
1. El cartero Lo conozco . . .	☐	☐	☐	cartero: *mailman*
2. La secretaria de la escuela La conozco . . .	☐	☐	☐	
3. El (la) director(a) de la escuela Lo (la) conozco . . .	☐	☐	☐	
4. Los padres de tus compañeros Los conozco . . .	☐	☐	☐	
5. Los amigos de tus amigos Los conozco . . .	☐	☐	☐	
6. Las amigas de tus amigas Las conozco . . .	☐	☐	☐	
7. Tus vecinos Los conozco . . .	☐	☐	☐	vecinos: *neighbors*
8. Los amigos de tus vecinos Los conozco . . .	☐	☐	☐	

INTERPRETACIÓN

Ahora, marca dos puntos por cada respuesta «A»
un punto por cada respuesta «B»
cero por cada respuesta «C»

Suma tus puntos.

Si tienes catorce puntos (o más) . . .
Eres una persona muy sociable porque te gusta conocer a otros.
Pero, ¿los conoces bien o sólo superficialmente?

Si tienes entre ocho y trece puntos . . .
Eres sociable y amable con todos. Eres realista también porque sabes que no es posible ser el amigo íntimo de todos.

entre: *between*
amable: *kind*

Si tienes entre cuatro y siete puntos . . .
Eres tímido(a) o indiferente al mundo que te rodea.

rodea: *surrounds*

Si tienes menos de tres puntos . . .
¿Por qué no te gusta la compañía de otros?

NOTA CULTURAL

El respeto

En los países hispanos, el respeto° a los demás° es muy importante y se manifiesta° en muchas formas. Algunas de las manifestaciones de respeto son la cortesía, la amabilidad,° la consideración y el cariño.°

Dentro de la familia no sólo se tiene respeto a los padres, sino también a los abuelos que ocupan un lugar muy importante, y a los hermanos mayores que son considerados como modelos.°

Entre los amigos, el respeto se muestra° a través de° la sinceridad y el cariño. Es común° ver chicas y chicos besarse en la mejilla° o darse un abrazo.

A los servidores públicos° como el cartero, el bombero, la enfermera o la maestra, se les tiene una consideración especial porque, con su trabajo, ayudan a la comunidad.

el respeto *respect* **a los demás** *for others* **se manifiesta** *it is demonstrated* **la amabilidad** *kindness* **el cariño** *affection* **modelos** *role models* **se muestra** *is demonstrated* **a través de** *through* **común** *common* **besarse en la mejilla** *kiss each other on the cheek* **servidores públicos** *public servants*

Vocabulario

sustantivos	**las noticias**	the news	**una respuesta**	answer, response
	una sorpresa	surprise		
adjetivos	**amable**	kind	**mismo**	same
expresiones	**quizá**	perhaps, maybe	**fuera (de)**	outside (of)
	tan	so	**solamente**	only
	un poco	a little	**todos**	all, everyone

CONVERSACIÓN

Vamos a hablar del futuro.

¿Deseas ser policía? ¿Te gustaría dirigir (*direct*) el tráfico?

¿Deseas ser cartero? ¿Te gustaría entregar (*deliver*) cartas y tarjetas?

¿Deseas ser mecánico(a)? ¿Te gustaría reparar coches y motos?

¿Deseas ser gerente (*manager*) en un almacén (*department store*)? ¿Te gustaría ser el (la) jefe(a) (*boss*) de los dependientes (*clerks*)?

¿Deseas ser empleado(a) de correos? ¿Te gustaría vender sellos (*stamps*)?

¿Deseas ser médico(a)? ¿Te gustaría cuidar a los pacientes?

¿Deseas ser enfermero(a)? ¿Te gustaría cuidar a los enfermos?

¿Deseas ser dentista? ¿Te gustaría arreglar (*fix*) los dientes?

Vamos a hablar del presente.

¿Trabajas como camarero(a)? ¿Dónde trabajas? ¿en un café? ¿en un restaurante? ¿en una heladería?

¿Trabajas como dependiente(a)? ¿Dónde trabajas? ¿en una tienda? ¿en un almacén?

¿Trabajas como mecánico(a)? ¿Dónde trabajas? ¿en una estación de servicio? ¿en una agencia de coches?

VOCABULARIO PRÁCTICO   Las personas que vemos a menudo

en **la calle**
  un(a) **vecino(a)** (*neighbor*)

Los vecinos son las personas que viven en la misma calle.

  un **policía**

El policía dirige (*directs*) el tráfico.

en **el café o la heladería** (*ice cream parlor*)
  un(a) **camarero(a)** (*waiter, waitress*)

El camarero les sirve café o helado a los clientes.

en **el almacén** (*department store*)
  el (la) **gerente** (*manager*)
  un(a) **dependiente(a)** (*clerk*)

El gerente es el **jefe** (*boss*) de los dependientes.
La dependienta les vende varios artículos a los clientes.

en **la estación de servicio**
  un **mecánico**

El mecánico repara los coches.

en **el correo** (*post office*)
  un(a) **empleado(a)** (*employee*)

El empleado de correos vende los **sellos** (*stamps*).

  un **cartero** (*mail carrier*)

El cartero entrega (*delivers*) las cartas.

en **el hospital**
  el (la) **médico(a)**

Los médicos ayudan a los **enfermos** (*sick people*).

  el (la) **enfermero(a)** (*nurse*)

Las enfermeras cuidan (*take care of*) a los pacientes.

  el (la) **dentista**

Los dentistas arreglan (*fix*) los dientes.

Estructuras

A. Repaso: *conocer*

Review the forms and uses of **conocer** *(to know)*.

(yo)	**Conozco** a Pedro.
(tú)	**Conoces** a Mónica.
(él, ella, Ud.)	**Conoce** Madrid.
(nosotros)	**Conocemos** bien al profesor.
(vosotros)	**¿Conocéis** a los estudiantes?
(ellos, ellas, Uds.)	**Conocen** Nueva York muy bien.

- **Conocer** means *to know* in the sense of *to be acquainted with, to be familiar with*. It is always used with nouns and pronouns referring to people and places.
- **Conocer** and most verbs ending in **–cer** and **–cir** have an irregular **yo** form: **c → zc**.

ACTIVIDAD 1   Turismo

Un grupo de estudiantes norteamericanos está visitando Madrid. Ésta es su segunda visita. Di que ellos conocen los siguientes lugares.

- Eric: el Museo del Prado   Eric conoce el Museo del Prado.

1. yo: el Parque del Retiro
2. nosotros: la Plaza Mayor
3. Uds.: la Puerta del Sol
4. los chicos: el Escorial
5. Ud.: el Rastro *(the Flea Market)*
6. Linda: el Palacio Real

Algunos verbos que terminan en -cer y en -cir

verbos que terminan en –cer

merecer	to deserve	**Merezco** una buena nota.
obedecer	to obey	No **obedezco** siempre a mis padres.
ofrecer	to offer, to give	Te **ofrezco** consejos, pero dinero, ¡no!
parecer	to seem, to look	Carlos **parece** triste.
pertenecer	to belong (to), to be a member (of)	**Pertenezco** a un club de tenis.

verbos que terminan en –cir

conducir	to drive	Mi mamá **conduce** muy bien.
traducir	to translate	El profesor **traduce** un poema.

ACTIVIDAD 2   Preguntas personales

1. ¿Conduces el coche de tus padres?

2. ¿Conduce bien tu papá? ¿tu mamá? ¿Qué tipo de coche conducen?

3. En la clase de español, ¿traduces las palabras nuevas? ¿las lecturas?

4. ¿Mereces una «A» en la clase de español? ¿Qué nota mereces en la clase de inglés? ¿en la clase de matemáticas? ¿en la clase de ciencias?

5. ¿Obedeces las reglas *(rules)* de la escuela? ¿las reglas de la casa? ¿las reglas de la cortesía?

6. ¿Ahora parece el (la) profesor(a) contento(a)? ¿ de buen humor? ¿cansado(a)?

7. ¿Les ofreces chocolate a tus amigos? ¿consejos? ¿ayuda?

B. Repaso: el uso de *de* para indicar la posesión

Note the use of **de** and the word order in the following sentences.

¿Dónde está el radio **de Elena?**	*Where is **Elena's** radio?*
No tengo los libros **del profesor**.	*I do not have **the teacher's** books.*
Paco es el hermano **del amigo de Luisa**.	*Paco is **Luisa's friend's** brother.*
	*Paco is the brother **of Luisa's friend**.*

To indicate possession or relationship, Spanish speakers often use the construction:

> noun + **de** + (article) + noun

⚡ **De** is used in the following expressions:

| **ser de** | *to belong to* | La guitarra **es de** Elena. |
| **¿de quién(es) ...?** | *whose?* | **¿De quién** son los discos? |

⚡ Note also the construction: definite article + **de** + noun.

¿Tienes las revistas de Carmen?　　　*Do you have Carmen's magazines?*
No, pero tengo **las de Luisa**.　　　*No, but I have **Luisa's (those of Luisa,***
　　　　　　　　　　　　　　　　　*those belonging to Luisa).***

No conozco a la hermana de José, pero　*I do not know José's sister, but I know*
　conozco a **la de Pilar**.　　　　　***Pilar's (that of Pilar).***

In the above constructions, the definite article replaces a noun.

las de Luisa　=　las revistas de Luisa
la de Pilar　　=　la hermana de Pilar

ACTIVIDAD 3　Curiosidad

Quieres saber cómo se llaman los amigos y parientes de las siguientes
personas. Haz las preguntas necesarias.

⚡　Carmen tiene un hermano.　　¿Cómo se llama el hermano de Carmen?

1. Pedro tiene una hermana.
2. Isabel tiene un novio.
3. El profesor tiene unos amigos.
4. El doctor Sánchez tiene una secretaria.
5. Federico tiene dos primos.
6. Los vecinos tienen dos hijos.

ACTIVIDAD 4　Las cosas de otros

A veces, no tenemos ciertas cosas que necesitamos. Tenemos que usar las
de otros. Expresa esto, según el modelo.

⚡　Cuando no tengo mi bicicleta ... (Enrique)
　　　Cuando no tengo mi bicicleta, uso la de Enrique.

1. Cuando no tengo mi radio ...
   (mi hermano)
2. Cuando no tengo mi libro de español ...
   (mi amigo)
3. Cuando no tengo mi pelota ...
   (Rosita)
4. Cuando no tengo mis discos nuevos ...
   (Alfredo)
5. Cuando no tengo mi calculadora ...
   (mi papá)
6. Cuando no tengo mi raqueta ...
   (mi prima)

C. Repaso: los adjetivos posesivos

Another way to indicate possession or relationship in Spanish is to use possessive adjectives. Review the forms of these adjectives:

POSSESSOR	SINGULAR		PLURAL		
yo	**mi** hermano	**mi** hermana	**mis** hermanos	**mis** hermanas	(my)
tú	**tu** primo	**tu** prima	**tus** primos	**tus** primas	(your)
él					(his, its)
ella	**su** amigo	**su** amiga	**sus** amigos	**sus** amigas	(her, its)
Ud.					(your)
nosotros	**nuestro** tío	**nuestra** tía	**nuestros** tíos	**nuestras** tías	(our)
vosotros	**vuestro** hijo	**vuestra** hija	**vuestros** hijos	**vuestras** hijas	(your)
ellos					(their)
ellas	**su** profesor	**su** profesora	**sus** profesores	**sus** profesoras	(their)
Uds.					(your)

⟐ All possessive adjectives agree in number with the nouns which they introduce: they have singular and plural forms. Note that **nuestro** and **vuestro** also agree in gender.

⟐ **Su** and **sus** have several English equivalents:

el coche de Paco	**su** coche	*his* car
el coche de Marta	**su** coche	*her* car
el coche de Ud.	**su** coche	*your* car
el coche de mis amigos	**su** coche	*their* car
el coche de Uds.	**su** coche	*your* car

When clarification is necessary, Spanish speakers use the expressions **de él** (**de ella, de Ud., de ellos, de ellas, de Uds.**) instead of **su/sus.**

—¿Conocen Uds. a los amigos de Miguel y Mercedes?
—Conocemos a **los amigos de él,** pero no conocemos a **los de ella.**

ACTIVIDAD 5   Para ir al trabajo

Di cómo van al trabajo las siguientes personas, según el modelo.

⟐ El doctor Velázquez tiene un coche.
    Para ir al trabajo, el doctor Velázquez usa su coche.

1. La Srta. Vilar tiene una bicicleta.
2. Mi papá tiene un Fiat.
3. Alberto tiene una moto.
4. Mis primos tienen un Mercedes.
5. Tú tienes una bicicleta.
6. El cartero tiene un Toyota.
7. La secretaria de la escuela tiene un Volvo.
8. Tenemos dos pies.
9. Tengo patines de ruedas (*roller skates*).

ACTIVIDAD 6   Los pedigüeños *(Leeches)*

Un pedigüeño es una persona que siempre pide cosas a sus amigos para usarlas. Di que las siguientes personas son pedigüeñas, según el modelo.

⌇ Carmen (los discos / la amiga)   Carmen no usa sus discos.
Usa los discos de su amiga.

1. el Sr. Montero (el coche / los empleados)
2. el doctor Valdez (la máquina de escribir / la secretaria)
3. nosotros (la grabadora / los vecinos)
4. yo (el reloj / la hermana)
5. tú (la pelota / los hermanos)
6. Ud. (la cámara / los primos)
7. Uds. (el teléfono / el vecino)
8. mis primos (la moto / los amigos)

D. Repaso: complementos directos: pronombres

Compare the direct objects and the corresponding object pronouns in the questions and answers below.

¿Invitas a **Pedro** a la fiesta?	Sí, **lo** invito.
¿Conoces a **Emilia?**	No, no **la** conozco.
¿Llevas **tus discos** a la fiesta?	Sí, **los** llevo.
¿Llamas a **tus amigas** por teléfono?	No, no **las** llamo.

⌇ The direct object pronoun usually comes before the verb.

⌇ In an infinitive or present progressive construction, the direct object pronoun may come either before the conjugated verb or after the infinitive or present participle, to which it is attached.

¿Vas a invitar a Luisa al cine?	Sí, voy a invitar**la**.
	Sí, **la** voy a invitar.
¿Estás llamando a Rafael?	No, no estoy llamándo**lo**.
	No, no **lo** estoy llamando.

⌇ The direct object pronouns **lo (la)** and **los (las)** are used when speaking to people addressed as **Ud.** and **Uds.**

Voy a llamar**lo** por teléfono, Sr. Sánchez.
Voy a invitar**los** a mi fiesta de cumpleaños, Sr. y Sra. López.

ACTIVIDAD 7   ¿Personalmente o no?

Di si conoces a las siguientes personas personalmente. Di también si las
ves a menudo.

∽ el cartero   (No) Conozco personalmente al cartero.
(No) Lo veo a menudo.

1. la secretaria de la escuela
2. los vecinos
3. la empleada de correos
4. el mecánico que repara el coche de tu papá
5. los dependientes de la tienda donde compras tus discos
6. las camareras de la heladería donde vas con tus amigos
7. la empleada del banco donde van tus padres
8. los policías que dirigen el tráfico en tu barrio
9. el jefe de la policía
10. el presidente de los Estados Unidos

ACTIVIDAD 8   La maleta

Imagina que vas a México. Estás preparando tu maleta. Di si necesitas los
siguientes objetos y si vas a llevarlos contigo.

∽ tu calculadora   (No) La necesito. (No) Voy a llevarla conmigo.

1. tus anteojos de sol
2. tu diccionario de español
3. tu raqueta de tenis
4. la dirección (address) de tus vecinos
5. tu bolígrafo
6. una máquina de escribir
7. tus sandalias
8. el mapa de los Estados Unidos

ACTIVIDAD 9   Preguntas personales

Usa el pronombre del complemento directo en cada respuesta.

1. ¿Aceptas la injusticia? ¿las ideas revolucionarias? ¿las opiniones diferentes? ¿los defectos de tus amigos? ¿su negligencia? ¿su egoísmo (selfishness)?

2. ¿Admiras a tus profesores? ¿a tus padres? ¿a la policía? ¿a los artistas? ¿a los políticos? ¿a las personas famosas?

3. ¿Ayudas a menudo a tu papá? ¿a tu mamá? ¿a tus hermanos? ¿a tus abuelos? ¿a tus vecinos?

4. ¿Criticas un poco a tu mejor amigo? ¿a tu mejor amiga? ¿a tus parientes? ¿la sociedad moderna?

5. ¿Perdonas los insultos? ¿la ingratitud? ¿las culpas (mistakes) de tus amigos?

6. ¿Respetas siempre a los políticos? ¿al presidente de los Estados Unidos? ¿las reglas (rules) de la escuela?

7. ¿Toleras a las personas aburridas? ¿a las personas arrogantes? ¿a las personas mal educadas (impolite)? ¿a los presumidos (snobs)?

8. ¿Conoces el Perú? ¿el Ecuador? ¿la Argentina? ¿el Canadá? ¿los Estados Unidos? ¿la India?

9. ¿Conduces a veces el coche de tus padres?

10. ¿Mereces solamente buenas notas? ¿malas notas?

11. ¿Vas a invitar a tu mejor amigo a tu fiesta de cumpleaños? ¿a tu mejor amiga? ¿a tus primos? ¿a tus vecinos? ¿a tus compañeros de clase? ¿a todos?

12. ¿Deben los niños obedecer a sus abuelos? ¿a su papá? ¿a su mamá?

ACTIVIDAD 10   ¡Un poco de lógica!

Prepara diez frases lógicas (afirmativas o negativas) usando los elementos de las columnas A, B, C y D.

A	B	C	D
yo	ayudar	el amigo	Verónica
María	conducir	la amiga	Luis
nosotros	conocer	los padres	el profesor
mis primos	criticar	el coche	la escuela
Ud.	merecer	las reglas (rules)	un periodista
	obedecer	la disciplina	español
	traducir	las felicitaciones	los vecinos
	cuidar	(congratulations)	
		los artículos	
		los niños	

> María no conduce el coche de sus vecinos.

Para la comunicación

Escribe un pequeño párrafo sobre una persona que conoces bien.
Puede ser una persona del vocabulario especializado u otra persona.

Puedes usar frases como:
    Conozco a un (una) . . .
    Lo (La) respeto porque . . .
    Lo (La) admiro . . .
    Es una persona . . .
    (No) Deseo ser como él (ella) porque (no) me gusta . . .

¡Así es la vida!

Hoy es el diez de enero . . .
   un día de verano muy soleado . . .
   un día ideal para correr las olas.
Ramón, un chico de Lima, lleva su tabla hawaiana y va a la playa.
Allí, ve a una chica que está tomando el sol.
¿Quién es?
Ramón no sabe cómo se llama.
No sabe de dónde es.
No sabe nada de ella . . . sólo que es una chica muy bonita . . .
¡Le gustaría mucho conocerla!
Sí, pero, ¿cómo?
Vamos a ver.

soleado: *sunny*
correr las olas: *to surf*
tabla hawaiana:
   surfboard

Esa chica es muy guapa y parece muy simpática.
Me gustaría mucho hablarle . . . pero, ¿qué voy a decirle?

¿Le pregunto si pasa las vacaciones aquí?
. . . No, ¡es obvio!

¿Le digo que es muy guapa?
. . . No, ¡es ridículo!

NOTAS CULTURALES

Las estaciones en la América del Sur

Como la mayoría de la América del Sur está en el hemisferio sur, las estaciones del año son lo contrario de las de los Estados Unidos. Los meses del verano son enero, febrero y marzo. Los meses del invierno son julio, agosto y septiembre.

La playa

¿Qué haces un día de verano en que hace mucho sol? ¿Vas a la playa?

Como muchos de los países hispanos tienen veranos largos° y calurosos,° el ir a la playa° es uno de los pasatiempos favoritos de muchos jóvenes hispanohablantes.°

¿Y qué hacen allí? Depende un poco de donde viven. En todas las playas pueden nadar o tomar el sol o jugar al volibol. En el Caribe, pueden también bucear.° En el Pacífico, pueden navegar un bote de vela.° En Puerto Rico, Colombia y el Perú pueden correr las olas. En Lima, el correr las olas es un deporte tan favorito como en California o Hawai y allí hay muchas competencias° internacionales.

Pero sobre todo,° el ir a la playa es para gozar de° la compañía de los amigos ... y claro, para hacer nuevos amigos.

largos *long* **calurosos** *hot*
el ir a la playa *going to the beach*
hispanohablantes *Spanish-speaking* **bucear**
go scuba diving **navegar un bote de vela** *sail*
competencias *competitions* **sobre todo** *above all*
gozar de *enjoy*

Vocabulario

¿Qué tiempo hace?	How's the weather?
Hace calor (frío, fresco).	It is hot (cold, cool).
Hace sol (viento).	It is sunny (windy).
El día **está soleado (nublado).**	The day is sunny (cloudy).
El verano **es** muy **caluroso**.	Summer is very hot.

CONVERSACIÓN

¿Sabes nadar? Sí (No, no) sé nadar.
¿Sabes nadar a crol *(crawl)*?
¿Sabes nadar de espalda *(on your back)*?
¿Sabes esquiar?

¿Sabes esquiar en el agua *(to waterski)*?
¿Sabes navegar un bote de vela *(to sail)*?
¿Sabes correr las olas *(to surf)*?

VOCABULARIO PRÁCTICO En la playa

Cuando voy a la playa, llevo

unos anteojos de sol

un traje de baño

un sombrero

una toalla

En la playa, hay **arena** *(sand)* y **piedras** *(stones)*.

Hay muchas cosas que hacer en la playa:

caminar *(to walk)*	En la playa, **caminamos** en la arena.
correr *(to run)*	No me gusta **correr** en las piedras.
correr las olas *(to surf)*	En el Perú, muchos chicos **corren las olas.**
esquiar en el agua *(to waterski)*	Para **esquiar en el agua,** es necesario tener un **bote** *(boat)* y esquís acuáticos.
navegar un bote de vela *(to sail)*	Cuando hace viento, es fácil **navegar un bote de vela.**
pescar *(to fish)*	Para **pescar,** no es necesario tener bote.
tomar el sol *(to sunbathe)*	Carlos está muy **tostado** *(tanned)* porque **toma** mucho **sol.**

ACTIVIDAD 1   Preguntas personales

1. ¿Tienes anteojos de sol? ¿De qué color?

2. ¿Tienes un traje de baño? ¿De qué color?

3. ¿Tienes un sombrero para el sol? ¿Es grande?

4. ¿Tienes toallas? ¿De qué colores?

5. ¿Cómo vas a la escuela? ¿Caminas o tomas el autobús?

6. ¿A qué playa vas durante las vacaciones? ¿Es una playa con arena o con piedras?

7. ¿Te gusta correr en la arena? ¿Te gusta correr donde hay muchas piedras?

8. ¿Te gustaría correr las olas? ¿Dónde?

9. ¿Te gustaría esquiar en el agua? ¿Dónde?

10. ¿Te gustaría pescar en el mar Mediterráneo?

11. En tu opinión, ¿es fácil correr las olas? ¿esquiar en el agua? ¿navegar un bote de vela?

12. En tu opinión, ¿es peligroso *(dangerous)* esquiar en el agua? ¿navegar un bote de vela?

13. ¿Te gusta tomar el sol? ¿Dónde tomas el sol? ¿Usas una crema especial para el sol? ¿Ahora estás tostado(a)?

Estructuras

A. Repaso: *saber*

Review the forms and uses of **saber** *(to know)* in the sentences below.

(yo)	**Sé** cómo se llama la chica.
(tú)	**¿Sabes** dónde vive?
(él, ella, Ud.)	**Sabe** quién es.
(nosotros)	**Sabemos** su dirección *(address)*.
(vosotros)	**Sabéis** su número de teléfono.
(ellos, ellas, Uds.)	**Saben** nadar.

Although **saber** and **conocer** both correspond to the English verb *to know*, their uses are quite different. These two verbs cannot be substituted for each other.

▷ **Saber** means *to know information or facts*. It can be followed by:
— a noun or pronoun representing this information or fact.

¿Sabes **mi dirección?**   *Do you know **my address?***

— a clause.

¿Sabes . . . **dónde vivo?**   *Do you know . . . **where I live?***
quién trabaja conmigo?   ***who works with me?***
por qué estudio español?   ***why I am studying Spanish?***

▷ **Saber** is never used with nouns representing persons or places.
Conozco a María . . . pero no **sé** dónde vive.
Miguel **conoce** una playa bonita . . . pero no **sabe** si hay olas hoy.

▷ When **saber** is followed by an infinitive it means *to know how to do something*.
Raquel no **sabe nadar.**   *Raquel does not **know how to swim**.*

ACTIVIDAD 2   La misteriosa Cristina

Las siguientes personas conocen a Cristina pero no saben mucho de ella.
Expresa esto según el modelo.

▷ Carlos (dónde vive)   Carlos conoce a Cristina . . . pero no sabe dónde vive.

1. Luis (si tiene muchos amigos)
2. mis amigos (cuál es su número de teléfono)
3. yo (por qué estudia francés)
4. nosotros (cuántos hermanos tiene)
5. sus vecinos (dónde trabaja)
6. Enrique (cómo se llama su novio)
7. Felipe (si nada bien)
8. mis hermanas (si tiene esquís acuáticos)

B. Adjetivos y pronombres demostrativos

The forms and uses of demonstrative adjectives are summarized in the following diagram.

(aquí)	(ahí)	(allá)
este perro	**ese** perro	**aquel** perro
esta chica	**esa** chica	**aquella** chica
estos discos	**esos** discos	**aquellos** discos
estas casas	**esas** casas	**aquellas** casas

yo

este perro
(this dog)

ese perro
(that dog)

aquel perro
(that dog over there)

Demonstrative adjectives *introduce* nouns.

Mira **ese** libro.   *Look at **that** book.*

Demonstrative pronouns *replace* nouns.

¿Cuál es tu libro? ¡**Éste** o **aquél**?   *Which is your book? **This one** or **that one**?*

→ In Spanish, demonstrative pronouns have the same forms as demonstrative adjectives, but with an accent on the stressed syllable.

ACTIVIDAD 3   En la playa

Luisa y Felipe están en la playa. Luisa le pregunta a Felipe si conoce a las personas que están caminando. Haz los dos papeles.

→ el muchacho (no)   Luisa: ¿Conoces a ese muchacho?
Felipe: No, no lo conozco.

1. la mujer (sí)
2. el hombre (no)
3. la muchacha (sí)
4. el pescador (no)

5. los niños (sí)
6. las chicas (no)
7. los turistas (sí)
8. los jóvenes (sí)

ACTIVIDAD 4 En la tienda de la playa

Ahora Felipe y Luisa están en una tienda. Felipe le pregunta a Luisa
qué cosas prefiere. Luisa dice que prefiere otras cosas. Haz los dos
papeles.

⋙ una revista   Felipe: ¿Prefieres esa revista o ésta?
                 Luisa: Prefiero aquélla.

1. un traje de baño
2. unos anteojos de sol
3. un sombrero
4. un parasol

5. unas cañas de pescar (*fishing poles*)
6. una toalla
7. una tabla hawaiana (*surfboard*)
8. unos esquís acuáticos

C. Repaso: el complemento indirecto: *le, les*

Note the forms and position of the indirect object pronouns.

¿**Le** habla **al cartero?**   No, no **le** habla.
¿**Le** escribes **a Luisa?**   Sí, **le** escribo una carta.
¿Qué **les** mandas **a tus primos?**   **Les** mando un regalo.
¿Vas a escribir**les a tus abuelos?**   Sí, voy a escribir**les.**

The third person indirect object pronoun has only two forms:

le (singular) and **les** (plural)

⋙ Like other object pronouns, it usually comes *before* the verb.
In an infinitive or present progressive construction, the indirect object
pronoun may come either before the conjugated verb or after and
attached to the infinitive or present participle.

Le voy a hablar. ⎫
Voy a hablar**le.**   ⎬ *I am going to talk **to him**.*

Le estoy hablando. ⎫
Estoy hablándo**le.**   ⎬ *I am talking **to him**.*

⋙ Spanish speakers may use an indirect object pronoun in a sentence that
also contains an indirect object noun.

Le hablo **a Paco.**   *I am speaking **to Paco**.*

⋙ **Le** and **les** are the indirect object pronouns used with persons
addressed as **Ud.** or **Uds.**

Le digo la verdad, Sr. Montero.   *I am telling **you** the truth, Sr. Montero.*

ACTIVIDAD 5   Los conocidos *(Acquaintances)*

Para cada una de las siguientes personas, di si la ves todos los días y si le hablas todos los días también.

⟩⟩ el médico   (No) Lo veo todos los días. (No) Le hablo todos los días.

1. el dentista
2. el cartero
3. la secretaria de la escuela
4. tus primos

5. tus abuelos
6. los vecinos
7. las amigas de tus amigos
8. los padres de tus amigos

VOCABULARIO PRÁCTICO   Verbos con complementos indirectos

comprar	to buy	Luis le **compra** un helado a Isabel.
dar	to give	Les **doy** consejos a mis amigos.
decir	to tell, say	Le **digo** la verdad al maestro.
enseñar	to show	No les **enseño** mis fotos a mis padres.
	to teach	El profesor les **enseña** francés a los alumnos.
mandar	to send	Le **mando** una carta a mi primo.
prestar	to lend	No les **presto** dinero a mis amigos.
regalar	to give (as a present)	Voy a **regalarle** un disco a mi primo para su cumpleaños.

NOTAS: 1. In the above sentences, the verbs are used with indirect object pronouns and with direct objects.
2. Note the **yo** forms of **dar** (doy) and **decir** (digo).

ACTIVIDAD 6   Regalos de Navidad

Imagina que compras las cosas de la columna A para Navidad. Di a qué persona de la columna B vas a darle cada regalo.

A	B
una suscripción a *Mad*	mi mejor amigo
un cartel *(poster)*	mi mejor amiga
un sombrero	mi papá
unos discos	mi mamá
unos anteojos de sol	mis abuelos
unos esquís acuáticos	mi tía
una novela	mis primos
un mapa de los Estados Unidos	mis hermanas
una tabla hawaiana	un amigo deportista
un rompecabezas *(puzzle)*	una amiga que va a menudo a la playa
una suscripción a *Deportes ilustrados*	un amigo que no es puntual
un reloj	unas amigas que viven en España

⟩⟩ Les doy una suscripción a *Mad* a mis primos.

ACTIVIDAD 7   Preguntas personales

Usa un pronombre complemento indirecto en tus respuestas.

1. Durante las vacaciones, ¿le escribes a tu mejor amigo? ¿a tu mejor amiga? ¿a tu profesor de español? ¿Les escribes a tus abuelos? ¿a tus compañeros?

2. ¿Les das consejos a tus amigos? ¿a tus compañeros? ¿a tus primos?

3. ¿Le prestas tus anteojos de sol a tu mejor amigo? ¿a tu mejor amiga? ¿a tu novio(a)?

4. ¿Les enseñas tus fotos a tus profesores? ¿a tus compañeros? ¿a tus amigos?

5. ¿Qué vas a regalarle a tu papá para su cumpleaños? ¿a tu mamá? ¿a tu mejor amigo? ¿a tu mejor amiga?

6. ¿Les lees cuentos a tus hermanos? ¿a tus hermanas? ¿a tus primos?

7. ¿Les prestas a tus compañeros tus revistas viejas? ¿tus notas de español?

8. Cuando estás de viaje, ¿les mandas tarjetas a tus compañeros? ¿a tus vecinos? ¿a tus tíos? ¿a tus abuelos?

D. Repaso: *decir*

Review the forms of **decir** (*to say, to tell*).

(yo)	**Digo** que Ana es guapa.
(tú)	**Dices** que es lista.
(él, ella, Ud.)	**Dice** que está cansada.
(nosotros)	**Decimos** que Ramón es deportista.
(vosotros)	**Decís** que es tímido.
(ellos, ellas, Uds.)	**Dicen** que no tiene suerte.

ACTIVIDAD 8 El secreto

Mari-Carmen tiene un secreto que le dice a Carlos. Carlos le dice el
secreto a Manuel, que le dice el secreto a . . . . Expresa esto usando la
forma apropiada del verbo **decir**.

≫ Mari-Carmen: Carlos Mari-Carmen le dice el secreto a Carlos.

1. Carlos: Manuel
2. yo: Enrique
3. mis primos: Isabel
4. tú: Felipe

5. Roberto y Andrés: Alberto
6. mis primos: mis primas
7. Uds.: el profesor

Para la comunicación

Imagina que estás en una playa cerca de Lima. Si tú eres un chico, ves a
una chica. Si eres una chica, ves a un chico. Esta persona es guapa y
parece interesante. Prepara seis frases o preguntas que puedes decirle. (Si
quieres, usa «Así es la vida» como tu inspiración.)

¡Chantaje!

Manuel: ¡Oye, Luis!

Luis: ¿Qué hay?

Manuel: Tienes una bicicleta nueva, ¿verdad?

Luis: ¡Sí! ¿Por qué?

Manuel: ¿Me la prestas?

Luis: Claro. . . Te la presto. . . ¡si me prestas mil pesetas!

Manuel: Mil pesetas, ¡no!

Luis: ¡Si no hay dinero, no hay bicicleta!

Manuel: ¡Va por quinientas pesetas! ¡Pero esto es chantaje!

¿Qué hay?: *What's new*

Va por: *It's a deal for* esto: *this* chantaje: *blackmail*

¿Un tocadiscos por una guitarra?

Pedro: ¡Dime, Carmen! ¿Adónde vas con tu guitarra?

Carmen: Voy a venderla.

Pedro: ¿A quién?

Carmen: ¡A Carlos!

Pedro (inquisitivo): ¿Por cuánto se la vendes a Carlos?

Carmen (un poco impaciente): Por treinta dólares.

Pedro (insistente): ¿Por treinta dólares. . . no quieres cambiármela?

Carmen (curiosa): Eso depende . . . ¿Por qué me la cambias?

Pedro (misterioso): Por algo magnífico, maravilloso, estupendo . . .

Carmen (un poco sospechosa): ¿Qué cosa?

Pedro (con un aire indiferente): ¡Mi tocadiscos!

Carmen (furiosa): ¿Quieres cambiar tu tocadiscos por mi guitarra, eh? . . . ¿Crees que soy tonta? . . . ¡Yo sé bien que tu tocadiscos está descompuesto!

Dime: *Tell me*

cambiármela: *to trade it with me* Eso: *That*

sospechosa: *suspicious*

está descompuesto: *doesn't work*

NOTA CULTURAL

¡La guitarra!

La guitarra es uno de los instrumentos de cuerda° más usado en la música popular española. La música y el baile flamenco, por ejemplo, se acompañan° con palmadas, ° zapateados,° y ¡con la guitarra!

En este siglo,° Andrés Segovia, famoso guitarrista español, fue el principal responsable del resurgimiento° del interés por la guitarra. Segovia mostró° que la guitarra era un instrumento de muchas posibilidades. Tocaba° música clásica.

La guitarra sigue siendo° el instrumento musical favorito de los jóvenes hispanos. Tocan la guitarra en las fiestas, en la playa, en los picnics, en los cafés, en las calles, en las plazas . . . y en todos los lugares donde se reúnen.° En algunos países hispanos, los jóvenes conservan° la tradición de dar una serenata° cerca de la ventana o del balcón de las chicas de que° están enamorados.°

de cuerda *string* **se acompañan** *are accompanied* **palmadas** *clapping* **zapateados** *foot stamping* **siglo** *century* **resurgimiento** *resurgence* **mostró** *demonstrated* **Tocaba** *He played* **sigue siendo** *continues to be* **se reúnen** *they get together* **conservan** *keep* **dar una serenata** *to serenade* **de que** *with whom* **están enamorados** *they are in love*

Vocabulario

sustantivo	**el chantaje**	blackmail
adjetivos	**inquisitivo**	curious, inquisitive
	misterioso	mysterious
	sospechoso	suspicious
verbo	**cambiar**	to change, to exchange
preposiciones	**con**	with
	por	for, in exchange for
pronombres	**eso, esto**	that, this (neuter)
exclamaciones	**¡Dime!**	Say! Tell me!
	¡Oye!	Listen!
	¿Qué cosa?	What is it? What thing?
	¿Qué hay?	What's up? What is it?
	¡Va por . . .!	It's a deal for . . .!

NOTA: **Eso** and **esto** are neuter demonstrative pronouns. They are used to refer to a general idea rather than a specific object.

CONVERSACIÓN

¿Tienes tocadiscos?
  ¿Se lo prestas a tus amigos?
¿Tienes discos?
  ¿Se los prestas a tus hermanos?
¿Recibes muchas cartas?
  ¿Se las lees a tus padres?
¿Tienes secretos?
  ¿Se los dices a tu mejor amigo? ¿a tu mejor amiga? ¿a tus padres?

VOCABULARIO PRÁCTICO   Algunos objetos

Objetos que llevamos

. . . en **el bolsillo**   . . . o en **el bolso**

un **bolígrafo**   el **chicle**   los **dulces**   una **billetera**

un **espejo**   un **lápiz**   un **billete**   una **libreta**   una **llave**

un **pañuelo**   un **peine**   una **navaja**   unas **monedas**

. . . o que nos **ponemos**

un **anillo**   un **collar**   una **medalla**

los **pendientes**   un **reloj de pulsera**   una **pulsera**

ACTIVIDAD 1   El costo de la vida *(The cost of living)*

¿Puedes decir cuánto cuestan las siguientes cosas? No es necesario saber el precio exacto.

> un paquete de chicle   Un paquete de chicle cuesta veinte centavos.
> un espejo   Un espejo cuesta un dólar.

1. un bolígrafo
2. un lápiz
3. una libreta
4. una billetera de plástico
5. una billetera de cuero *(leather)*
6. un pañuelo
7. un peine
8. una navaja
9. un anillo barato
10. un anillo de plata *(silver)*
11. un anillo de oro *(gold)*
12. una pulsera barata
13. una pulsera de plata
14. un reloj de pulsera
15. unos pendientes
16. un collar barato
17. un collar de perlas
18. una medalla de oro

ACTIVIDAD 2   Preguntas personales

1. ¿Tienes bolígrafo? ¿De qué marca?
2. ¿Compras chicle a menudo? ¿De qué marca?
3. ¿Comes muchos dulces?
4. ¿Tienes la llave de tu casa? ¿la llave del coche de tus padres? ¿la llave de la escuela?
5. ¿Usas pañuelos de tela *(cloth)* o pañuelos de papel *(paper)*?
6. ¿Tienes reloj de pulsera? ¿De qué marca? ¿Anda *(does it work)* bien?
7. ¿Escribes tus citas en una libreta?
8. ¿Tienes billetera? ¿De qué color es?
9. ¿Llevas anillos? ¿Cuántos?
10. ¿Llevas medallas? ¿Qué representan?
11. ¿Qué hay en tus bolsillos?

Estructuras

A. Repaso: los pronombres *me, te, nos*

Compare the subject and object pronouns in the chart below.

SUBJECT PRONOUNS	DIRECT AND INDIRECT OBJECT PRONOUNS		
yo	**me**	¿**Me** escuchas?	¿Vas a escuchar**me**?
tú	**te**	No **te** ayudo hoy.	Voy a ayudar**te** mañana.
nosotros(as)	**nos**	¿**Nos** ayudas, Pepe?	¿Vas a prestar**nos** tu guitarra?

✺ **Me, te** and **nos** can be used as both direct and indirect object pronouns.

✺ These pronouns have the same position as other object pronouns.

ACTIVIDAD 3 ¿Tienes buenas relaciones con otros?

Describe tus relaciones con otros, según el modelo. Puedes usar expresiones como **a veces, nunca.**

✺ tu papá (ayudar) Mi papá (no) me ayuda (nunca).

1. tu papá (ayudar / comprender / dar consejos / prestar el coche)
2. tu mamá (comprender / dar dinero / comprar regalos / respetar)
3. tus abuelos (escribir / llamar por teléfono / mandar regalos)
4. tus profesores (dar consejos / dar buenas notas / criticar)
5. tus amigos (visitar / llamar por teléfono / admirar / criticar / tolerar)

ACTIVIDAD 4 Diálogo: La amistad *(Friendship)*

Pregúntales a tus compañeros si van a hacer las siguientes cosas para ti durante las vacaciones.

✺ escribir Estudiante 1: ¿Vas a escribirme?
Estudiante 2: Sí (No, no) voy a escribirte.

1. invitar al cine
2. visitar
3. invitar a la playa
4. ayudar
5. presentar a tus amigos
6. mandar tarjetas

B. Repaso: pronombre indirecto + pronombre directo

The answers below contain two object pronouns. Note the sequence of these pronouns.

¿Me prestas tu coche?	Sí, **te lo** presto.
¿Me vendes tu bicicleta?	No, no **te la** vendo.
¿Vas a mandarme los libros?	Sí, voy a mandár**telos**.

In sentences which contain two object pronouns, the sequence is:

> indirect object + direct object

ACTIVIDAD 5 La envidia *(Envy)*

Clara quiere usar las cosas nuevas de su amiga Cecilia. Haz los dos papeles según el modelo.

> unos pendientes (prestar)
> Cecilia: ¡Mira mis pendientes nuevos!
> Clara: ¿Me los prestas?

1. un anillo (dar)
2. una pulsera (regalar)
3. un peine (prestar)
4. una billetera (enseñar)
5. unas medallas (dar)
6. unos discos (ofrecer)

ACTIVIDAD 6 Peticiones

Raúl le pide a Carmen algunas cosas. Carmen le dice que sí a ciertas cosas y a otras, no.

> el espejo (no)
> Raúl: ¿Me prestas tu espejo?
> Carmen: No, no te lo presto.

1. el peine (sí)
2. la libreta (sí)
3. el bolígrafo (sí)
4. los pendientes (no)
5. las monedas (no)
6. la pulsera (no)
7. los anteojos de sol (no)
8. la toalla (sí)
9. el sombrero (no)
10. la guitarra (sí)
11. el pañuelo (no)
12. la navaja (sí)

ACTIVIDAD 7 Intercambios

Roberto le propone a Elena ciertos intercambios, pero sin éxito *(success)*. Haz los dos papeles.

> el anillo / la medalla
> Roberto: ¿Me das tu anillo?
> Elena: Sí, te lo doy . . . por tu medalla.
> Roberto: ¡Por mi medalla! ¡No! No quiero cambiártela.

1. la billetera / la libreta
2. los pendientes / las medallas
3. los dulces / el chicle
4. los billetes / las monedas
5. la pulsera / el anillo
6. el peine / el espejo
7. los esquís acuáticos / la tabla hawaiana
8. el sombrero / los anteojos de sol
9. el reloj de pulsera / la navaja
10. el lápiz / el bolígrafo

C. Repaso: el pronombre se

Review the use of the pronoun **se** in the sentences below.

¿**Le** prestas tu moto **a Carlos?**   Sí, **se** la presto.
¿**Le** vendes tus libros **a María?**   No, no **se** los vendo.
¿**Les** mandas el telegrama **a tus primos?**   Sí, voy a mandárselo.

Se replaces **le** and **les** before the direct object pronouns **lo, la, los, las.**

ACTIVIDAD 8   Isabel

Isabel actúa positivamente con chicas y actúa negativamente con chicos. Di cómo va a actuar ella.

⟩⟩ ¿Le da su dirección a Andrés?   No, no se la da.
⟩⟩ ¿Le da sus tareas a Rita?   Sí, se las da.

1. ¿Le enseña sus fotos a Roberto?
2. ¿Le enseña sus notas a Luisa?
3. ¿Les presta sus pulseras a sus amigas?
4. ¿Le presta su libreta a Ramón?

5. ¿Le manda el telegrama a su primo?
6. ¿Les manda la tarjeta a sus primas?
7. ¿Les da el chicle a León y Felipe?
8. ¿Le ofrece los dulces a Beatriz?

ACTIVIDAD 9   Regalos

Imagina que tienes dos amigos: Elena, a quien le gustan los deportes, y Ramón, a quien le gusta la música. Di a cuál de los dos vas a regalarle los siguientes objetos.

⟩⟩ una tabla hawaiana   Se la doy a Elena.

1. unos discos
2. unas pelotas de tenis
3. una guitarra
4. un tocadiscos
5. una raqueta
6. unos zapatos de tenis

D. Repaso: el pronombre neutro *lo*

Review the use of the neuter pronoun **lo** in the sentencas below.

¿Sabes **dónde vive María?**   No, no **lo** sé.   *(I do not know it.)*
Juan dice **que tiene suerte.**   No **lo** creo.   *(I don't believe it.)*

The neuter pronoun **lo** replaces a part of a sentence (rather than a specific noun). It is often the equivalent of the English *it* or *so*. Note also the expression:

Lo siento.   *I am sorry (about that).*

ACTIVIDAD 10 Preguntas personales

1. ¿Sabes si vas a sacar una buena nota en español?
2. ¿Sabes dónde vive el (la) profesor(a)?
3. ¿Sabes dónde trabaja el papá de tu mejor amigo?
4. ¿Sabes dónde vas a pasar las vacaciones próximas?
5. ¿Sabes cuál es el signo del zodíaco de tu mejor amiga?
6. ¿Sabes si vas a ser millonario(a) un día?

Para la comunicación

Proponles ciertos intercambios a tus compañeros con dos cosas que
tienes en tu bolsillo o en tu bolso.
Por ejemplo: —Tengo un lápiz. Te lo cambio por tu bolígrafo.
　　　　　　　—Pero no necesito un lápiz. Te cambio mi bolígrafo por tus
　　　　　　　　llaves . . .

¡No hay democracia!

Hoy es domingo. Como todos los domingos, la familia Morales va al cine. Pero, ¿qué película va a ver? ¡Eso es un problema! Cuando hay cinco hijos en una familia, casi siempre hay cinco opiniones diferentes. Pero en una familia tan organizada como la familia Morales, siempre hay una solución para los problemas de esa clase. . . .

Sra. de Morales:	¿Chicos, quieren ir al cine?
Roberto:	¡Claro, mamá!
Silvia:	¡Qué idea tan buena!
Carmen:	¡Vamos a ver una película romántica!
Manuel:	¡Qué ideas tan estúpidas tienes, Carmen! ¡Las películas románticas son tan tontas! ¡A mí me gustan las películas de aventuras!
Enrique:	¡Y a mí no me gustan! ¡Solamente me agradan las películas cómicas!
Silvia:	¡Y a mí me gustan las películas de horror!
Roberto:	¡Y a mí me gustan las películas del oeste!
Sra. de Morales:	Un momento, jóvenes. . . . ¿Quién va a comprar las entradas?
Silvia:	¡Espero que papá!
Roberto:	¡Lo espero también!
Sra. de Morales:	¡Entonces, papá tiene que decidir. . . ! Julio, ¿qué clase de película te gustaría ver?
Sr. Morales:	Una comedia musical, ¡por supuesto!
Enrique:	¡No es justo!
Sra. de Morales:	¿Quieren ir con nosotros, o no?
Carmen:	Bueno . . . vamos a ver una comedia musical . . . pero . . .
Roberto:	En esta familia . . .
Silvia:	. . .¡NO HAY DEMOCRACIA!

me agradan: *I like*

entradas: *tickets*

¡Espero que papá! = Espero que papá va a comprar las entradas.

justo: *fair*

NOTAS CULTURALES

La autoridad paternal

¿Quién decide adónde vas de vacaciones, o qué clase de coche o de ropa vas a comprar? Tal vez tu mamá, tu papá o quizá ambos°...o a veces tú decides.

En las familias hispanas tradicionales, es el padre quien gana el dinero. Por lo tanto° él toma las decisiones grandes o pequeñas que conciernen a la familia. ¡Y sus decisiones son finales! Sin embargo, el papel° de la madre en asuntos° familiares° es importantísimo. Aunque ella no toma las decisiones finales, ella toma parte en ellas y hasta° puede influir en los resultados. Cuando un joven tiene miedo° de pedirle algo a su padre, su mejor estrategia es ir a hablar con su madre.

ambos *both* **Por lo tanto** *Therefore* **papel** *role* **asuntos** *matters* **familiares** *family* **hasta** *even* **tiene miedo** *is afraid*

¡Vamos al cine!

¿Te gusta ver películas? En los Estados Unidos, los jóvenes van a menudo al cine. También pueden ver buenas películas en la televisión por los sistemas de cable. Los jóvenes que tienen una videograbadora° en casa pueden alquilar° videos de sus películas favoritas y verlas sin salir de casa.

A los jóvenes hispánicos también les encanta ver películas. Sin embargo,° en los países hispanos generalmente en la televisión no se presentan películas modernas. La mayoría de las familias no tiene videograbadora. Entonces, no hay más remedio. ¡Hay que° ir al cine!

A veces, cuando se estrena° una película es necesario hacer cola° para entrar en el cine. Las funciones° empiezan regularmente por la tarde, aunque hay cines que tienen funciones de matinée. Algunos cines presentan dos películas y durante el intermedio° se puede comprar rositas de maíz° y refrescos y además hablar con los amigos. Las películas más populares entre los jóvenes hispánicos son las películas cómicas, policíacas, de misterio, de horror, de comedias musicales, de vaqueros° y, por supuesto, las de ciencia ficción.

videograbadora *VCR* **alquilar** *rent* **Sin embargo** *However* **Hay que** *One has to* **se estrena** *premières* **hacer cola** *to stand in line* **funciones** *shows* **intermedio** *intermission* **rositas de maíz** *popcorn* **vaqueros** *cowboys*

Vocabulario

sustantivos	**una clase**	type, kind	**una entrada**	ticket
expresiones	**casi**	almost	**¿cuál? ¿cuáles?**	which?
	entonces	then	**hay que**	one must, it is necessary to
	un momento	wait a minute		
	no es justo	it's not fair	**todos los**	every
	¡qué ...!	what (a) ...!	**(todas las)**	

NOTA: **¿Cuál?** is usually used instead of **¿qué?** in front of the verb **ser**. It suggests a choice between several possibilities.

 ¿Cuál es la mejor película? *Which is the best picture?*

¿Te gusta el cine?
¿Te gustan las películas de horror?
¿Te gusta la violencia?
¿Te gustan los deportes violentos?
¿Te gusta la música?
¿Te gustan las comedias musicales?

VOCABULARIO PRÁCTICO   Las diversiones

los deportes

Hay deportes individuales y deportes de **equipo** *(team)*.
Un **deporte** puede ser **sano** *(healthy)*, **peligroso** *(dangerous)* o **violento**.

bailar
cazar *(to hunt)*
escalar *(to climb)* la montaña
jugar al básquetbol, al fútbol,
   al ping pong, al tenis
montar a caballo *(to ride)*
nadar
patinar *(to skate)*
el baile moderno, clásico
la caza *(hunting)*
el alpinismo *(mountain climbing)*
el básquetbol, el fútbol,
   el ping pong, el tenis
la equitación *(horseback riding)*
la natación *(swimming)*
el patinaje *(skating)*

ACTIVIDAD 1 Diálogo: Las diversiones

Pregúntales a tus compañeros si les gustan las siguientes diversiones, según el modelo.

⊅ el baile   Estudiante 1: ¿Te gusta el baile?
                Estudiante 2: Sí, me gusta bailar.
                        (No, no me gusta bailar.)

1. el alpinismo
2. el tenis
3. la equitación
4. la cerámica
5. la lectura
6. el patinaje
7. la fotografía
8. la caza
9. la cocina

los pasatiempos

Hay pasatiempos artísticos. Otros son intelectuales.

cocinar	**la cocina** (*cooking*)
coleccionar	**la colección de sellos** (*stamps*), **de monedas**
hacer cerámica	**la cerámica** (*pottery*)
leer	**la lectura** (*reading*)
pintar (*to paint*)	**la pintura**
sacar fotos	**la fotografía**

los espectáculos

A veces somos espectadores.

    el cine: **una película** de aventuras, de horror, del oeste
    el teatro: **una obra de teatro** (*play*), **una tragedia, una comedia**
    la televisión o la radio: **las noticias** (*news*), **un programa** de variedades,
                                un partido (*game, match*) de fútbol o de tenis
    la música: **una ópera, un concierto**

Estructuras

A. Repaso: el uso del artículo en el sentido general

Note the use of the definite article in the following sentences.

¿Qué piensas de **la** música moderna?	*What do you think of modern music (**in general**)?*
¿Es **el** fútbol un deporte bueno?	*Is soccer (**generally**) a good sport?*
Las comedias musicales son aburridas.	*Musical comedies (**in general**) are boring.*
¿Estás en pro o en contra de **la** violencia en la televisión?	*Are you for or against violence on TV (**in general**)?*

Spanish speakers use the definite article before a noun used in a general or collective sense. In English the article is omitted.

ACTIVIDAD 2   Tus opiniones

Expresa lo que piensas de las siguientes diversiones, usando los elementos de A y B.

1. fútbol
2. volibol
3. natación
4. cine
5. teatro
6. fotografía
7. lectura
8. televisión
9. cerámica
10. películas románticas
11. películas de ciencia-ficción
12. películas del oeste
13. baile
14. alpinismo
15. cocina
16. pintura
17. patinaje
18. caza
19. equitación
20. atletismo

A	B	
deporte	estupendo	difícil
espectáculo	interesante	peligroso
pasatiempo	aburrido	sano
	tonto	violento
	útil	artístico

∞   tenis   El tenis es un deporte interesante.

ACTIVIDAD 3   ¿En pro o en contra?

¿Estás en pro o en contra de las siguientes cosas? Explica tu opinión, usando los siguientes adjetivos en frases afirmativas o negativas: **útil, inútil, necesario, sano, peligroso, bueno, malo** (* indica que el sustantivo es femenino).

> violencia*   Estoy en contra (en pro) de la violencia.
> La violencia es mala (buena).

1. justicia*
2. progreso social
3. progreso técnico
4. democracia*
5. libertad* *(freedom)*

6. injusticia*
7. revolución*
8. anarquía*
9. contaminación* *(pollution)* del aire
10. exámenes

B. Repaso: la construcción *me gusta(n)*

Note the forms of the expression **me gusta** in the following sentences.

¿**Te gusta** el jazz?   No, **me gusta** solamente la música clásica.

¿**Te gustan** los deportes?   Sí, **me gustan** especialmente los deportes como el tenis y
                              la natación.

> Literally, **gustar** means *to please* or *to be pleasing*.
> In expressions such as **me gusta la música, me gustan los deportes**, the verb **gustar** agrees with the subject (**la música, los deportes**) and not with **me**, which is the indirect object.

> **Me** can be replaced by the other indirect object pronouns: **te, le, nos, les**.

Nos gusta el español, ¿verdad?   *We like Spanish, don't we?*
                                        (Spanish is pleasing to us . . .)

A Rita le gusta el tenis y   *Rita likes tennis and*
   a Esteban le gusta la natación.   *Esteban likes swimming.*

¿**Le gustan** las películas   *Do you like American movies,*
   norteamericanas, Sr. Morales?   *Mr. Morales?*

ACTIVIDAD 4   El turista mexicano

Imagina que un periodista norteamericano le hace una entrevista a un turista mexicano. Le pregunta a él si le gustan las siguientes cosas. Haz los dos papeles.

> Nueva York (sí)   El periodista: ¿Le gusta Nueva York?
>   El turista: Sí, me gusta mucho.

1. el béisbol (sí)
2. el fútbol americano (no)
3. la hospitalidad (sí)
4. las películas (no)

5. los programas de televisión (no)
6. la cocina (no)
7. los restaurantes (no)
8. los hoteles (sí)

VOCABULARIO PRÁCTICO

me gusta(n) más	I prefer (. . . please[s] me more)	Me gusta la televisión, pero **me gusta más** el cine.
me gustaría(n)	I would like (. . . would please me)	**Me gustaría** ir a México.
me agrada(n)	I enjoy (. . . please[s] me)	**Me agradan** las películas del oeste.
me disgusta(n)	I hate (. . . disgust[s] me)	**Me disgustan** las películas de violencia.
me encanta(n)	I like very much (. . . please[s] me very much)	**Me encanta** la música.
me interesa(n)	I am interested in (. . . interest[s] me)	**Nos interesa** la clase.
me importa(n)	. . . matter(s) to me I care	No **me importan** tus ideas.
me preocupa(n)	I am worried by (. . . worry[ies] me)	**Me preocupa** el futuro.
me falta(n)	I lack (. . . is[are] lacking to me) I do not have	**Nos falta** experiencia. **Me faltan** dos dólares para ir al cine.

ACTIVIDAD 5   Expresión personal

Expresa tus reacciones personales a las siguientes cosas, usando las
expresiones del vocabulario en frases afirmativas o negativas.

> mis estudios   (No) Me interesan (preocupan, importan . . .) mis estudios.

1. la música clásica
2. el baile tradicional
3. los deportes violentos
4. las películas de violencia
5. los exámenes
6. las vacaciones
7. mis relaciones con mis amigos
8. mis relaciones con mis padres
9. mis notas
10. el futuro del mundo

ACTIVIDAD 6   Lo que nos falta *(What we don't have)*

Hay muchas cosas que no podemos hacer porque nos falta algo. Expresa
eso, completando las frases con una idea personal.

> Me falta dinero para . . .   Me falta dinero para comprar una moto.

1. Me falta experiencia para . . .
2. Me falta tiempo para . . .
3. Me falta paciencia para . . .
4. Me falta ambición para . . .
5. Me falta talento para . . .
6. Me falta inspiración para . . .

ACTIVIDAD 7   A cada uno su gusto *(Each to his or her own taste)*

En cinco minutos, ¿cuántas frases lógicas puedes crear? Usa los elementos
de las columnas A, B, C y D, según el modelo.

A	B	C	D
Marina	loco	gustar	el tenis
el Sr. Chávez	deportista	encantar	la música clásica
la Srta. Velázquez	intelectual	disgustar	los conciertos de rock
nosotros	liberal	agradar	el comunismo
mis amigos	músico		la ópera
	conservador		la violencia
	artístico		las modas extravagantes
			la libertad *(freedom)*
			el peligro *(danger)*
			las ideas revolucionarias
			la escultura
			la pintura
			la equitación
			la caza

⊃⊃ Marina es música. Le gusta la ópera.

C. La construcción *el (la, los, las)* + adjetivo

Note the use of the definite articles in the following questions and
answers.

¿Te gusta más el teatro moderno o el clásico? **El** moderno. *(The modern **one.**)*
¿Te gusta más la música norteamericana o la hispana? **La** hispana. *(The Spanish **one.**)*
¿Prefieres los programas cómicos o los dramáticos? **Los** cómicos. *(The funny **ones.**)*
¿Prefieres las chicas morenas o las rubias? **Las** morenas. *(The brunette **ones.**)*

To avoid repeating a noun, Spanish speakers often use the construction:

> **el, la, los, las**   +   adjective

⊃⊃ In the above sentences,   el clásico   =   el teatro clásico
                             la hispana =   la música hispana

⊃⊃ There is a similar construction with the indefinite article:

un(a) joven   a young man (woman)
un(a) viejo(a)   an old man (woman)
un(a) francés(esa)   a French man (woman)

PALACIO DE BELLAS ARTES
ballet
folklórico de
México
Amalia Hernández

ACTIVIDAD 8   El honor nacional

Un chico español está discutiendo *(arguing)* con una chica mexicana. El chico español dice que las cosas españolas son buenas. La chica mexicana dice que las cosas mexicanas son mejores. Haz los dos papeles.

⟫   las películas   El chico español: Las películas españolas son muy buenas.
                            La chica mexicana: ¡Quizá! Pero las mexicanas son mejores.

1. el teatro
2. la literatura
3. el arte
4. el clima *(climate)*
5. los restaurantes
6. la cocina
7. los atletas
8. los artistas
9. los museos
10. las comedias

D. La construcción *el (la, los, las) + que*

We have seen several instances in which the definite article can be used to replace a noun which has already been expressed.

> **el (la, los, las) + de**

¿Es la moto de Juan?
No, es **la de** Ramón.   *No, it is Ramón's **(the one of Ramón)**.*
    (la moto de Ramón)

> **el (la, los, las) + adjetivo**

¿Te gustan los programas cómicos?
Sí, pero me gustan **los dramáticos** también.   *Yes, but I also like the **dramatic ones**.*
    (los programas dramáticos)

Also note the construction   **el (la, los, las) + que**

Hay dos chicas aquí.
Alicia es **la que** estudia conmigo.   *Alicia is **the one who** studies with me.*
        (la chica que)
¿Cuál es el muchacho francés?
    Es **el que** habla con Luisa.   *It's **the one who** is talking with Luisa.*
        (el muchacho que)

ACTIVIDAD 9   En la fiesta internacional

Carlos y Luisa van a una fiesta internacional. Carlos le pregunta a Luisa cuáles son los siguientes invitados *(guests)*. Haz los dos papeles según el modelo.

➳   la chica francesa (toca la guitarra)

Carlos: Luisa, ¿cuál es la chica francesa?
Luisa: Es la que toca la guitarra.

1. el muchacho italiano (habla con Carmen)
2. las muchachas mexicanas (bailan)
3. los estudiantes franceses (hablan con Elena)
4. la estudiante argentina (lleva pendientes azules)
5. el muchacho norteamericano (bebe una Coca-Cola)
6. las chicas inglesas (comen un sándwich)

Para la comunicación

Describe tres cosas que te gustan y tres cosas que no te gustan particularmente en los siguientes lugares.

1. En el colegio . . .
2. En casa . . .
3. En el campo . . .
4. En los Estados Unidos . . .
5. En el mundo . . .

Variedades

Dos poetas españoles: Machado y Bécquer

Antonio Machado

Antonio Machado (1875-1939) es uno de los grandes poetas españoles. Para él, no existe verdaderamente° una diferencia entre° la realidad y los sueños.° Somos lo que nos imaginamos ser. Éste es uno de los más famosos poemas de Machado. Un caballero° pasa por la ciudad y se lleva° con él una visión hermosa.°

La plaza tiene una torre,°
la torre tiene un balcón,
el balcón tiene una dama,°
la dama una blanca flor.°
Ha pasado° un caballero
—¡quién sabe por qué pasó!—,
y se ha llevado° la plaza
con su torre y su balcón,
con su balcón y su dama,
su dama y su blanca flor.

From "Consejos, coplas, apuntes," *De un cancionero apócrifo. Antonio Machado y Ruiz, Obras: Poesía y Prosa,* 2a edición. Aurora de Albornoz y Guillermo de Torre, eds. Buenos Aires: Ed. Losada, 1973, pp. 327-328.

verdaderamente: *truly*
entre: *between*
sueños: *dreams*
caballero: *gentleman, knight*
se lleva: *brings away*
hermosa: *beautiful*
torre: *tower*

dama: *lady*

flor: *flower*

Ha pasado: *Has passed by*

se ha llevado: *he has carried away*

Gustavo Adolfo Bécquer

El poeta romántico Gustavo Adolfo Bécquer (1836-1870) es también uno de los grandes poetas de España. Durante su corta° vida escribió° leyendas° y un grupo de rimas muy famosas. Sus rimas son poemas líricos y cortos que hablan del amor.

corta: *short* escribió: *he wrote*
leyendas: *legends*

Rimas

XXXVIII
Los suspiros° son aire y van al aire.
Las lágrimas° son agua° y van al mar.°
Dime,° mujer:° Cuando el amor se olvida,°
¿sabes tú adónde va?

suspiros: *sighs*

lágrimas: *tears* agua: *water* mar: *sea*
Dime: *Tell me* mujer: *woman*
se olvida: *is forgotten*

XXII

Por una mirada,° un mundo
por una sonrisa,° un cielo:°
por un beso . . .° yo no sé
qué te diera° por un beso.

mirada: *glance*
sonrisa: *smile* cielo: *heaven*
beso: *kiss*
diera: *would give*

XXI

¿Qué es poesía? dices mientras clavas°
    En mi pupila° tu pupila azul:
¿Qué es poesía? ¿Y tú me lo preguntas?
    Poesía . . . eres tú.

clavas: *you fix*
pupila: *pupil (eye)*

Unidad 3

Día tras día

Ocho cosas que no me gustan

La vida no es siempre color de rosa . . . De vez en cuando, tenemos nuestros pequeños problemas . . . ¡Éstas son algunas cosas que no me gustan a mí, Patricia Álvarez!

color de rosa: *fun*

No me gusta . . .

 . . . jugar al ping pong con mi hermano.
 Juego bastante bien y él juega mal. No es divertido jugar
 con él. ¡Qué va!

¡Qué va!: *Nonsense!*

 . . . jugar al tenis con mis primas.
 Juego bien pero ellas juegan mejor. Cuando jugamos
 juntas, ellas ganan y yo pierdo. ¡Siempre! ¡Qué lástima!

juntas: *together*

 . . . perder el tiempo.
 ¡Especialmente cuando lo pierdo con personas aburridas!
 ¡Qué lata!

¡Qué lata!: *What a bore!*

 . . . contar chistes.
 ¡No los cuento bien! ¡Qué lío!

chistes: *jokes*
¡Qué lío!: *What a mess!*

 . . . pedirle dinero a mi papá.
 Mi papá es generoso conmigo solamente cuando recibo
 buenas notas. ¡Ay! Por eso no le pido dinero a menudo.
  . . . ¡Se lo pido a mi mamá!

 . . . almorzar en la cafetería de la escuela.
 Almuerzo allí cinco días por semana y cuarenta semanas
 por año . . . ¡Qué horror!

 . . . encontrar a personas antipáticas.
 ¡Afortunadamente, no las encuentro a menudo! ¡Qué
 bueno!

 . . . dormir más de nueve horas por día.
 Cuando duermo más, me duele la cabeza y me siento de
 mal humor el resto del día. ¡Qué malo!

más de: *more than*
me duele la cabeza: *my head aches*

NOTA CULTURAL

El dinero

Muchos padres hispanos no suelen° darles una mensualidad° a sus hijos. Generalmente si los jóvenes reciben dinero es en ocasiones especiales como el cumpleaños, la Navidad, el Año Nuevo, visitas de parientes generosos o cuando reciben buenas notas. Sin embargo, los jóvenes no tienen muchos gastos.° Los padres les pagan el colegio, los libros, los gastos de transporte y las menudencias.°

El dinero regalado° por los padres a sus hijos en esas ocasiones especiales tiene nombres diferentes en cada país. Por ejemplo, en México se le llama "el domingo" porque tradicionalmente los jóvenes recibían° este dinero los domingos. En otros países, como Colombia, se le llama "la cuelga" a la cantidad° de dinero que se da principalmente como regalo de cumpleaños.

suelen *usually* **mensualidad** *(monthly) allowance*
gastos *expenses* **menudencias** *small things* **regalado**
given **recibían** *received* **cantidad** *quantity, sum*

Vocabulario

sustantivo	**un chiste**	joke
adjetivo	**juntos(as)**	together
expresiones	**así (es que)**	therefore, so (it is that)
	de vez en cuando	from time to time, once in a while
	me duele(n) . . .	my . . . hurt(s)
	mejor	better
	por eso	because of that
exclamaciones	**¡Qué lástima!**	Too bad!
	¡Qué lata!	What a bore!
	¡Qué lío!	What a mixup! What a mess!
	¡Qué malo / bueno!	How awful / great!
	¡Qué va!	Nonsense!

NOTAS:
1. The construction **me duele** is similar to **me gusta.**
   Me duele la cabeza.   *I have a headache. (Literally, the head hurts me.)*
   Me duelen los ojos.   *My eyes **hurt**.*
2. **¡Qué. . .!** To express your feelings about something, you may use the following exclamations:
   ¡Qué + noun!   What a . . .!   ¡Qué lástima!
   ¡Qué + adjective!   How . . .!   ¡Qué bueno!

Lección uno
97

CONVERSACIÓN

Di si te gusta hacer las siguientes actividades. Di también si las haces frecuentemente.

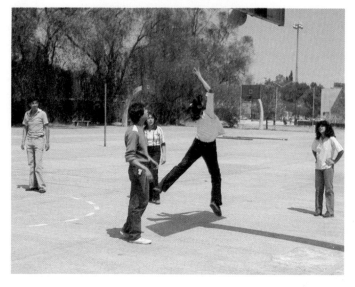

⟩⟩ ¿Te gusta jugar al volibol?

Sí (No, no) me gusta jugar al volibol. (No) Juego al volibol frecuentemente.

¿Te gusta jugar al tenis?
¿Te gusta jugar al básquetbol?
¿Te gusta jugar al ping pong?
¿Te gusta jugar al béisbol?
¿Te gusta contar chistes?

Estructuras

A. Repaso: los verbos con cambio en el radical (e → ie)

Review the changes which occur in the present tense stem of the verbs **pensar** *(to think, to intend),* **querer** *(to like),* **preferir** *(to prefer).*

INFINITIVE	pensar	querer	preferir
PRESENT			
(yo)	pienso	quiero	prefiero
(tú)	piensas	quieres	prefieres
(él, ella, Ud.)	piensa	quiere	prefiere
(nosotros)	pensamos	queremos	preferimos
(vosotros)	pensáis	queréis	preferís
(ellos, ellas, Uds.)	piensan	quieren	prefieren
PRESENT PARTICIPLE	pensando	queriendo	prefiriendo

⟩⟩ In many verbs that have an **e** in the stem, the **e** becomes **ie** in the **yo, tú, él,** and **ellos** forms of the present tense.

⟩⟩ For **-ir** verbs only, another stem change occurs in the present participle: **e → i**.

⟩⟩ The endings of all stem-changing verbs are regular.

ACTIVIDAD 1   A cada uno su gusto (*Everyone to his or her own taste*)

Todos no tenemos los mismos gustos. Las siguientes personas no quieren hacer ciertas cosas porque prefieren hacer otras. Expresa esto, según el modelo.

⊅   Paco: estudiar francés / inglés   Paco no quiere estudiar francés.
                                              Prefiere estudiar inglés.

1. Rafael: leer novelas / historietas   5. nosotros: jugar al tenis / al béisbol
   (*comics*)   6. Enrique: comer dulces / helado
2. mis hermanas: escuchar la radio / discos 7. Ud.: correr las olas / en la playa
3. tú: salir con Teresa / con Roberto   8. Uds.: caminar por el centro / por el
4. yo: ir a México / a España   campo

VOCABULARIO PRÁCTICO   Verbos con cambio en el radical (e → *ie*)

verbos que terminan en -ar

cerrar	to close, to shut	Lucía **cierra** la ventana.
cerrar con llave	to lock	¿**Cierras** tu cuarto **con llave**?
comenzar	to begin, to start	Mateo **comienza** una novela.
comenzar a (+ infinitivo)	to begin, to start	**Comenzamos a** trabajar a las ocho.
empezar	to begin, to start	La película **empieza** a las nueve.
empezar a (+ infinitivo)	to begin, to start	Está **empezando** a llover.
pensar de	to think of, to have an opinion about	¿Qué **piensas de** Roberto?
pensar en	to think about	¿**Piensas** mucho **en** el futuro?
pensar (+ infinitivo)	to intend, to plan	¿**Piensas** hacer un viaje durante las vacaciones próximas?

verbos que terminan en -er

entender	to understand	No **entiendo** al profesor.
perder	to lose	¿Por qué **pierdes** la paciencia?
	to waste	No me gusta **perder** el tiempo con personas aburridas.
	to miss	No **pierdo** nunca el autobús.
querer	to want (something)	¿**Quieres** té o café?
querer a	to like, love (someone)	Pedro **quiere a** Anita.
querer (+ infinitivo)	to want	¿**Quiere** Ud. ir al cine conmigo?

verbos que terminan en -ir

mentir	to lie	No me gustan las personas que **mienten.**
preferir	to prefer	¿**Prefieres** ir al cine o al teatro?
sentir	to feel	**Siento** admiración por Rosita.
	to regret, to be sorry about	Mis hermanos **sienten** mucho su accidente.

ACTIVIDAD 2   Preguntas personales

1. ¿Cierras la puerta de tu cuarto cuando estudias? ¿cuando escuchas música? ¿cuando estás allí con tus amigos?

2. Cuando vas al colegio, ¿cierras con llave tu cuarto? ¿los cajones *(drawers)* de tu escritorio *(desk)*?

3. ¿Cierras los ojos cuando ves una película de horror? ¿un accidente?

4. ¿A qué hora empieza la clase de español? ¿la clase de inglés? ¿la clase de matemáticas?

5. ¿Piensas mucho en los estudios? ¿en las fiestas? ¿en el futuro? ¿en los problemas del mundo?

6. De vez en cuando, ¿pierdes la paciencia? ¿el tiempo? ¿el dominio de ti mismo *(self-control)*? ¿la cabeza? ¿tus facultades *(senses)*?

7. ¿Entiendes español? ¿francés? ¿inglés? ¿otro idioma *(language)*? ¿cuál?

8. ¿Entiendes bien cuando el (la) profesor(a) habla español?

9. ¿Quieres mucho a tus amigos? ¿a tus compañeros?

10. ¿Quieres ser ingeniero(a)? ¿fotógrafo(a)? ¿profesor(a)? ¿médico(a)? ¿artista?

11. ¿De vez en cuando, ¿les mientes a tus amigos? ¿a tus padres? ¿a tus profesores?

12. ¿Sientes mucha admiración por los atletas? ¿por los artistas? ¿por tus padres? ¿por tus profesores?

13. ¿Sientes pena *(grief)* cuando tus amigos están tristes?

B. Repaso: los verbos con cambio en el radical *(o, u → ue)*

Review the stem changes in the verbs **contar** *(to tell)*, **volver** *(to return)*, and **dormir** *(to sleep)*.

INFINITIVE	contar	volver	dormir
PRESENT			
(yo)	**cuento**	**vuelvo**	**duermo**
(tú)	**cuentas**	**vuelves**	**duermes**
(él, ella, Ud.)	**cuenta**	**vuelve**	**duerme**
(nosotros)	contamos	volvemos	dormimos
(vosotros)	contáis	volvéis	dormís
(ellos, ellas, Uds.)	**cuentan**	**vuelven**	**duermen**
PRESENT PARTICIPLE	contando	volviendo	durmiendo

- In many verbs that have an **o** in the stem, the **o** becomes **ue** in the **yo, tú, él,** and **ellos** forms of the present tense.

- In addition, the **-ir** verbs have another stem change in the present participle: **o → u.**

- **Jugar** *(to play)* has the stem change **u → ue** in the **yo, tú, él,** and **ellos** forms of the present tense.

  Jue**go al tenis con Silvia.   Jugamos a menudo.**

ACTIVIDAD 3   El insomnio

Las siguientes personas no pueden dormir. Explica su insomnio según el modelo.

- Jaime / enfermo   Jaime duerme mal. No puede dormir porque está enfermo.

1. Elena / nerviosa
2. tú / de mal humor
3. mis primos y yo / constipados *(congested with a cold)*
4. nosotros / preocupados
5. yo / enfermo
6. Isabel y Chela / agitadas
7. Ud. / furioso
8. Uds. / de muy mal humor

*verbos que terminan en **-ar***

almorzar	to have lunch	**Almuerzo** en la cafetería.
contar	to count	Pedro **cuenta** su dinero.
	to tell	Elena **cuenta** un chiste.
costar	to cost	¿Cuánto **cuestan** tus libros?
encontrar	to find (like)	¿Cómo **encuentras** esta película?
	to meet	Espero **encontrar** a mis amigos en el café.
jugar (a + deporte)	to play	Esteban **juega** muy bien **al** tenis.
mostrar	to show	Clara le **muestra** sus fotos a Pedro.
probar	to try (out), to test	Inés **prueba** su bicicleta nueva.
	to taste	Roberto **prueba** el café.
recordar	to remember	No **recuerdo** tu visita.
soñar (con)	to dream (about)	**Sueñas con** cosas imposibles.
		Sueño con ser rico.

*verbos que terminan en **-er***

devolver	to give back, to return (an object)	Le **devuelvo** los discos a Pedro.
poder	can, to be able	¿**Puedes** prestarme cinco dólares?
volver	to return, to come back	¿A qué hora **vuelves**?

*verbos que terminan en **-ir***

dormir	to sleep	No **duermo** bien.

ACTIVIDAD 4   ¿Cuántas veces? (How often?)

Di si haces las siguientes cosas. Usa expresiones como **siempre, de vez en cuando, nunca, casi siempre, a menudo, raras veces.**

> dormir bien   Casi siempre, duermo bien.

1. dormir en clase
2. soñar
3. soñar despierto(a) (to daydream)
4. soñar con cosas imposibles
5. soñar con ser rico(a)
6. almorzar en la cafetería de la escuela
7. almorzar en restaurantes elegantes
8. contar chistes
9. contar mentiras (lies)
10. contar tu dinero
11. recordar tus sueños (dreams)
12. devolver las cosas de tus amigos
13. probar las cosas que compras
14. mostrarles tus notas a tus padres
15. volver a casa muy tarde

ACTIVIDAD 5   Diálogo: Las diversiones

Pregúntales a tus amigos si juegan a las siguientes cosas y con quién.

> al tenis   Estudiante 1: ¿Juegas al tenis?
> Estudiante 2: Sí, juego al tenis. (No, no juego al tenis.)
> Estudiante 1: ¿Con quién juegas?
> Estudiante 2: Juego con mi hermana (Manuel, Bárbara . . .).

1. al volibol
2. al básquetbol
3. al fútbol
4. al ajedrez (chess)
5. a las damas (checkers)
6. a los naipes (cards)
7. al bridge
8. al póker
9. al chaquete (backgammon)
10. al béisbol

C. Repaso: los verbos con cambio en el radical (e → i)

Review the changes which occur in the stem of **pedir** (to ask for).

INFINITIVE	pedir		
PRESENT			
(yo)	pido	(nosotros)	pedimos
(tú)	pides	(vosotros)	pedís
(él, ella, Ud.)	pide	(ellos, ellas, Uds.)	piden
PRESENT PARTICIPLE	pidiendo		

> In certain verbs in **-ir** that have an **e** in the stem, the **e** becomes **i** in the **yo, tú, él** and **ellos** forms of the present tense and in the present participle.

pedir	to ask for	Inés le **pide** su foto a Luisa.
reír	to laugh	**Reímos** a menudo en la clase.
repetir	to repeat	Roberto **repite** los verbos.
seguir	to follow	**Sigo** los consejos de mi profesor.
seguir (+ pres. part.)	to keep on	Carlos **sigue** trabajando.
servir	to serve	¿Qué **sirven** en la cafetería?
sonreír	to smile	¿Por qué estás **sonriendo**?

NOTAS:

1. The accent on the **í** of **reír** and **sonreír** exists in all forms of the present: **río, ríes, ríe, reímos, reís, ríen.** Note that there is no written accent in the present participle: **riendo.**
   Río cuando mis amigos cuentan chistes.
   Mis padres no **ríen** cuando saco una mala nota.

2. The **gu** of **seguir** becomes **g** before **o**.
   No **sigo** tus instrucciones.

3. The construction **seguir** + present participle means *to keep on* or *to continue doing something.*
   Marta sigue estudiando.   *Marta **keeps on** (continues) studying.*
   Sigo escribiéndoles a mis amigos.   *I **keep on** writing to my friends.*

ACTIVIDAD 6   **Preguntas personales**

1. ¿Le pides consejos a tu papá? ¿a tu mamá? ¿Les pides consejos a tus amigos? ¿a tus profesores?

2. ¿Sigues los consejos de tus amigos? ¿de tus profesores? ¿de tus padres?

3. ¿Sigues los buenos consejos? ¿los buenos ejemplos? ¿los malos ejemplos? ¿la moda?

4. ¿Sirven buenas comidas en la cafetería de tu colegio? ¿Sirven pizza? ¿hamburguesas? ¿tacos?

5. ¿Ríes mucho? ¿Ríes cuando un amigo te cuenta un chiste? ¿cuando el profesor te da una mala nota?

6. ¿Sonríes a los chicos (las chicas) cuando caminas por la calle? ¿cuando estás en la clase?

7. ¿Te gusta repetir los verbos? ¿Los repites a menudo?

ACTIVIDAD 7 Los fines de semana

Hay personas que siempre hacen una cierta cosa los fines de semana.
Pregunta a las personas entre paréntesis si siguen haciendo esta misma
actividad. Expresa esto según el modelo.

> Silvia siempre juega al tenis los fines de semana. (tú) ¿Sigues jugando
>   al tenis los fines de semana?

1. Siempre nado los fines de semana. (tú)
2. Siempre monto en bicicleta los fines de semana. (Ud.)
3. Carmen siempre baila los fines de semana. (Uds.)
4. Mi hermana y yo siempre jugamos a las damas *(checkers)* los fines de semana. (Paco y su tío)
5. Mis hermanas siempre juegan al ajedrez *(chess)* los fines de semana. (Andrés y Marisol)
6. Clara siempre toca el piano los fines de semana. (Luís)

ACTIVIDAD 8 Causas y consecuencias

Nuestras acciones producen ciertos resultados. Expresa esto según el
modelo.

> María: estar muy cansada / jugar al tenis
>   María va a estar muy cansada si sigue jugando al tenis.

1. Carlos: engordar *(get fat)* / comer mucho
2. Ana y yo: adelgazar *(get thin)* / comer poco
3. nosotros: ganar dinero / trabajar los fines de semana
4. yo: aprender mucho / estudiar
5. tú: aburrir *(bore)* a tus amigos / hablar siempre
6. Uds.: correr el maratón / correr todos los días

Para la comunicación

Imagina cuatro actividades que te gusta hacer y cuatro que no te gusta
hacer. Di cuándo, dónde, por qué y con quién haces estas actividades.
Puedes usar «Ocho cosas que no me gustan» como modelo.

> Me gusta bailar. Bailo los sábados por la noche . . .

La rutina diaria

Cada mañana, nos levantamos.

¿Y qué hacemos después? Probablemente, nos miramos en el espejo, y a veces nos admiramos. Nos lavamos, nos peinamos, nos vestimos, nos desayunamos, luego vamos a la escuela o al trabajo . . . Y cada noche, nos acostamos y nos dormimos.

¿Es decir que no hay originalidad en nuestra vida?

¡Claro que no! Hacemos las mismas cosas, pero las hacemos de una manera un poco diferente. Considera a los siguientes amigos porteños. La rutina diaria de cada uno empieza a una hora diferente.

Es decir: *Is that to say*

porteños: *from Buenos Aires*

diaria: *daily*

Jaime (diez y ocho años)

—Yo soy estudiante en la universidad de Buenos Aires. Generalmente, me levanto a las siete, pero los martes no tengo clases por la mañana y no me levanto antes de las diez . . . excepto cuando tengo una cita.

Isabel (veinte y un años)

—Soy enfermera en el Hospital General. Mi trabajo empieza a las ocho. Pero como vivo lejos, tengo que levantarme a las seis . . . ¡Qué lata!

Esteban (veinte años)

—¿A qué hora me levanto? ¿Yo? Me levanto a las dos. No a las dos de la mañana . . . a las dos de la tarde. Soy guitarrista en un club de jazz. Toco toda la noche y me acuesto generalmente a las siete de la mañana.

Ramón (veinte y dos años)

—Soy portero de noche en el Hotel República. Yo también trabajo por la noche y duermo por el día . . . ¿Cuándo me levanto? Depende . . . A las tres o cuatro de la tarde . . .

portero: *doorman*

Buenos Aires, la capital de la Argentina

¿Sabes quiénes son los porteños? Así se llama a los habitantes de Buenos Aires. La capital de la Argentina es una ciudad cosmopolita y enorme. Por su población, es la segunda ciudad de habla hispana° del mundo. Los porteños se sienten muy orgullosos° de su ciudad. Y, ¿por qué? ¡Porque hay muchas cosas interesantes que hacer y ver en Buenos Aires!

• Buenos Aires es la ciudad más europea de las Américas. Muchos la llaman el París de Latinoamérica, porque es una ciudad muy bonita donde hay mucha cultura.

• En el centro de la ciudad está la hermosísima° Plaza de la República con el famoso Obelisco.

• La Avenida 9 de Julio es la más ancha del mundo.

• El teatro Colón está considerado como uno de los mejores del mundo por su acústica.

• Allí está La Boca, parte de la ciudad muy pintoresca donde el tango se hizo° famoso.

Y hay muchísimas razones° más. Si vas a Buenos Aires un día, no olvides° ver esa casa elegante de color de rosa, donde está la oficina del presidente. ¡Ésa es la Casa Rosada!°

de habla hispana *Spanish-speaking* **orgullosos** *proud* **hermosísima** *very beautiful* **se hizo** *became* **razones** *reasons* **no olvides** *don't forget* **Rosada** *Pink*

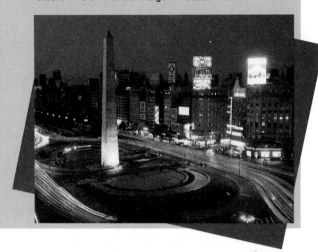

── Vocabulario ──

expresiones	**cada**	each
	cada uno	each one
	como	since
	de una manera	in a way
	diario	daily
	luego	then
	por el día	during the day

NOTAS:
1. **Cada** *(each)* introduces masculine and feminine singular nouns. It has only one form.
   Cada noche.   **Cada** día.

2. **Cada uno** *(each one)* replaces nouns. It has two forms:
   Mira a los chicos.   **Cada uno** tiene una raqueta.
   Mira a las chicas.   **Cada una** tiene una bicicleta.

3. **Como** has different meanings:
   like, as   Te hablo **como** a un hermano.
                 Isabel trabaja **como** enfermera.
   since, because   **Como** vivo lejos del centro, tomo el autobús.

CONVERSACIÓN

Ahora vamos a hablar de la rutina diaria de tu familia.

¿A qué hora te levantas los lunes?
¿A qué hora te levantas los domingos?
¿A qué hora se levanta tu papá durante la semana?
¿A qué hora se levanta tu mamá?
¿A qué hora se levantan tus padres los domingos?
¿A qué hora te acuestas durante la semana?

Estructuras

A. Repaso: la construcción reflexiva

Note the form and position of the pronoun in the conjugation of the reflexive verb **lavarse** *(to wash oneself)*.

INFINITIVE	lavarse		
PRESENT			
(yo)	**me** lavo	(nosotros)	**nos** lavamos
(tú)	**te** lavas	(vosotros)	**os** laváis
(él, ella, Ud.)	**se** lava	(ellos, ellas, Uds.)	**se** lavan
PRESENT PARTICIPLE	lavándose		

- Reflexive verbs are formed with reflexive pronouns.
- Reflexive pronouns have the same position as other object pronouns. They usually come before the verb, except in affirmative commands:

  ¡Lávate!

- In an infinitive or present progressive construction, the reflexive pronouns come before the conjugated verb or after the infinitive or present participle.

  Carlos va a lavar**se**.   **Se** va a lavar.
  Isabel está peinándo**se**.   **Se** está peinando.

Compare the reflexive and nonreflexive constructions in the following sentences:

(nonreflexive)

Clara **lava** el perro.
*Clara **washes** the dog.*

(reflexive)

Después, **se lava**.
*Afterwards, **she washes herself**.*

(nonreflexive)	(reflexive)

Manuel mira a Isabel.
Manuel looks at Isabel.

Isabel **se mira** en el espejo.
Isabel looks at herself in the mirror.

Compro un helado para mi prima.
I buy an ice cream cone for my cousin.

Me compro una Coca-Cola.
I buy myself a coke.

María **prepara** un sándwich para Tomás.
María prepares a sandwich for Tomás.

María **se prepara** para la fiesta.
María prepares herself for the party.

- In a reflexive construction, the subject performs the action for or on himself: the reflexive pronoun represents the same person as the subject.
- Reflexive verbs are used very frequently in Spanish. Sometimes the reflexive pronouns **me, te, se** ... are the equivalent of the English pronouns *myself, yourself, himself* ... Most of the time, however, the English pronouns are implied but not expressed.

Me lavo.	*I am washing (that is, I am washing myself).*
Ramón se compra un reloj.	*Ramón is buying a watch (that is, Ramón is buying a watch for himself).*

ACTIVIDAD 1   En la feria de San Isidro *(At Saint Isidro's fair)*

Hay muchos vendedores ambulantes *(traveling)* y muchos compradores en la feria de San Isidro. Di lo que se compran las siguientes personas.

- Isabel (un anillo)   Isabel se compra un anillo.

1. Roberto (una navaja)
2. Inés (una pulsera)
3. mis primas (pendientes)
4. yo (un sombrero)
5. tú (un helado)
6. Ud. (un reloj)
7. Uds. (un bolso)
8. nosotros (un collar)
9. tú y yo (dulces)

ACTIVIDAD 2   El cumpleaños de Roberto

Hoy es la fiesta de cumpleaños de Roberto. Los amigos de Roberto preparan sus regalos. Después se preparan para la fiesta. Expresa esto según el modelo.

�baⁿ   Chela   Chela prepara su regalo. Después, se prepara para la fiesta.

1. Uds.
2. Carmen y Felicia
3. la novia de Roberto
4. mis amigos
5. tú

6. yo
7. nosotros
8. Uds.
9. tú y yo
10. Luis y yo

ACTIVIDAD 3   Diferencias de opinión

Las siguientes personas tienen una opinión elevada de ellas mismas. Pero sus amigos (entre paréntesis) tienen otra opinión. Expresa esto según el modelo.

⚆   Juan: inteligente (Pedro: tonto)   Juan se cree inteligente, pero Pedro lo cree tonto.

1. Silvia: bonita (Rita: ordinaria)
2. Ramón: interesante (Olga: aburrido)
3. Mis primos: superiores a todos (sus compañeros: tontos)
4. yo: muy inteligente (el profesor: perezoso[a])
5. tú: extraordinario (tu hermano: vanidoso [*vain*])
6. nosotros: simpáticos (los otros alumnos: presumidos [*stuck up*])
7. Ud.: delgado (yo: un poco gordo)
8. Tomás y yo: muy deportistas (nuestras hermanas: perezosos)

B. Repaso: los verbos reflexivos: el arreglo personal

Note the use of reflexive verbs in the following sentences.

Te bañas.	*You take a bath.*
Me corto el pelo.	*I cut my hair.*
Pepita **se lava las** manos.	*Pepita washes her hands.*
Mis hermanos **se quitan los** zapatos.	*My brothers take off their shoes.*

⚆   In Spanish, most of the verbs relating to personal care are used in the reflexive when the subject performs the action on or for the subject.

⚆   After such verbs, Spanish speakers often use the definite article before parts of the body and articles of clothing. (In English, the possessive adjective is used.)

VOCABULARIO PRÁCTICO

El arreglo personal (Personal care)

sustantivos

un cepillo

el champú

un espejo

el jabón

el lápiz de labios

una afeitadora

unas tijeras

un peine

verbos

afeitarse	to shave (oneself)	Mi padre **se afeita** con una afeitadora.
bañarse	to take a bath	**Me baño** en el baño.
cepillarse	to brush	**Nos cepillamos** los dientes y las **uñas** *(nails)*.
cortarse	to cut (oneself)	Pedro **se corta** el pelo, la barba, el **bigote** *(mustache)* y las uñas.
lavarse	to wash (oneself)	**Te lavas** la cara, las manos, los pies y el pelo.
peinarse	to comb (one's hair)	**Me peino** con un peine.
pintarse	to put on makeup	Mi prima **se pinta** los ojos, la boca . . .
prepararse	to get ready	**Nos preparamos** para la fiesta.
quitarse	to take (something) off	Andrés **se quita** el suéter, los zapatos y los calcetines.
secarse	to dry	**Me seco** el pelo con la **secadora** *(dryer)*.
vestirse (e → i)	to dress, to get dressed	¡**Te vistes** con mucha elegancia, Carmen!

NOTA: Many of the above verbs can be used in reflexive and nonreflexive constructions with a slightly different meaning.

nonreflexive:	Ana **baña** el perro.	*Ana gives a bath to the dog.*
reflexive:	Ana **se baña**.	*Ana takes a bath (herself).*
nonreflexive:	Carmen **pinta** su cuarto.	*Carmen paints her room.*
reflexive:	Carmen **se pinta**.	*Carmen puts on makeup (that is, paints herself).*

ACTIVIDAD 4   En el cuarto de baño *(In the bathroom)*

Las siguientes personas usan ciertos objetos. Puedes decir qué hace cada una.

➢   Manuel usa jabón.   (Se baña, se lava las manos . . .)

1. Inés usa tijeras.
2. Felipe usa una secadora.
3. El Sr. Montero usa una afeitadora.
4. La Sra. de Martínez usa champú.
5. Isabel usa un peine.
6. Pablo usa un cepillo.
7. María usa un lápiz de labios.
8. Elena usa el espejo.

ACTIVIDAD 5   El orden lógico

Tenemos que hacer ciertas cosas antes de hacer otras. Para cada una de las siguientes personas, crea un párrafo usando las expresiones entre paréntesis en el orden lógico.

➢   Pedro (bañarse / quitarse la camisa / quitarse la corbata)
        Pedro se quita la corbata. Se quita la camisa. Se baña.

1. María (pintarse / bañarse / vestirse)
2. la Sra. de Ojeda (lavarse el pelo / peinarse / secarse el pelo)
3. Enrique (lavarse los pies / quitarse los calcetines / quitarse los zapatos)
4. tú (quitarse los pijamas / vestirse / lavarse)

C. Repaso: los verbos reflexivos: las actividades diarias

Review the use of reflexive verbs in the following sentences.

Me levanto a las siete.	*I **get up** at seven.*
¿A qué hora **te acuestas?**	*At what time do you **go to bed**?*
Mi padre **se va** al trabajo a las ocho.	*My father **leaves** for work at eight.*

➢   Many daily activities are expressed in Spanish by reflexive verbs, especially when these activities involve physical movement.

➢   Note that in the corresponding English expressions, the reflexive pronouns *(myself, yourself . . .)* are often implied but not expressed.
    For instance, the sentence **Pedro se acuesta** *(Pedro goes to bed)* literally means *Pedro puts himself to bed.*

VOCABULARIO PRÁCTICO

Nuestras actividades diarias

despertarse (e → ie)	to wake up	Carlos **se despierta** a las siete,
levantarse	to get up	. . . pero no **se levanta** hasta las siete y media.
sentarse (e → ie)	to sit down	María **se sienta** en la silla.
acostarse (o → ue)	to go to bed	Elena **se acuesta** a las diez,
dormirse (o → ue)	to fall asleep	. . . pero no **se duerme** inmediatamente.
callarse	to keep quiet, silent	**¿Se callan** los alumnos cuando el profesor habla?
quedarse	to stay	Cuando estoy enfermo, me **quedo** en la cama.
despedirse (e → i)	to take leave, say good-bye	Cuando **me despido,** les digo «Adiós» a mis amigos.
irse (a)	to leave (for), go (away)	¿A qué hora **te vas a** la escuela?
marcharse	to leave	Si no me gusta la película, voy a **marcharme.**
darse prisa	to hurry	No **me doy prisa** para ir al colegio.
reunirse (con)	to meet	**Me reúno con** mis amigos en la heladería.

NOTA: Most of the above verbs can be used in nonreflexive constructions. Although there is a relationship between the reflexive and nonreflexive verbs, their meanings are different. Compare:

La Sra. de Morales **despierta** a Carlos.	*Mrs. Morales **wakes** Carlos **up.***
Carlos **se despierta.**	*Carlos **wakes up.***
Levanto la maleta.	*I **lift** the suitcase.*
Me levanto.	*I **get up** (that is, I **lift myself up**).*
Voy a la escuela.	*I **go** to school.*
Me voy a la escuela.	*I **leave for** school.*

ACTIVIDAD 6 Quince horas después

Las siguientes personas se acuestan exactamente quince horas después de despertarse. Expresa eso según el modelo.

≫ la Sra. de Martínez (6:30 / 9:30)   La Sra. de Martínez se despierta a las seis y media. Se acuesta a las nueve y media.

1. el Sr. Ayala (6:00 / 9:00)
2. mi hermano (7:00 / 10:00)
3. yo (8:30 / 11:30)
4. Inés (8:15 / 11:15)
5. mis padres (7:30 / 10:30)
6. tú (7:45 / 10:45)
7. nosotros (10:00 / 1:00)
8. Uds. y yo (9:45 / 12:45)

ACTIVIDAD 7 Preguntas personales

1. ¿A qué hora te levantas los lunes? ¿los sábados? ¿los domingos?

2. ¿A qué hora te acuestas los lunes? ¿los viernes? ¿los sábados?

3. ¿Dónde se reúnen tú y tus amigos después de las clases? ¿los sábados? ¿cuando van a una película?

4. Cuando no te gusta una película, ¿te marchas del cine?

5. ¿Te das prisa cuando vas al colegio? ¿a una cita? ¿al cine?

6. ¿Dónde te sientas cuando miras la televisión? ¿en una silla? ¿en el sofá? ¿en el suelo (on the floor)?

7. ¿Te duermes cuando el programa es aburrido?

8. ¿Te marchas cuando asistes a una clase aburrida? ¿a una película estúpida? ¿a un concierto ridículo?

9. Cuando vas al cine, ¿te sientas en la primera fila (row)? ¿en la última fila?

10. En la clase de español, ¿quién se sienta a tu derecha (on your right)? ¿a tu izquierda (on your left)?

11. ¿Te callas en clase? ¿en la presencia de mayores (adults)? ¿cuando estás en la compañía de personas aburridas? ¿durante un concierto de música clásica? ¿durante un concierto de rock? ¿durante un partido de fútbol muy emocionante (exciting)? ¿durante una película de horror?

12. ¿Qué les dices a tus amigos cuando te despides? ¿a tus padres? ¿a tus abuelos?

13. ¿Te quedas en casa los sábados? ¿los domingos? ¿durante el verano?

14. ¿A qué hora te vas a la escuela los lunes? ¿los miércoles?

ACTIVIDAD 8   Las causas y las consecuencias

Para expresar las consecuencias lógicas de ciertas situaciones, forma frases
afirmativas y negativas usando elementos de A, B, C y D, según el modelo.

A	B	C	D
yo	estar enfermo(a)	levantarse	a las nueve
tú	estar cansado(a)	acostarse	en el sofá
Carlos	estar aburrido(a)	quedarse	en la cama
mis amigos	tener mucho que hacer	marcharse	en el sillón *(armchair)*
Jaime y yo	tener una cita	darse	en casa
	encontrar la película aburrida	dormirse	de casa
		sentarse	del cine
			prisa
			en la silla

✍ Cuando estoy enfermo, me quedo en casa.

Para la comunicación

1. Describe detalladamente *(in detail)* tus actividades de un día de la
   semana y de un sábado típico. Usa por lo menos *(at least)* diez verbos
   reflexivos.

2. Entrevista *(Interview)* a una persona que tiene un horario *(schedule)*
   especial y describe este horario. (O si no puedes hacer una entrevista,
   usa tu imaginación.) Puedes entrevistar a una de las siguientes
   personas: un(a) enfermero(a), un(a) conductor(a) de autobús, un
   guardia nocturno *(night guard)*, un(a) portero(a), un(a) empleado(a) de
   hotel, un(a) camarero(a), un(a) policía, un(a) aeromozo(a).

Lección 3   El chinchoso

¿Qué es un chinchoso o una chinchosa? Es lo contrario de la persona ideal . . . El chinchoso lo critica todo . . . El chinchoso molesta a sus amigos . . . El chinchoso crea problemas para todo el mundo.

Esto es lo que hace el chinchoso:

1. Se siente superior a todos.
2. Se toma por un gran genio.
3. Se enoja con todos.
4. Se irrita por los más pequeños detalles.
5. Se impacienta fácilmente.
6. Se enfada cuando alguien lo critica.
7. No se preocupa por los demás.
8. Se alegra de los problemas de sus compañeros.
9. Se siente de mal humor cuando los otros están alegres.
10. Se siente de buen humor cuando los otros están tristes.

¿Conoces a tal persona? ¿Eres tú chinchoso(a) de vez en cuando?

Se toma: *He takes himself*
Se enoja: *He gets annoyed*
detalles: *details*

Se enfada: *He gets angry*
los demás: *others*

tal: *such a*

Las peculiaridades de los profesores

Aunque los profesores son las personas más importantes fuera de° la familia y de los amigos, son también personas como los demás° . . .

¿Cuáles son las palabras que usan los jóvenes hispánicos para describir a los profesores? Aquí tenemos algunos cumplidos° y críticas:°

¡estricto(a)! En su clase, no debes mascar° chicle, llegar tarde o charlar° con tus compañeros.

¡generoso(a)! Te da buenas notas y poco trabajo.

¡chismoso(a)!° Llama a tus padres cuando no haces tu trabajo.

Por supuesto, la crítica es solamente entre° los estudiantes y nunca debe llegar a oídos° de los padres ni° de los profesores. ¡Ay, pobre de ti,° si te oyen criticándolos!

fuera de *outside of* **los demás** *the rest* **cumplidos** *compliments* **críticas** *criticisms* **mascar** *chew* **charlar** *chat* **chismoso(a)** *tattle-tale* **entre** *among* **llegar a oídos** *reach the ears* **ni** *nor* **pobre de ti** *poor you*

Vocabulario

sustantivos	**un(a) chinchoso(a)**	a "pain"
	un detalle	detail
	un genio	genius
verbos	**crear**	to create
	molestar	to bother, to annoy
	tomarse por	to take oneself for, to think one is
expresiones	**los demás**	others, the other people, the rest
	tal (persona)	such a (person)
	todo	everything
	todo el mundo	everyone, everybody

CONVERSACIÓN

Ahora vamos a hablar de ti. ¿Qué tipo de persona eres?

¿Te sientes superior a todos?

¿Te enojas con todos?

¿Te impacientas fácilmente?

¿Te enfadas cuando alguien te critica?

¿Te preocupas por tus amigos?

¿Te preocupas por los demás?

Estructuras

A. Los verbos reflexivos: las emociones

Note the use of reflexive verbs in the following sentences.

> Carlos **se preocupa** sin razón.   *Carlos **gets worried** without any reason.*
> ¿Por qué **te enojas?**   *Why **do you get angry?***

Spanish speakers often use reflexive verbs to indicate emotions.

VOCABULARIO PRÁCTICO   El mundo de las emociones

aburrirse	to get bored
alegrarse (de)	to get / be happy (because of)
cansarse (de)	to get tired (of)
divertirse (e → ie)	to have fun
enfadarse (con)	to get angry (at)
enojarse (con)	to get angry (at)
impacientarse (con)	to get impatient (because of)
irritarse (con)	to get irritated (at, with)
ocuparse (de)	to occupy oneself (in)
preocuparse (por)	to get worried (because of)
sentirse (e → ie) (triste...)	to feel (sad...)

NOTAS: 1. The above verbs express emotional (or physical) states. Many of them correspond to English expressions beginning with *to get*.

2. The above verbs may be used in reflexive and nonreflexive constructions, with somewhat different meanings. Compare:

nonreflexive:	Juana **divierte** a sus amigos.	*Juana **amuses** her friends.*
reflexive:	Juana **se divierte.**	*Juana **is having fun** (that is, **is amusing herself**).*
nonreflexive:	Este problema **preocupa** a Carlos.	*This problem **worries** Carlos.*
reflexive:	Carlos **se preocupa.**	*Carlos **is getting worried** (that is, **he worries himself**).*

ACTIVIDAD 1   Las personas que figuran en tu vida

Las siguientes personas son muy importantes: tu mejor amigo, tu mejor
amiga, tus hermanos, tus padres, tu profesor(a) de español. Escoge *(choose)*
una de esas personas y di si hace las siguientes cosas.

➢ preocuparse por tus estudios   Mi mejor amigo no se preocupa por mis estudios.
     (Mis padres se preocupan por mis estudios.)

1. preocuparse por tu salud *(health)*
2. preocuparse por tus problemas
   personales
3. divertirse contigo
4. alegrarse de tus éxitos *(successes)*

5. alegrarse de tu progreso en español
6. impacientarse contigo
7. enojarse mucho contigo
8. enojarse cuando llegas tarde

ACTIVIDAD 2   Tus sentimientos *(Your feelings)*

Describe tus sentimientos en las siguientes circunstancias.

➢ Cuando saco una buena nota . . .   Cuando saco una buena nota, me alegro.

1. Cuando saco una mala nota . . .
2. Cuando un amigo está enfermo . . .
3. Cuando un amigo no viene a una
   cita . . .
4. Cuando el profesor no viene a
   clase . . .
5. Cuando mi mejor amigo no me dice la
   verdad . . .
6. Cuando mi mejor amigo se siente
   triste . . .
7. Cuando mi mejor amigo está de buen
   humor . . .

8. Cuando mi mejor amigo se enoja
   conmigo . . .
9. Cuando mi hermano rompe mis
   cosas . . .
10. Cuando alguien coquetea *(flirts)* con
    mi novio(a) . . .
11. Cuando estoy en una fiesta . . .
12. Cuando estoy en una fiesta donde no
    conozco a nadie . . .
13. Cuando el equipo de la escuela gana
    un partido importante . . .
14. Cuando el equipo pierde . . .

ACTIVIDAD 3   Nuestro humor

Nuestro humor cambia. A veces estamos alegres; a veces estamos tristes.
Di en qué ocasiones sientes los siguientes sentimientos.

➢ Me aburro cuando . . .
     Me aburro cuando estoy enfermo(a) (cuando asisto a una película estúpida . . .).

1. Estoy de buen humor cuando . . .
2. Estoy de mal humor cuando . . .
3. Me impaciento cuando . . .
4. Me irrito cuando . . .
5. Me enojo cuando . . .

6. Me alegro cuando . . .
7. Me divierto mucho cuando . . .
8. Me preocupo cuando . . .
9. Me canso cuando . . .
10. Me siento feliz cuando . . .

B. Los verbos casi siempre reflexivos

As you have seen, most reflexive verbs can be used in nonreflexive constructions with a somewhat different meaning. Certain verbs, however, are almost always used in reflexive constructions.

Carlos **se porta** bien.　　　　　*Carlos is behaving.*
Sus hermanos no **se portan** bien.　*His brothers are not behaving properly.*

☞ The verb **portarse** is always reflexive. Most of the verbs which are always reflexive are used to describe certain aspects of social behavior.

VOCABULARIO PRÁCTICO　Algunos verbos siempre reflexivos

burlarse (de)	to make fun of
darse cuenta (de)	to realize
equivocarse (de, en)	to make a mistake, to be mistaken
portarse bien	to behave
portarse mal	to misbehave
quejarse (de)	to complain about

ACTIVIDAD 4　**Expresión personal**

1. De vez en cuando, ¿te burlas de tus amigos? ¿de tus profesores?

2. De vez en cuando, ¿te quejas de tus estudios? ¿de los exámenes? ¿de la vida en general?

3. Generalmente, ¿te portas bien o mal en clase? ¿en casa? ¿con tus amigos? ¿cuando estás en una fiesta?

4. ¿Te das cuenta de tus errores? ¿de las cualidades de tus amigos? ¿de la suerte que tienes?

5. ¿Te equivocas en tus tareas de español? ¿en tus tareas de matemáticas?

ACTIVIDAD 5   **Según nuestro carácter**

A veces nuestro carácter influye en nuestras acciones. Expresa esto usando los elementos de A, B, C y D para construir frases lógicas, según el modelo.

A	B	C	D
yo	divertido(a)	alegrarse	bien
María	simpático(a)	divertirse	mal
nosotros	antipático(a)	impacientarse	a menudo
mis amigos	bien educado(a)	enojarse	mucho
	(polite)	criticarse	siempre
	mal educado(a)	portarse	nunca
	(impolite)	equivocarse	de vez en cuando
	irritable	quejarse	
	feliz		

☞   María es simpática. Se divierte siempre.

Para la comunicación

Reacciones

Describe lo que ocurre cuando . . .

- vuelves a casa a las tres de la mañana.
- rompes algo (un vaso o una lámpara, por ejemplo).
- el televisor no funciona.

Describe las reacciones de cada miembro de tu familia. Puedes usar los siguientes verbos en frases afirmativas o negativas:

alegrarse / divertirse / enfadarse / impacientarse / criticarse / preocuparse / sentirse / burlarse / quejarse

¡Viva el amor!

Ramón es un estudiante universitario.
Lucía trabaja en un banco.
Ramón no conoce a Lucía y Lucía no
conoce a Ramón.
No se conocen . . . pero ¡van a conocerse!

Un sábado, Ramón va a un baile.
Lucía va al mismo baile.
Ramón mira a Lucía.
Lucía mira a Ramón.
Se miran . . . y se hablan.
¡Ahora se conocen!

El lunes siguiente, Ramón llama a Lucía
por teléfono y la invita al cine.
El miércoles, Ramón y Lucía se
encuentran en un café.
El jueves, se reúnen en el cine.
El sábado, se ven de nuevo en el teatro.

de nuevo: *again*

Ahora, Ramón y Lucía se llaman por
teléfono todos los días.
Se ven casi todos los días y cuando no se
ven, se escriben . . .
Un día, se declaran su amor y se
prometen quererse siempre . . .

se prometen: *promise
each other*

¿Van a casarse Ramón y Lucía?
¡Tal vez! Pero primero Ramón va a
terminar sus estudios y a graduarse.
Luego van a comprometerse, y después de
unos meses, van a casarse.
¡Ay, qué romántico!

casarse: *to get
married*

terminar: *to finish*
graduarse: *to
graduate*
comprometerse: *to get
engaged*

El matrimonio

En los países hispánicos, el matrimonio es algo muy serio, algo que dura° toda la° vida. Los divorcios son raros y en algunos países el divorcio no existe. El matrimonio se considera° como una de las grandes y felices ocasiones de la vida.

Tradicionalmente, antes de la boda° hay otra ceremonia: la de compromiso° matrimonial. Allí se hace° la promesa de casamiento.° Esta ceremonia de compromiso es una gran ocasión social para los familiares.° Los padres del novio visitan la casa de los padres de la novia y les piden la mano de ella para su hijo. Los futuros esposos cambian los anillos matrimoniales y fijan° la fecha de la boda.

Unos pocos meses más tarde la boda se realiza.° Casi siempre hay dos bodas: la ceremonia civil y la religiosa. Generalmente ambas° tienen lugar° el mismo día.

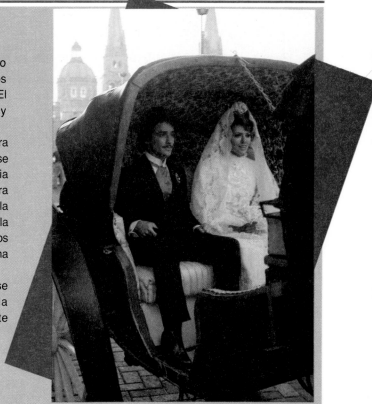

dura *lasts* **toda la** *the whole* **se considera** *is considered* **boda** *wedding* **compromiso** *engagement* **se hace** *is made* **casamiento** *marriage* **familiares** *family members* **fijan** *fix* **se realiza** *occurs* **ambas** *both* **tienen lugar** *take place*

Vocabulario

sustantivos	**un banco**	bank
	un país	country
verbos	**durar**	to last
	prometer	to promise
	terminar	to finish, to end
expresiones	**de nuevo**	again
	más o menos	more or less
	primero	first

CONVERSACIÓN

¿Sales mucho? Sí (No, no) salgo . . .

¿Sales todos los fines de semana?

¿Sales con tus amigos o solo(a)?

¿A qué hora sales de casa cuando vas al cine?

¿A qué hora sales cuando vas a un partido de fútbol?

¿A qué hora sales cuando vas a la heladería?

Estructuras

A. Repaso: verbos irregulares en la primera persona

Compare the **yo** and **tú** forms of the verb **salir** *(to go out)*:

> ¿Con quién **sales?**
> **Salgo** con Elena y Carmen.

In the present, a few verbs have an irregular **yo** form which ends in **-go**.

VOCABULARIO PRÁCTICO Verbos irregulares en la primera persona

no reflexivos

caer	to fall	Mi cumpleaños **cae** el miércoles.
decir (e → i)	to say	**Digo** siempre la verdad.
hacer	to do	**Hago** la tarea.
	to make	**Hago** muchos planes.
oír	to hear	**Oigo** un **ruido** *(noise)*.
poner	to put	**Pongo** un disco de música clásica.
salir	to leave	**Salgo** de casa a las siete.
	to go out	**Salgo** con Enrique.
traer	to bring	**Traigo** mi tocadiscos a la fiesta.

reflexivos

caerse	to fall	Nunca **me caigo** de mi bicicleta.
hacerse (+ sustantivo)	to become	Carlos quiere **hacerse** médico.
ponerse (+ ropa)	to put on (clothes)	Teresa **se pone** un suéter.
ponerse (+ adjetivo)	to get, become	**Me pongo** (triste, alegre, furioso, nervioso).

NOTAS: 1. **Oír** *(to hear)* has the following forms: **oigo, oyes, oye, oímos, oís, oyen.**
2. **Caer** and **traer** have the ending **-igo** in the **yo** form: ca**igo**, tra**igo**.
3. Note the following expressions with **hacer:**

hacer la maleta	*to pack a suitcase*
hacer un papel	*to play a part, to play a role*
hacer un viaje	*to take a trip*

ACTIVIDAD 1   Diálogo

Pregúntales a tus compañeros si hacen las siguientes actividades.

⚡ hacer la tarea todas las noches

Estudiante 1: ¿Haces la tarea todas las noches?
Estudiante 2: Sí (No, no) hago la tarea.

1. hacer tu cama todas las mañanas
2. hacer muchos viajes
3. hacer muchos planes
4. decir mentiras de vez en cuando
5. salir mucho
6. salir todos los sábados
7. poner discos populares todas las noches
8. traer muchos libros a la clase
9. oír ruidos por la noche
10. ponerse blue-jeans los domingos
11. caerse a veces de la bicicleta

ACTIVIDAD 2   ¿Por qué se ponen rojos? *(Why do they blush?)*

Las siguientes personas muestran sus emociones poniéndose rojas *(by blushing)*. Expresa eso según el modelo.

⚡ Cuando una chica lo mira, Carlos . . .

Cuando una chica lo mira, Carlos se pone rojo.

1. Cuando un chico la mira, Anita . . .
2. Cuando me enojo, (yo) . . .
3. Cuando me equivoco, (yo) . . .
4. Cuando nos ponemos furiosos, (nosotros) . . .
5. Cuando mi hermano dice una mentira, (él) . . .
6. Cuando el profesor les pregunta algo, mis compañeros . . .
7. Cuando hablan con chicas, Carlos y Enrique . . .
8. Cuando un chico les da una ojeada *(glance)*, mis primas . . .

ACTIVIDAD 3   Tus reacciones

Di cómo reaccionas en las siguientes circunstancias. Para eso, usa el verbo **ponerse** con uno de estos adjetivos: **alegre, triste, enfermo, rojo, furioso, nervioso, triste.**

⚡ Un amigo se burla de mí.   Me pongo furioso(a) (rojo[a], triste . . .).

1. Saco una buena nota.
2. Mi hermano pierde mi disco favorito.
3. Pierdo mis tareas.
4. No digo la verdad.
5. Mi mejor amigo no me dice la verdad.
6. Me caigo de mi bicicleta en frente de mis amigos.
7. El profesor me pregunta algo y no puedo contestarle.
8. Hace mucho frío y salgo sin chaqueta.
9. Mi mejor amigo no me invita a su fiesta de cumpleaños.
10. Estoy en un barco y el mar está revuelto *(rough)*.
11. Mis compañeros se ríen de mí.
12. Un(a) chico(a) me sonríe.

ACTIVIDAD 4   Ropa para cada ocasión

Carmenza tiene los siguientes artículos:

accesorios: una pulsera, un anillo, unos pendientes, un collar, unos
anteojos de sol, un bolso

ropa: una blusa blanca, un suéter, una falda azul, un vestido
amarillo, una camisa azul, una camiseta, unos pantalones
negros, unos blue-jeans, unos pantalones cortos, un traje de baño

zapatos: unos zapatos negros, unas sandalias, unos zapatos de tenis

Di qué se pone Carmenza para las siguientes ocasiones.

⬧ Cuando va a una entrevista profesional . . .

Cuando va a una entrevista profesional, Carmenza se pone un vestido amarillo . . .

1. Cuando va a la playa . . .
2. Cuando va a una discoteca . . .
3. Cuando va a un restaurante . . .
4. Cuando va al mercado . . .
5. Cuando hace un viaje . . .
6. Cuando va al colegio . . .
7. Cuando va a una cita con Ramón . . .
8. Cuando va a una cita con Isabel . . .
9. Cuando va a la iglesia . . .
10. Cuando juega al tenis . . .

B. El uso de los verbos reflexivos para indicar la reciprocidad

Note the use of reflexive verbs in the following sentences.

Carlos quiere a Elena. ⎫
Elena quiere a Carlos. ⎬ **Se quieren.**   *They **love each other.***

Ana le escribe a Luis. ⎫
Luis le escribe a Ana. ⎬ **Se escriben.**   *They **write to each other.***

Reflexive verbs are sometimes used to express reciprocal actions or
interaction between two or more subjects.

⬧ Since interaction involves at least two people, reflexive verbs
indicating reciprocal actions are generally used in the *plural*.

Nos llamamos por teléfono.   *We phone each other.*

⬧ In Spanish, reflexive pronouns cannot be omitted with verbs
expressing reciprocal action. (In English, the expressions *each other* or
one another are frequently left out.)

Se casan.   *They are getting married (to each other).*

ACTIVIDAD 5   Reciprocidad

Ramón habla de las actividades de sus amigos. Julia quiere saber si ésas son actividades recíprocas. Ramón dice que sí. Haz los dos papeles según el modelo.

> Carlos invita a Rodrigo al café.   Ramón: Carlos invita a Rodrigo al café.
> Julia: ¿Y Rodrigo invita a Carlos al café?
> Ramón: ¡Sí! Se invitan.

1. Paco quiere a Carmen.
2. Elena quiere a Felipe.
3. José adora a Sofía.
4. Silvia llama a Tomás.
5. Eduardo mira a Ana.

6. Roberto insulta a Rafael.
7. Rubén ve a Sarita.
8. Jaime encuentra a Pilar.
9. Andrés admira a Beatriz.
10. Emilia visita a Elena.

ACTIVIDAD 6   Tú y tus amigos

¿Tienes buenas relaciones con tus amigos? Vamos a ver. Contesta según el modelo.

> ¿Se conocen bien, tú y tus amigos?   Sí, (No, no) nos conocemos bien.

1. ¿Se llaman por teléfono, tú y tus amigos?
2. ¿Se invitan al cine, tú y tus amigos?
3. ¿Se visitan, tú y tus amigos?
4. ¿Se escriben durante las vacaciones, tú y tus amigos?
5. ¿Se hablan de sus problemas, tú y tus amigos?
6. ¿Se ayudan con la tarea, tú y tus amigos?
7. ¿Se cuentan chistes, tú y tus amigos?
8. ¿Se encuentran a menudo tú y tus amigos?
9. ¿Se muestran fotos, tú y tus amigos?
10. ¿Se piden consejos, tú y tus amigos?

VOCABULARIO PRÁCTICO   ¡Amor!

el amor	love	la amistad	friendship
el cariño	affection		
el esposo	husband	la esposa	wife
el matrimonio	marriage	la boda	wedding (ceremony)

los estados de la vida social

casarse	to get married	Jamie y yo **nos casamos** el cinco de julio.
casarse con	to marry	Manuel va a **casarse con** Luisa.
enamorarse (de)	to fall in love (with)	Luis **se enamora de** todas las chicas que encuentra.
llevarse (con)	to get along (with)	Pablo **se lleva** bien **con** sus amigos.
pelearse	to fight, to quarrel	**Aun** *(Even)* los buenos amigos **se pelean** de vez en cuando.

ACTIVIDAD 7   Expresión personal

1. ¿Sientes mucho cariño por tus padres? ¿por tus parientes? ¿por tus hermanos?

2. ¿Sientes mucha amistad por tus amigos? ¿por tus compañeros de clase?

3. ¿Sientes simpatía *(liking)* por tus profesores? ¿por los políticos? ¿por tus vecinos?

4. Generalmente, ¿te llevas bien con tus profesores? ¿con tus compañeros? ¿con tus vecinos? ¿con las personas que no conoces bien?

5. De vez en cuando, ¿te peleas con tu mejor amigo? ¿con tu mejor amiga? ¿con tus hermanos? ¿con tus padres?

6. ¿Eres una persona muy sentimental? ¿Te enamoras a menudo? ¿fácilmente? ¿Qué piensas de las personas que se enamoran fácilmente?

7. ¿Quieres casarte o quedarte soltero(a) *(single)*? Si te casas, ¿quieres tener una familia grande?

C. Los verbos reflexivos en el infinitivo y con *estar* + el participio presente

Compare the position and the form of the reflexive pronouns in the sentences on the right and on the left.

Clara **se** casa.	Va a casa**rse** con Ramón.
	(**Se** va a casar con Ramón.)
Me peleo con mi hermano.	No quiero pelear**me** con él.
	(No **me** quiero pelear con él.)
Nos lavamos.	Estamos lavándo**nos** la cara.
	(**Nos** estamos lavando la cara.)

The basic infinitive form of a reflexive verb is always given with the pronoun **se**: **casarse**.

When the reflexive verb is used in the infinitive form or in a present progressive construction, the reflexive pronoun changes to agree with the subject.

Voy a **casarme.**   *I am going to **get married.***

ACTIVIDAD 8   El ejemplo de Francisca

Las amigas siguen el ejemplo de Francisca. Ellas también quieren casarse. Di cuándo va a casarse cada una.

Elena (en julio)   Elena va a casarse en julio.

1. Carmen (en agosto)
2. Susana y Luisa (el 3 de abril)
3. nosotros (el año próximo)
4. yo (antes de la Navidad)
5. tú (en septiembre)
6. la hermana de Silvia (el 2 de octubre)
7. tú y yo (después de las vacaciones)
8. Uds. (el primero de junio)

ACTIVIDAD 9   Planes profesionales

Unos amigos están hablando del futuro. Di lo que cada uno quiere hacerse.

> Roberto: periodista   Roberto quiere hacerse periodista.

1. Susana: médica
2. Luis y Guillermo: ingenieros
3. nosotros: pilotos
4. yo: trabajador social

5. tú: el mejor actor del mundo
6. Ud.: explorador
7. Uds.: policías
8. Enrique y yo: astronautas

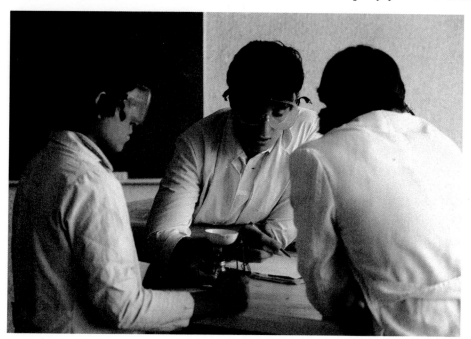

ACTIVIDAD 10   Unas actividades peligrosas

Algunas de nuestras actividades son más peligrosas que otras. Di qué
parte del cuerpo (por ejemplo: **el brazo, la mano, el pie, la pierna, la
nariz, los dientes**) pueden romperse las siguientes personas en las
siguientes situaciones.

> Si esquías . . .   Si esquías, puedes romperte el brazo (la pierna).

1. Si jugamos al fútbol . . .
2. Si juegas al volibol . . .
3. Si me caigo del tercer piso . . .
4. Si boxeas contra (against) Mohamed Alí . . .
5. Si Carlos tiene un accidente de automóvil . . .

6. Si Enrique tropieza contra (bumps against) un árbol . . .
7. Si mis primos tienen un accidente de bicicleta . . .
8. Si Clara y Elena se lanzan en paracaídas (parachute jump) . . .
9. Si te caes de tu moto . . .

Para la comunicación

a) Las personas ideales

En un pequeño párrafo describe a las siguientes personas. Puedes usar estos verbos en frases negativas o afirmativas: **visitar / hacer / decir / traer / ponerse / pelearse / llevarse / reunirse / quererse.**

- los amigos ideales
- los esposos ideales
- los hermanos ideales
- los vecinos ideales
- 🎶 los novios ideales

    Hacen muchos planes. Se traen regalos y se dicen cosas amables...

b) ¡Qué romántico!

Éste es el principio *(beginning)* de la historia de un gran amor:

    Linda es una estudiante norteamericana de veinte y un años. Es muy inteligente y bastante independiente. Como estudia español, decide pasar el tercer año de la universidad en España. En Madrid una amiga la presenta a Vicente. Vicente es moreno, bastante guapo, romántico ... Trabaja como intérprete en una agencia de viajes ...

Ahora, imagina la continuación de la historia. (Si quieres, puedes encontrar inspiración en «¡Viva el amor!».)

Variedades Una chica como ninguna otra

Se llama Maribel Atienza. Es pequeña, tiene ojos de color café y pelo castaño. Y a los diez y ocho años, ¡ya° era° una de las mujeres más famosas de España!

¿Es una actriz o una cantante? No. Maribel Atienza tiene una profesión totalmente diferente. Es torera.° Y aunque ella pesa° menos de cincuenta kilos, se enfrenta° regularmente a toros° de más de quinientos kilos.

¿Por qué decidió ser torera? Porque un día un amigo le dijo que el peligro físico° no era para las mujeres. Desde° entonces, ella ha matado° a más de doscientos toros. Y ahora es una celebridad no solamente en España, sino° también en Venezuela y Colombia.

La profesión de torera no es solamente muy peligrosa. Requiere entrenamiento° físico. Maribel se levanta a las ocho, se desayuna y hace sus ejercicios° diarios° hasta las dos de la tarde. También juega al tenis, nada, monta a caballo . . . Después se dedica° a otras actividades más personales: sale con sus amigos y ayuda a su mamá en casa.

ya: *already*
era: *she was*

torera: *bullfighter*
pesa: *weighs*
se enfrenta: *she faces*
toros: *bulls*

peligro físico: *physical danger*
Desde: *Since*
ha matado: *has killed*
sino: *but*
entrenamiento: *training*
ejercicios: *exercises*
diarios: *daily*
se dedica: *she devotes her time*

El día antes de la corrida° es muy diferente. Se despierta tarde y no se levanta antes de las diez. Se queda en la cama, leyendo los periódicos. Se lava el pelo y se desayuna. Y pasa el resto del día mirando la televisión o visitando a sus amigos. Finalmente, llega el día de la corrida. Se pone su traje de luces,° es decir, su traje de torera. Y nunca olvida° rezar° para ponerse bajo° la protección de Cristo, de la Virgen y de todos los santos.°

¿Se siente nerviosa Maribel antes de la corrida? ¡Claro que sí! Después de todo, el toro es un animal peligroso. Es feroz,° fuerte y está listo a matar. Pero cuando Maribel entra en el ruedo° y cuando el público grita° «olé», ella no se siente nerviosa. Se siente calmada, orgullosa° y lista.

corrida: *bullfight*

traje de luces: *"suit of lights"*
olvida: *she forgets*
  rezar: *to pray*
  bajo: *under*
santos: *saints*
feroz: *ferocious*
ruedo: *ring*
grita: *shouts*
orgullosa: *proud*

LA CORRIDA
Tres cosas importantes

estoque

muleta

banderillas

Uno de los pases—el pase por alto

El pase por alto: *a high, right-handed pass*

VISTA

El Caribe

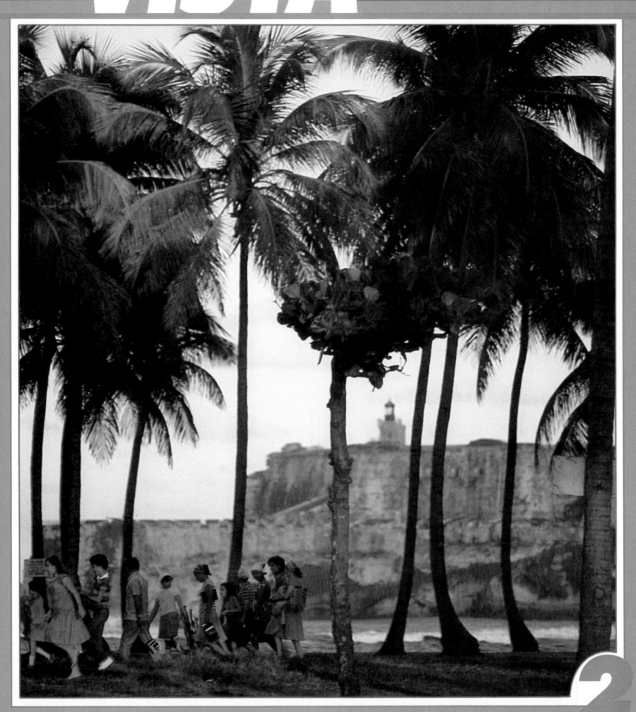

2

Un poco de historia

El Caribe es la puerta por donde Europa entró° en América. ¿Y cómo llegaron los europeos a América? En barco, ¡claro! El mar hizo un gran papel en la historia de la región. Vamos a ver.

1300

Los indios caribes comienzan a invadir las islas° donde viven los indios arawakos. Los caribes son agresivos y guerreros.° Así es que dominan fácilmente a los arawakos.

Cristóbal Colón

1492

A las costas del Caribe llega el primer europeo (Cristóbal Colón) y sus tres barcos (la Niña, la Pinta y la Santa María).

Bartolomé Colón

1496

En la costa de una isla, Bartolomé Colón (un hermano de Cristóbal) funda° Santo Domingo, hoy capital de la República Dominicana. Es la ciudad fundada° por los españoles más vieja del Nuevo Mundo.

1512

Los barcos españoles comienzan a llegar con esclavos° negros para trabajar en las plantaciones de caña de azúcar° en Cuba y otras islas.

entró *entered*   islas *islands*   guerreros *warlike*   funda *founds*   fundada *founded*
esclavos *slaves*   caña de azúcar *sugar cane*

1853

Los Estados Unidos quieren comprar Cuba. España no acepta la oferta: ¡130 millones de dólares por Cuba!

1868

En Cuba comienza la Guerra° de los Diez Años. Los patriotas cubanos demandan dos cosas: la independencia de la isla y la abolición de la esclavitud.° España anuncia la abolición de la esclavitud en la isla, pero no declara su independencia.

El barco Maine

1898

En el puerto° de La Habana una explosión de origen misterioso destruye el barco *Maine* de los Estados Unidos. Los Estados Unidos le declaran la guerra a España e intervienen en la segunda guerra de la independencia de Cuba. La guerra es corta y España pierde sus últimas colonias en América: Cuba y Puerto Rico.

1917

La nacionalidad estadounidense es concedida° a todos los puertorriqueños.

1952

Los Estados Unidos aprueban° una constitución para Puerto Rico creando así el Estado Libre Asociado.° Esta constitución establece una relación muy especial entre° los Estados Unidos y Puerto Rico. Puerto Rico no es un estado pero con esta relación especial se preservan la ciudadanía común,° el comercio libre° y la autonomía fiscal.°

1959

Después de años de lucha,° Fidel Castro asume el poder° en Cuba. Castro establece en Cuba el primer gobierno° comunista en América. Muchos cubanos, descontentos con el nuevo régimen, deciden emigrar a otros países, incluyendo los Estados Unidos.

1992

Los países hispanos del Caribe celebran el Quinto Centenario° del descubrimiento° de América.

Guerra *War* **esclavitud** *slavery* **puerto** *port* **es concedida** *is granted* **aprueban** *approve*
Estado Libre Asociado *Commonwealth* **entre** *between* **ciudadanía común** *common citizenship*
comercio libre *free trade* **autonomía fiscal** *fiscal autonomy* **lucha** *fighting* **poder** *power*
gobierno *government* **Quinto Centenario** *Five-hundredth Anniversary* **descubrimiento** *discovery*

135

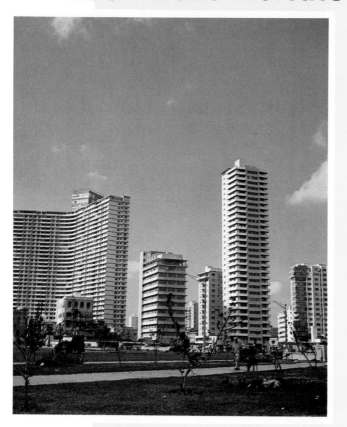

Cuba

Población: 10.200.000
Ciudad capital: La Habana
Unidad monetaria: el peso
Productos principales:
   azúcar, níquel
Otros datos:°
   Cuba no se compone solamente de
   la isla donde están La Habana y
   otras provincias, sino° también de
   más de 1600 islotes — islas
   pequeńas y rocosas.

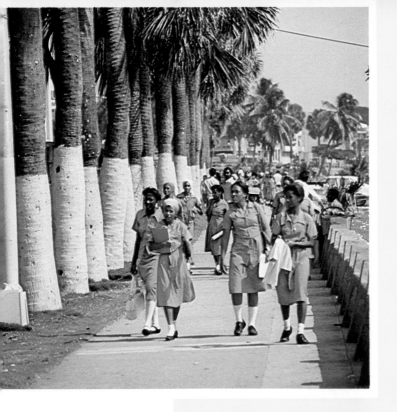

La República Dominicana

Población: 6.400.000
Ciudad capital: Santo Domingo
Unidad monetaria: el peso
Productos principales:
    caña de azúcar, bauxita
Otros datos:
    La universidad más vieja del Nuevo
    Mundo está en Santo Domingo.
    Fue fundada en 1538.

Puerto Rico

Población: 3.197.000
Ciudad capital: San Juan
Unidad monetaria: el dólar
Productos principales:
    azúcar, café, bananas
Animal típico:
    el coquí, una rana° encantadora°
Otros datos:
    El Yunque es la única selva
    tropical° de los Estados Unidos.
    Allí se encuentran 240 tipos de
    árboles diferentes.

rana *frog*   **encantadora** *delightful*
selva tropical *rain forest*   **137**

CRISTÓBAL COLÓN
el misterioso descubridor de América

Cristóbal Colón. Un hombre lleno° de gloria. Y lleno de misterio también. Descubrir la verdadera° vida de este hombre parece una misión imposible. Su vida es una sucesión de enigmas.

¿Dónde nació?°

Mucha gente dice que Colón fue un navegante italiano. Pero esto no es completamente seguro. Fue navegante, sí, pero, ¿nació realmente en Génova, Italia? Hay investigadores° convencidos de que Colón fue portugués. Otros dicen que nació en España, en Grecia,° en . . . Bueno, son muchos los países que pelean por la cuna° de Colón.

El descubrimiento°

Todo el mundo sabe que Colón llegó a América por primera vez el 12 de octubre. Es un día que se conmemora con «Columbus Day» en los Estados Unidos y con «Día de la Raza» en los países hispanos. Pero, ¿adónde llegó? ¿Fue a la isla de Guanahaní,° como dicen los historiadores? ¡No, según algunos! Dicen que la isla de Guanahaní y la

LOS CUATRO VIAJES DE CRISTÓBAL COLÓN

El primer viaje: 1492-1493

El segundo viaje: 1493-1496

lleno *full*   **verdadera** *true*   **nació** *was he born*   **investigadores** *researchers*   **Grecia** *Greece*
cuna *cradle, birthplace*   **descubrimiento** *discovery*   **Guanahaní** *island in the Bahamas*

descripción de esta isla en el diario de Colón son dos cosas muy diferentes. ¿Describió Colón una isla que no existe?

Sus otros viajes

Cuando volvió a España después de su primer viaje, Colón fue recibido como un héroe. Pero después, hizo tres viajes más y ¿qué pasó? Después del segundo viaje Colón fue a vivir a un monasterio. Durante el tercer viaje fue arrestado, y volvió a España encadenado.°

Sus últimos días

Colón murió° dos años después de su cuarto y último viaje. ¿El año? 1506. ¿La ciudad? Valladolid, España. Murió sin amigos, sin honores, sin dinero. Es difícil creer que murió así, pero es cierto. El lugar donde Colón está enterrado° es un misterio. Colón descubrió la República Dominicana en 1492. Los dominicanos dicen que Colón sigue° allí todavía.

Hay muchos monumentos en todo el mundo en honor a Colón. No todos son estatuas. Por ejemplo, el colón es el nombre de la moneda de El Salvador y la moneda de Costa Rica. Colombia es un país que se llama así en honor al gran navegante.° También hay ciudades (Colón en Panamá), universidades (Colombia, en Nueva York), calles, avenidas, plazas, parques . . .

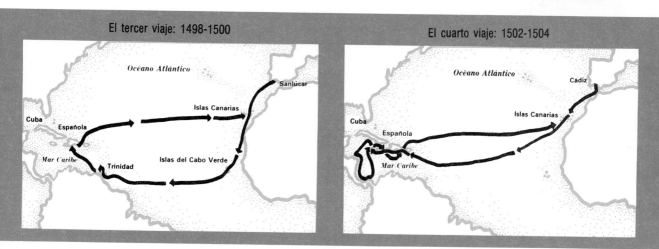

El tercer viaje: 1498-1500

Océano Atlántico

Sanlúcar

Islas Canarias

Cuba
Española

Mar Caribe
Trinidad
Islas del Cabo Verde

El cuarto viaje: 1502-1504

Océano Atlántico

Cádiz

Islas Canarias

Cuba
Española

Mar Caribe

---

encadenado *in chains* **murió** *died* **enterrado** *buried* **sigue** *is* **navegante** *navigator*

LO ANTILLANO° EN NUESTRA LENGUA

¿Sabes de dónde viene la palabra «huracán»? Viene de la palabra taína «Jurakan».

Los taínos fueron una tribu arawaka que pobló° Puerto Rico antes de la llegada° de los españoles. Y Jurakan se refiere a un espíritu malo y destructivo. Jurakan es el espíritu que causa tormentas° violentas y devastadoras.

Cuando los españoles llegan al Caribe, el nombre° Jurakan da origen a la palabra «huracán» en español. Pasa al inglés como «hurricane».

En inglés hay muchas palabras que vienen del español. En algunos casos son palabras que (como «hurricane») tienen su origen en las lenguas° indígenas° del Caribe.

Aquí hay algunas:

español	*inglés*	*español*	*inglés*
canoa	canoe	papaya	papaya
barbacoa	barbecue	sabana	savanna
hamaca	hammock	tabaco	tobacco
maíz	maize		

Antillano *Caribbean*   **pobló** *populated*   **llegada** *arrival*   **tormentas** *storms*   **nombre** *name*
lenguas *tongues*   **indígenas** *native*

corazón *heart*   **ciego** *blind*   **Nació** *He was born*
felicidad *happiness*   **edad** *age*   **descubierto** *discovered*
ha visto *has he seen*   **sueño** *dream*   **hecho** *made*

Ojos que no ven, corazón que siente

Todos conocemos el refrán que dice, «Ojos que no ven, corazón° que no siente». Pero en el caso de José Feliciano no es así. José Feliciano es ciego,° pero canta con la emoción de los grandes artistas. Es un cantante puertorriqueño muy famoso.

Nació° ciego, pero optimista. Su apellido, Feliciano, nos hace pensar en *feliz, felicidad.*° A la edad° de seis años aprendió a tocar su primer instrumento musical. Y como un niño ciego, la música fue siempre su mejor amiga. Pasaron los años . . . Un día, fue descubierto° cantando en un café del Greenwich Village en Nueva York.

Cuando este gran artista canta, multitudes lo escuchan. Sus discos se venden por millones. José Feliciano es un cantante internacional, muy popular en todo el mundo. Nunca ha visto° el color de su guitarra. Nunca ha visto las caras del público que lo admira. Pero para este muchacho puertorriqueño, la vida es un sueño° hecho° realidad.

Los «galeones fantasmas»°

phantom galleons (galleon = large Spanish sailing ship)

La mayoría de° la gente tiene una vida tranquila y normal. Trabaja en algo común y quizá repetitivo. Las personas que tienen una vida de aventura son muy pocas. Este cuento es sobre uno de esos pocos individuos con una vida diferente, una vida de incertidumbre,° de peligro, de esperanza y finalmente de éxito.° Mel Fisher es un hombre con un sueño:° encontrar uno de los tesoros° más valiosos° del mundo. Sus elementos son la historia, un equipo de buzos° y, lo más importante, la paciencia y la inteligencia.

Ésta es la historia que Mel Fisher conoce. Durante el período colonial español, el centro de transporte entre el Nuevo Mundo y España es las islas grandes del Caribe. Todo el oro° y la plata° de las minas de Latinoamérica pasan por la Española° y Cuba. Los peligros para los barcos° son muchos: la distancia, los piratas, las tormentas° tropicales. Por eso,° los barcos van en grupos grandes. El 4 de septiembre de 1622, un grupo de 28 galeones sale de La Habana, Cuba, con una carga importante. Llevan cobre,° índigo, tabaco y mucho oro y plata. Los navegantes tienen miedo,° no de los piratas, sino° de los huracanes del mes de septiembre. Pero el día 4 hace buen tiempo y la luna° nueva es una señal° favorable. ¡Con suerte van a llegar sin problemas!

Todo va bien y los galeones pasan por el Estrecho de Florida. El quinto día de viaje hace mucho viento, pero ya° es difícil volver a tierra.° Deciden continuar. De repente° vienen los vientos y la lluvia de un violento huracán. La atmósfera de los barcos cambia de tranquilidad a terror y los hombres luchan° por salvar sus vidas. Todo se moja.° Las velas° se rompen.° Los vientos llevan los galeones cerca de° los Cayos° de Florida. El día 9, después de cuatro días de lucha contra° la tormenta, todos los barcos se hunden° en olas que son más y más altas. Ninguno se salva. Quizá los últimos en hundirse son los más grandes, los barcos de guardia, la «Nuestra Señora de Atocha» y la «Santa Margarita». Con ellos se va al fondo° del mar una cantidad de oro y plata con un valor° equivalente a millones de dólares.

En España nadie quiere creer que la flota° está perdida. El tesoro es de un valor tan grande que pasan unos 40 años buscando los barcos. Los españoles mandan varias expediciones en busca de los barcos. Buscan en el golfo de México. Buscan en muchas partes inexploradas del Caribe. También buscan en el Atlántico y en los puertos° de África. Buscan por todas partes. Durante mucho tiempo esperan en España la llegada de los barcos misteriosamente perdidos. Pero esperan en vano. Finalmente los barcos cargados° de oro y plata se transforman en leyenda . . . en «galeones fantasmas» que aparecen° en cuentos y visiones.

Esto es todo lo que Mel Fisher sabe cuando comienza a soñar con el tesoro perdido. Viaja primero a Sevilla en España para visitar los archivos principales del período colonial. Allí encuentra mapas mostrando la ruta de los barcos desde°

Most

uncertainty; success
dream; treasures; valuable
divers

gold; silver
Hispaniola; ships
storms; Therefore

copper

are afraid; but
moon; sign

by now; land
Suddenly
fight
gets soaked; sails; break
near; Keys; against
sink

bottom; value

fleet

ports

loaded

appear

from

el Caribe a España. Allí encuentra también libros viejos que describen los barcos. Los manuscritos son difíciles de leer. La lengua° española del siglo° XVII es muy diferente del español moderno. Mel Fisher tiene que llevar los documentos a expertos. ¡Ni° ellos están seguros del significado de ciertas frases! Cuando Mel Fisher reúne° toda la información no sabe exactamente dónde tiene que buscar. Sólo sabe que su expedición va a ser difícil pero tiene esperanza y determinación.

language; century

Not even
gathers

Con la información de los documentos y mapas Mel Fisher vuelve a Florida y comienza la búsqueda° en las aguas claras del Caribe. Su equipo consiste en un barco pequeño y cinco personas. Entre° ellas está su hijo, que comparte° el sueño del padre: vivir una vida de aventura bajo el agua y encontrar los «galeones fantasmas». El equipo pasa cuatro años al este° del Cayo de las Marquesas, pero no encuentra nada. Ya están pensando en abandonar todo cuando un amigo examina otra vez los mapas. El amigo descubre° que hay un problema con la letra° antigua de los mapas. El mapa dice «veste» (oeste)°, no «leste» (este). ¡Están buscando en el lado° equivocado° del Cayo de las Marquesas!

search
Among; shares

east

discovers
handwriting; west
side; wrong

Comienzan de nuevo en el otro lado de la isla . . . y esta vez encuentran un ancla.° Más tarde encuentran cadenas° de oro y luego unas monedas de plata. Éstas son pistas° importantes. ¡Los barcos tienen que estar cerca! Después de buscar durante tres años, encuentran más oro y más monedas, en total un tesoro con un valor de seis millones de dólares. ¿De qué barco viene? Se dan cuenta que es parte de la carga de «Nuestra Señora de Atocha». El barco tenía muchas barras de plata y oro, pero sólo encuentran el oro. Continúan buscando el resto de la carga.

anchor; chains

clues

El trabajo continúa hasta que° un día hay un accidente . . . un accidente fatal. El hijo de Mel Fisher se ahoga° buceando.° La muerte° del hijo causa una crisis terrible de duda° y culpa° en el padre. ¡Por culpa de° su sueño, su hijo ha muerto!° Durante mucho tiempo Mel Fisher deja de° buscar. Tiene además problemas con el gobierno.° Para él, el trabajo es imposible.

until
drowns; diving;
* death*
doubt; guilt;
* because of*
has died; stops
government

Pero Mel Fisher vuelve finalmente al mar, a su sueño, y descubre más oro y esta vez descubre también una parte de un barco. El oro y quizá esta parte del barco vienen de la Santa Margarita. ¡El sueño se está realizando! El

descubrimiento llena° al buscador de alegría,° no por el dinero sino porque está viviendo lo que tanto° había deseado: recuperar° un tesoro perdido en las olas y en el tiempo.

fills; joy
so much; to recover

El hallazgo° atrae° más gente interesada en el trabajo . . . más gente que quiere resolver el misterio de los «galeones fantasmas».

discovery; attracts

La voz poética de un líder revolucionario

José Martí (1853-1895): periodista, poeta y líder político. Dedicó su vida a la libertad° y, en particular, a la libertad política de Cuba. A los 16 años de edad° fue deportado de Cuba por sus actividades revolucionarias. Después, la segunda vez que volvió, murió° en una batalla, peleando contra° las fuerzas españolas por la independencia de Cuba. En La Habana hay un monumento grande dedicado a Martí.

Los poemas de Martí revelan su gran idealismo. ¿Los conoces? Algunos versos de Martí se usaron para hacer una canción que fue muy popular.

Yo soy un hombre sincero
de donde crece° la palma,
y antes de morirme° quiero
echar° mis versos del alma.°

Con los pobres de la tierra
quiero yo mi suerte echar:°
el arroyo° de la sierra
me complace° más que el mar.

Cultivo una rosa blanca,
En julio como en enero,
Para el amigo sincero
Que me da su mano franca.

Y para el cruel que me arranca°
El corazón con que vivo,
Cardo° ni oruga° cultivo;
Cultivo la rosa blanca.

libertad *liberty* **edad** *age* **murió** *he died* **contra** *against* **crece** *grows* **morirme** *dying* **echar** *to pour out*
alma *soul* **echar** *cast* **arroyo** *stream* **complace** *pleases* **me arranca** *pulls from me* **Cardo** *Thistle*
oruga *plant*

Plátanos fritos°

Necesitas: *2 plátanos, verdes o maduros*
(Si no encuentras plátanos, ¡usa bananas!)
aceite° para freír°
sal o azúcar

Preparación:

1. Corta° los plátanos diagonalmente, en rodajas° delgadas.

2. Calienta° aceite en una sartén.°

3. Fríe° los plátanos en aceite bien caliente.°

4. Ponlos° en una toalla de papel° para quitar el exceso de aceite.

5. Si usaste plátanos verdes: échales sal° y sírvelos con el plato principal.
   Si usaste plátanos maduros: échales azúcar y sírvelos como postre.°
   ¡Buen provecho!°

Actividades culturales

1. *Prepara un informe breve° sobre° la ciudad de Santo Domingo.*
2. *Prepara una exhibición° sobre uno de los países hispanos del Caribe. Puedes usar mapas, tarjetas postales, fotos y folletos° turísticos.*
3. *Prepara un informe sobre el primer viaje de Cristóbal Colón.*
4. *Busca un disco español, como uno de Julio Iglesias, y escucha una canción. ¿Cuenta una historia? Di° a la clase lo que expresa.*
5. *Lee unos poemas de José Martí.*

informe breve *brief report*   **sobre** *on*   **exhibición** *exhibit*   **folletos** *brochures*   **Di** *Tell*

fritos *fried*   **aceite** *oil*   **freír** *frying*   **Corta** *Cut*   **rodajas** *slices*   **Calienta** *Heat*   **sartén** *frying pan*
Fríe *Fry*   **caliente** *hot*   **Ponlos** *Put them*   **toalla de papel** *paper towel*   **échales sal** *salt them*
postre *dessert*   **¡Buen provecho!** *Enjoy it!*

Unidad 4

El coche del Sr. Molina

Estamos en julio. Hace muchísimo calor. La familia Molina, una
familia española, está de vacaciones. Todos los años pasa las
vacaciones en San Felíu, una playa en la Costa Brava. Ahora Isabel,
la hija menor (tiene diez y siete años), regresa de la calle.

regresa: returns

Isabel:	¡Hola, mamá!
Sra. de Molina:	¡Hola, Isabel!
Isabel:	¿No está aquí Elena?
Sra. de Molina:	¡No! Tu hermana acaba de salir con una amiga.
Isabel:	¿Y Ricardo?
Sra. de Molina:	Acaba de llamar por teléfono. Hace unas dos horas que está en la playa con sus amigos. Dijo que después van a ir a una discoteca.
Isabel:	¿Papá está también en la calle?
Sra. de Molina:	¡Sí! Acaba de salir con el Sr. Martínez. Van a ver un partido de fútbol.
Isabel:	Y tú, mamá, ¿vas a salir?
Sra. de Molina:	Sí, hija. Tengo que ir de compras con la Sra. de Onís.
Isabel:	¿Me voy a quedar sola en este apartamento?
Sra. de Molina:	Sí, ¡pero no es una tragedia!
Isabel:	¡Claro que no! Voy a leer las revistas que acabo de comprar.

*acaba de salir: has
just gone out*

*¿está . . . en la calle?:
is he out?*

*ir de compras: go
shopping*

● ● ● ● ● ● ● ● ● ● ● ● ● ● ●

Hace unos diez minutos que Isabel está sola en casa . . .
¿Va a leer sus revistas?
¡No! Isabel tiene otra idea . . .
¡y esta idea es mucho más interesante!

NOTA CULTURAL

Las vacaciones de verano en España

Tradicionalmente, julio y agosto son los meses de vacaciones en España. Los estudiantes españoles tienen más o menos tres meses de vacaciones y sus padres tienen más o menos cuatro semanas. Como los veranos son muy calurosos, muchas familias van a veranear° a la playa.

Las playas españolas son unas de las más bonitas del mundo. También en el verano son unas de las más llenas.° Durante esta temporada,° millones de turistas (de Alemania, de Francia, de Inglaterra, de los Países Bajos° y de Suiza°) vienen a las playas de la Costa Brava y la Costa del Sol. Los españoles y los extranjeros° vienen a descansar y a gozar del° sol . . . ¡y a recibir quemaduras de sol° si no tienen cuidado!°

veranear *to spend the summer*   **llenas** *crowded*
temporada *season*   **Países Bajos** *Belgium, Luxembourg, The Netherlands*   **Suiza** *Switzerland*   **extranjeros** *foreigners*
gozar del *enjoy the*   **quemaduras de sol** *sunburns*   **no tienen cuidado** *they are not careful*

Vocabulario

sustantivos	**las compras**	shopping
	las vacaciones	vacation(s)
verbos	**estar de vacaciones**	to be on a vacation
	estar en la calle	to be out
	gozar de (las vacaciones)	to enjoy (the vacation)
	ir de compras	to go shopping
	ir de vacaciones	to go on a vacation
	pasar (las vacaciones)	to spend (one's vacation)
	regresar	to return, to come back
adjetivos	**menor**	younger
	solo	alone
expresión	**hace muchísimo calor**	it is *very* hot

NOTA: The endings **–ísimo(s)** and **–ísima(s)** added to an adjective are equivalent to the English words *very* or *extremely*.

When the adjective ends in a consonant, the ending is attached directly to it:

   difícil → dificil**ísimo**   una tarea dificil**ísima**

When the adjective ends in a vowel, this vowel is dropped before attaching the ending:

   guapo → guap**ísimo**   unos chicos guap**ísimos**
   interesante → interesant**ísimo**   unas novelas interesant**ísimas**

CONVERSACIÓN

Vamos a hablar de lo que hiciste recientemente.

¿Acabas de levantarte?
¿Acabas de comer?
¿Acabas de leer una novela
   interesante?
¿Acabas de escuchar un buen chiste?
¿Acabas de hacer un viaje?
¿Acabas de recibir noticias de tus
   primas?

Estructuras

A. Repaso: la duración: *hace* + el presente

In Spanish, the present tense is used to describe actions or conditions
which began in the past and which are still going on now. Compare the
use of verb tenses in Spanish and English.

Hace una hora que **espero** a Carlos.	*I **have been waiting** for Carlos **for** one hour.*
Hace dos semanas que Isabel **está** de vacaciones.	*Isabel **has been** on vacation **for** two weeks.*
Hace dos años que **estudiamos** español.	*We **have been studying** Spanish **for** two years.*

To express the duration of such actions, Spanish speakers use the following
constructions:

> **hace** + period of time + **que** + present + rest of sentence

Note also the question constructions:

> ¿Hace cuánto tiempo que (+ present)?
> ¿Cuánto tiempo hace que (+ present)?

¿Hace cuánto tiempo que estás aquí?   *(For) How long have you been here?*
¿Cuánto tiempo hace que estudias español?   *(For) How long have you been studying Spanish?*

ACTIVIDAD 1   Una entrevista

Una periodista en Miami hace una entrevista a un músico español famoso.
Haz los dos papeles según el modelo.

∑⊘   Ud. toca la guitarra. (10 años)   La periodista: ¿Hace cuánto tiempo que Ud. toca la
                                                            guitarra?
                                            El músico: Hace diez años que toco la guitarra.

1. Ud. canta. (12 años)   5. Ud. graba (record) discos. (6 años)
2. Ud. vive en Madrid. (20 años)   6. Ud. está de viaje. (3 semanas)
3. Ud. da conciertos. (8 años)   7. Ud. está en los Estados Unidos. (1 semana)
4. Ud. está casado. (1 año)   8. Ud. está en Miami. (2 días)

ACTIVIDAD 2   Diálogo: ¿Cuánto tiempo hace que . . . ?

Pregúntales a tus amigos cuánto tiempo hace que hacen las siguientes
cosas.

∑⊘   estudiar español (¿cuántos años?)   Estudiante 1: ¿Cuántos años hace que estudias
                                                            español?
                                            Estudiante 2: Hace dos años que estudio español.

1. vivir en esta ciudad (¿cuántos años?)   5. conocer a tu mejor amiga (¿cuántos meses?)
2. asistir a este colegio (¿cuántos años?)   6. ser amigo(a) de ella (¿cuántos meses?)
3. conocer a tu mejor amigo (¿cuántos años?)   7. estar en la clase (¿cuántos minutos?)
4. ser amigo(a) de él (¿cuántos años?)   8. hacer esta tarea (¿cuántos minutos?)

B. Repaso: *acabar de* + infinitivo

Note the use of the expression **acabar de** in the sentences below.

Acabo de llamar a Isabel.   *I just called Isabel.*
                                    I have just called Isabel.

Ricardo **acaba de salir.**   *Ricardo just went out.*
                                    Ricardo has just gone out.

Acabamos de llegar.   *We just arrived.*
                                    We have just arrived.

To express an event which has just happened, Spanish speakers use the
construction:

> present tense of **acabar**   +   **de**   +   infinitive

∑⊘   Object pronouns and reflexive pronouns are attached to the infinitive.

Acabo de levantar**me**.   *I just got up.*

—¿Sabes dónde está Isabel?
—Sí, acabo de ver**la**.   *Yes, I just saw her.*

ACTIVIDAD 3   Furiosos y contentos

Algunos amigos de Isabel están furiosos. Otros están contentos. Describe
los sentimientos de cada persona (¿Está furiosa o contenta?) y explica por
qué según los modelos.

⚮   Carlos saca una mala nota.   Carlos está furioso porque acaba de sacar una mala nota.
⚮   Luisa saca una buena nota.   Luisa está contenta porque acaba de sacar una buena nota.

1. Enrique pierde el partido de tenis.
2. Felicia gana el partido.
3. Francisco recibe una carta de su novia.
4. Silvia vende su bicicleta a buen precio (price).
5. Encontramos a nuestros amigos.
6. Pierdo mi billetera.
7. Tú recibes diez dólares de tu papá.
8. Elena se enoja con su novio.
9. Me peleo con mis amigos.
10. Enrique y Ana se llaman por teléfono.

ACTIVIDAD 4   ¿Por qué?

¿Puedes explicar por qué las siguientes personas tienen varios
sentimientos? Tienes que usar la imaginación . . . y la construcción **acabar
de** + infinitivo, según el modelo.

⚮   Isabel está contenta porque . . .
        Isabel está contenta porque acaba de llamar a su novio.
        (Isabel está contenta porque su amiga acaba de llamarla.)
        (Isabel está contenta porque su papá acaba de comprarle un coche.)

1. Rafael está triste porque . . .
2. Ramón y Luis están enojados porque . . .
3. Estoy muy contento porque . . .
4. Estamos de buen humor porque . . .
5. Tú estás de mal humor porque . . .
6. El profesor está de un humor horrible porque . . .

C. Repaso: los numerales ordinales

Ordinal numbers, such as first, second, third, are used to rank people and things.

1°	**primero**	6°	**sexto**
2°	**segundo**	7°	**séptimo**
3°	**tercero**	8°	**octavo**
4°	**cuarto**	9°	**noveno**
5°	**quinto**	10°	**décimo**

⟡ Ordinal numbers are adjectives. They agree in gender and number with the nouns they introduce.

Carmen es la **primera** chica a quien voy a invitar.

⟡ **Primero** and **tercero** become **primer** and **tercer** before a masculine singular noun.

Enero es el **primer** mes del año.
¿Vas a ver el **tercer** acto?

⟡ Beyond **décimo,** you would use cardinal numbers instead of ordinal numbers.

Carlos vive en **el piso trece.**   *Carlos lives on **the thirteenth floor (floor thirteen).***
En **el siglo veinte** . . .   *In the twentieth century (century twenty). . .*

ACTIVIDAD 5   El torneo de tenis *(The tennis tournament)*

Hay un torneo de tenis en tu escuela. Les anuncias los resultados a los siguientes participantes.

⟡ Jaime: 10   Jaime, eres décimo.
⟡ Juana: 9   Juana, eres novena.

1. Julia: 2
2. Felipe: 4
3. Isabel y Luisa: 5
4. Ramón y Manuel: 7
5. Silvia: 6
6. Antonio: 8
7. Esteban: 3
8. . . . y yo: 1

ACTIVIDAD 6   El rascacielos *(The skyscraper)*

Este rascacielos tiene veinte pisos. Tú tienes muchos amigos que viven allí. Di en qué piso viven.

⟡ Ricardo: 4   Ricardo vive en el cuarto piso.

1. Raúl: 9
2. los Montoya: 12
3. Consuelo: 7
4. el Dr. Vega: 5
5. Enrique: 15
6. la Srta. Arroyo: 3
7. Alberto: 8
8. mi tío Ignacio: 6
9. el Dr. Ramos: 14
10. Anita: 1

D. Repaso: algunos adjetivos indefinidos

The adjectives in heavy print below do not refer to a specific number of people or things. They are indefinite adjectives. Note the uses and forms of these adjectives.

alguno

algún, alguna	some	**Algún** día, voy a visitar España.
algunos, algunas	some, several	Tengo **algunos** amigos allá.
cada	each	Para la fiesta, **cada** chico va a invitar a una chica.

otro

otro(a)	other, another	¿Cómo se llama la **otra** amiga de Inés? ¿Tiene **otro** hermano, Isabel?
otros(as)	other	Mis **otros** amigos no pueden venir a la fiesta.

todo

todo(a)	the whole, all	—¿Vas a leer **toda** la novela?
todos(as)	all, every	—No, pero voy a leer **todas** las revistas.

≫ **Alguno** → **algún** before a masculine singular noun.

≫ The indefinite article (**un, una**) is never used before the word **otro**.

Dame **otra** revista, por favor.   *Please give me **another** magazine.*

≫ The above indefinite expressions can be used to replace a noun which has already been expressed.

Conozco a aquella chica pero no conozco a **la otra** (= la otra chica).	*I know this girl, but I do not know **the other one.***
No me gustan estas revistas. Dame **otras** (= otras revistas).	*I do not like these magazines. Give me **other ones.***

Exception: **Cada** cannot be used alone. **Cada uno(a)** is used when the noun is not expressed.

Tengo muchas amigas.	*I have many friends.*
Cada una me escribe por mi cumpleaños.	***Each one** writes me on my birthday.*

ACTIVIDAD 7   Generalizaciones

Ricardo hace generalizaciones, pero Isabel no está de acuerdo *(in agreement)* con él. Haz los dos papeles según el modelo.

≫   Los muchachos son inteligentes.

Ricardo: ¿Son inteligentes todos los muchachos?
Isabel: ¡No, claro que no! No todos son inteligentes.

1. Las muchachas son simpáticas.
2. Los norteamericanos son altos.
3. Las norteamericanas son rubias.
4. Los españoles son bajos.
5. Las españolas son morenas.
6. Las novelas son interesantes.
7. Los profesores son interesantes.
8. Las generalizaciones son tontas.

ACTIVIDAD 8   No, gracias

Elena le dice a Ricardo que acaba de terminar varias cosas. Ricardo le ofrece otras, pero Elena no acepta su oferta. Haz los dos papeles.

Elena lee un libro.

Elena: Acabo de leer el libro.
Ricardo: ¿Quieres otro?
Elena: No, gracias.

1. Elena lee una revista.
2. Mira unas fotos.
3. Come unos dulces.

4. Lee unos periódicos.
5. Toma una aspirina.
6. Bebe una Coca-Cola.

Para la comunicación

1) La autobiografía
Imagina que acabas de recibir un premio *(prize)* importante. Un periodista habla contigo. Él quiere saber cuáles son tus actividades y cuánto tiempo hace que las haces. Contéstale en un párrafo de ocho frases. Puedes usar los siguientes verbos.

vivir / estudiar / asistir a / trabajar / jugar a / ir / hablar / tocar

Vivo en Miami. Hace diez años que vivo aquí . . .

2) Las noticias del día
Elige *(Choose)* seis noticias recientes (políticas, artísticas, deportivas . . .) y descríbelas usando la construcción **acabar de** + infinitivo.

El presidente acaba de hacer un viaje a Latinoamérica.
Los Patriotas de Nueva Inglaterra acaban de vencer *(beat)* a los Delfines de Miami.
El FBI acaba de arrestar a un criminal . . .

3) En la ventana
Asómate *(Look out)* a la ventana (de tu casa, de la sala de clase . . .) por unos diez minutos y describe en ocho frases qué ocurrió, usando la construcción **acabar de** + infinitivo. Si quieres, puedes usar los siguientes verbos:

salir / llegar / regresar / pasar / entrar / caerse / ver / hablar / charlar *(chat)*

La vecina acaba de salir. Dos coches acaban de pasar . . .

Lección uno
155

Lección 2

Segundo acto:
La decisión de Isabel

Hace varios días que Isabel piensa en esta idea: ¡probar el SEAT de su padre! . . . En secreto, por supuesto, porque el Sr. Molina nunca presta su coche nuevo. . .
Pero hay una voz interior que no está de acuerdo con Isabel.

varios: *several*

voz: *voice*
    de acuerdo: *in agreement*

Esta voz le dice:
—¡Escúchame, Isabel!
    Hace solamente unos dos meses que tienes el permiso de conducir.
    No sabes todavía conducir bien . . .
    Además, ¿de quién es el coche?
    ¿Es tuyo? ¡No! Es de tu papá . . . Y si lo tomas, ¡sabes que él va a enojarse!

el permiso de conducir: *driver's license*

tuyo: *yours*

También hay otra voz, y ésta le dice:
—Por supuesto, el coche es de tu papá . . .
    Pero si es suyo, es un poco tuyo también, ¿no? ¡Isabelita, estás sola! ¡Es tu oportunidad! *(Es una voz fuerte, muy fuerte. . .)* —¿Suyo, mío? ¿Qué importa? — piensa Isabel, sin poder resistir la tentación . . .

suyo: *his*

mío: *mine*
    ¿Qué importa?: *What does it matter?*

● ● ● ● ● ● ● ● ● ● ●

Isabel decidió no perder más tiempo. Llamó por teléfono a Anita, su mejor amiga. Le explicó su idea. La invitó a dar una vuelta en el coche. Anita aceptó la invitación, con mucho gusto. Isabel tomó las llaves del coche de su padre. Entró en el garaje y arrancó el coche. ¡Lo sacó del garaje muy de prisa y con mucho ruido!
—¿No sabes conducir bien? Vamos a ver,—se dice Isabel, empujando el acelerador . . . Se dirige hacia la plaza mayor, donde vive Anita.

arrancó: *started up*
de prisa: *quickly*
    ruido: *noise*
empujando: *stepping on*

Se dirige: *She heads*

Unidad cuatro

156

La plaza mayor

Todas las ciudades de España y hasta° los pueblos pequeños tienen una plaza mayor.° Esta plaza tiene una arquitectura cuadrangular° y casi siempre está rodeada de° casas muy antiguas. La plaza mayor es el centro histórico de la ciudad. En el pasado° (¡y todavía ahora!) servía° para fiestas, corridas, competencias,° dramas y obras de teatro.

Hoy día la plaza mayor es el centro de mucha actividad. Hay apartamentos. También hay tiendas y cafés al aire libre.° Es agradable sentarse en uno de estos cafés y contemplar la belleza° y perfección de la arquitectura de la plaza. ¡Qué maravilla!

hasta *even*   **plaza mayor** *main square*   **cuadrangular** *square*   **rodeada de** *surrounded by*   **pasado** *past*
servía *it was used*   **competencias** *contests*   **al aire libre** *outdoor*   **belleza** *beauty*

Vocabulario

sustantivos	**un permiso**	permission, permit	**una voz**	voice
	el permiso		**(pl. voces)**	
	de conducir	driver's license		
	un ruido	noise		
verbos	**arrancar**	to start (a car), to pull out		
	dirigirse (a)	to go (towards)		
	empujar	to push		
	explicar	to explain		
	probar (o → ue)	to try		
	sacar	to take out		
expresiones	**dar una vuelta**	to go for a ride		
	de prisa	fast, quickly		
	estar de acuerdo	to agree		
	hacia	toward, in the direction of		
	todavía	still, yet		

NOTA: **Unos (unas)** is used in front of a number to indicate an approximation.

Hace **unos** ocho años
que vivo en Madrid.

*I have been living in Madrid for **about**
(**approximately, more or less**) eight years.*

CONVERSACIÓN

Vamos a hablar de lo que hizo tu papá (o tu mamá, si prefieres) ayer.

¿Se levantó temprano él (ella)?
¿Preparó el desayuno?
¿Tomó café?
¿Tomó el autobús para ir al trabajo?
¿Compró algo especial? ¿Qué?
¿Miró la televisión?
¿A qué hora se acostó?

Estructuras

A. Los adjetivos y los pronombres posesivos

There are two kinds of possessive adjectives in Spanish:

  —the short or *unstressed adjectives* (**mi, tu, su, nuestro**);
  —the long or *stressed adjectives*.

Note the masculine singular forms of the stressed adjectives in the chart below.

POSSESSOR		POSSESSOR	
(yo)	el coche **mío**	(nosotros)	el coche **nuestro**
(tú)	el coche **tuyo**	(vosotros)	el coche **vuestro**
(él, ella, Ud.)	el coche **suyo**	(ellos, ellas, Uds.)	el coche **suyo**

Stressed possessive adjectives agree in gender and number with the noun they modify (and *not* with the possessor).

| Carmen es amiga **mía**. | Carmen is a friend **of mine**. |
| Vamos a invitar a unas amigas **nuestras** a la fiesta. | We are going to invite a few friends **of ours** to the party. |

The stressed possessive adjectives correspond to the English forms *of mine, of yours*, etc. They always come *after* the noun. When the noun comes after **ser**, the indefinite article may be omitted.

Inés es **amiga tuya,** ¿verdad? *Inés is **a friend of yours,** isn't she?*

Stressed possessives may also be used alone after **ser**.

| Los periódicos son **míos,** pero las revistas son **tuyas**. | *The newspapers are **mine,** but the magazines are **yours**.* |

Note also the following construction.

Carlos y yo tenemos bicicletas.

| **La mía** (= mi bicicleta) es roja. | *Mine is red.* |
| **La suya** (= su bicicleta) es blanca. | *His is white.* |

In the preceding sentences, the expressions in heavy print replace nouns already expressed: they are *possessive pronouns*. Possessive pronouns are formed as follows:

> definite article + stressed possessive adjective

ƧƆ Note that both parts agree with the noun which is replaced.

mi coche = **el mío**   mis discos = **los míos**
mi casa = **la mía**   mis revistas = **las mías**

ACTIVIDAD 1   Los amigos de Raquel

Raquel quiere saber si Enrique conoce a varias personas. Enrique le pregunta si esas personas son amigas suyas. Raquel le contesta afirmativamente.

ƧƆ Isabel   Raquel: ¿Conoces a Isabel?
                Enrique: Es amiga tuya, ¿verdad?
                Raquel: Sí, es buena amiga mía.

1. Felipe   3. Ramón   5. Roberto y Paco
2. Carlos y su hermano   4. Elena y Felicia   6. Luisa y Silvia

ACTIVIDAD 2   Durante las vacaciones

Durante las vacaciones, las siguientes personas van a visitar a amigos o parientes. Expresa eso según el modelo.

ƧƆ Carlos (una amiga)   Carlos va a visitar a una amiga suya.

1. Elena (un amigo)   6. yo (un primo)
2. Roberto (un amigo)   7. tú (una prima)
3. Federico (una amiga)   8. mis hermanas (unos compañeros de colegio)
4. Ud. (un tío)   9. nosotros (un amigo)
5. Uds. (unos amigos)   10. Ana y yo (una prima)

ACTIVIDAD 3   ¿Qué vas a escoger *(choose)*?

En cada par *(pair)* de objetos, puedes escoger un objeto para ti y otro para un(a) compañero(a). Di qué escoges para ti y qué para él (ella).

ƧƆ un coche / una moto   El coche es mío. La moto es tuya.
                          (La moto es mía. El coche es tuyo.)

1. un reloj de pulsera / una calculadora   4. unos esquís acuáticos / una tabla
2. una revista de historietas *(comics)* /   hawaiana *(surfboard)*
   una novela policíaca *(detective)*   5. un televisor / una bicicleta
3. unos discos de jazz / unas revistas de   6. unos anteojos de sol / un bolso
   modas

ACTIVIDAD 4   Diálogo: ¿Puedes usar . . .?

Pídeles a tus compañeros varios objetos suyos.

    la bicicleta   Estudiante 1: No tengo mi bicicleta. ¿Puedo usar la tuya?
                         Estudiante 2: ¡Claro! Puedes usar la mía.
                                    (No, no puedes usar la mía.)

1. el espejo
2. el peine
3. las revistas
4. el reloj
5. la calculadora
6. la guitarra
7. los discos
8. la navaja

B. Repaso: el pretérito de los verbos que terminan en -ar

The *preterite* is used to describe actions that took place in the *past*. All
regular -ar verbs have the same preterite endings. Note these endings in
the chart below.

INFINITIVE	**hablar**		
PRETERITE			
(yo)	habl**é**	(nosotros)	habl**amos**
(tú)	habl**aste**	(vosotros)	habl**asteis**
(él, ella, Ud.)	habl**ó**	(ellos, ellas, Uds.)	habl**aron**

   Many **-ar** verbs that have a stem change in the present do *not*
have this stem change in the preterite.

    pensar   ¿Qué **pensaste** de esa película estúpida?
    despertarse   Ayer, me **desperté** a las nueve.
    encontrar   **Encontré** a María en la cafetería.
    acostarse   Anoche, Carlos se **acostó** temprano.

   Verbs that end in **-car, -gar,** and **-zar** have a spelling change in
the preterite. This change concerns only the **yo** form and is made to
preserve the sound of the stem.

    -car (c → qu)   ¿**Sacaste** fotos el fin de semana pasado?
                        Sí, **saqué** muchas fotos.
    -gar (g → gu)   ¿Con quién **jugaste** al tenis?
                        Jugué con Roberto.
    -zar (z → c)   ¿Dónde **almorzaste** ayer?
                        Almorcé en un restaurante mexicano.

ACTIVIDAD 5   De compras

Isabel y sus amigos van de compras. Di qué compró cada uno y si, según tú, gastó mucho dinero o no.

⟩⟩ Isabel: una revista   Isabel compró una revista.
                          No gastó mucho dinero.

1. Tere: una camiseta
2. Enrique: una bicicleta
3. los hermanos de Tere: dulces
4. yo: chicle
5. tú: postales (postcards)
6. nosotros: una moto

ACTIVIDAD 6   Diálogo: El fin de semana pasado

Pregúntales a tus compañeros qué hicieron el fin de semana pasado.

⟩⟩ hablar (¿con quién?)

    Estudiante 1: ¿Con quién hablaste el fin de semana pasado?
    Estudiante 2: Hablé con un chico de Panamá.

1. llamar por teléfono (¿a quiénes?)
2. visitar (¿a quiénes?)
3. encontrar (¿a quiénes?)
4. levantarse (¿cuándo?)
5. acostarse (¿a qué hora?)
6. jugar (¿a qué?)
7. almorzar (¿dónde?)
8. bailar (¿dónde?)
9. comprar (¿qué?)

ACTIVIDAD 7   Nunca los domingos (Never on Sundays)

Éstas son las cosas que las siguientes personas hacen durante la semana. Di que no hicieron esas cosas el domingo pasado.

⟩⟩ Mi hermana se despierta temprano.   El domingo pasado, no se despertó temprano.

1. Me acuesto tarde.
2. Te acuestas a las diez.
3. Pedro encuentra al profesor en la calle.
4. Juego al tenis.
5. Juegas al volibol.
6. Jugamos al fútbol.
7. Almuerzo en la cafetería.
8. Almorzamos de prisa.
9. Ud. toca el piano.
10. Practico la guitarra.
11. Busco apartamento.

VOCABULARIO PRÁCTICO El automóvil

la gasolina

el aceite

el motor

la luz

el parabrisas

el radiador

el tanque

la llanta

la rueda

el número
de matrícula

los faros (las luces)

las (luces) direccionales

en la estación de servicio

arreglar	to fix	El mecánico **arregló** los **frenos** *(brakes).*
cambiar	to change	También, **cambió** el **aceite.**
limpiar	to clean	**Limpió** el **parabrisas,**
llenar	to fill	. . . **llenó** el **tanque** con gasolina
revisar	to check	. . . y **revisó** las **llantas.**

ACTIVIDAD 8   Preguntas personales

1. ¿Tiene coche tu familia? ¿De qué marca *(make)*? ¿Es viejo o nuevo? ¿De qué color es? ¿Usa mucha gasolina? ¿mucho aceite?

2. ¿Lavas el coche de tu familia? Si no, ¿quién lo limpia?

3. ¿Sabes conducir? ¿Tienes el permiso de conducir? Si no, ¿cuándo esperas obtenerlo?

4. ¿Sueñas con tener un coche deportivo? ¿Qué clase de coche prefieres?

ACTIVIDAD 9   Un buen mecánico

Imagina que llevaste tu coche a una estación de servicio. Di qué hizo el mecánico, usando los verbos del vocabulario.

∑⊃ los frenos   Arregló (revisó) los frenos.

1. el tanque
2. el parabrisas
3. el radiador
4. las llantas
5. el motor
6. los faros
7. el aceite
8. las luces direccionales

C. El diminutivo –ito

Note the endings in heavy print.

Carlos tiene una herman**ita.**	*Carlos has a **little** sister.*
Vivimos en una cas**ita.**	*We live in a **small** house.*
¿Quién es ese hombre**cito?**	*Who is that **little** man?*
¿Dónde está Carmen**cita?**	*Where is **dear** Carmen?*

To convey affection or smallness, Spanish speakers often use the endings:

-ito(a)   with nouns ending in **-o, -a, -l**
-cito(a)   with other nouns

ACTIVIDAD 10   Elena y Silvia

Elena le pregunta muchas cosas a Silvia. Haz el papel de Silvia, según el modelo.

∑⊃ ¿Tienes un hermano menor?   Silvia: Sí, tengo un hermanito.

1. ¿Tienes hermanas menores?
2. ¿Vives en una casa pequeña?
3. ¿Tienes un perro pequeño?
4. ¿Tienes un gato pequeño?
5. ¿Me esperas un momento?
6. ¿Conoces a Carmen?
7. ¿Conoces a Miguel?
8. ¿Conoces a ese hombre pequeño?

Para la comunicación

El fin de semana pasado
En un pequeño párrafo describe lo que hizo cada miembro de tu familia. Puedes usar los siguientes verbos.

en casa: quedarse / limpiar / arreglar / escuchar / mirar / llamar
fuera de la casa: visitar / jugar / encontrar / regresar / mirar

• Mi hermano . . .
• Mi hermana . . .
• Mis padres . . .

∑⊃ Yo: ¿Me quedé en casa? ¡Yo, no! Llamé a un amigo y salimos . . .

Tercer acto: ¡Qué tragedia!

Isabel estacionó el coche frente al edificio de apartamentos de Anita. Entró en el edificio y subió de prisa al apartamento de su amiga en el segundo piso.

estacionó: *parked*
edificio: *building*
subió: *went up*

Al entrar en el apartamento, Isabel oyó un ruido increíble, un ruido horrible, realmente.

—¡Dios mío! — exclamó Anita. —¡Es el coche de tu papá!
Las chicas corrieron a la ventana.
Desde allí vieron un espectáculo desastroso:
¡Un automovilista acaba de chocar con el coche nuevo del Sr. Molina!
¡Qué tragedia!

Isabel abrió la ventana, vio al conductor culpable y exclamó:
—¡Un momentito, señor! ¡Ud. acaba de chocar con mi coche! ¡Voy a bajar!
   ¡Señor, señor . . . !

Pero el conductor no oyó a Isabel y no la esperó. ¡Al contrario!
Al verla se fue muy de prisa.
—¡Válgame Dios!—exclamó Isabel.—¿Qué hago ahora?

Desde allí: *From there*
chocar con: *run into*

culpable: *guilty*

bajar: *come down*

Al verla: *On seeing her*

• • • • • • • • • • • •

Los problemas de Isabel acaban de comenzar.
¿Qué puede hacer?
¿Cómo va a explicarle el accidente a su papá?
. . . ¿Y qué le va a decir?
Isabel está muy triste y muy nerviosa.

El coche

¿Qué significa° tener coche? ¿Tener transporte? ¡Claro! Pero para muchos hispanohablantes, un coche significa mucho más. Para algunos es un «hobby». Para otros es el símbolo de pertenecer a la clase acomodada.° Para muchos representa la posibilidad de tomarse unas vacaciones y de poder escaparse de la rutina diaria.

Algunos hispanohablantes cuidan mucho su coche, nuevo o viejo. Lo lavan, lo enceran,° lo mantienen en condición excelente. Para ellos es una verdadera° extensión de su propia° personalidad.

Así, un pequeño accidente significa más que un daño° a su propiedad° personal. ¡Es casi una verdadera catástrofe!

significa *does it mean* **clase acomodada** *upper middle class* **enceran** *wax* **verdadera** *real* **propia** *own* **daño** *damage* **propiedad** *property*

— Vocabulario —

sustantivos	**un edificio de apartamentos**	apartment building	**una ventana**	window
	un espectáculo	sight, spectacle		
	un piso	floor		
adjetivos	**culpable**	guilty		
	increíble	unbelievable		
	propio	(one's) own		
verbo	**exclamar**	to exclaim, to say		
expresiones	**al contrario**	on the contrary		
	desde allí	from there		
	¡Dios mío!	My goodness!		
	frente a	facing, opposite		
	¡Válgame Dios!	God help me!		

CONVERSACIÓN

Vamos a hablar de lo que hiciste el sábado pasado.

¿Fuiste al campo?
  Sí (No, no) fui al campo.
¿Fuiste al cine?
¿Fuiste a un restaurante?
¿Fuiste a casa de tus amigos?

¿Asististe a un concierto?
  Sí (No, no) asistí a un concierto.
¿Asististe a un partido de fútbol?
¿Asististe a un espectáculo extraordinario?
¿Asististe a la ópera?

Estructuras

A. Repaso: el pretérito de los verbos que terminan en *-er* y en *-ir*

In the preterite, most verbs which end in **-er** and **-ir** have the same endings. Note the preterite endings of **correr** *(to run)* and **subir** *(to climb).*

INFINITIVE	**correr**	**subir**
PRETERITE		
(yo)	corrí	subí
(tú)	corriste	subiste
(él, ella, Ud.)	corrió	subió
(nosotros)	corrimos	subimos
(vosotros)	corristeis	subisteis
(ellos, ellas, Uds.)	corrieron	subieron

> Verbs in **-er** (but not those in **-ir**) which have a stem change in the present tense have no stem change in the preterite.
>
> **entender**   Carlos no **entendió** al profesor.
> **volver**   Anoche **volví** a casa a las once.

> In the preterite, **dar** *(to give)* and **ver** *(to see)* take the endings of **-er** and **-ir** verbs with one exception: there are no accents on the **yo** and **él** forms.
>
> **Vi** a mi primo ayer. Me **dio** noticias de la familia.

> Verbs in **-aer, -eer, -uir** and the verb **oír** have a spelling change in the preterite. In the **él** and **ellos** forms, the **i** of the ending becomes **y.**

caer(se) *(to fall)*	Carlos **se cayó** en la calle.
	Inés y Luisa **se cayeron** en el suelo *(ground)*.
leer *(to read)*	Isabel no **leyó** la novela.
	Mis amigos **leyeron** historietas.
oír *(to hear)*	Enrique **oyó** un ruido *(noise)* terrible.
	Mis hermanas no te **oyeron** bien.
construir *(to build)*	Roberto **construyó** un radio.
	Tus primos **construyeron** un garaje.

In addition, the **i** of these verbs (with the exception of verbs in **-uir**) has an accent in all other preterite forms.

¿Por qué **leíste** esa novela aburrida?

ACTIVIDAD 1 Diálogo: La semana pasada

Pregúntales a tus compañeros si hicieron las siguientes cosas durante la
semana pasada.

⮑ asistir a un concierto Estudiante 1: ¿Asististe a un concierto?
                            Estudiante 2: Sí (No, no) asistí a un (ningún) concierto.

1. asistir a un partido de fútbol
2. comer en casa de un amigo
3. comer en un restaurante
4. ver a tus primas
5. recibir buenas notas
6. recibir una carta de tus abuelos

7. escribir a tus tíos
8. reunirte con tus parientes
9. salir con tus amigos
10. volver a casa después de las once
11. leer una novela policíaca
12. asistir a una película de horror

ACTIVIDAD 2 La casa encantada *(The haunted house)*

Hay una casa encantada en el pueblo donde vive Ramón. Un día, Ramón y
sus amigos decidieron entrar en la casa. Di que oyeron ruidos raros *(strange)*
pero que no vieron al fantasma *(ghost)*.

⮑ Ramón Ramón oyó ruidos raros pero no vio al fantasma.

1. las hermanas de Ramón
2. yo
3. tú

4. tú y yo
5. nosotros
6. el perro de Ramón

7. Susana
8. Uds.
9. Susana y Raúl

VOCABULARIO PRÁCTICO **Algunos verbos de movimiento**

andar	to walk	**Andamos** de prisa.
	to work, to run	Mi moto **anda** bien.
parar	to stop	Isabel **paró** el coche frente a la casa de Anita.
pararse	to stop (oneself)	**Me paré** delante del cine.
darse prisa	to hurry	Carlos **se dio prisa** para tomar el autobús.
subir (a)	to get (in, on), to go up	**Subí** al taxi.
	to climb	Elena **subió** la **escalera** *(stairs)* de prisa.
bajar (de)	to get off, to descend	**Bajé del** autobús enfrente del colegio.
dar un paseo	to go for a walk, ride	Ayer, **dimos un paseo** a pie (en coche, en bicicleta, a caballo).
dar una vuelta	to take a walk, ride	**Di una vuelta** en el parque.

ACTIVIDAD 3   ¡En vano! *(In vain)*

Las siguientes personas se dieron mucha prisa, ¡pero fue en vano! Explica eso según el modelo.

※   Carmen / perder el autobús   Carmen se dio mucha prisa, pero perdió el autobús.

1. mi papá / perder el avión
2. yo / perder el tren
3. tú / no encontrar a tus amigos
4. los ladrones *(thieves)* / no escapar de la policía
5. nosotros / llegar tarde al concierto
6. Ricardo y yo / no ver la película
7. Ud. / no asistir al partido de fútbol
8. Uds. / no llegar a tiempo

ACTIVIDAD 4   ¿Por qué?

Explica por qué las siguientes personas están sin aliento *(out of breath)*.

※   Elena / correr dos millas   Elena corrió dos millas.

1. yo / nadar unas dos millas
2. nosotros / correr unas tres millas
3. mi prima / subir la escalera muy de prisa
4. los vecinos / subir cinco pisos
5. tú / darse mucha prisa
6. Isabel y yo / bajar la escalera de prisa
7. Uds. / correr dos kilómetros
8. Ud. / nadar mil metros

VOCABULARIO PRÁCTICO   Accidentes

caer	to fall	El vaso **cayó** al **suelo** *(floor)*.
caerse	to fall down	**Me caí** en la calle.
chocar (con)	to bump into	El coche **chocó con** un árbol.

romper	to break	Carlos **rompió** el espejo.
romperse (la pierna)	to break (one's leg)	**Me rompí** la pierna esquiando.
tropezar (con)	to stumble (against)	**Tropecé con** la mesa.

ACTIVIDAD 5   Unos accidentes

Unos amigos se cuentan unos accidentes que pasaron. Ahora, cuenta los elementos principales de cada accidente en un párrafo pequeño, usando los verbos en frases afirmativas o negativas.

⟩⟩ Carlos: tomar el coche de su papá / ver una luz roja / parar / chocar con un autobús / romperse la pierna

> Un día Carlos tomó el coche de su papá. Desafortunadamente no vio la luz roja. No paró. Chocó con un autobús y se rompió la pierna.

1. yo: entrar en la cocina de prisa / tropezar con la mesa / romper algunos vasos

2. tú: dar una vuelta por la noche / ver un árbol / chocar con él / caerte / romper tus anteojos

3. Enrique: visitar a Elena / subir la escalera de prisa / tropezar con el gato de Elena / caerse / bajar la escalera con ruido / romperse la pierna

4. nosotros: dar un paseo en auto / ver un perro en la calle / subir a la acera *(sidewalk)* / chocar con un poste telegráfico

5. los ladrones *(thieves)*: salir del banco / subir a su coche / salir de prisa / ver a los policías / chocar con una pared *(wall)*

B. Repaso: el pretérito de los verbos con cambios que terminan en *-ir*

Verbs in **-ir** which have a stem change in the present have a stem change in the preterite.
The following stem change occurs only in the **él** and **ellos** forms:

e → i	**pedir**	Carlos le **pidió** el coche a su papá.
		Mis amigos me **pidieron** cinco dólares.
o → u	**dormir**	Pedro no **durmió** bien ayer.
		Mis amigos **durmieron** en mi casa.

ACTIVIDAD 6   En la fiesta de Ana María

Ana María invitó a sus amigos a una fiesta. Algunos se sintieron contentos toda la fiesta y se divirtieron. Otros no. Expresa esto según el modelo.

⟩⟩ tú: enfermo   Te sentiste enfermo. No te divertiste.

1. Clara: contenta
2. Paco: mal
3. mis hermanas: muy contentas
4. tus amigos: enfermos

5. nosotros: bien
6. yo: bien también
7. Uds. y yo: cansados
8. Ud.: aburrido

C. Repaso: el pretérito de *ir* y *ser*

Ir *(to go)* and **ser** *(to be)* have the same irregular preterite.

(yo)	**fui**	(nosotros)	**fuimos**
(tú)	**fuiste**	(vosotros)	**fuisteis**
(él, ella, Ud.)	**fue**	(ellos, ellas, Uds.)	**fueron**

Usually the context helps clarify the meaning of the above preterite forms.

Mi hermano **fue** a la universidad.	*My brother **went** to the university.*
¡**Fue** un estudiante malo!	*He **was** a bad student!*

ACTIVIDAD 7   El sábado pasado

Unos amigos se cuentan lo que hicieron el sábado pasado. Di adónde fue cada uno y qué hizo. Usa por lo menos *(at least)* tres de los verbos en paréntesis . . . y tu imaginación.

Manuel: el centro (ver, comprar, asistir, dar un paseo)
> Manuel fue al centro. Compró unos discos. Después dio un paseo en el parque donde vio a una amiga.

1. Rafael: una fiesta (escuchar, mirar, bailar, divertirse, contar)
2. nosotros: el campo (ver, dar una vuelta, almorzar, sacar fotos, volver a casa)
3. yo: el museo (mirar, admirar, romper, salir, darse prisa)
4. tú: una cita (buscar, esperar, enojarse, impacientarse, excusarse)
5. Elena y Cora: el estadio (correr, jugar, subir, caerse, irse)

D. *Al* + infinitivo

Note the construction in heavy type in the following sentences:

Al entrar, Isabel oyó un ruido.	*When she came in, Isabel heard a noise.*
Al ver el accidente, Anita no se sintió bien.	*On seeing the accident (when she saw the accident), Anita did not feel well.*
Supimos la noticia **al hablar** con nuestros amigos.	*We learned the news while talking to our friends.*

To express the fact that two actions are going on at about the same time, you may use the construction:

al + infinitive

In this construction, **al** is the contraction of **a** + **el.** It means *at the (moment of)* and corresponds to the English expressions *on (doing something), upon (doing something), while, when.*

ACTIVIDAD 8   Preguntas personales

1. ¿Te pones nervioso(a) al ver un accidente?
2. ¿Te pones contento(a) al encontrar a tus amigos?
3. ¿Te pones nervioso(a) al hablar en público?
4. ¿Saludas *(do you greet)* a tus amigos al encontrarlos?
5. ¿Te acuestas al regresar a casa?
6. ¿Te duermes al mirar la televisión?
7. ¿Qué vas a hacer hoy al regresar a casa?
8. ¿Qué vas a hacer al graduarte?

ACTIVIDAD 9   Nuestras emociones

Describe las emociones de las siguientes personas, usando la construcción
al + infinitivo y el verbo **ponerse (nervioso, triste, contento, furioso,
rojo . . .).**

☞ Carmen encuentra a su novio.   Se pone contenta al encontrar a su novio.

1. Roberto encuentra a su novia.
2. Paco dice una mentira *(lie)*.
3. Felipe recibe un regalo de su tía.
4. Recibimos buenas noticias.
5. Mis amigos se informan de la muerte *(death)* de su abuelo.
6. Bailas por la primera vez *(time)*.

ACTIVIDAD 10   El accidente

Di cómo y cuándo las siguientes personas se informaron del accidente,
usando la construcción **al** + infinitivo.

☞ Leí el periódico.   Me informé del accidente al leer el periódico.

1. Esteban escuchó la radio.
2. Miraste la televisión.
3. Hablamos con nuestros amigos.
4. Carmen llegó al colegio.
5. Mis amigos fueron al centro.
6. El Sr. Vargas entró en su oficina.
7. Juan y Felipe entraron en el café.
8. Salimos del cine.

Para la comunicación

Lo que *(what)* hicimos

Escribe por lo menos siete frases lógicas, usando un elemento de A, B y C
según el modelo.

A	B	C
yo	ir al cine	el domingo
tú	visitar a los abuelos	a las dos
Elena	ver una película	la semana pasada
Tomás	leer un libro interesante	el verano pasado
Cristóbal	llamar a Miguel	esta mañana
	levantarse a las siete	el sábado pasado

☞ Yo fui al cine el sábado pasado.

Cuarto acto: ¿Un coche nuevo?

El Sr. Molina volvió a su casa a las siete . . . ¿Y qué fue la primera cosa que vio? Su coche nuevo, por supuesto . . . ¡pero en qué estado! También vio a la policía, a los fotógrafos y a los periodistas.

policía: *police*

Entonces, vio a Isabel.

Sr. Molina: ¡Dime, hija! ¿Qué pasó? ¿Por qué está el coche así? Y esta gente, ¿qué quiere? ¿Por qué está en nuestra casa?

Isabel: ¡Yo soy la culpable, papá!

Sr. Molina: ¿Tú, la culpable? ¿Tomaste mi coche?

Isabel: ¡Sí, papá! ¡Quise probarlo!

Esta vez, el Sr. Molina se puso furioso.

Sr. Molina: ¿Cómo? ¡Quisiste probarlo! ¡Mira lo que hiciste . . .! ¡Dios mío! ¿No sabes cuánto dinero gasté en ese coche?

Isabel: Papá, por favor . . . ¡no te enojes! ¡Te voy a comprar un coche nuevo!

Sr. Molina: ¿Qué dices? Que me vas a comprar qué . . . ¿Otro coche? ¿Y con qué dinero?

Isabel: ¡Con el mío, por supuesto! Ahora te voy a explicar cómo.

• • • • • • • • • •

Isabel le explicó a su papá el accidente y le explicó otras cosas también:

—Cuando el conductor se fue de prisa, naturalmente me sorprendí . . . Pero me quedé tranquila y afortunadamente, pude ver su número de matrícula y lo escribí en un papel. Inmediatamente llamé a la policía, les di ese número y, ¿adivina qué pasó? . . .

Veinte minutos después de mi llamada, la policía pudo arrestar al conductor culpable. ¿Y quién crees que es él? ¡Nada menos que el ladrón del Banco de Bilbao en Barcelona! ¡El ladrón que la semana pasada huyó con quinientos millones de pesetas! La policía encontró casi todo el dinero en el coche.

¡Qué suerte! ¿Verdad?

Pero eso no es todo . . . Hace unos dos minutos, el director del banco me llamó por teléfono. Naturalmente me felicitó y me dijo también que gané la recompensa: ¡un millón de pesetas! ¡Es bastante para comprarte un coche nuevo, papá! Y por supuesto, no te voy a comprar un SEAT, sino un Jaguar.

● ● ● ● ● ● ● ● ● ● ● ● ●

Un periodista se acercó a Isabel y a su papá.

El periodista: Por favor, Sr. Molina, ¿me permite Ud. sacar una foto de Ud. con su hija?

Sr. Molina: Sí . . . con mucho gusto.

El periodista: Sr. Molina, ¡su hija tuvo una suerte increíble!

Sr. Molina: ¿Ud. dijo «una suerte increíble»? . . . No es ésa la palabra, señor. ¡Mi hija no tuvo suerte sino presencia de ánimo!

El periodista: ¡Claro! Ud. debe estar muy orgulloso y muy feliz.

Sr. Molina: ¡Por supuesto! ¡Estoy muy orgulloso de mi Isabelita! . . . No hay muchos padres con hijas tan inteligentes y tan listas, ¿verdad?

El honor familiar

¿Qué es el honor? ¿Es una cualidad personal o es una cualidad familiar?° En la sociedad hispánica, el honor es una mezcla° de las dos. Se identifica con la persona pero también con la familia. ¡Eso explica por qué el Sr. Molina está tan orgulloso de su hija!

Los jóvenes hispanos son verdaderamente° el orgullo° de sus padres, de sus abuelos y de sus parientes. Ellos tienen que cumplir° no sólo las aspiraciones de sí mismos,° sino° también las de su familia. Deben mantener° las tradiciones de ella y, sobre todo, los valores de honestidad, valentía° y generosidad.

familiar *family*　**mezcla** *mixture*　**verdaderamente** *truly*
orgullo *pride*　**cumplir** *fulfill*　**sí mismos** *themselves*
sino *but*　**mantener** *maintain, keep*　**valentía** *courage*

── Vocabulario ──

sustantivos	**el ánimo**	spirit, mind	**la gente**	people
	la presencia de ánimo	mental alertness	**una llamada**	(phone) call
			una palabra	word
	un estado	state	**una recompensa**	reward
	un ladrón	thief		
	un papel	paper		
adjetivos	**orgulloso**	proud		
	tranquilo	calm		
verbos	**acercarse**	to approach, to get near	**huir**	to flee
			pasar	to happen
	adivinar	to guess	**¿Qué pasó?**	What happened?
	felicitar	to congratulate		
	gastar	to spend	**permitir**	to permit
	sorprenderse	to be surprised		
expresión	**sino**	but		

NOTA: **Sino** is used instead of **pero** *(but)* in a statement which contradicts a previous negative statement. It means *but* in the sense of *on the contrary* or *but instead.*

No conduzco un Jaguar **sino** un Ferrari. *I do not drive a Jaguar, **but** a Ferrari.*
Isabel no tuvo suerte, **sino** presencia de ánimo. *Isabel was not lucky, **but** alert.*

CONVERSACIÓN

Vamos a hablar de lo que hiciste ayer.

¿Hiciste la tarea? Sí (No, no) hice . . .
¿Hiciste algo especial? ¿Qué?
¿Hiciste algo divertido? ¿Qué?
¿Hiciste algo interesante? ¿Qué?

¿Tuviste tiempo para escribirles a tus
   abuelos? Sí (No, no) tuve . . .
¿Tuviste tiempo para mirar la televisión?
¿Tuviste que ayudar a tus padres?
¿Tuviste que estudiar mucho?

Estructuras

A. Repaso: el pretérito del verbo *conducir*

Note the preterite forms of **conducir** *(to drive)*.

(yo)	conduje	(nosotros)	condujimos
(tú)	condujiste	(vosotros)	condujisteis
(él, ella, Ud.)	condujo	(ellos, ellas, Uds.)	condujeron

In the preterite, **decir** *(to say)*, **traer** *(to bring),* and verbs ending in
–ucir are conjugated like **conducir.**

They have a preterite stem ending in **–j.**
They all have the same endings in the preterite:

–e, –iste, –o, –imos, –isteis, –eron.

INFINITIVE	PRETERITE STEM	
decir	**dij-**	Carlos **dijo** la verdad.
traer	**traj-**	Mis amigos **trajeron** sus discos a la fiesta.
traducir	**traduj-**	**Traduje** un artículo de un periódico español.

ACTIVIDAD 1 El secreto de Isabel

Isabel les dijo un secreto a sus amigos. Di quiénes repitieron el secreto y
quiénes no.

Carlos (no) Carlos no lo dijo.

1. Enrique (sí)
2. Uds. (sí)
3. nosotros (no)
4. yo (no)

5. tú (sí)
6. Marta y yo (no)
7. Elena y Susana (sí)
8. Ud. (no)

B. Repaso: otros pretéritos irregulares

Note the preterite forms of **estar.** Pay special attention to the endings.

(yo)	estuve	(nosotros)	estuv**imos**
(tú)	estuv**iste**	(vosotros)	estuv**isteis**
(él, ella, Ud.)	estuv**o**	(ellos, ellas, Uds.)	estuv**ieron**

Note that the **yo** and **él** forms have no accent marks.

Other irregular verbs have the same preterite endings, but different preterite stems. These verbs can be grouped according to their stem vowels.

INFINITIVE	PRETERITE STEM	
the "i" group		
hacer	**hic-**	¿Qué **hiciste** ayer?
querer	**quis-**	Carmen **quiso** ir al cine conmigo.
venir	**vin-**	¿A qué hora **vinieron** Uds.?
the "u" group		
andar	**anduv-**	Enrique **anduvo** rápidamente.
estar	**estuv-**	Anita y yo **estuvimos** de buen humor.
poder	**pud-**	No **pude** ir a la fiesta.
poner	**pus-**	El papá de Isabel **se puso** furioso.
saber	**sup-**	¿**Supiste** la verdad?
tener	**tuv-**	¡No **tuve** tiempo para escribirte!

The **él** form of the preterite of **hacer** is **hizo.** The **c → z** change is needed to maintain the sound of the stem.

¿Qué **hizo** Isabel después del accidente?

ACTIVIDAD 2   Las vacaciones de verano

Unos amigos están hablando de las vacaciones pasadas. Di adónde fue cada uno.

Isabel: a Colombia   Isabel hizo un viaje a Colombia.

1. Manuel: a España
2. Uds.: a México
3. tú: a Francia

4. yo: a Puerto Rico
5. nosotros: a Italia
6. mis primos: a Suecia *(Sweden)*

ACTIVIDAD 3   En lugar de eso *(Instead . . .)*

Las siguientes personas quisieron hacer varias cosas el sábado pasado. En
lugar de eso, tuvieron que hacer cosas diferentes. Expresa eso.

ℒℑ   Isabel: ir a la playa / a la biblioteca   Isabel quiso ir a la playa pero no pudo.
       Tuvo que ir a la biblioteca.

1. Rafael: invitar a María al cine / a su prima
2. yo: hacer un viaje / la tarea
3. tú: salir con Olga / con Susana
4. nosotros: almorzar en el restaurante / en casa
5. mis amigos: leer historietas *(comics)* / el libro de inglés
6. Concepción: ir a la discoteca / de compras
7. Uds. y yo: comprar dulces / un cuaderno
8. Ud.: ir a un partido de tenis / de compras

ACTIVIDAD 4   Excusas

Ana María organizó una fiesta, pero sus amigos no vinieron. Expresa eso,
dando la excusa de cada uno.

ℒℑ   Carmen: tiene un accidente   Carmen no vino porque tuvo un accidente.

1. Fernando: tiene que ayudar en casa
2. Marta: no puede recordar la fecha
3. Inés: no sabe llegar
4. Enrique y Luis: están enfermos
5. Héctor: su padre se pone enfermo

ACTIVIDAD 5   Diálogo: ¿Qué pasó?

Pregúntales a tus compañeros si hicieron las siguientes cosas el fin de
semana pasado.

ℒℑ   ir de compras   Estudiante 1: ¿Fuiste de compras?
                         Estudiante 2: Sí (No, no) fui de compras.

1. andar al centro
2. andar por las calles con tus amigos
3. hacer una fiesta
4. hacer un viaje
5. estar en casa de tus amigos
6. estar contento(a)
7. estar enfermo(a)
8. tener disputa *(quarrel)* con tus hermanos
9. tener dificultades con tus padres
10. tener que ayudar en casa

ACTIVIDAD 6   ¡Un poco de imaginación!

En cinco minutos, ¿cuántas frases lógicas puedes crear? Usa los elementos de las columnas A, B, C y . . . tu imaginación.

A	B	C	D
anoche	yo	hacer un viaje	
ayer	tú	conducir	
la semana pasada	mis amigos y yo	traducir	
el año pasado	Isabel	traer	
el mes pasado	mis padres	tener	
el lunes pasado	los alumnos	tener que	
		saber	
		poder	

≫ Ayer, mis amigos y yo le trajimos un regalo a la profesora.

≫ El año pasado, mis padres hicieron un viaje a San Francisco.

≫ La semana pasada, (yo) conduje el coche de mi hermana.

C. El pretérito + *hace*

Note the use of **hace** in the following sentences:

El director habló con Isabel **hace diez minutos.**   *The director spoke to Isabel **ten minutes ago.***

Fui a España **hace dos años.**   *I went to Spain **two years ago.***

To express the time elapsed since a past event took place, Spanish speakers use the construction:

> verb in the preterite   +   **hace**   +   time

≫ In this construction, **hace** corresponds to the English *ago.*

ACTIVIDAD 7   ¿Dónde está Isabel?

Son las seis de la tarde. Carlos está buscando a Isabel. Sus amigos le dicen
cuándo la vieron. Haz el papel de Carlos y de los amigos. Calcula el
tiempo según el modelo.

> Pedro (4:00)   Carlos: ¿Viste a Isabel?
                    Pedro: Sí, la vi hace dos horas.

1. Pilar (5:00)
2. Ricardo (4:00)
3. Tomás (2:00)
4. Ramón (3:00)
5. Teresa (5:45)
6. Lupe (5:50)

ACTIVIDAD 8   ¿Tienes buena memoria?

Completa las siguientes frases con **hace** + tiempo.

> Me levanté . . .   Me levanté hace (tres horas).

1. Me desayuné . . .
2. Salí de casa . . .
3. Llegué a la escuela . . .
4. La clase de español empezó . . .
5. Mi papá compró su coche . . .
6. Mis padres se casaron . . .

D. Los adverbios que terminan en –mente

The words in heavy print indicate how the subject acts. They are adverbs
of manner. Compare these adverbs with the adjectives from which they are
derived.

Carlos es inteligente.   *Carlos is intelligent.*
  Habla **inteligentemente.**   *He speaks **intelligently.***
Carmen es prudente.   *Carmen is cautious.*
  Conduce **prudentemente.**   *She drives **carefully.***

Many Spanish adverbs of manner are derived from adjectives, as follows:

> feminine form of the adjective   +   -mente

(masculine)	(feminine)	(adverb)
rico	rica	rica**mente**
prudente	prudente	prudente**mente**
natural	natural	natural**mente**

> The **-mente** ending often corresponds to the *-ly* in English.

VOCABULARIO PRÁCTICO   Algunos adjetivos

afortunado	≠	desafortunado	fortunate, lucky	≠	unfortunate, unlucky
cuidadoso	≠	descuidado	careful	≠	careless
limpio	≠	sucio	clean	≠	dirty
prudente	≠	imprudente	cautious, careful	≠	careless
rápido	≠	lento	quick, fast	≠	slow
seguro	≠	peligroso	sure, safe	≠	dangerous

ACTIVIDAD 9   Lo contrario

Carlos hace lo contrario de lo que hace Ramón. Expresa eso usando adverbios derivados de los adjetivos en paréntesis.

🔊 conducir (prudente, peligroso)   Carlos conduce prudentemente.
Ramón conduce peligrosamente.

1. comer (rápido, lento)
2. vestirse (rico, pobre)
3. estudiar (cuidadoso, descuidado)
4. hablar (fácil, difícil)
5. contestar en clase (cuidadoso, descuidado)
6. portarse con sus amigos (cortés, descortés)
7. reaccionar en todas ocasiones (prudente, imprudente)
8. jugar al tenis (rápido, lento)

ACTIVIDAD 10   El accidente

En el accidente, cada uno reacciona según su carácter. Expresa eso.

🔊 Carlos es valiente (brave).   Reacciona valientemente.

1. Isabel es segura.
2. Enrique es tonto.
3. Carmen es prudente.
4. Ramón es rápido.
5. Ángela y Encarnación son lentas.
6. Paco es imprudente.

Para la comunicación

Un viaje

Describe un viaje que hiciste con tu familia. Si quieres, puedes usar
las siguientes preguntas como inspiración.

¿Cuándo hiciste este viaje? ¿Con quiénes?

¿Adónde fueron?

¿Tomaron Uds. el coche? ¿Quién condujo?

¿Tuvieron problemas con el coche?

¿Hicieron Uds. algo especial?

¿Tuvieron Uds. un accidente? ¿Otras dificultades?

    ¿Unas disputas pequeñas?

¿Qué tuvieron que hacer?

¿Qué cosas pudieron hacer? ¿Qué cosas no pudieron hacer?

Variedades   ¿Tienes sentido de orientación?

¿Tienes sentido de orientación? ¿Sí? Bien. Entonces, puedes ayudar a Rafael y Marisa.

Rafael y Marisa son dos jóvenes turistas muy confundidos.° Anoche llegaron muy tarde a Santa Cruz del Mar, un pueblo donde tú pasas las vacaciones. Esta mañana decidieron dar un paseo pero se perdieron.

Tú los encontraste y te pidieron direcciones para llegar a su hotel. Pero no recuerdan el nombre° del hotel. Aquí tienes lo que ellos recuerdan.

1. Salieron del hotel a las 10 de la mañana. Compraron tarjetas postales en una librería° que está cerca del hotel.

2. Caminaron un poco, luego pasaron por un parque. Allí sacaron una foto de la estatua de un hombre a caballo.° Después se sentaron en un banco.°

3. Salieron del parque y cruzaron° un puente.°

4. Después de cruzar el puente, se sentaron en un café y comieron un sándwich.

5. Dieron un paseo a lo largo del° muelle° y sacaron fotos de algunos barcos.

6. Entraron en un banco para cambiar dinero.

7. Cruzaron otro puente.

8. Fueron a otro café y allí se dieron cuenta de que estaban° perdidos.°

confundidos: *confused*

nombre: *name*

librería: *bookstore*

a caballo: *on horseback*
banco: *bench*
cruzaron: *crossed*
puente: *bridge*

a lo largo de: *along*
muelle: *wharf*

estaban: *they were*
perdidos: *lost*

Tienes el mapa de Santa Cruz del Mar. ¿Puedes explicarles a Rafael y a Marisa el itinerario° que tomaron? ¿Puedes indicarles el nombre de su hotel?

itinerario: *path*

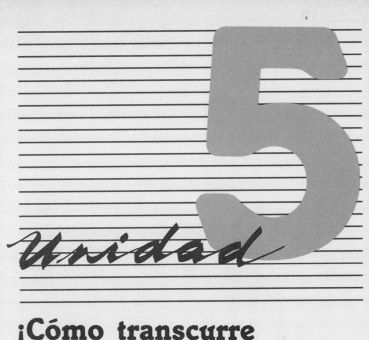

¡Cómo transcurre el tiempo!

Unidad 5

Unos «tipos»

En la vida, encontramos a muchas personas simpáticas. De vez en cuando encontramos a un «tipo», es decir a una persona no como las otras . . . Esa persona no es necesariamente antipática. Es solamente diferente . . . ¿Conoces a esos tipos?

«tipo»: *"character"*
es decir: *that is to say*

El holgazán

No estudia nunca.
No trabaja nunca.
No hace nada, excepto divertirse . . .
¡y dormir!

holgazán: *loafer*

El sabelotodo

Naturalmente, cree saberlo todo . . .
pero, en realidad, no sabe nada.

sabelotodo: *know-it-all*

El chismoso

Jamás puede guardar un secreto.
Repite todo lo que le dicen sus amigos.
Por eso, ¡nadie le dice nada!

chismoso: *gossip*
Jamás: *Never*
guardar: *keep*

El sablista

¿Tiene discos, libros, revistas, dinero?
Sí, pero siempre dice que no . . .
Así, pide todo prestado a sus amigos.
Lo terrible es que él no devuelve nada jamás.

sablista: *sponger*

pide prestado: *borrows*

El esnob
Para él, lo importante es impresionar a otros.
Así, prefiere . . .
  lo caro a lo barato,
  lo vistoso a lo útil,
  lo artificial a lo natural.
Por eso, ¡no impresiona a nadie!

vistoso: *showy*

El imitador
No tiene personalidad.
Siempre hace lo que hacen los otros,
y dice lo que dicen ellos.
¡Imita a todos!

imitador: *mimic*

El bobo
Cree todo lo que le cuentan sus amigos.
De vez en cuando, no cree lo verdadero . . .
¡pero siempre cree lo falso!

bobo: *dummy*

El payaso
¿Qué toma él en serio?
¡Nada!
Se ríe de todo.
Para él, la vida es una broma.

payaso: *clown*

Se ríe: *He makes fun of*

Un tipo de la literatura española: don Quijote

No necesitas ser un experto en la literatura española para saber quién es don Quijote. Don Quijote es el personaje° principal de una novela escrita por° Cervantes, uno de los más famosos escritores° españoles.

Acompañado de su fiel° compañero Sancho Panza, don Quijote sobrevive° una serie de aventuras cómicas o fantásticas. Un día, él ataca° molinos de viento,° creyendo que son gigantes.° Otro día toma una posada° por un castillo° que debe defender . . .

Para algunas personas, don Quijote es un idealista, siempre buscando justicia. Para otros, él es un hombre loco y extravagante. Sobre todo, don Quijote es una persona muy independiente y orgullosa;° él es el símbolo del individualismo . . . Don Quijote es realmente más que un «tipo»: ¡Es un hombre extraordinario!

personaje *character* **escrita por** *written by*
escritores *writers* **fiel** *faithful* **sobrevive** *survives*
ataca *attacks* **molinos de viento** *windmills*
gigantes *giants* **posada** *inn* **castillo** *castle*
orgullosa *proud*

—— Vocabulario ——

sustantivos	**un bobo**	dummy, fool	**una broma**	joke
	un chismoso	tattletale, gossip		
	un holgazán	lazy bum, loafer		
	un payaso	clown		
	un sabelotodo	know-it-all		
	un sablista	sponger		
verbos	**guardar**	to keep		
	impresionar	to impress		
	pedir prestado	to borrow		
expresiones	**excepto**	except		
	jamás	never		

NOTA: The Spanish ending **-idad** corresponds to the English ending *-ity*. Nouns ending in **-idad** are feminine.

en realidad	*in reality*
personalidad	*personality*

CONVERSACIÓN

Vamos a hablar de lo que hiciste ayer.
¿Hiciste algo especial? Sí, hice algo especial.
(No, no hice nada especial.)

¿Hiciste algo extraordinario?   ¿Viste algo extraordinario?
¿Hiciste algo divertido?   ¿Aprendiste algo interesante?
¿Viste algo cómico?   ¿Aprendiste algo raro?

Estructuras

A. La construcción negativa

Compare the affirmative and negative sentences below.

Elena **siempre** sale los sábados.   **No** sale **nunca** los domingos.
                                          Nunca sale los domingos.

Le dice **algo** a Carlos.   **No** le dice **nada** a Carlos.

Most Spanish negative words begin with **n** (**nunca, nada** ...). When these negative words come after the verb, the construction to use is:

> **no** + verb + negative word

Compare:

No hablo con **nadie.**   *I do **not** speak to **anyone.***
Nadie me habla.   ***Nobody** speaks to me.*

VOCABULARIO PRÁCTICO

Expresiones afirmativas y negativas

algo	something	—¿Haces **algo** interesante?
nada	nothing, not anything	—No, **no** hago **nada.**
alguien	someone, somebody	—¿Conoces a **alguien** aquí?
nadie	no one, nobody, not anyone	—No, **no** conozco a **nadie.**
alguno	some	—¿Tienes **algunas** ideas interesantes?
ninguno	no, not any, none	—No, **no** tengo **ninguna.**

una vez	once	—Fui a una ópera **una vez.**
a veces	sometimes	—**A veces** voy a un concierto.
siempre	always	—Los sábados, **siempre** voy al cine. ¿Y tú?
nunca	never	—Yo **no** voy **nunca** al cine.
o	or	—¿Quieres té **o** Coca-Cola?
ni . . . ni	neither . . . nor	—**No** quiero **ni** té **ni** Coca-Cola.
también	also, too; so (do I)	—Digo siempre la verdad.
		—¡Yo **también!**
tampoco	neither, nor (do I)	—No digo **mentiras** *(lies).*
		—¡Yo **tampoco!**

NOTAS: 1. **Alguno** and **ninguno** become **algún** and **ningún** before a masculine singular
noun.

Algún día, voy a hacer un viaje a España.	*Some day I'm going to take a trip to Spain.*
El pobre Guillermo no tiene **ningún** plan de viajes.	*Poor Guillermo hasn't **any** travel plans.*

    2. Note also the expressions:

en (a) alguna parte	somewhere	**en (a) ninguna parte**	nowhere
de alguna manera	(in) some way	**de ninguna manera**	(in) no way

    3. **Tampoco** is used to express agreement with negative statements.

Carlos no habla inglés.	*Carlos does not speak English.*
Elena **tampoco.**	*Neither does Elena. (Nor does Elena.)*

ACTIVIDAD 1   Las vacaciones

Durante las vacaciones, Isabel no hace lo que hace generalmente. Expresa esto usando la palabra **nunca.**

⟩⟩   Trabaja.   Durante las vacaciones no trabaja nunca.

1. Hace la tarea.
2. Ayuda a sus hermanos.
3. Se levanta temprano.
4. Mira la televisión.
5. Toca el piano.
6. Se siente triste.

ACTIVIDAD 2   ¿Estás de mal humor?

Imagina que estás de mal humor. Un amigo quiere saber lo que hiciste el sábado pasado. Contéstale negativamente, usando las expresiones apropiadas (**nada, nunca, nadie** . . .).

⟩⟩   ¿Hiciste algo especial?   No, no hice nada especial.

1. ¿Leíste algo interesante?
2. ¿Viste algo divertido en la televisión?
3. ¿Compraste algo?
4. ¿Saliste con alguien?
5. ¿Invitaste a alguien al teatro?
6. ¿Jugaste al tenis con alguien?
7. ¿Hablaste con alguno de tus amigos?
8. ¿Viste a alguna de tus amigas?
9. ¿Te llamó alguien por teléfono?
10. ¿Te dijo alguien que eres brillante?

ACTIVIDAD 3   ¡Yo también!

Elena le dice a Conchita lo que hace y lo que no hace. Conchita le dice que hace (o no hace) las mismas cosas. Haz los papeles según el modelo.

⟩⟩   Bailo muy bien.   Elena: Bailo muy bien.
                         Conchita: ¡Yo también!
⟩⟩   No nado bien.   Elena: No nado bien.
                         Conchita: ¡Yo tampoco!

1. Hablo inglés.
2. No hablo ruso.
3. Juego al tenis.
4. No juego a los naipes *(cards)*.
5. De vez en cuando, digo una mentira.
6. No digo siempre la verdad.
7. Les pido dinero a mis padres.
8. No les pido dinero a mis amigos.
9. Soy simpática.
10. No soy egoísta.
11. No imito a los otros.
12. Guardo los secretos de mis amigos.
13. Pido prestado discos.
14. No pido prestado dinero.

B. La construcción *lo* + adjetivo

The Spanish neuter pronoun **lo** is often used with a masculine adjective.
Note the meaning of such constructions in the sentences below.

Elena quiere hacer **lo imposible.**   *Elena wants to do* **the impossible.**
　　(= las cosas imposibles)

¿Prefieres **lo viejo** o **lo nuevo?**   *Do you prefer* **the old** *or* **the new?**
　　(= las cosas viejas, las cosas 　　*(Do you prefer* **things** *that are* **old** *or* **new?)**
　　nuevas)

Lo bueno es que él sabe la verdad. **What's good** *is that he knows the truth.*
　　(= la cosa buena)

The Spanish construction **lo** + masculine adjective corresponds to several
English constructions:

$$
\textbf{lo nuevo} \left\{ \begin{array}{l} \textit{\textbf{the new, the new thing(s)}} \\ \textit{\textbf{the things that are new}} \\ \textit{\textbf{what's new}} \end{array} \right.
$$

VOCABULARIO PRÁCTICO   Algunos adjetivos

común	common	≠	**raro**	strange, rare
fácil	easy	≠	**difícil**	difficult

hermoso	beautiful	≠	**feo**	ugly
moderno	modern	≠	**antiguo**	antique, old
posible	possible	≠	**imposible**	impossible
sencillo	simple	≠	**complicado**	complicated
útil	useful	≠	**inútil**	useless
verdadero	true	≠	**falso**	false

ACTIVIDAD 4   La filosofía de la vida

Expresa tu filosofía de la vida. Haz frases que empiezan con **debemos hacer** *(we should do)* o con **no debemos hacer** *(we should not do)*.

    bueno   (No) Debemos hacer lo bueno.

1. malo
2. útil
3. imposible
4. hermoso

5. feo
6. sencillo
7. fácil
8. ridículo

9. absurdo
10. inútil
11. importante
12. difícil

ACTIVIDAD 5   ¡Por supuesto!

A menudo, nuestras acciones reflejan nuestra personalidad. Expresa esto según el modelo, en frases afirmativas o negativas.

    realista / hacer: imposible   Una persona realista no hace lo imposible.

1. buena / hacer: malo
2. mala / hacer: bueno
3. idealista / creer en: absoluto
4. práctica / hacer: útil
5. lógica / creer en: absurdo
6. perezosa / escoger *(to choose)*: difícil
7. moderna / comprar: viejo
8. avara *(miserly)* / comprar: caro
9. prudente / hacer: peligroso
10. supersticiosa / creer en: sobrenatural
11. racional / creer en: lógico
12. realista / creer en: fantástico

ACTIVIDAD 6   ¿Qué hacen?

Lo que hacemos depende de la personalidad de cada uno de nosotros. Puedes expresar esto según el modelo.

    un artista hace . . . (¿feo o hermoso?)   Un artista hace lo hermoso.

1. un ángel hace . . . (¿bueno o malo?)
2. un diablo hace . . . (¿bueno o malo?)
3. una persona avara *(miserly)* compra . . . (¿caro o barato?)
4. un estudiante perezoso hace . . . (¿fácil o difícil?)
5. una persona moderna compra . . . (¿antiguo o nuevo?)
6. una persona prudente hace . . . (¿peligroso o fácil?)
7. una persona racional hace . . . (¿posible o imposible?)
8. una persona supersticiosa cree en . . . (¿natural o sobrenatural?)
9. una persona extravagante hace . . . (¿raro o común?)

ACTIVIDAD 7 Unas críticas

Critica a las siguientes personas y cosas expresando lo bueno y lo malo.

    la escuela   Lo bueno de la escuela es la clase de español.
                       Lo malo es la clase de matemáticas.

1. mi ciudad
2. mi casa
3. mi mejor amigo
4. mi mejor amiga
5. mi vida

C. Repaso: _lo que_

Note the meaning of the Spanish expression **lo que.**

    Me gusta **lo que** hace Carlos.   _I like **what** Carlos does._
      (= las cosas que)
    Por favor, repite **lo que** dijiste.   _Please repeat **what** you said._
      (= las cosas que)
    Lo que contesta Pedro es ridículo.   **What** _Pedro answers is ridiculous._
      (= las cosas que)

The Spanish expression **lo que** corresponds to the English expression _what_,
in the sense of _the thing(s) which._

    The word order is usually:

> **lo que** + verb + subject (when expressed)

ACTIVIDAD 8 ¡El pobre Ramón!

El pobre Ramón no sabe nada. Haz el papel de Ramón según el modelo.

    ¿Qué explicó el profesor?   Ramón: No sé lo que explicó el profesor.

1. ¿Qué dijo Ana?   5. ¿Qué lee Lupe?
2. ¿Qué compró Roberto?   6. ¿Qué dice Inés?
3. ¿Qué contestó Carmen?   7. ¿Qué van a hacer Uds. mañana?
4. ¿Qué hicieron Paco y Luis?   8. ¿Qué van a comprar Uds.?

ACTIVIDAD 9 En la oficina del consejero

Haz el papel del paciente y del consejero según el modelo.

    preocupar   el (la) paciente: Hay algo que me preocupa.
                    el (la) consejero(a): Dígame lo que le preocupa.

1. atormentar   4. inquietar   7. aburrir
2. molestar   5. impresionar   8. irritar
3. alegrar   6. enojar

ACTIVIDAD 10 Expresión personal

¿Hacemos siempre lo que queremos? Claro que no . . . y no nos gusta siempre lo que hacemos. Describe tu experiencia personal en frases afirmativas o negativas usando expresiones como **siempre, a menudo, a veces, nunca.**

> con mis amigos: decir / pensar
>
> Con mis amigos, siempre digo lo que pienso.
> (Con mis amigos, a veces no digo lo que pienso.)

1. en clase: decir / pensar
2. en casa: hacer / querer
3. en la cafetería: comer / querer
4. en el examen: contestar / saber
5. en toda ocasión: saber / decir
6. en las tiendas: comprar / necesitar
7. en el periódico: creer / leer
8. en la televisión: creer / ver
9. en la vida: creer / ver
10. en mi cuarto: encontrar / buscar

Para la comunicación

Expresión personal

Escoge una de las siguientes circunstancias y describe algunos de sus aspectos según el modelo:

- en la escuela
- en casa
- con mis amigos
- en la vida

> esencial
>
> En la escuela lo esencial para mí es aprender algo interesante (sacar buenas notas, divertirme, ser amigo de todos . . .).
> En casa, lo esencial es divertirme . . .
> En la vida, lo esencial es conocerse . . .

1. importante
2. necesario
3. divertido
4. bueno
5. malo
6. ridículo
7. absurdo
8. aburrido
9. raro
10. magnífico

No son tan diferentes los niños de los adultos. Tienen las mismas virtudes . . . y los mismos defectos. Hay niños simpáticos y también hay niños antipáticos. Algunos son atentos, otros son mal educados. ¿Recuerdas la época feliz de tu niñez? ¿Cómo eras tú cuando tenías ocho o nueve años? ¿Un ángel o . . . un diablo?

virtudes: *virtues*

atentos: *polite*
  mal educados:
  ill-mannered
eras: *were*
  tenías: *had / were*

Contesta estas preguntas sinceramente:

	Sí	No
1. ¿Estudiabas mucho en clase?	☐	☐
2. ¿Respetabas a tus maestros?	☐	☐
3. ¿Llegabas a tiempo a las clases?	☐	☐
4. ¿Volvías a casa temprano?	☐	☐
5. ¿Hacías tus tareas todos los días?	☐	☐
6. ¿Escuchabas los consejos de tus padres?	☐	☐
7. ¿Tenías buenos modales?	☐	☐
8. ¿Te acostabas y te levantabas temprano?	☐	☐
9. ¿Te lavabas las manos antes de las comidas?	☐	☐
10. ¿Ayudabas en casa?	☐	☐
11. ¿Les prestabas tus juguetes a tus amigos?	☐	☐
12. ¿Decías siempre la verdad?	☐	☐

Estudiabas: *Did you study*

buenos modales: *good manners*

juguetes: *toys*

O, al contrario . . .

Sí	No	
☐	☐	1. ¿Te gustaba pelear?
☐	☐	2. ¿Te peleabas a menudo con tus amigos?
☐	☐	3. ¿Te peleabas con tus hermanos?
☐	☐	4. ¿Maltratabas a los animales?
☐	☐	5. ¿Insultabas a tus amigos?
☐	☐	6. ¿Rompías los juguetes de tus amigos?
☐	☐	7. ¿Comías muchos dulces?
☐	☐	8. ¿Tenías malos modales?
☐	☐	9. ¿Dormías en clase?
☐	☐	10. ¿Te hacías el payaso en clase?
☐	☐	11. ¿Te enojabas a menudo?
☐	☐	12. ¿Decías mentiras a veces?

Maltratabas: *Did you mistreat*

Te hacías el payaso: *Did you clown around*

INTERPRETACIÓN

Las respuestas afirmativas a las preguntas de la izquierda tienen un valor positivo: +1. Las respuestas afirmativas a las preguntas de la derecha tienen un valor negativo: −1. Suma tus puntos. ¿Cuántos tienes?

¿Más de 8?:	Eras un(a) santo(a).
¿De 4 a 8?:	Eras un ángel.
¿De −2 a 4?:	Eras un(a) niño(a) normal.
¿De −3 a −7?:	Eras un diablo.
¿Menos de −7?:	Eras un demonio.

Eras: *You were*

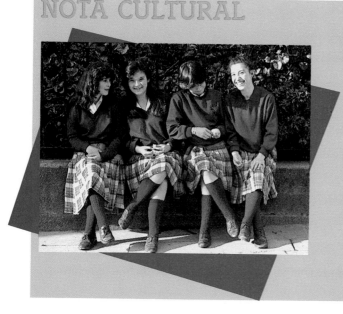

La idea de ser bien educado

¿Qué cualidades consideras más importantes en los jóvenes? ¿Es más importante ser inteligente o ser generoso? ¿Sacar buenas notas o tener buenos modales? ¿Ser independiente o ayudar en casa? Por supuesto, los padres hispanos se sienten orgullosos de tener hijos inteligentes y brillantes . . . pero sobre todo° desean que sus hijos sean° bien educados.

Un joven bien educado respeta a los mayores. Se calla cuando sus padres están hablando, y no los interrumpe con preguntas inútiles. Tiene buenos modales. Obedece a sus profesores y ayuda a sus amigos. No es arrogante sino cortés, no es fatuo° sino servicial.°

¿Eras° tal° joven?

sobre todo *above all* **sean** *be* **fatuo** *vain*
servicial *helpful* **Eras** *Were you* **tal** *such a*

Vocabulario

sustantivos	**un consejo**	(piece of) advice	**una época**	period, time
	los mayores	adults	**la niñez**	childhood
	un punto	point		
	un valor	value		
verbo	**llegar**	to arrive, to get to		
expresiones	**a tiempo**	on time		
	a la derecha	on the right	≠ **a la izquierda**	on the left
	temprano	early	≠ **tarde**	late

CONVERSACIÓN

Vamos a hablar del sábado pasado. Vamos a ver si hiciste estas actividades.

1. **¿Jugaste** al fútbol?
   Sí (No, no) **jugué** . . .
2. **¿Jugaste** al tenis?
3. **¿Miraste** la televisión?
4. **¿Nadaste?**
5. **¿Tomaste** el sol?

Ahora vamos a hablar del verano pasado. Vamos a ver si te ocupabas de estas actividades a menudo durante las vacaciones.

6. **¿Jugabas** al fútbol a menudo?
   Sí (No, no) **jugaba** . . .
7. **¿Jugabas** al tenis a menudo?
8. **¿Mirabas** la televisión a menudo?
9. **¿Nadabas** a menudo?
10. **¿Tomabas** el sol a menudo?

OBSERVACIÓN

All of the above questions concern activities which took place in the past.
The verbs are all in the past.
The first five questions concern activities which you did once *on a particular day:* last Saturday.
• What tense is used?
The last five questions do not concern activities that you did once, but rather activities which you did *regularly* (or *used to do*) during vacation.
• Is the *preterite* used in these questions? The tense used is another past tense, the *imperfect*.

Estructuras

A. El imperfecto de los verbos que terminan en *-ar*

Spanish speakers use two simple past tenses to describe past actions and events: the *preterite,* which you already know, and the *imperfect.* The choice between these two tenses depends on what type of past actions are described.

First you will learn how to form the imperfect. Then you will learn the difference in uses between the imperfect and the preterite.

Note the imperfect forms of **hablar,** paying special attention to the endings.

INFINITIVE	**hablar**	IMPERFECT ENDINGS
IMPERFECT		
(yo)	**Hablaba** español.	**-aba**
(tú)	**Hablabas** inglés.	**-abas**
(él, ella, Ud.)	**Hablaba** portugués.	**-aba**
(nosotros)	**Hablábamos** italiano.	**-ábamos**
(vosotros)	**Hablabais** francés.	**-abais**
(ellos, ellas, Uds.)	**Hablaban** japonés.	**-aban**

- To form the imperfect of **-ar** verbs, the **-ar** ending of the infinitive is replaced by the endings shown above.

- All **-ar** verbs are regular in the imperfect, even those which are irregular in the present.

estar	¿Dónde **estaba** Carlos?	*Where **was** Carlos?*
dar	El Sr. López nunca **daba** buenas notas.	*Sr. López never **gave** good grades.*

ACTIVIDAD 1   La clase de la Srta. Chávez

La Srta. Chávez tenía *(had)* unos alumnos buenos y unos malos. Di quiénes estudiaban y quiénes no.

- Miguel: no   Miguel no estudiaba.

1. Sarita: sí
2. yo: no
3. tú: sí
4. mis primos: no
5. la prima de Danilo: no
6. Uds.: sí
7. Carmen y yo: sí
8. Jacinto y Manuel: no

VOCABULARIO PRÁCTICO   Los modales *(Manners)*

sustantivos

un ángel	angel	≠	**un diablo**	devil
una virtud	virtue	≠	**un defecto**	defect
los buenos modales	good manners	≠	**los malos modales**	bad manners

adjetivos

bien educado	well-mannered	≠	**mal educado**	bad-mannered
limpio	clean	≠	**sucio**	dirty
cortés	polite	≠	**descortés**	impolite
atento	attentive, polite	≠	**desagradable**	unpleasant

verbos

compartir	to share	Un niño bien educado **comparte** sus **juguetes** *(toys)* con sus amigos.
cuidar	to care for, to take care of	**Cuida** a sus hermanos menores.
limpiar	to clean	**Limpia** su cuarto.
maltratar	to mistreat	No **maltrata** a los animales.
obedecer	to obey	**Obedece** a sus profesores y a sus padres.
pelear(se)	to fight	No **pelea** con sus hermanos.
saludar	to greet, to say hello	**Saluda** a los mayores.

ACTIVIDAD 2   Diálogo: La niñez de tus compañeros

Pregúntales a tus compañeros(as) si hacían *(they did)* estas cosas cuando eran *(they were)* niños(as).

> jugar al fútbol

Estudiante 1: ¿Jugabas al fútbol?
Estudiante 2: Sí, jugaba al fútbol.
(No, no jugaba al fútbol.)

1. mirar la televisión
2. prestar tu bicicleta
3. jugar con los juguetes de tus compañeros
4. prestar tus juguetes
5. pelearte en la escuela
6. pelearte con tus hermanos
7. portarte bien
8. portarte mal
9. levantarte temprano
10. acostarte temprano
11. limpiar tu cuarto
12. maltratar a los animales

B. El imperfecto de los verbos que terminan en *-er* y en *-ir*

In the imperfect, **-er** and **-ir** verbs have the same endings:

INFINITIVE	entender	vivir	
IMPERFECT			IMPERFECT ENDINGS
(yo)	**Entendía** español.	**Vivía** en San Juan.	**-ía**
(tú)	**Entendías** inglés.	**Vivías** en Seattle.	**-ías**
(él, ella, Ud.)	**Entendía** francés.	**Vivía** en Montreal.	**-ía**
(nosotros)	**Entendíamos** italiano.	**Vivíamos** en Roma.	**-íamos**
(vosotros)	**Entendíais** alemán.	**Vivíais** en Berlín.	**-íais**
(ellos, ellas, Uds.)	**Entendían** portugués.	**Vivían** en Saõ Paulo.	**-ían**

To form the imperfect of almost all **-er** and **-ir** verbs, the infinitive endings (**-er, -ir**) are replaced by the endings shown above.

tener	¿**Tenías** mucho dinero?	*Did you **use to have** a lot of money?*
decir	¿**Decías** siempre la verdad?	***Did** you always **use to tell** the truth?*
hacer	¿**Hacías** tus tareas todas las noches?	***Did** you **use to do** your homework every night?*

The imperfect form of **hay** is **había**.

Hay dos cines en mi barrio.
Antes **había** solamente uno.

ACTIVIDAD 3   El Papá Noel

Algunos chicos son más crédulos *(gullible)* que otros. Di cuáles de tus amigos creían en Papá Noel y cuáles no.

Carmen: sí   Carmen creía en él.

1. mis primos: no
2. mi hermano mayor: sí
3. yo: no
4. tú: sí
5. nosotros: no
6. Carlos: sí
7. Felipe y Roberto: sí
8. mis otros amigos y yo: no

ACTIVIDAD 4   Aspiraciones profesionales

A menudo cambiamos de idea *(change our mind)*. Di lo que estos amigos quieren ser ahora y lo que querían ser antes.

Carmen: dentista / aeromoza   Ahora Carmen quiere ser dentista.
Antes quería ser aeromoza.

1. nosotros: periodistas / astronautas
2. tú: taxista / piloto de avión
3. Luisa: profesora / doctora
4. Juan: mecánico / actor
5. mis amigos: ingenieros / abogados
6. yo: vendedor(a) viajero(a) / gerente de un banco

ACTIVIDAD 5   Elena y su hermano Rafael

Elena le cuenta a su hermano mayor lo que hace en la escuela. Él admite que era mal estudiante. Dice que hacía lo contrario de lo que hace Elena. Haz los dos papeles según el modelo.

⟫ tener buenas notas   Elena: Tengo buenas notas.
　　　　　　　　　　　　　　 Rafael: Yo no tenía buenas notas.

1. leer mucho
2. obedecer al profesor
3. aprender inglés
4. saber las lecciones
5. hacer las tareas
6. no perder el tiempo
7. no leer historietas (comics)
8. no dormirme en clase

ACTIVIDAD 6   Viejas costumbres (Old habits)

Describe las viejas costumbres de las siguientes personas, usando los verbos en frases afirmativas o negativas. Por supuesto, ¡estas costumbres tienen que corresponder al carácter de cada uno!

⟫ Tú eras (were) holgazán: estudiar, hacer la tarea, hacerse el payaso
　　No estudiabas. No hacías la tarea. Te hacías el payaso.

1. María era generosa: prestar su bicicleta, compartir sus juguetes, ayudar a los otros, cuidar a los niños de su vecina

2. Luis era cortés: saludar a los vecinos, respetar a los mayores, obedecer a los profesores

3. Mi hermana tenía malos modales: obedecer a sus padres, decir mentiras, volver a casa tarde

4. Mis primos eran mal educados: tener buenos modales, dormir en clase, pelearse con todo el mundo

5. Felipe era sucio: lavarse, bañarse, cortarse el pelo

6. Carmen y Elena eran pulcras (neat): lavarse el pelo, limpiar su cuarto, bañarse

7. Yo era un ángel: decir la verdad, maltratar a los animales, reírse de los profesores, criticar a mis amigos

8. Tú y yo éramos hijos modelos: obedecer a nuestros padres, enojarse, impacientarse, insultar a nuestros vecinos, compartir todo lo que teníamos

C. El uso del imperfecto para describir sucesos repetidos

Spanish speakers distinguish between habitual or repeated events in the
past and past events which are unique in some way. Compare the use of
the tenses in the following sentences.

(repeated actions)	*(single actions)*
Carlos siempre **pasaba** las vacaciones en México . . .	pero un año las **pasó** en Puerto Rico.
Los sábados, (yo) **jugaba** al tenis con Anita . . .	pero un sábado, **jugué** con Sarita.
Generalmente **me levantaba** temprano . . .	pero un día **me levanté** a las diez.

The **imperfect** is used to describe *habitual or repeated events* in the past.
The **preterite** is used to describe a *particular or specific event*.

> In English, habitual events are often expressed by the construction
> *used to* + verb. Such events are expressed in Spanish by the imperfect.
>
> Carlos **pasaba** el verano en México.   *Carlos **used to spend** the summer in Mexico.*
> **Jugábamos** al tenis.   *We **used to play** tennis.*

> The *imperfect* is often used with expressions such as **siempre, los
> sábados, todos los días,** and **a menudo** since these expressions
> imply repetition.

> The *preterite* is often used with expressions such as **una vez, el
> sábado pasado, un día, esta mañana,** and **anoche** since these
> expressions do not imply repetition.

ACTIVIDAD 7   ¡Qué vacaciones tan divertidas!

Inés recuerda las cosas que hacía durante las vacaciones y las que no
puede hacer ahora. Haz el papel de Inés según el modelo.

> Ahora no juego al fútbol.   Durante las vacaciones jugaba al fútbol todos los días.

1. Ahora no nado.
2. Ahora no organizo fiestas.
3. Ahora no invito a mis amigos al cine.
4. Ahora no escucho mis discos.
5. Ahora no miro la televisión.
6. Ahora no salgo.
7. Ahora no juego al tenis.
8. Ahora no me levanto tarde.
9. Ahora no me acuesto tarde.
10. Ahora no me divierto.

ACTIVIDAD 8   Una vida bien ordenada (*A well-ordered life*)

Cuando era niña, Leonor tenía una existencia bien ordenada. Di qué hacía
a las siguientes horas.

🗫   7:00 levantarse   A las siete, Leonor se levantaba.

1. 7:05 bañarse
2. 7:15 vestirse
3. 7:30 hacer la cama
4. 7:45 desayunarse
5. 8:00 salir
6. 8:05 esperar el autobús
7. 8:30 llegar a la escuela
8. 12:00 comer en la cafetería
9. 1:00 jugar
10. 4:30 regresar a casa
11. 5:00 hacer la tarea
12. 10:00 acostarse

ACTIVIDAD 9   ¡Sólo pasó una vez!

Carlos le pregunta a Julia si ella siempre hacía lo mismo durante las
vacaciones. Julia le contesta que sólo una vez hizo otras cosas. Haz los dos
papeles según el modelo.

🗫   jugar al tenis / al volibol
        Carlos: ¿Jugabas al tenis a menudo?
        Julia: Sí, jugaba al tenis siempre, pero una vez jugué al volibol.

1. levantarte tarde / temprano
2. desayunarte a las ocho / a las diez
3. comer en casa / en un restaurante
4. divertirte con tus amigos / con tus primos
5. comprar el periódico / una revista inglesa
6. salir con Inés / con Raquel
7. montar en bicicleta / en moto
8. acostarte tarde / temprano

ACTIVIDAD 10   Las promesas del primero de enero

Las siguientes personas decidieron cambiar sus malos modales. El primero
de enero no actuaron como de costumbre (*habitually*). Expresa esto según
el modelo.

🗫   Felipe: comer muchos dulces   **Normalmente, Felipe comía muchos dulces.**
                                El primero de enero, no comió muchos dulces.

1. Carmen: pelearse con sus hermanos
2. Raúl: contar cosas aburridas
3. Luisa y Tomás: pelearse
4. Roberto: decir palabrotas (*dirty words*)
5. yo: maltratar mis libros
6. tú: decir mentiras
7. tú y yo: fumar (*smoke*) en el cuarto de baño
8. los profesores: enojarse con los estudiantes

Para la comunicación

Tu niñez

Describe la época de tu niñez. Si quieres, puedes usar las siguientes ideas.

la residencia
vivir (¿dónde?)

la escuela
estudiar (mucho, poco, ¿qué?)
tener (maestros interesantes,
    compañeros simpáticos)

los amigos
tener (muchos amigos, amigos
    bien educados)
llamarse (¿cómo?)
salir (¿adónde?)
compartir (¿qué?)
prestar (¿qué?)

los hermanos
pelear (¿con quién?)
compartir

los padres
respetar
obedecer (¿cuándo?)

los animales
tener (¿qué?)
llamarse (¿cómo?)
tratar (bien)
cuidar (¿cómo?)

las diversiones
gustar (¿qué?)
jugar (¿a qué? ¿con quién? ¿dónde?)
leer (¿qué?)
escuchar (¿qué?)

los buenos y malos modales
bañarse
lavarse
limpiar
comer
enojarse
ponerse furioso(a)

Ayer me levanté muy contenta. Era martes, y hacía muy buen
tiempo.
Pero esto es lo que ocurrió:

Me bañé . . .
    pero mientras me bañaba, de repente el agua se puso muy fría. ¡Ay!

Preparé el desayuno . . .
    pero mientras lo preparaba, quemé las tostadas.

Me desayuné . . .
    pero mientras me desayunaba, mi gato saltó a la mesa y rompió
    unos platos.

Limpié la jaula de Paco, mi papagayo, . . .
    pero mientras la limpiaba, Paco se escapó.

Esperé el autobús . . .
    pero mientras lo esperaba, un taxi me salpicó.

Fui a la oficina . . .
    pero mientras iba allá, perdí mi billetera.

Era: *It was*
    hacía: *it was*

mientras: *while*
    me bañaba: *I was bathing*
    de repente: *suddenly*
tostadas: *pieces of toast*

saltó: *jumped*

jaula: *cage*

salpicó: *splattered*

iba: *I was going*

Finalmente, a la una me encontré con mi novio, y cuando le conté los eventos del día, él me dijo:

—¡Por supuesto, Gloria! . . . ¿No sabes que hoy es martes trece?

¡Ay, qué día!

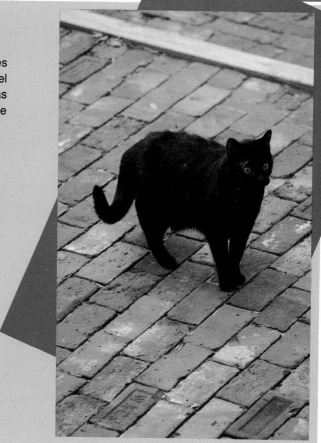

sustantivos	**un plato**	plate, dish	**el agua**	water
			una oficina	office

verbos	**escaparse**	to escape
	ocurrir	to occur, to happen
	quemar	to burn, to scorch
	saltar	to jump
	volverse	to become, to turn

expresiones	**de repente**	suddenly
	mientras	while

NOTA: **El** (and **un**) are used in front of a few feminine nouns which begin with a stressed **a** (or **ha**):

> **El** agua está fría.

In the plural, however, the articles **las** and **unas** are used: **las** aguas.

CONVERSACIÓN

¿Recuerdas lo que hiciste ayer? Di si hiciste lo siguiente.

1. ¿**Escuchaste** discos?
   Sí, **escuché** . . . (No, no **escuché** . . .)
2. ¿**Miraste** la televisión?
3. ¿**Hablaste** por teléfono con tu mejor amigo?
4. ¿**Estudiaste?**
5. ¿**Jugaste** con tus amigos?

Ahora, recuerda si hacías las siguientes actividades cuando tu mamá te llamó para la cena.

6. ¿**Escuchabas** discos?
7. ¿**Mirabas** la televisión?
8. ¿**Hablabas** por teléfono con tu mejor amigo?
9. ¿**Estudiabas**?
10. ¿**Jugabas** con tus amigos?

OBSERVACIÓN

In questions 1–5, you are asked if *you did* certain things yesterday.
• Which tense is used, the *imperfect* or the *preterite?*
In questions 6–10, you are asked whether *you were doing* those things *when* your mother called you to dinner.
• Which tense is used, the *imperfect* or the *preterite?*

Estructuras

A. El imperfecto de *ir, ser* y *ver*

In the imperfect, there are only three irregular verbs: **ir, ser,** and **ver.**

INFINITIVE	ir	ser	ver
IMPERFECT			
(yo)	**iba**	**era**	**veía**
(tú)	**ibas**	**eras**	**veías**
(él, ella, Ud.)	**iba**	**era**	**veía**
(nosotros)	**íbamos**	**éramos**	**veíamos**
(vosotros)	**ibais**	**erais**	**veíais**
(ellos, ellas, Uds.)	**iban**	**eran**	**veían**

ACTIVIDAD 1   Preguntas personales

1. ¿Veías muchas películas cuando eras niño(a)? ¿Veías películas del oeste? ¿Veías películas de aventuras?

2. ¿Iban tus padres al cine contigo? ¿Iban Uds. a menudo?

3. ¿Ibas a la escuela cuando tenías cinco años?

4. ¿Eras un(a) niño(a) bien educado(a)? ¿Eras mal educado(a)? ¿Eras bueno(a) con los animales? ¿Eran estrictos tus padres?

5. ¿Veías a menudo a tus abuelos? ¿Ibas a visitarlos con tus padres?

6. ¿Iban Uds. al circo? ¿Al zoológico? ¿Había muchos animales en el zoológico? ¿Te gustaba darles comida?

ACTIVIDAD 2 ¡Cómo cambia la vida!

Unos estudiantes universitarios recuerdan la época de cuando eran alumnos en el colegio. Se dan cuenta de que han cambiado *(they have changed)* mucho desde entonces. Expresa esto según los modelos.

> Paco no es tímido con las chicas.   En el colegio, era muy tímido con las chicas.
> Teresa está enamorada de Jaime.   En el colegio, no estaba enamorada de Jaime.

1. Elena no es tímida con los chicos.
2. Felipe no es muy generoso con sus amigos.
3. No somos holgazanes.
4. Luisa y tú no están nerviosos durante los exámenes.
5. Carmen no se aburre con sus estudios.
6. Miguel y Felipe no son muy atentos.
7. Voy a menudo a la biblioteca.
8. Soy un estudiante bueno.
9. Tú eres muy paciente con tus profesores.
10. Carlos va al teatro.
11. Susana y Ana María van a la discoteca.

B. El uso del imperfecto para describir acciones continuas

Compare the verbs in the sentences below.

(specific action)	*(ongoing action)*
Cuando Carlos **llamó** . . .	yo **estudiaba.**
*When Carlos **called** . . .*	*I **was studying.***
Carmen **llegó** . . .	mientras **nos desayunábamos.**
*Carmen **arrived** . . .*	*when we **were having breakfast.***
Anita **sacó** una foto . . .	de unos niños que **jugaban** al fútbol.
*Anita **took** a picture . . .*	*of some children who **were playing** soccer.*

The **preterite** is used to describe a *well-defined action or event* which happened at a *specific point in time.*

The **imperfect** is used to describe *ongoing actions or events.* In English such actions are usually expressed by the construction *was (were) + . . .ing.*

Note that the time relationship between the preterite and the imperfect can be shown on a diagram:

specific action
(preterite)   Cuando Carlos **llamó** . . .   Carmen **llegó** . . .   Anita **sacó** una foto . . .

ongoing action
(imperfect)   yo **estudiaba.**   mientras **nos**   de unos niños que
                                                    desayunábamos.   **jugaban** al fútbol.

ACTIVIDAD 3   El robo *(The Burglary)*

Anoche a las diez, ocurrió un robo en el apartamento del Sr. Montero. Un detective les pregunta a los vecinos qué hacían a las diez de la noche. Haz los papeles del detective y de los vecinos.

> Carmen: estudiar   El detective: ¿Qué hacía Ud. anoche a las diez?
>   Carmen: ¿Yo? ¡Estudiaba!

1. la Sra. de Chávez: mirar la televisión
2. Miguel: escuchar sus discos
3. la Sra. de Ortiz: hablar por teléfono con una amiga
4. el Sr. García: dar un paseo por la calle
5. Rosario: escribir una carta
6. el Sr. Ruiz: leer el periódico
7. Enrique: comer
8. el Sr. Ávila: visitar a unos amigos
9. la Sra. de Meléndez: dormir
10. el Sr. Herrera: trabajar

ACTIVIDAD 4   Las excusas

Ahora, el detective les pregunta a unos sospechosos *(suspects)* si tomaron parte en el robo. Todos los sospechosos tienen una excusa. Haz los papeles de los sospechosos y del detective.

> estar en el café / volver a casa a las 12:00
>   El detective: ¿No tomó Ud. parte en el robo?
>   El sospechoso: ¡Claro que no! A la hora del robo estaba en el café.
>   Volví a casa a las 12:00.

1. estar en el cine / volver del cine a las 11:00
2. estar en el estadio / regresar a casa muy tarde
3. cenar con unos amigos / llegar al restaurante a las 8:00
4 visitar a unos amigos / pasar la noche en su casa
5. bailar con mi novia / volver a casa a la 1:00
6. ver una película / salir del cine a las 11:00
7. estar trabajando / salir de la oficina a las 10:00
8. divertirme en una fiesta / después irme a un club

ACTIVIDAD 5   Cuando el director entró . . .

Los alumnos del Sr. Leblanc (el profesor de francés) no son muy atentos.
Di qué hacía cada uno ayer cuando el director entró en la sala de clase.

 Pedro: pensar en las vacaciones   Pedro pensaba en las vacaciones.

1. Isabel: escribir una carta
2. Paco: comer chocolates
3. Elena: dormir
4. Luisa: leer una novela
5. Carlos: ofrecerles dulces a sus amigos
6. Manuel: peinarse
7. Anita: hacer la tarea de matemáticas
8. Luis y Pablo: leer historietas (comics)
9. Marisol: mirarse en el espejo
10. Anita y Gloria: divertirse
11. Pepe y Rolando: mirar a las chicas
12. Benjamín y Mercedes: contar chistes
13. Gloria y Danilo: hablar de modas
14. César y yo: esperar la hora de salir
15. Alberto y Juan Carlos: pelearse
16. Inés: maltratar a Roberto

ACTIVIDAD 6   De visita en la ciudad

En las calles de la ciudad, Dolores observa las siguientes cosas. Más tarde
le cuenta a un amigo lo que vio. Haz el papel de Dolores y dile a tu amigo
lo que viste.

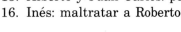 unos chicos juegan al fútbol   Vi a unos chicos que jugaban al fútbol.

1. unos niños comen dulces
2. dos chicos se pelean
3. una chica espera a su novio
4. unas muchachas cantan
5. un muchacho toca la guitarra
6. unos turistas sacan fotos
7. un hombre vende periódicos
8. unos jóvenes conducen muy rápido
9. una señora llama a su esposo
10. una niña tiene un perro

Para la comunicación

Unos percances *(Mishaps)*

Describe unos ocho o diez percances (¡reales o inventados!) similares a los que le ocurrieron a Gloria en «¡Ay, qué día!». Puedes encontrar inspiración en los percances de Gloria. Si quieres, puedes usar los siguientes verbos y tu imaginación.

volverse / quemar / escaparse / romper / romperse / chocar / huir / caer / caerse / ponerse / salir / encontrar / perder

Mientras yo estaba en mi cuarto haciendo la tarea, ¡mi perro se escapó a la calle!

Lección 4 — Un accidente en Cartagena

¿Tienes buen sentido de observación?
¡Vamos a ver!
Imagina que ayer dabas un paseo cerca de la Plaza Bolívar en
Cartagena cuando ocurrió un accidente. Como fuiste el único testigo,
debes contar los detalles del accidente a la policía.
¿Puedes contestar las preguntas según los dibujos?

único: *only*
testigo: *witness*

dibujos: *drawings*

5. ¿Quién conducía el coche?
- ☐ A. Un hombre viejo lo conducía.
- ☐ B. Un muchacho lo conducía.
- ☐ C. Una muchacha lo conducía.

6. ¿Qué llevaba el muchacho?
- ☐ A. Llevaba anteojos de sol.
- ☐ B. Llevaba un sombrero.
- ☐ C. Llevaba una corbata.

7. ¿Qué cruzó la calle enfrente del coche?
- ☐ A. Un gato cruzó la calle.
- ☐ B. Un perro cruzó la calle.
- ☐ C. Un burro cruzó la calle.

cruzó: *crossed*

8. ¿Con qué chocó el coche?
- ☐ A. Chocó con un árbol.
- ☐ B. Chocó con un farol.
- ☐ C. Chocó con una escalera.

farol: *streetlight*

9. ¿Qué hizo el muchacho inmediatamente después del accidente?
- ☐ A. Bajó del coche.
- ☐ B. Se quedó en el coche.
- ☐ C. Corrió tras el gato.

tras: *after*

1. ¿Qué hora era?
- ☐ A. Eran las seis.
- ☐ B. Eran las nueve.
- ☐ C. Eran las siete.

2. ¿Qué tiempo hacía?
- ☐ A. Hacía buen tiempo.
- ☐ B. Hacía mucho sol.
- ☐ C. Llovía.

3. ¿Cuántas personas estaban en el coche?
- ☐ A. dos
- ☐ B. tres
- ☐ C. cuatro

4. ¿Qué tipo de coche era?
- ☐ A. Era un coche norteamericano.
- ☐ B. Era un coche inglés.
- ☐ C. Era un coche alemán.

10. ¿Qué hizo la muchacha?
- ☐ A. Bajó del coche.
- ☐ B. Se quedó en el coche.
- ☐ C. Corrió tras el gato.

11. Entonces, ¿qué hizo el muchacho?
- ☐ A. Llamó a la policía.
- ☐ B. Dio un beso a la chica.
- ☐ C. Se fue de prisa.

beso: *kiss*

12. ¿Qué hizo el gato?
- ☐ A. Trepó a un árbol.
- ☐ B. Subió al coche.
- ☐ C. Se fue de prisa.

Trepó: *It climbed*

alemán: *German*

Cartagena

Cartagena de Indias en Colombia es una de las ciudades más fascinantes del hemisferio occidental.°

Cartagena es una ciudad fortificada fundada° en una isla° en 1533 (mil quinientos treinta y tres). Desde° allí los españoles mandaban las riquezas° del Nuevo Mundo a Europa. Las estrechas calles de la parte antigua de la ciudad dificultan° el tránsito.° Hoy día la nueva Cartagena es una de las ciudades más grandes de Colombia y un centro industrial muy activo.

occidental *western* **fundada** *founded* **isla** *island*
Desde *From* **riquezas** *riches* **dificultan** *make difficult*
tránsito *traffic*

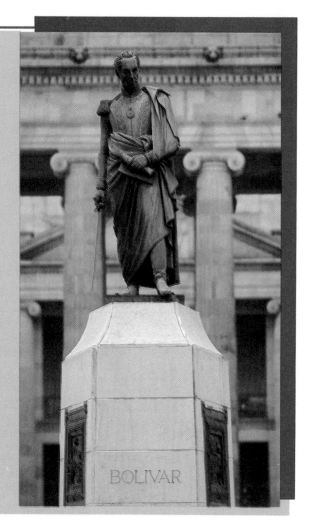

« *El Libertador* »

Simón Bolívar (1783–1830) fue uno de los líderes del movimiento independentista de la América Latina. Su propósito° era conseguir° la independencia de las colonias de la madre patria,° España.

Bolívar proclamó la independencia y la creación de La Gran Colombia. Fue elegido° su primer presidente.

Hoy día, Simón Bolívar es uno de los héroes más grandes de toda América Latina.

propósito *aim* **conseguir** *to obtain* **patria** *country*
elegido *elected*

Vocabulario

sustantivos	**un árbol**	tree	**una escalera**	ladder, stairs
	un beso	kiss		
	un testigo	witness		
verbos	**cruzar**	to cross (a street)		
	llover	to rain		
	trepar	to climb (a tree)		
expresión	**tras**	after, behind		

¿Recuerdas los sucesos *(events)* importantes de tu vida? Por ejemplo, ¿puedes recordar el primer día que fuiste a la escuela? Vamos a ver si recuerdas las circunstancias y los hechos *(facts)* memorables de aquel día glorioso.

1. ¿Cuántos años **tenías** entonces?
2. ¿**Estabas** un poco nervioso(a)?
3. ¿**Estabas** un poco tímido(a)?
4. ¿Qué estación del año **era**?
5. ¿**Hacía** buen tiempo aquel día?
6. ¿**Tomaste** el autobús o **fuiste** a pie a la escuela?
7. ¿**Conociste** *(Did you meet)* a nuevos amigos?
8. ¿**Hablaste** con el (la) director(a)?
9. ¿**Te perdiste** en los corredores?
10. ¿**Tomaste** la decisión de ser un(a) estudiante brillante?

OBSERVACIÓN

In the first five questions, you are asked about the *circumstances* of an important event: your first day at school. The circumstances concern *your age, your feelings,* the *kind of weather.*

• Are the verbs used in the *preterite* or the *imperfect?*

In the last five questions you are asked about *certain specific events.*

• Are the verbs used in the *preterite* or the *imperfect?*

Estructuras

A. El imperfecto y el pretérito: circunstancias y acciones

Compare the verbs in these sentences:

(actions)	*(circumstances)*	
	Era el diez de abril.	
	Eran las ocho de la noche.	*time*
Vi un accidente.	**Hacía** mal tiempo.	
	Llovía.	*weather*
	Yo **iba** por la Avenida Libertad.	*location*
	El conductor **tenía** entre veinte y veinte y cinco años.	*age*
Vi al conductor muy bien.	**Era** un hombre alto.	
	Llevaba un suéter gris.	*physical appearance*
	Estaba nervioso.	*emotional state*
El año pasado mi hermano **visitó** México.	**Quería** aprender español.	
	Tenía ganas de conocer México.	*attitudes*

The **preterite** is used to describe *specific actions and events*.
The **imperfect** is used to describe the *circumstances and conditions*
surrounding the action. These circumstances and conditions may refer to:

> time, weather
> location
> age, physical appearance
> mental or emotional state, attitudes, beliefs

Note the use of the past tense forms of **hay**:

Hubo un accidente.	***There was*** *an accident:* a specific event.	(preterite)
Había tres personas.	***There were*** *three persons:* circumstances.	(imperfect)

ACTIVIDAD 1   La primera vez

Hay una primera vez para todo. Di cuántos años tenías cuando hiciste
estas cosas por primera vez.

Fui a la escuela.   La primera vez que fui a la escuela tenía cinco años.

1. Fui al cine.
2. Fui al teatro.
3. Fui a una fiesta.
4. Asistí a un concierto.
5. Asistí a un partido de fútbol norteamericano.
6. Bailé.
7. Nadé.
8. Organicé una fiesta.
9. Hice un viaje.
10. Tomé un tren.
11. Tomé un avión.
12. Conduje un coche.

ACTIVIDAD 2   Excusas

Ayer estos alumnos no vinieron a la clase de español. Di la excusa de cada
uno.

Carlos: está cansado   Carlos no vino porque estaba cansado.

1. Felipe: está enfermo
2. Inés: su mamá está enferma
3. Luisa: no tiene ganas de estudiar
4. Rafael: tiene gripe *(flu)*
5. Carmen: es su cumpleaños
6. Isabel: cree que es domingo

ACTIVIDAD 3   Tus excusas

Ahora explica por qué no hiciste las siguientes cosas. Inventa una excusa,
usando tu imaginación.

No fui a la escuela . . .   No fui a la escuela porque estaba enfermo(a).

1. No aprendí los verbos.
2. No hice la tarea.
3. No escribí a mis abuelos.
4. No dije la verdad.
5. No me levanté temprano.
6. No ayudé a mis padres.
7. No presté mis discos.
8. No fui a la fiesta.

ACTIVIDAD 4 **La pelea** *(The fight)*

Imagina que el año pasado pasaste el verano en un país hispánico. Un día estabas en un café y viste una pelea entre dos clientes. Ahora cuéntale los detalles de esa pelea a un amigo. ¡Cuidado! Debes usar ciertos verbos en el pretérito y otros en el imperfecto.

⮞   Hace calor.   Hacía calor.

1. Es el diez de agosto.
2. Son las cuatro de la tarde.
3. Tengo mucho calor.
4. Estoy en un café con un amigo.
5. Hablamos del próximo partido de fútbol.
6. Un hombre entra en el café.
7. Es un hombre bastante joven.
8. Lleva pantalones grises y una camisa blanca.
9. Lleva anteojos de sol.
10. Habla con otro cliente.
11. Este cliente lo insulta.
12. Los dos hombres se pelean.
13. Hacen mucho ruido.
14. El camarero llama a la policía.
15. La policía llega inmediatamente.
16. Un policía les pide identificación a los dos hombres.
17. Ellos no tienen identificación.
18. La policía se lleva *(take away)* a los dos hombres.

tener calor	to be warm, hot	tener celos	to be jealous
tener frío	to be cold	tener vergüenza	to be ashamed
tener hambre	to be hungry	tener miedo (de or a)	to be afraid (of)
tener sed	to be thirsty	tener la culpa	to be at fault, to be to blame
tener razón	to be right		
no tener razón	to be wrong	tener prisa	to be in a hurry
tener cuidado	to be careful	tener éxito	to be successful
tener sueño	to be sleepy		

NOTAS: 1. Spanish speakers use **tener** in many expressions indicating a physical or psychological state. English speakers would use *to be*.

2. Note the use of the expression **tener la culpa** in the following examples:

No tengo la culpa. *It is not my fault.*

¡Teresa tiene la culpa! *It is Teresa's fault!*

ACTIVIDAD 5 ¡Lógica!

Explica de una manera lógica qué hicieron (o no hicieron) las siguientes personas. Usa una expresión con **tener.**

⟩⟩ Felipe: no entrar en la casa de fantasmas *(haunted house)*

Felipe no entró en la casa de fantasmas porque tenía miedo.

1. Juan Fernando: ir al restaurante
2. Mari-Carmen: beber una Coca-Cola
3. yo: dormirse enfrente del televisor
4. tú: quitarse el suéter
5. nosotros: ponerse el abrigo
6. Ud. y yo: ponerse rojos *(to blush)*
7. Paco: no invitar al nuevo amigo de su novia al café
8. Roberto y Carlos: salir rápidamente

ACTIVIDAD 6 Expresión personal

Completa las siguientes frases usando tu imaginación.

⟩⟩ Tengo éxito con los (las) chicos(as) cuando . . .

Tengo éxito con los chicos cuando les cuento chistes.

⟩⟩ No tengo éxito con ellos (ellas) cuando . . .

No tengo éxito con ellos cuando me enojo con ellos.

1. Tengo cuidado cuando . . .
2. No tengo cuidado cuando . . .
3. Tengo sueño cuando . . .
4. No tengo sueño cuando . . .
5. Tengo celos cuando . . .
6. No tengo celos cuando . . .
7. Tengo prisa cuando . . .
8. No tengo prisa cuando . . .
9. Tengo miedo cuando . . .
10. No tengo miedo cuando . . .

B. Resumen: el uso del pretérito y del imperfecto

Spanish speakers view past actions and events as being either *continuous* or *isolated*.

—They use the **imperfect** to describe *continuous* actions (that is, actions or events that *were in progress during* a certain period of time).

—They use the **preterite** to describe *isolated* actions (that is, actions which *occurred at a specific moment in time*).

Compare the verbs in the following sentences.

(continuous actions or events)	*(isolated actions)*
Cuando yo **era** niño, no **hablaba** español.	Anoche **hablé** español con Ramón.
Julio **tenía** un tocadiscos.	Julio **vendió** su tocadiscos.
Anita **era** mi mejor amiga.	Anita **se fue** a vivir a México.
En el verano **íbamos** a la playa.	Ayer no **fuimos** a la playa.

More specifically, the preterite and the imperfect are used as follows:

TO DESCRIBE:	USE:	
a specific action or event completed in the past	preterite: **Visité** Puerto Rico . . .	*I visited Puerto Rico . . .*
the circumstances of a past action or event	imperfect: Cuando **tenía** diez y seis años . . .	*When I was sixteen (years old) . . .*
an ongoing past action or event	imperfect: Mis primos **vivían** en San Juan entonces.	*My cousins were living in San Juan then.*
a repeated past action or event	imperfect: Ellos me **invitaban** todos los veranos.	*They used to invite me every summer.*

ACTIVIDAD 7   Los vendedores

Di que estas personas ya no *(no longer)* tienen las cosas que tenían porque las vendieron.

⟩⟩   Roberto: una bicicleta   Roberto tenía una bicicleta pero la vendió.

1. Alfredo: una moto
2. Inés: una cámara
3. Ramón: una calculadora
4. Fernando: una raqueta de tenis
5. Manuela: un reloj
6. Pepe: un tocadiscos
7. Luis: un coche
8. Gustavo: un televisor

ACTIVIDAD 8   En 1900

Lee cada descripción del mundo moderno y di si es aplicable al mundo de
mil novecientos o no.

⋙   La gente tiene coches.   En mil novecientos la gente no tenía coches.
⋙   La gente trabaja mucho.   En mil novecientos la gente también trabajaba mucho.

1. La gente mira la televisión.
2. La gente viaja mucho por avión.
3. Los niños tienen bicicletas.
4. Los niños van a la escuela.
5. Muchos jóvenes van a la universidad.
6. Los jóvenes se divierten.
7. Los jóvenes montan en moto.
8. El tenis es un deporte muy popular.

9. Las casas tienen teléfono.
10. Las casas tienen electricidad.
11. La contaminación (*pollution*) del aire
    es un problema.
12. Mucha gente de origen hispano vive en
    ciudades norteamericanas.
13. La vida no es fácil para todos.

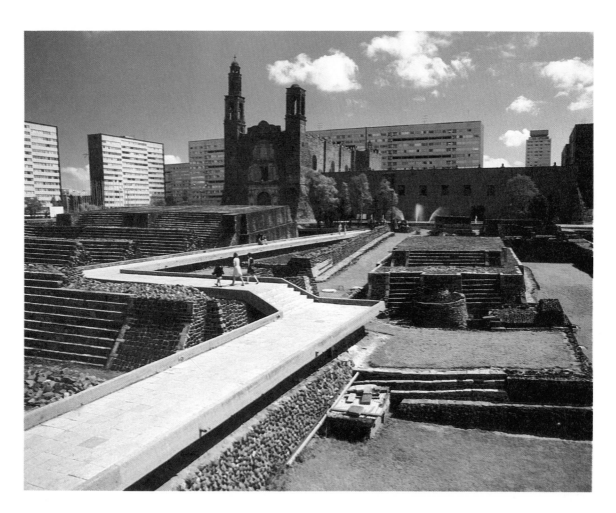

Para la comunicación

Recuerdos *(Memories)*

Cuenta uno de los siguientes sucesos *(events)* usando por lo menos *(at least)* cinco verbos en el imperfecto y cinco verbos en el pretérito.

Éstos son los sucesos:

- tu cumpleaños
- una fiesta
- un picnic
- una reunión familiar *(family reunion)*
- la cena del día de acción de gracias *(Thanksgiving)*
- la Navidad

Y éstas son algunas sugerencias:

Las circunstancias
 la fecha: ¿el día? ¿la hora?
 el tiempo: ¿Hacía calor? ¿Hacía frío? ¿Llovía? ¿Nevaba?
 el lugar: ¿tu casa? ¿la casa de tus amigos? ¿otro lugar?
 los invitados *(guests)*: ¿Cuántos eran? ¿Quiénes eran? ¿Qué ropa
  llevaban? ¿Estaban de buen humor?
 la comida: ¿Qué había para comer? ¿para beber?

Lo que ocurrió
 ¿Con quiénes hablaste? ¿De qué hablaste?
 ¿Qué comiste? ¿Qué bebiste?
 ¿Hubo una sorpresa? ¿para ti? ¿para otros?
 ¿Bailaste? ¿Cantaste? ¿A qué jugaste?
 ¿Pasó algo extraordinario? ¿qué?

Variedades　El robo del museo

El domingo pasado, temprano por la mañana, ocurrió un robo° en el Museo de Arte Moderno. Los ladrones° entraron en el museo y se escaparon con algunas obras° de arte muy valiosas.°

robo: *robbery*
ladrones: *robbers*
obras: *works*
　valiosas: *valuable*

Afortunadamente, dos personas observaron el robo. Esto es lo que declararon a la policía. (Atención a los detalles, ¡por favor! ¡Los testigos° no están de acuerdo!°)

testigos: *witnesses*
no están de acuerdo: *don't agree*

· · · ·

La Sra. de Muñoz:

Como todos los domingos, el domingo pasado fui a misa° muy temprano. Iba por la Avenida de la Libertad cuando vi un coche negro que se paró enfrente del Museo de Arte Moderno. Como era de día,° pude observar muy bien lo que pasó.

misa: *Mass*

de día: *daylight*

Como acabo de decir, el coche se paró enfrente del museo. Era un coche grande, de tipo norteamericano, probablemente un Ford o un Chevrolet. En el coche había dos personas: un hombre y una mujer.

La mujer era bastante joven. Creo que tenía menos de veinte y cinco años. Era rubia y llevaba anteojos de sol. (¡Qué raro! ¡A las seis y media de la mañana!) Ella era la conductora del coche y se quedó en el coche todo ese tiempo, esperando a su cómplice.°

cómplice: *accomplice*

Poco después que se paró el coche, el hombre se bajó. Pude verlo bien. Era bastante alto y moreno, con un bigote° pequeño. Llevaba pantalones de color anaranjado, una chaqueta gris y un sombrero. En la mano tenía un revólver.

bigote: *mustache*

Cruzó la calle y entró en el museo por una ventana que estaba abierta.° Eran exactamente las siete menos veinte y tres. (¡Estoy absolutamente segura de la hora porque miré mi reloj en aquel momento!)

abierta: *open*

Diez minutos después, el hombre salió del museo por la misma° ventana. En los brazos llevaba dos estatuas. Cruzó la calle y se subió al coche donde la mujer lo esperaba. Ella arrancó el coche y los dos se escaparon muy de prisa.

misma: *same*

El Sr. García:

Yo también vi el robo, y ese robo no ocurrió como dice la Sra. de Muñoz. Estoy seguro de lo que digo porque vivo enfrente del museo. Así es que pude observar muy claramente° todo lo que ocurrió.

claramente: *clearly*
ya: *already*

El domingo pasado me levanté a las seis menos cuarto. Como ya° hacía mucho calor, fui a abrir la ventana. La abrí y me quedé mirando la calle. No había nadie, excepto dos o tres personas que iban a misa.

A las seis vi un coche. Como explicó la Sra. de Muñoz, este coche se paró enfrente del museo. ¿Y cómo era? No era negro, sino rojo. No era grande, sino pequeño. No era de tipo norteamericano, sino europeo. Creo que era un Renault o tal vez un Fiat. Es cierto que en el interior había dos personas, un hombre y una mujer, pero era el hombre el que conducía.

A las seis y veinte, los dos ladrones se bajaron del coche, y pude verlos muy bien. La mujer era joven, alta, morena. No llevaba anteojos de sol. El hombre era bajo, moreno y llevaba anteojos. Llevaba pantalones de color anaranjado, pero en vez de° una chaqueta, llevaba un suéter blanco. No llevaba sombrero y no tenía un revólver en la mano. (¡Qué idea más tonta! ¡Es sólo en las películas que los ladrones tienen revólver!)

en vez de: *instead of*

El hombre y la mujer cruzaron la calle. El hombre entró en el museo por la puerta que estaba abierta y no por la ventana. La mujer no entró. Se quedó delante de la puerta. A las seis y media, el hombre salió del museo con dos paquetes muy grandes. La mujer lo ayudó a llevarlos al coche. Después ellos se subieron al coche y desaparecieron° inmediatamente.

desaparecieron: *disappeared*

. . . .

¡Es muy difícil ser buen testigo! A menudo, hay una diferencia entre lo que vemos y lo que creemos ver. Por eso, ambos° la Sra. de Muñoz y el Sr. García cometieron ciertos errores en el testimonio.

¿Puedes decir cuándo tenían razón y cuándo no?

Mira las ilustraciones y lee la historia otra vez. Después contesta las siguientes preguntas.

ambos: *both*

Respecto a . . .

	¿Quién tenía razón?	
	¿la Sra. de Muñoz?	¿el Sr. García?
1. el tipo de coche	☐	☐
2. el color del coche	☐	☐
3. la hora del crimen	☐	☐
4. el color del pelo de la mujer	☐	☐
5. lo que llevaba la mujer	☐	☐
6. el aspecto físico del hombre	☐	☐
7. lo que llevaba él	☐	☐
8. la manera en que entró en el museo	☐	☐
9. la manera en que salió del museo	☐	☐
10. lo que se llevó	☐	☐

¿Quién fue el mejor testigo? ¿Por qué?

VISTA México y Centroamérica

Un poco de historia

¡Qué fácil es imaginar príncipes° que llevan sombreros de plumas° de muchos colores . . . sacerdotes° que leen el futuro en las estrellas° . . . dioses° que demandan sacrificios humanos!

Imaginar esto y mucho más es muy fácil en México y Centroamérica. Aquí la historia comenzó hace miles de años.

Pirámides mayas en Tikal, Guatemala

Tenochtitlán

500 d.C.°

Según los arqueólogos, la gran cultura maya comienza cerca de esta fecha. Más tarde aparecen° las grandes ciudades. En Tikal, Guatemala, los mayas construyen pirámides tan altas como un edificio de veinte pisos.

1325

Con el sacerdote Tenoch, los aztecas llegan a la tierra° prometida,° un lago.° Allí fundan° la ciudad de Tenochtitlán, hoy México. Es una de las ciudades más grandes del mundo.

1519

Hernán Cortés desembarca con 650 hombres y 16 caballos° en el Golfo de México, donde hoy está Veracruz. Comienza entonces la conquista de México por los españoles.

1521

El ejército° de Cortés completa la conquista de México cuando ataca Tenochtitlán y destruye la ciudad casi completamente. Toma a Cuauhtémoc, el último emperador azteca, como prisionero.

Hernán Cortés

príncipes *princes* **plumas** *feathers* **sacerdotes** *priests* **estrellas** *stars* **dioses** *gods*
d.C. *después de Cristo* **aparecen** *appear* **tierra** *land* **prometida** *promised* **lago** *lake*
fundan *they found* **caballos** *horses* **ejército** *army*

Benito Juárez

1776

Un violento terremoto° destruye la ciudad de Guatemala, sede° del gobierno° colonial en Centroamérica. Así se pierde° una de las ciudades coloniales más importantes del imperio español. Las autoridades deciden fundar la ciudad en otro lugar, donde hoy está la capital.

1810

El sacerdote Miguel Hidalgo y Costilla, padre de la independencia de México, proclama el «Grito° de Dolores», pidiendo el fin del gobierno por los españoles de España («gachupines»).

1821

Una junta política declara la independencia de Centroamérica. Dos años más tarde, se crean° las Provincias Unidas de Centroamérica, una unidad política que, por ambiciones locales, no dura mucho. En menos de veinte años se desintegra en cinco pequeños países.

1846

Una disputa fronteriza da origen a una guerra° entre° México y los Estados Unidos. La guerra termina dos años más tarde y México pierde casi la mitad° de su territorio. La nación victoriosa gana entonces lo que hoy es California, Arizona, Nevada, Utah, Nuevo México, Texas hasta el Río Grande y parte de Colorado.

1862

Los franceses, al mando de° Napoleón III, invaden México y un año después ocupan la capital. En 1864, el archiduque Maximiliano de Austria es coronado emperador de México por orden de Napoleón III. Benito Juárez, al frente de los patriotas, organiza la resistencia y, finalmente, recupera el poder° en 1867. Los mexicanos celebran su victoria sobre los franceses en la batalla de Puebla el cinco de mayo.

La construcción del canal interoceánico en Panamá

1904

Bajo la supervisión del Cuerpo de Ingenieros del Ejército de los Estados Unidos, este país construye un canal interoceánico en Panamá. La construcción del canal toma diez años y los Estados Unidos gastan 375 millones de dólares en ello.

1987

Oscar Arias Sánchez, el presidente de Costa Rica, recibe el Premio Nóbel de la Paz.° Se le concede° este premio por sus esfuerzos° para terminar la guerra entre Nicaragua y sus adversarios y para establecer una paz duradera° en Centroamérica.

terremoto *earthquake* **sede** *seat* **gobierno** *government* **se pierde** *is lost* **Grito** *Cry* **se crean** *are created* **guerra** *war* **entre** *between* **mitad** *half* **al mando de** *under* **el poder** *power* **Premio Nóbel de la Paz** *Nobel Peace Prize* **Se le concede** *He is awarded* **esfuerzos** *efforts* **duradera** *lasting*

MÉXICO Y LOS PAÍSES DE CENTROAMÉRICA

México

Población: 81.700.000
Ciudad capital:
México, D.F. (Distrito Federal)
Unidad monetaria: el peso
Productos principales: petróleo,
algodón,° maíz, plata°
Otros datos:°
La ciudad de México es la ciudad más
grande del mundo, después de Tokio y
Shangai.

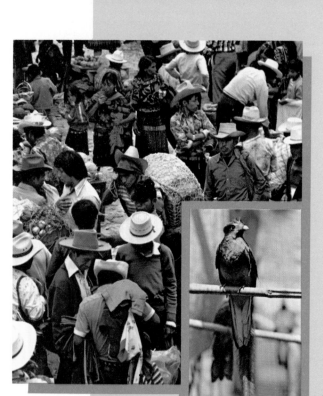

Guatemala

Población: 8.600.000
Ciudad capital: Guatemala
Unidad monetaria:
el quetzal, en honor del ave° nacional
Animal típico:
el quetzal, un ave pequeña, de cola°
larga y delicada. Es un símbolo de la
libertad.
Producto principal: café
Otros datos:
Además del español, en Guatemala se
hablan más de veinte lenguas°
indígenas.°

algodón *cotton* **plata** *silver* **datos** *facts* **ave** *bird*
cola *tail* **lenguas** *languages* **indígenas** *native*

El Salvador

Población: 5.100.000
Ciudad capital: San Salvador
Unidad monetaria:
  el colón, en honor de Cristóbal Colón
Productos principales:
  café, algodón
Otros datos:
  El Salvador es uno de los países
  americanos más pequeños. Es más o
  menos del mismo tamaño° que el estado
  de Massachusetts.

Honduras

Población: 4.600.000
Ciudad capital: Tegucigalpa
Unidad monetaria:
  el lempira, en honor de un jefe indígena
  que luchó contra° los españoles.
Producto principal: bananas
Otros datos:
  El nombre *Honduras (Depths)* viene de
  una expresión de Colón. Después de
  dominar las malas condiciones de
  navegación frente a la costa
  centroamericana, Colón dice:—Gracias
  a Dios. Salimos de estas honduras.

Nicaragua

Población: 3.300.000
Ciudad capital: Managua
Unidad monetaria:
  el córdoba, en honor de Francisco
  Fernández de Córdoba, fundador de las
  ciudades de León y Granada
Producto principal: algodón
Otros datos:
  Nicaragua es el país más grande de
  Centroamérica. En 1968, con la ayuda de
  los Estados Unidos, construye el camino
  Rama que conecta los océanos Atlántico y
  Pacífico.

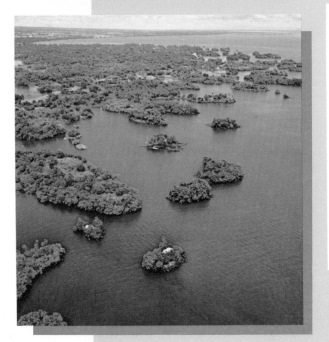

tamaño *size*   **luchó contra** *fought against*

Costa Rica

Población: 2.700.000
Ciudad capital: San José
Unidad monetaria:
   el colón, en honor de Cristóbal Colón
Producto principal: café
Otros datos:
   Los españoles pensaron que ese país
   era rico en minerales.
   Por eso, lo llamaron Costa Rica.

Panamá

Población: 2.200.000
Ciudad capital: Panamá
Unidad monetaria:
   el balboa, en honor de Vasco Núñez de
   Balboa, descubridor° del Océano Pacífico.
   El balboa sólo existe en monedas. Los
   billetes que se usan en Panamá son
   dólares norteamericanos.

Producto principal: bananas
Otros datos:
   Entre 1821 y 1903, Panamá fue parte
   de Colombia. Los panameños se
   independizaron con la ayuda de los
   Estados Unidos, que estaban interesados
   en construir allí un canal interoceánico.
   En 1914 pasó por el canal interoceánico el
   primer barco, el *Ancón*, el cual pesaba
   10.000 toneladas.

descubridor *discoverer*

LOS PRODUCTOS DE LA TIERRA

¿Qué comían los indios antes de la llegada° de los españoles? Bueno, ¡lo mismo que tú! Sí. Tomates, chocolates, maíz, aguacates° . . .

El maíz

¿Dónde se originó el maíz? ¿En Guatemala? ¿En México? ¿En el Perú? Nadie está seguro, pero los indios ya° estaban cultivando maíz en México y Centroamérica hace 4.000 años. El cultivo del maíz hizo posible el desarrollo° de las grandes culturas precolombinas. Comenzó la observación de los fenómenos naturales para saber cuándo plantar. Aparecieron° los primeros dioses° que tenían que dar los recursos° necesarios. Entre° los mayas apareció Chac, el dios de la lluvia.° Entre los aztecas, Tonantzín, la diosa de la tierra.°

El tomate y el aguacate

Estos dos productos, indispensables en una buena ensalada, son de origen mexicano. Los dos nombres se derivan de náhuatl, la lengua de los aztecas. En náhuatl, tomate es tomatl y aguacate es ahuscatl.

El cacao

Éste es el ingrediente principal de algo que los enamorados se dan el 14 de febrero: chocolates. El cacao también es de origen mexicano. Los aztecas usaban granos° de cacao como moneda. Los granos de cacao sirven, también, para hacer chocolate y cacao en polvo.° Mucha gente dice que el chocolate era la bebida favorita del emperador azteca Moctezuma. Pero el chocolate que Moctezuma bebía no tenía azúcar y, seguramente, era muy diferente a la cacao que usas en casa.

---

llegada *arrival* **aguacates** *avocados* **ya** *already* **desarrollo** *development*
Aparecieron *Appeared* **dioses** *gods* **recursos** *resources* **Entre** *Among* **lluvia** *rain*
tierra *earth* **granos** *grains* **en polvo** *powdered*

El mensaje de las piedras

¿Te gusta la arqueología? Un arqueólogo es como un detective. Los dos buscan huellas.° Con las huellas que los arqueólogos encuentran y analizan es posible reconstruir el pasado.

En lugares como México y Guatemala, donde florecieron° grandes civilizaciones precolombinas, el pasado siempre tiene sorpresas. En estos lugares es muy emocionante° ser arqueólogo . . . ¿Quieres ser arqueólogo? ¿Tienes el talento necesario para descifrar° inscripciones antiguas? Vamos a ver:

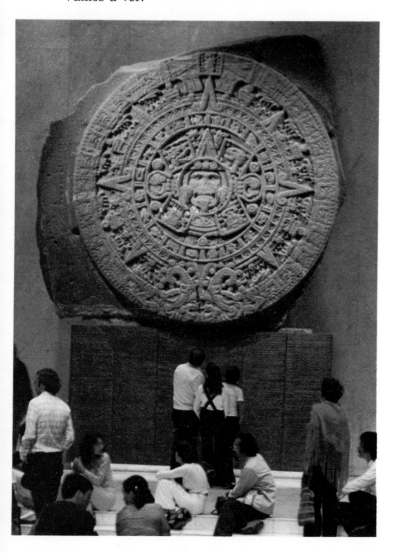

¿Qué representa esta escultura?° Parece una estrella,° ¿verdad? En realidad, esta escultura se llama la Piedra del Sol. La figura que está en el centro es Tonatiuh o Nahui Ollin, el dios-sol.° Alrededor de él está toda la historia del universo según los aztecas.

En esta piedra, que también se llama la Piedra del Calendario Azteca, todas las figuras significan algo. En el círculo que está más cerca del dios-sol, están los días del mes. Allí están, por ejemplo:

Coatl, la serpiente, el día 5
Mazatl, el venado,° el día 7
Ozomatli, el mono, el día 11
Quiahuitl, el águila,° el día 15

En total, hay 20 símbolos en este círculo, uno por cada día del mes. (Sí, el mes azteca era de sólo veinte días.)

234

huellas *tracks*　**florecieron** *flourished*　**emocionante** *exciting*　**descifrar** *decipher*
escultura *sculpture*　**estrella** *star*　**dios-sol** *sun god*　**venado** *deer*　**águila** *eagle*

Ahora, mira esta escultura.
¿Ves las rayas y los puntos? . . .
¿Sabes qué representan?

Se encuentran estos símbolos misteriosos en muchas esculturas que tienen más de mil años. Las crearon escultores mayas que vivieron en Guatemala y Honduras durante los primeros siglos° de la era cristiana.

¿Y cómo sabemos esto? Por las rayas y los puntos, claro. Estos símbolos representan fechas. Son parte de un sistema numérico inventado por los mayas. Es un sistema que tiene tres símbolos: ▬ , ● y ⬭ . El símbolo ⬭ no tiene valor. Representa el cero.

Mira cómo se escriben los números mayas del uno al diecinueve:

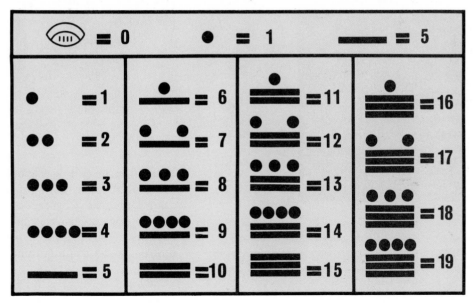

LAS MANOS CREADORAS

Talento, imaginación y manos flexibles. Los artesanos mexicanos necesitan estos tres para crear una gran variedad de objetos de cerámica. La cerámica mexicana no tiene límites. Es un arte popular y folklórico con objetos y estilos diferentes. Mira, por ejemplo:

Éste es un candelero, típico de Acatlán, Puebla, cerca de la ciudad de México. Es un árbol con flores,° hojas,° pájaros y ángeles. Está pintado a mano con colores vivos° y fuertes.

Estas figuras son de Coyotepec, Oaxaca. Y como ves, aquí no hay colores alegres. Coyotepec es famoso por su cerámica negra que además de sirenas incluye otras figuras, todas completamente negras.

flores *flowers*   **hojas** *leaves*   **vivos** *lively*

Atzompa es otro pueblo de Oaxaca. Esta figura parece habitante de un cuento de hadas.°

Estos jarrones son de Tonalá, Jalisco, cerca de Guadalajara. ¿Te gustan? Ésta es cerámica pulida,° moderna, de colores suaves.° El estilo de esta cerámica es único. Está pintada a mano y la decoración es típicamente mexicana.

cuento de hadas *fairytale*   **pulida** *polished*   **suaves** *delicate*

LA CREACIÓN DEL HOMBRE

Cuando Dios creó al hombre, ¿lo hizo de barro?° Sí, según la Biblia. No, según los mayas. La literatura de los mayas describe la creación del hombre en un libro antiguo y sagrado:° el *Popol Vuh*. Dice así:

Llegó el momento de la creación. Los dioses creadores,° Ahau Tepeu y Ahau Gucumatz, tenían que buscar la sustancia para hacer la carne° del hombre.

Los dioses creadores comenzaron a planear y a decidir cómo iban a hacer al hombre. Los hombres creados anteriormente habían salido° imperfectos. Era necesario encontrar la sustancia para hacer la carne del hombre.

Cuando los dioses creadores estaban reunidos, cuatro animales les revelaron la existencia de las mazorcas° de maíz blanco y de maíz amarillo.

La abuela Ixmucané tomó el maíz blanco y el maíz amarillo. Los usó para preparar una comida y una bebida de la que salió la carne y la gordura° del hombre. Sus brazos y sus pies también salieron de esta comida.

Los señores Tepeu y Gucumatz formaron así a nuestros primeros padres y madres.

barro *mud*   **sagrado** *sacred*   **creadores** *creators*   **carne** *flesh*   **salido** *come out*
mazorcas *ears*   **gordura** *thickness*

Rubén Darío   El poeta niño

Cuando era todavía un niño, Rubén Darío (1867–1916) era famoso en partes de Centroamérica. Se le llamaba «el poeta niño». Nació° en Nicaragua y publicó sus primeros versos cuando tenía 14 años.

Además de escribir poesía durante toda su vida,° era corresponsal° del periódico *La Nación* de Buenos Aires. También viajaba en misiones diplomáticas y consulares por Nicaragua.

En su viaje a España en 1898, fue recibido como un héroe por los poetas jóvenes.

Darío revolucionó el ritmo y la métrica de la poesía española. Llegó a ser el líder de una escuela poética que se llama «el modernismo».

LOS TRES REYES MAGOS

Dice la tradición cristiana que Melchor, Gaspar y Baltasar, los tres reyes magos° de Oriente, vieron en el cielo° una brillante estrella° que los guió° hasta Belén.° Allí ofrecieron sus regalos al niño Jesús: incienso, mirra y oro.° En este poema de Rubén Darío, el poeta embellece° la tradición con sus palabras.

Tesuque Pueblo, NM / Artist: Manuel Vigil

—*Yo soy Gaspar. Aquí traigo el incienso.*
Vengo a decir: La vida es pura y bella.°
Existe Dios. El amor es inmenso.
¡Todo lo sé por la divina Estrella!

—*Yo soy Melchor. Mi mirra aroma todo.*
Existe Dios. Él es la luz del día.
¡La blanca flor tiene sus pies en lodo°
y en el placer° hay la melancolía!

—*Soy Baltasar. Traigo el oro. Aseguro*
que existe Dios. Él es el grande y fuerte.
Todo lo sé por el lucero° puro
que brilla en la diadema° de la Muerte.°

—*Gaspar, Melchor y Baltasar, callaos.°*
Triunfa el amor, y a su fiesta os convida.°
¡Cristo resurge, hace la luz del caos
y tiene la corona de la Vida!   —Rubén Darío

Tonalá, México / Artist Unknown

238   **Nació** *He was born*   **vida** *life*   **corresponsal** *correspondent*   **tres reyes magos** *three kings*
cielo *sky*   **estrella** *star*   **guió** *guided*   **Belén** *Bethlehem*   **oro** *gold*   **embellece** *embellishes*
bella *beautiful*   **lodo** *mud*   **placer** *pleasure*   **lucero** *bright star*   **diadema** *crown*
Muerte *Death*   **callaos** *be still*   **os convida** *invites you*

LAS POSADAS

¿Cuándo celebras la Navidad?
¿El 25 de diciembre o antes?

Bueno, en algunas ciudades hispanas la fiesta comienza diez días antes. Sí. Comienza el 16, con la primera posada. Hay nueve posadas en total: una todas las noches del 16 al 24 de diciembre. Las posadas son fiestas. Conmemoran un episodio en la vida de San José y la Virgen María. Todos sabemos que cuando ellos llegaron a Belén,° pasaron muchos apuros° buscando un lugar donde pasar la noche. Por fin,° alguien les ofreció un lugar donde podían quedarse. En otras palabras, alguien les dio posada.

Las posadas siempre se celebran de noche. Comienzan cuando los invitados se separan en dos grupos. Así, los invitados se preparan para actuar en una minicomedia musical. Un grupo sale a la calle, o al jardín, o al patio de la casa. Este grupo hace los papeles de la Virgen y San José. El otro grupo se queda en la casa, con los dueños.°

El grupo que está afuera comienza a cantar pidiendo posada. San José canta:

> En nombre del cielo°
> pedimos posada.
> Ábranle° la puerta,
> a mi esposa amada.°

Pero, claro, los que están en la casa no abren la puerta. ¡Cómo le van a abrir la puerta a gente a quien no conocen! El diálogo musical continúa hasta que se descubre la identidad de la Virgen y San José. Entonces, ¡se abren las puertas! Todos se abrazan.° Termina la canción. Sigue la fiesta.

Actividades culturales

1. *Prepara un informe° sobre° el conquistador español Hernán Cortés.*

2. *En un mapa de México y Centroamérica, indica cada país de los que se encuentran en las páginas 230-232. Indica también la capital de cada país, los productos principales y, si es posible, otros datos de interés. Puedes usar dibujos,° estampillas, fotos o tarjetas postales.*

3. *Prepara un informe sobre el canal de Panamá—su historia en los años 1904-1914 y su historia reciente.*

4. *Prepara una exposición° sobre los escultores aztecas, los escultores mayas o los artesanos mexicanos.*

informe *report*   **sobre** *about*   **dibujos** *drawings*   **exposición** *exhibit*

Belén *Bethlehem*   **apuros** *difficulties*   **Por fin** *Finally*   **dueños** *owners*   **cielo** *heaven*
Ábranle *Open*   **amada** *beloved*   **se abrazan** *embrace*

Unidad 6

Hoy y ayer

Anuncios, letreros, señales de todo tipo . . . Por lo general, éstas son las primeras cosas que se ven cuando se viaja por un país extranjero. Lo importante es comprenderlas, ¿verdad?

¿Comprendes los siguientes anuncios?

Vamos a ver. Examina cada anuncio atentamente y después contesta las preguntas con sí o con no.

anuncios: *announcements*
letreros: *posters*
señales: *signs*
se ven: *one sees*
extranjero: *foreign*
atentamente: *carefully*

sí   no

Un amigo te ofrece un cigarrillo. ¿Vas a aceptarlo?

☐   ☐

cigarrillo: *cigarette*

En ese lugar hablan otro idioma. ¿Se dan clases de francés allí?

☐   ☐

¡Qué linda playa! ¿Se puede nadar allí?

☐   ☐

Éste es un lugar muy bonito. ¿Se puede tener un picnic aquí?

☐   ☐

lugar: *place*

Me gustaría sacar una foto de este monumento. ¿Se puede parar aquí por cinco minutos?

☐   ☐

estacionar: *park*

SE REPARAN RELOJES

Mi reloj no funciona bien.
¿Puedo dejarlo allí?

☐ ☐

SE VENDEN GUITARRAS ELÉCTRICAS

Quiero vender mi guitarra.
¿Puedo venderla en esta tienda?

☐ ☐

SE ARREGLAN MOTOS AQUÍ

Mi moto no anda.
¿Puedo dejarla allí?

☐ ☐

SE BUSCA SECRETARIA BILINGÜE (francés—español)

Necesitan una empleada.
¿Es ésta una compañía
internacional?

☐ ☐

SE SOLICITAN MECÁNICOS

Allí se arreglan coches.
¿Es este lugar una estación
de servicio?

☐ ☐

Se solicitan: *Are
needed*

SE ALQUILAN COCHES

¡Qué cantidad de coches!
¿Puedo comprar un coche allí?

☐ ☐

Se alquilan:
Are rented
cantidad: *quantity*

El tabaco, un producto de origen indio

¿Sabes que el tabaco es un producto de origen americano? Los indios lo cultivaban antes del descubrimiento° del Nuevo Mundo y lo tomaban como° medicina. Cuando los españoles llegaron a América, los indios les ofrecieron el tabaco como señal de amistad y de paz.° En 1500 (mil quinientos) los españoles llevaron este producto a Europa. En 1560 (mil quinientos sesenta) el embajador francés en Portugal mandó polvo° de tabaco a su reina° para usarlo como medicina contra fuertes dolores de cabeza.°

Durante los siglos el tabaco ha tenido° gran variedad de usos. Se masticaba,° se usaba como polvo aromático y se fumaba en pipas o cigarros. Alrededor de 1830 (mil ochocientos treinta), se empezó a fumar tabaco en cigarrillos.

Hoy día° todos conocen el peligro° que representa para la salud° fumar tabaco. Los que fuman se exponen° a graves enfermedades° y pueden dañar°

la salud de otras personas con el humo° del tabaco.

Para mantenerse en buena salud uno debe informarse sobre los efectos negativos del tabaco.

descubrimiento *discovery* **como** *as* **paz** *peace* **polvo** *powder* **reina** *queen* **dolores de cabeza** *headaches* **ha tenido** *has had* **se masticaba** *was chewed* **Hoy día** *Today* **peligro** *danger* **salud** *health* **se exponen** *expose themselves* **enfermedades** *illnesses* **dañar** *harm* **humo** *smoke*

Vocabulario

sustantivos	**un anuncio**	advertisement	**una cantidad**	quantity
	un letrero	sign, notice, poster	**una señal**	(traffic) sign
	un lugar	place		
adjetivo	**extranjero**	foreign		
verbos	**estacionar**	to park (a car)		
	fumar	to smoke		
	prohibir	to prohibit		

CONVERSACIÓN

1. ¿**Se habla** español en España?
2. ¿**Se habla** español en México?
3. ¿**Se habla** español en el Brasil?
4. ¿Qué lengua **se habla** en Francia?
5. ¿Qué lengua **se habla** en la clase de español?
6. ¿Qué lengua **se habla** en tu casa?

OBSERVACIÓN

In the above questions, you have been asked where certain languages *are spoken.*
• Which expression is used?
• Which pronoun is used in this expression?

Estructuras

A. El uso impersonal del pronombre reflexivo se

In the sentences below, the reflexive pronoun **se** refers to specific persons (Paco, Elena y Pedro) who perform the action.

Paco **se** lava.	*Paco washes **himself**.*
Elena y Pedro **se** hablan.	*Elena and Pedro talk **to each other**.*

Se can also be used in sentences where it does not refer to any specific person. Note this impersonal use of **se** in the following sentences.

Se habla español en México.	***They (people, one) speak(s) Spanish in Mexico.***
Se necesita trabajar.	***People (you, we, one) need(s) to work.***
¿Cómo **se** escribe . . .?	*How does **one** (do **you**) write . . .?*
¿Cómo **se** va al restaurante?	*How does **one** (do **we**) go to the restaurant?*

The Spanish impersonal construction **se** + verb often corresponds to constructions in English that use impersonal subjects such as *people, they, you, we, one* . . . The subjects are not expressed in Spanish.
Note also the expression:

Se prohibe fumar. ⎰ *Smoking **is prohibited**.*
⎱ *People **cannot** smoke.*
   No smoking.

ACTIVIDAD 1   Preguntas personales

1. ¿Siempre se habla español en la clase de español?
2. ¿Se estudia mucho en el colegio?
3. ¿Se necesita estudiar mucho para sacar buenas notas?
4. ¿Se trabaja mucho en los Estados Unidos?
5. ¿Se necesita trabajar mucho en la vida?
6. ¿Se necesita tener mucho dinero para ser feliz?
7. ¿Se come bien en la cafetería del colegio?
8. ¿Se come bien en los restaurantes de tu ciudad?
9. ¿Se prohibe fumar en tu escuela?
10. ¿Se prohibe fumar en el autobús?

¡SE BUSCA!
MAD
EN ESPAÑOL

ACTIVIDAD 2   ¡Prohibiciones!

Algunas personas hacen cosas que no deben hacer. Diles que se prohibe
hacer esas cosas.

⟫⟩   (en el autobús) Un señor fuma.   ¡Lo siento, señor! Se prohibe fumar aquí.

1. (en el tren) Una señora fuma.
2. (en el museo) Una señorita saca fotos.
3. (en el parque) Una señora coge (picks) flores.
4. (en el hospital) Un señor habla en voz alta (in a loud voice).

5. (en la calle) Un señor estaciona su coche.
6. (durante el concierto) Un señor hace ruido.
7. (en la biblioteca) Un señor habla.

ACTIVIDAD 3   En un país extranjero

Imagina que estás visitando España. Hay ciertas cosas que quieres hacer,
pero no sabes cómo hacerlas. Pídele ayuda a un amigo, según el modelo.

⟫⟩   Quiero ir al museo.   Por favor, ¿cómo se va al museo?

1. Quiero ir al centro.
2. Quiero ir al cine.

3. Quiero telefonear.
4. Quiero estacionar.

5. Quiero invitar a un chico al café.

B. Otro uso impersonal del pronombre reflexivo se

Note the use of the impersonal construction with **se** in the following
sentences.

Se necesita un mecánico.	A mechanic **is needed.**
Se necesitan dos secretarias.	Two secretaries **are needed.**
Se vende pan en la panadería.	Bread **is sold** in the bakery.
Se venden pasteles allí también.	Cakes **are sold** there also.

Often the impersonal construction **se** + verb + subject corresponds to the
English passive construction:

> noun + is (are) + past participle.

In such cases, the verb agrees with the noun subject, which follows it.

ACTIVIDAD 4   La agencia de empleo (The employment office)

Imagina que trabajas para una agencia de empleo. Esa oficina necesita a
las siguientes personas. Prepara los anuncios según el modelo.

⟫⟩   dos secretarias bilingües   Se necesitan dos secretarias bilingües.

1. un mecánico
2. dos electricistas
3. una enfermera

4. dos camareros
5. una camarera
6. una mecanógrafa (typist)

7. tres cocineros (cooks)
8. una farmacéutica (druggist)

VOCABULARIO PRÁCTICO · Las tiendas

alquilar	to rent	En esa tienda **se alquilan** bicicletas.
arreglar	to fix	En una relojería **se arreglan** relojes.
reparar	to repair	En una estación de servicio **se reparan** los coches.
solicitar	to solicit, to seek (employees)	**Se solicitan** mecánicos.

NOTA: In Spanish, the names of many shops end in **–ería**.

zapato	→ zapat**ería**	*shoe store*
helado	→ helad**ería**	*ice cream parlor*
perfume	→ perfum**ería**	*perfume shop*
peluca *(wig)*	→ peluqu**ería**	*barber shop, hair dresser*

ACTIVIDAD 5   ¿Sí o no?

Di si las siguientes tiendas se especializan en los productos que están entre paréntesis. En tus respuestas usa los verbos sugeridos.

꙰   librería (zapatos): vender   En una librería no se venden zapatos.

1. librería (mapas): vender
2. carnicería (pan): vender
3. panadería (pasteles): vender
4. zapatería (sandalias): vender
5. mueblería (discos): vender
6. lavandería (ropa): lavar
7. relojería (televisores): reparar
8. lechería (crema): comprar

ACTIVIDAD 6   Turistas

Unos turistas norteamericanos van de compras en Quito. El guardia les indica donde se venden las cosas que buscan. Haz los dos papeles según el modelo.

Las tiendas: la carnicería, la florería, la frutería, la lechería, la librería,
            la mueblería, la panadería, la perfumería, la zapatería

꙰   ¿Dónde puedo comprar un litro de leche?
            Turista: ¿Dónde puedo comprar un litro de leche?
        Guardia: Se vende leche en esa lechería.

1. ¿Dónde puedo comprar bistec?
2. Me gustaría comprar zapatos nuevos.
3. Quiero comprar una lámpara para mi cuarto.
4. ¿Dónde se venden libros en inglés?
5. Deseo comprar dos panes y dos pasteles.
6. Necesitamos frutas frescas.
7. ¿Dónde venden perfumes franceses?
8. Deseo comprar flores *(flowers)*.

ACTIVIDAD 7   En casa

Describe las costumbres *(habits)* de tu casa, usando una de las expresiones sugeridas.

꙰   servir el desayuno: a las siete, a las ocho, a las nueve
            Se sirve el desayuno a las ocho.

1. servir la cena: a las cinco, a las seis, a las siete
2. comer: bien, mucho, muchas frutas, muchas legumbres
3. tomar: café, té, café con leche, leche, gaseosas
4. celebrar: la Navidad, la Pascua *(Easter/Passover)*, los cumpleaños, los aniversarios
5. hablar: mucho, de los vecinos, de la política

ACTIVIDAD 8 En México y en los Estados Unidos

Un estudiante mexicano te habla de su país. Háblale de los Estados
Unidos, según el modelo.

> En México hablamos español.
>> En los Estados Unidos se hablan inglés y español también.

1. En México comemos tacos.
2. En México bebemos café.
3. En México jugamos al fútbol.
4. En México celebramos el día de la
   Independencia el 16 de septiembre.
5. En México usamos pesos.
6. En México cultivamos maíz (corn).

ACTIVIDAD 9 Expresión personal

Completa las frases siguientes.

> Se come bien en mi casa (en la cafetería, en los restaurantes franceses, en México, etc.).

1. Se come mal . . .
2. Se vive bien . . .
3. Se necesita dinero para . . .
4. Se necesita trabajar para . . .
5. Se necesitan amigos porque . . .
6. Se necesitan consejos cuando . . .

Para la comunicación

El mundo hispánico

Escoge un país hispánico (por ejemplo, México, la Argentina, Cuba, el
Perú) y escribe un párrafo describiendo algunos aspectos de la vida de allá.
Si quieres, puedes usar las siguientes preguntas:

¿Qué idiomas se hablan?
¿Qué fiestas se celebran?
¿Qué deportes se juegan?
¿Qué moneda se usa?
¿Qué productos se cultivan?
¿Qué alimentos se comen?
¿Qué religiones se practican?

> En el Perú se hablan español y quechua . . .

La vida está llena de misterios

¿Por qué está Luis enamorado de Pilar y
por qué está ella enamorada de Rafael?

¿Por qué siempre parece bronceada Elena
aun en el invierno . . . ?

bronceada: *tanned*

¿Por qué está Paco siempre pálido, aun en
el verano?

pálido: *pale*

¿Por qué siempre está ocupada la línea de
nuestros amigos cuando queremos
llamarlos?

línea: *line*

¿Por qué quiere darle su asiento a la Sra.
de Oliva todo el mundo cuando el
autobús está casi vacío . . . ?

asiento: *seat*
todo el mundo:
  everyone
vacío: *empty*

¿Por qué no quiere darle su asiento nadie
cuando el autobús está atestado y ella
tiene muchos paquetes?

atestado: *crowded*
paquetes: *packages*

¿Por qué están abiertas las ventanas de la clase cuando hace frío y están cerradas cuando hace mucho calor?

abiertas: *open*

¿Por qué está encendido el televisor y no hay nadie en la sala?

encendido: *turned on*

¿Por qué nos sentimos cansados cuando no hacemos nada y por qué nos sentimos descansados después de bailar toda la noche?

descansados: *rested*

¿Por qué . . .? ¿Por qué . . .?

¡Ay, la vida está llena de misterios!

llena: *full*

NOTA CULTURAL

El teléfono

¿Qué haces cuando quieres invitar a un amigo a un café, charlar° un ratito° con tu mejor amigo, discutir un problema de matemáticas o un problema sentimental? Tal vez, quieres saber qué tiempo va a hacer, cuánto cuesta algo, o a qué hora empieza una película. Pues,° usas el teléfono.

En los países hispánicos, principalmente en las grandes ciudades, muchas familias tienen teléfono y hasta° lo consideran una necesidad de la vida diaria. Pero en las ciudades pequeñas y en los pueblos y aldeas,° pocas personas lo tienen.

A veces, en las aldeas muy pequeñas, sólo hay una oficina de teléfonos. Si quieres llamar a alguien que vive en esa aldea, el jefe de la oficina envía

a un empleado para que busque° a la persona que llamas. Esto es posible porque algunas aldeas son muy pequeñas y la mayoría de la gente se conoce.

Así que para la gente de la ciudad, el teléfono es una necesidad. Pero para mucha gente de las aldeas, el teléfono es un lujo.°

charlar *chat* **ratito** *little while* **Pues** *Well* **hasta** *even*
aldeas *villages* **para que busque** *to look for* **lujo** *luxury*

Vocabulario

sustantivos	**un asiento**	seat		**una línea**	(phone) line
	un paquete	package			
adjetivos	**abierto**	open			
	atestado	crowded			
	lleno	full	≠	**vacío**	empty
	pálido	pale	≠	**bronceado**	tanned

CONVERSACIÓN

¿Cómo estás en este momento?

1. ¿Estás **sentado(a)** ahora?
2. ¿Estás **cansado(a)?**
3. ¿Estás **descansado(a)?**
4. ¿Estás muy **ocupado(a)?**

5. ¿Estás **preocupado(a)?**
6. ¿Estás **enojado(a)?**
7. ¿Estás **aburrido(a)?**
8. ¿Estás **dormido(a)?**

OBSERVACIÓN

The words in heavy print in the questions above are used as adjectives. These words, which are derived from verbs, are called *past participles*.

• From which verbs are these past participles derived?

Estructuras

A. Los participios pasados regulares

Compare the past participles and the infinitives of the verbs in the following examples:

preocupar	*(to worry)*	Pedro está muy **preocupado.**	*(worried)*
cerrar	*(to close)*	¿Está el banco **cerrado?**	*(closed)*
aburrir	*(to bore)*	Jorge está **aburrido.**	*(bored)*
vestir	*(to dress)*	Paco está bien **vestido.**	*(dressed)*

Past participles are formed by replacing the infinitive endings **–ar, –er, –ir** with **–ado, –ido, –ido**.

–ar verbs	-ado	hablar	→	**hablado**
–er verbs	-ido	comer	→	**comido**
–ir verbs	-ido	vivir	→	**vivido**

These endings often correspond to the English past participle ending *-ed*.

꙰ Past participles are often used as adjectives. When this occurs, they take the regular adjective endings.

María está **casada.**	*María is **married.***
Tengo dos hermanos **casados.**	*I have two **married** brothers.*

꙰ The verb **estar** is used with the past participle to indicate a state or condition or the result of an action.

Estoy cansado.	*I am (I feel) tired.*
La ventana **está cerrada.**	*The window is closed.*

ACTIVIDAD 1   Preguntas personales

1. ¿Quién está sentado a tu derecha? ¿a tu izquierda?
2. ¿En qué calle está situada tu casa?
3. ¿Está tu casa situada en el centro? ¿cerca del colegio?
4. ¿Vives en una casa alquilada *(rented)*? ¿un apartamento alquilado?
5. ¿Tienes hermanos casados? ¿hermanas casadas?

ACTIVIDAD 2   En la clase de matemáticas

Describe la actitud de los siguientes alumnos usando participios pasados derivados de los verbos que están entre paréntesis.

꙰ Luisa (preocupar)   Luisa está preocupada.

1. Rafael (ocupar)	4. Paco y Roberto (enfadar)	7. Juan (dormir)
2. Inés y Sofía (ocupar)	5. Raquel y Susana (interesar)	8. Carmen y Luisa (dormir)
3. Josefina (enojar)	6. Pilar y Mercedes (aburrir)	

ACTIVIDAD 3 ¡Un poco de lógica!

Lo que sentimos depende a veces de lo que acabamos de hacer. Expresa
esto usando los elementos de las columnas A, B y C en diez frases lógicas
por lo menos.

A	B	C
yo	cansar	dormir 24 horas
tú	descansar	correr 5 kilómetros
Susana	enfadar	sacar una mala nota
Raúl y Pedro	enojar	conocer *(to meet)* a un(a) chico(a) muy simpático(a)
Ana María y Elena	aburrir	oír malas noticias
mis hermanos y yo	preocupar	pasar una hora estudiando
	dormir	perder diez dólares
	enamorar	leer una novela tonta
	irritar	montar a caballo
	emocionar	hablar con un actor muy famoso

∞ Susana está enojada porque acaba de perder diez dólares.

VOCABULARIO PRÁCTICO   Estados y condiciones

apagar	to turn off	El radio está **apagado**.
atestar	to crowd, to cram	El tren está **atestado**.

cerrar (e → ie)	to close	Los domingos, las tiendas están **cerradas**.
encender (e → ie)	to light, to turn on	Las luces están **encendidas**.
esconder	to hide	¿Dónde está **escondido** el dinero?
quebrar (e → ie)	to break	Tiene el brazo **quebrado**.
quemar	to burn, to scorch	¡Dios mío! Las tostadas *(pieces of toast)* están **quemadas**.

ACTIVIDAD 4 Depende de la hora (*A matter of time*)

Describe las cosas siguientes,
   a)   a las ocho de la mañana,
   b)   a las nueve de la noche.
Usa frases afirmativas o negativas.

> el televisor (apagar)   A las ocho de la mañana, el televisor está apagado.
>   (A las nueve de la noche, no está apagado.)

1. el radio (apagar)
2. las luces (encender)
3. los autobuses (atestar)

4. la escuela (cerrar)
5. los restaurantes (cerrar)
6. el cine (atestar)

ACTIVIDAD 5 La clase de español

Describe la clase de español en frases afirmativas o negativas, según el modelo.

> el (la) profesor(a): sentar   El (la) profesor(a) (no) está sentado(a).

1. los alumnos: sentar
2. la clase: atestar
3. las luces: encender

4. la puerta: cerrar
5. las ventanas: cerrar
6. la calefacción (*heat*): apagar

ACTIVIDAD 6 ¡Más lógica!

Completa las siguientes frases con una explicación lógica. Usa los participios pasados de los verbos del vocabulario.

> No deposité el dinero en el banco. El banco estaba . . . cerrado.

1. No encontré mis libros. Estaban . . .
2. No compré los pasteles. Estaban . . .
3. No miré la televisión. El televisor estaba . . .
4. Hace mucho frío. La calefacción está . . .
5. Hace fresco. El aire acondicionado está . . .
6. El niño se cayó. Ahora tiene la pierna . . .

B. Preposiciones de lugar

Note the prepositions of place in the sentences below:

El coche está **en** el garaje.	*The car is **in** the garage.*
La antena está **sobre** el televisor.	*The antenna is **on** the TV set.*
Vivo **cerca de** un teatro.	*I live **near** a theater.*
Vivo **lejos de** la escuela.	*I live **far from** the school.*

Prepositions of place may consist of one or several words.

one word

en	in, into, on	El libro está **en** la mesa.
entre	between	El Ecuador está situado **entre** Colombia y el Perú.
hacia	toward	Caminamos **hacia** la escuela.
sobre	on, over, about	¿Está el lápiz **sobre** el cuaderno?
tras	after	El policía corre **tras** el ladrón.

several words

cerca de	near, close to	≠	**lejos de**	far from
debajo de	below, under(neath)	≠	**encima de**	on top of
alrededor de	around	≠	**en medio de**	in the middle of
dentro de	inside	≠	**fuera de**	outside
detrás de	behind, in back of	≠	**delante de**	before, in front of
a la derecha de	to the right of	≠	**a la izquierda de**	to the left of
al lado de	beside		**enfrente de**	facing, in front of
junto a	next to			

NOTA: The above expressions that consist of two or more words may be used alone, that is, without introducing a noun. In these cases, the **de** is dropped.

¡El gato está **fuera de** la casa!   *The cat is **outside of** the house!*
¡El gato está **fuera!**   *The cat is **outside!***

ACTIVIDAD 7   ¿Dónde vives?

Di dónde vives en relación a las siguientes personas y lugares.

⟐   mi mejor amigo   Vivo al lado de (cerca de, lejos de,
enfrente de) mi mejor amigo.

1. mi mejor amiga
2. mis abuelos
3. mis primos
4. unos vecinos simpáticos
5. la escuela
6. la iglesia
7. un parque
8. una gran ciudad
9. Nueva York
10. Texas

MUSICA
POR ENCIMA DE TODO
RADIO
80 Serie Oro
UNICA EN SU ESPECIE

ACTIVIDAD 8 Los animales de Ana María

Ana María tiene tres animales: un gato (Sultán), un pájaro (Paco) y un pez
(Gordo). Por razones obvias, los tres animales están separados. Describe la
posición de cada uno.

⊅ Paco / Sultán

Paco está encima de Sultán (a la derecha de Sultán, lejos de Sultán, etc.).

1. Gordo / Sultán
2. Gordo / el acuario
3. el acuario / la mesa
4. los discos / la mesa
5. Paco / la jaula
6. los discos / el suelo
7. la bombilla / la jaula
8. el agua / el acuario

el acuario

la bombilla

Paco

la jaula

Gordo

Sultán

la mesa

el suelo

Para la comunicación

Tus emociones

A veces estamos de buen humor. Otras veces estamos de mal humor. Di si
sientes (a menudo, raras veces, nunca) las siguientes emociones y cuándo
las sientes.

- cansar
- descansar
- aburrir
- enojar
- agitar
- preocupar
- ocupar
- impresionar

⊅ aburrir   Estoy aburrido(a) de vez en cuando. Por ejemplo, estoy
aburrido(a) cuando escucho música romántica o cuando no hay
nada que hacer.

Dos chicas están en la playa «La Romana» en la República
Dominicana. Bárbara se acerca y saluda a Marta.

Bárbara: Perdóneme, Srta., ¿conoce Ud. a Conchita Beltrán?
  Marta: Por supuesto, somos compañeras de colegio.
Bárbara: ¿La ha visto Ud. recientemente?
  Marta: Sí, acabo de verla. Ella estaba aquí en la playa.
Bárbara: Pues . . . algo terrible ha pasado.
  Marta: ¡Dios mío! ¿Qué ha ocurrido?
Bárbara: ¡Mire! Ella ha tomado su bolsa, sus llaves, su moped y se
          ha ido al centro, se ha ido al cine con su novio.
  Marta: ¿Con su novio? ¡Qué bien! . . . Esa chica tiene mucha suerte
          . . . y me alegro mucho por ella.
Bárbara: Un momentito . . . Veo que Ud. no ha comprendido bien la
          situación. ¿Puedo tutearla?
  Marta: Está bien, no me importa.
Bárbara: Es que Conchita ha tomado tu bolsa, tus llaves, tu moped y
          se ha ido al centro. ¡Se ha ido al cine con tu novio!
  Marta: ¿Cómo? ¿Qué has dicho? ¡Qué horror!

ha pasado: *has
  happened*

tutearla: *use "tú"
  with you*
no me importa: *it
  doesn't matter to me*

NOTAS CULTURALES

La República Dominicana

La República Dominicana está situada en la isla de Santo Domingo, la isla más grande de las Antillas.° Tiene costas° sinuosas° y playas muy largas y bonitas como la de «La Romana».

Santo Domingo, la capital de la República Dominicana, fue fundada° en 1496 (mil cuatrocientos noventa y seis) por Bartolomé Colón, el hermano de Cristóbal Colón. ¡Es la ciudad de origen europeo más antigua de las Américas!

Antillas *West Indies* **costas** *coastline* **sinuosas** *winding*
fundada *founded*

El tuteo

¿Te preguntas por qué Marta y Bárbara se hablan de "Ud."? Porque estas dos chicas no se conocen muy bien. Una señal de la buena educación es hablarle a la gente de "Ud.", por lo menos° al principio.° Casi siempre se les habla de "Ud." a las personas mayores y a aquéllas° con las que el trato° es más formal.

Poco a poco el uso de "tú" va aumentando.° En algunos países hispanos se tutea más que en otros. En el Perú, Colombia, Venezuela y México, "tú" es de uso muy frecuente en las ciudades pero no en los pueblos. En Nicaragua, El Salvador, Guatemala y Costa Rica se usa más "Ud." que "tú", aun° con la gente que se conoce bien. En la Argentina y el Uruguay no se usa el "tú", se usa el "vos" que equivale° al "tú", y se usa el "Ud." para situaciones más formales.

A pesar de° esto, al visitar un país hispano, siempre es mejor usar "Ud." con todos. No olvides° que "Ud." es una señal de cortesía y de respeto. Usa "tú" solamente cuando alguien te invita a hacerlo: "Por favor, háblame de tú."

por lo menos *at least* **al principio** *at first* **aquéllas** *those people* **trato** *dealings* **va aumentando** *is increasing* **aun** *even* **equivale** *is equivalent to* **A pesar de** *In spite of* **olvides** *forget*

Vocabulario

verbos	**olvidar**	to forget
	tutear	to say "**tú**" to someone (instead of "**Ud.**")
expresión	**¡No me importa!**	It doesn't matter to me!

Lección tres
259

Estructuras

A. La formación del pretérito perfecto

The *present perfect,* in Spanish as in English, is used to describe certain past events. Note the forms of this tense.

INFINITIVE	jugar		divertirse	
PRESENT PERFECT				
(yo)	he	jugado	me he	divertido
(tú)	has	jugado	te has	divertido
(él, ella, Ud.)	ha	jugado	se ha	divertido
(nosotros)	hemos	jugado	nos hemos	divertido
(vosotros)	habéis	jugado	os habéis	divertido
(ellos, ellas, Uds.)	han	jugado	se han	divertido

As in English, the present perfect consists of two words:

He hablado. *I have spoken.*

It is formed as follows:

present of **haber** (*to have*) + past participle

In *compound tenses,* such as the present perfect, the past participle does not change with the subject. It always ends in **o.**

María **ha ido** al cine.   *María **has gone** to the movies.*
Tus hermanos **han ido** con ella.   *Your brothers **have gone** with her.*

This construction, present of **haber** + past participle, forms a block that is never broken. Thus, the object pronouns and the negative word **no** always come before the verb.

¿Ha llamado Ud. a Carmen?   ***Have** you **called** Carmen?*
No, no la **he llamado.**   *No, I **have** not **called** her.*

ACTIVIDAD 1   Preguntas personales

1. ¿Has comprado algo bonito recientemente?

2. ¿Has conocido *(Have you met)* a una persona simpática recientemente?

3. ¿Has ido al cine recientemente?

4. ¿Has estado de buen humor recientemente?

5. ¿Te has divertido recientemente?

6. ¿Te has peleado con tus amigos recientemente?

7. ¿Has estado enfermo(a) recientemente?

8. ¿Has asistido a un concierto recientemente?

ACTIVIDAD 2   Turismo

Las siguientes personas han ido a países extranjeros pero no han visitado la capital. Expresa eso.

Marta (España: Madrid)
     Marta ha ido a España, pero no ha visitado Madrid.

1. Roberto (Italia: Roma)
2. Ud. (la Argentina: Buenos Aires)
3. Uds. (el Brasil: Brasilia)
4. mis padres (Francia: París)
5. yo (Chile: Santiago)
6. tú (Bolivia: La Paz)
7. nosotros (el Perú: Lima)
8. Felipe y Raúl (Colombia: Bogotá)

ACTIVIDAD 3   Hay días buenos

Explica por qué estos jóvenes están contentos.

⟐   Ana María (recibir una carta de su novio)
       Hoy, Ana María ha recibido una carta de su novio.

1. Paco (recibir 100 pesetas)
2. Ramón (llamar a su novia por teléfono)
3. Beatriz (comprar unos pendientes lindos)
4. Manuel (vender su tocadiscos)
5. Luis (encontrar a un amigo en el centro)
6. Carmen (correr 5 kilómetros)
7. Pilar (tener suerte en el examen)
8. Gloria (salir con un chico simpático)
9. Clara (ser invitada a una fiesta)
10. Rafael (ganar mucho dinero)

ACTIVIDAD 4   Acusaciones

Paco acusa a Isabel de ciertas cosas. Isabel le dice que no ha hecho (*done*) nada y le indica quiénes lo han hecho. Haz los dos papeles, según el modelo.

⟐   leer mi diario: Rafael

Paco: ¡Caramba! ¿Has leído mi diario?
Isabel: ¡Claro que no! ¡Es Rafael quien lo ha leído!

1. leer mis cartas: Roberto
2. beber mi Coca-Cola: Inés
3. esconder mi libro: Susana
4. perder mis revistas: tu hermano
5. comer mi sándwich: Felipe
6. apagar el televisor: tus padres
7. desarreglar (*to mess up*) mi cuarto: tus hermanas

ACTIVIDAD 5   Diálogo: Recientemente

Pregúntales a tus compañeros si han hecho las siguientes cosas recientemente.

⟐   comprar algo especial

Estudiante 1: ¿Has comprado algo especial recientemente?
Estudiante 2: Sí (No, no) he comprado algo (nada) especial.

1. tomar una decisión importante
2. ganar dinero
3. ganar un premio (*prize*)
4. oír noticias importantes
5. estar enfermo(a)
6. olvidar algo importante
7. ir a un restaurante francés
8. ir de vacaciones
9. crecer (*to grow*)
10. adelgazar (*to get thin*)

B. El uso del pretérito perfecto

Note the use of the present perfect tense in the following sentences:

¿Ha llamado alguien?	*Has anyone **called?***
He recibido tu telegrama.	*I **have received** your telegram.*
El mes pasado, **he perdido** dos libras.	*In the past month, I **have lost** two pounds.*
Pedro no **ha mirado** la televisión.	*Pedro **has** not **watched** television.*
No **ha tenido** tiempo.	*He **has** not **had** time.*

As in English, the present perfect tense is used to describe events that *have* (or *have not*) happened. The present perfect may be used in Spanish whenever it is used in English, with the exception of constructions with **hace**.

Hace dos años **que vive** en Nueva York.　　*He **has been living** in New York for two years.*

VOCABULARIO PRÁCTICO　Algunas expresiones de tiempo

alguna vez	*ever, once*	¿Has ido **alguna vez** a México?	*Have you **ever** gone to Mexico?*
		No, no he ido nunca a México.	*No, I have never gone to Mexico.*
ya	*already*	¿Has llamado a Ramón?	*Have you called Ramón?*
		Sí, **ya** lo he llamado.	*Yes, I have **already** called him.*
ya	*yet*	¿Has comido **ya**?	*Have you eaten **yet?***
no … todavía	*not yet*	No, **no** he comido **todavía**.	*No, I have **not** eaten **yet**.*

NOTA: Note the use of the present perfect with the above expressions.

ACTIVIDAD 6　El director y su asistente

El director le hace algunas preguntas a su asistente. El asistente contesta negativamente. Haz los dos papeles.

　　llamar / el Sr. Pérez　　El director: ¿Ha llamado el Sr. Pérez?

　　　　　　　　　　　　　El asistente: No, no ha llamado todavía.

1. venir / la Sra. de Gonzales
2. llegar / la secretaria
3. llegar / el correo (*mail*)
4. comprar el periódico / Ud.
5. recibir el dinero / nosotros
6. llamar / el Sr. Suárez
7. contestar / la Sra. de Muñoz
8. irse / los clientes

ACTIVIDAD 7   Diálogo: Actividades

Pregúntales a tus compañeros si han hecho las siguientes cosas alguna vez.

conducir un coche   Estudiante 1: ¿Has conducido un coche alguna vez?
Estudiante 2: Sí, he conducido un coche.
(No, no he conducido un coche todavía.)

1. conducir un coche deportivo
2. pilotar un avión
3. montar a caballo
4. montar en globo (*hot-air balloon*)
5. esquiar
6. jugar al tenis
7. jugar al ajedrez (*chess*)
8. correr dos kilómetros

9. correr diez kilómetros
10. nadar cinco kilómetros
11. montar en bicicleta cincuenta kilómetros
12. estar en Nueva York
13. estar en un país extranjero
14. dormirse en la clase de español
15. tener animales domésticos
16. cuidar un perro

C. Los participios pasados irregulares

A few verbs have irregular past participles.

decir	dicho	¿Qué **han dicho** por la radio?
hacer	hecho	¿Quién **ha hecho** eso?
escribir	escrito	¿Le **has escrito** a tu primo?
ver	visto	No **hemos visto** a Paco.
abrir	abierto	¿Quién **ha abierto** la puerta?
descubrir	descubierto	**Hemos descubierto** la verdad.
romper	roto	¡Caramba! ¡**He roto** tu cámara!
morir (*to die*)	muerto	**Se ha muerto** de risa (*laughter*).
poner	puesto	¿Dónde **has puesto** mi raqueta?
volver	vuelto	Rafael no **ha vuelto** todavía.

ACTIVIDAD 8   Diálogo: Sucesos pasados (*Past events*)

Pregúntales a tus compañeros si ya han hecho las siguientes cosas.

hacer un viaje en avión   Estudiante 1: ¿Ya has hecho un viaje en avión?
Estudiante 2: Sí. Ya he hecho un viaje en avión.
(No, no he hecho nunca un viaje en avión.)

1. hacer un viaje en helicóptero
2. hacer un viaje en globo (*hot-air balloon*)
3. decir mentiras a tus padres
4. decir mentiras a tus profesores
5. ver una película española
6. ver un fantasma (*ghost*)
7. escribir un poema

8. escribir una novela
9. escribirle al presidente
10. descubrir un tesoro (*treasure*)
11. romper una ventana
12. romperte un brazo
13. ponerte furioso(a)
14. volver a casa a las dos de la mañana

ACTIVIDAD 9 Los pequeños demonios *(Little devils)*

Hay chicos que no se portan bien. Explica lo que han hecho estos chicos.

 Pedrito: romper la lámpara   Pedrito ha roto la lámpara.

1. Isabelita: romper el radio
2. mis hermanitos: romper un vaso
3. Carlitos: decir mentiras
4. mis primos: decir palabrotas *(dirty words)*
5. Raúl: abrir la carta de su hermano
6. nosotros: abrir la jaula *(cage)* del pájaro
7. yo: poner sal en el té de mi abuela
8. tú: poner cola *(glue)* en la silla de tu compañero

Para la comunicación

1. **Este mes**
   Describe cinco cosas importantes que has hecho y cinco cosas que no has hecho durante este mes.

   He sacado una buena nota en español.

   No he sacado una buena nota en biología.

2. **Los hechos más importantes**
   Haz una entrevista *(interview)* a tres personas que conoces bien. Pueden ser amigos, vecinos, parientes o amigos de la familia. Pídeles información sobre sus actividades importantes. Uds. pueden hablar de:

   los deportes
   un viaje
   los pasatiempos

   Antonio ha corrido una milla en menos de seis minutos.

   El Sr. Montoya ha pasado dos meses en la selva *(forest)* tropical del Ecuador.

   Concepción ha ido al cine cinco veces este mes.

¿Ha hecho ya
su declaración
de humanidad?

Teléfono (93) 205 14 14

¡Demasiado tarde!

Hay un refrán inglés que dice «El tiempo es oro».
¿Es el tiempo tan importante?
Depende.

refrán: *proverb*
oro: *gold*

¿Miras el reloj cuando descansas? ¿Cuando te diviertes en una fiesta? . . . ¿Cuando estás en la playa con tus amigos? ¡Claro que no! En esas ocasiones, el tiempo no cuenta.

Pero otras veces, por ejemplo, cuando tomas el autobús, cuando vas a una entrevista, cuando tienes un examen, el tiempo es importante. Tú tienes que ser puntual . . . De lo contrario . . .

entrevista: *interview*

De lo contrario:
Otherwise

El Sr. Fonseca se dio prisa . . .

. . . desafortunadamente, cuando él llegó a la parada del autobús, el autobús ya se había ido.

parada: *stop*
había ido: *had gone*

Héctor esperó hasta el fin de semana para invitar a Gabriela al baile . . .

. . . pero cuando la llamó, Ramón ya la había invitado. ¡Ay . . . pobre Héctor!

Carlos quería comprar una
entrada para el partido de
fútbol . . .

. . . pero cuando llegó a la
taquilla, el empleado había
vendido la última entrada . . .
¡Ay, qué lástima!

taquilla: *ticket office*

Anita hizo una
torta de chocolate . . .

. . . pero cuando quiso decorarla,
alguien se había comido un
pedazo.

pedazo: *piece*

Todos los días, la Sra. de Ortiz
miraba su magnífica sandía . . .

. . . pero cuando decidió cogerla,
ya había desaparecido (. . . en el
estómago de Carlos y Paco).

sandía: *watermelon*
  había desaparecido:
  had disappeared
estómago: *stomach*

La liebre corrió tan rápido
como pudo . . .

. . . pero la tortuga ya había
llegado a la meta.

tan rápido como: *as
  fast as*
meta: *goal*

El valor del tiempo

Imagina que tienes una cita con un amigo a las dos de la tarde. ¿Te enfadas si tu amigo no está allí a las dos en punto?° ¿Te enojas si llega a las dos y cuarto . . . o a las dos y media?

En los países hispanos la noción del tiempo no es tan rígida como en los Estados Unidos, pero en cuestiones de° negocios°, la puntualidad° es muy importante. Esto es evidente especialmente en las ciudades grandes. Sin embargo,° en la vida social la idea del tiempo es muy flexible. No importa si un amigo llega a una cita con diez, veinte o treinta minutos de retraso. Y en muchas ocasiones no hay una hora exacta para la cita.

Lo importante° es disfrutar° de la vida. No es una carrera contra el reloj.

en punto *on the dot* **en cuestiones de negocios** *in business* **la puntualidad** *punctuality* **Sin embargo** *However* **Lo importante** *The important thing* **disfrutar** *enjoy*

—— Vocabulario ——

sustantivos	**el oro**	gold	**una entrevista**	interview
	un refrán	proverb, saying	**una meta**	goal
			una parada	stop, bus stop
			una taquilla	ticket office
verbo	**desaparecer**	to disappear		
expresiones	**de lo contrario**	otherwise		
	tan . . . como	as . . . as		

CONVERSACIÓN

The following questions concern things that people do while on vacation. Say that you did these things <u>last summer</u> and that you had done them <u>before</u> by answering the questions affirmatively.

1. ¿Viajaste en avión el verano pasado?
2. ¿Habías viajado en avión antes?
3. ¿Visitaste México el verano pasado?
4. ¿Habías visitado México antes?

5. ¿Corriste las olas el verano pasado?
6. ¿Habías corrido las olas antes?
7. ¿Navegaste un bote de vela el verano pasado?
8. ¿Habías navegado un bote de vela antes?

OBSERVACIÓN

The odd-numbered questions refer to events that *happened* last summer.
The even-numbered questions refer to events that *had happened* before, at some unspecified moment in the past.

• Are the verbs in the same tense in each set of sentences?
In the odd-numbered questions, the verbs are in the *preterite*.
In the even-numbered questions, they are in the *pluperfect*.

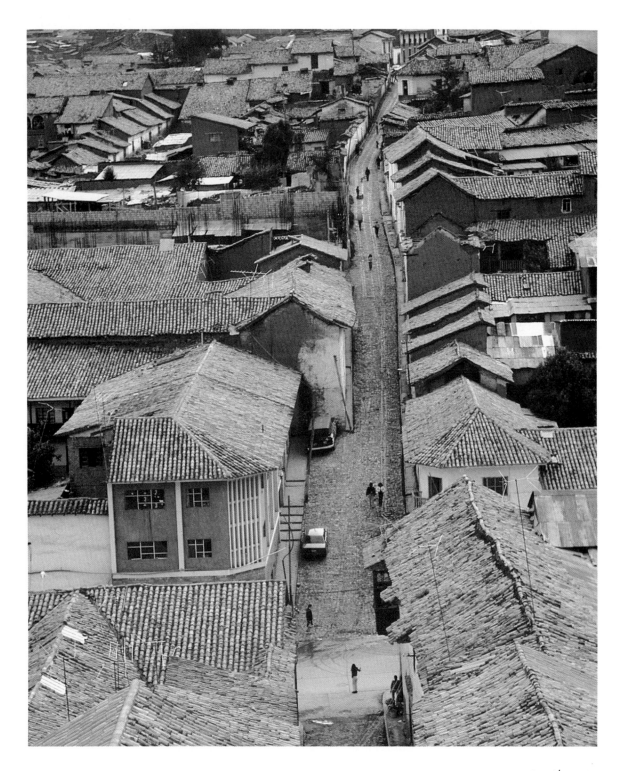

Estructuras

VOCABULARIO PRÁCTICO La naturaleza

sustantivos

un parque

un bosque

unas flores

una rosa

un clavel

un árbol de frutas

una planta

una margarita

un jardín

unas legumbres

ACTIVIDAD 1 Preguntas personales

1. ¿Hay un jardín alrededor de tu casa? ¿Hay plantas allí? ¿flores? ¿árboles?

2. ¿Cultivas flores en tu casa? ¿de qué tipo?

3. ¿Qué frutas se cogen en la región donde vives? ¿naranjas? ¿manzanas? ¿peras? ¿cerezas? ¿melocotones *(peaches)*?

4. ¿Hay un parque cerca de tu casa? ¿un bosque? ¿un lago? ¿un río?

5. ¿Prefieres nadar en una piscina, en un río, en un lago o en el mar?

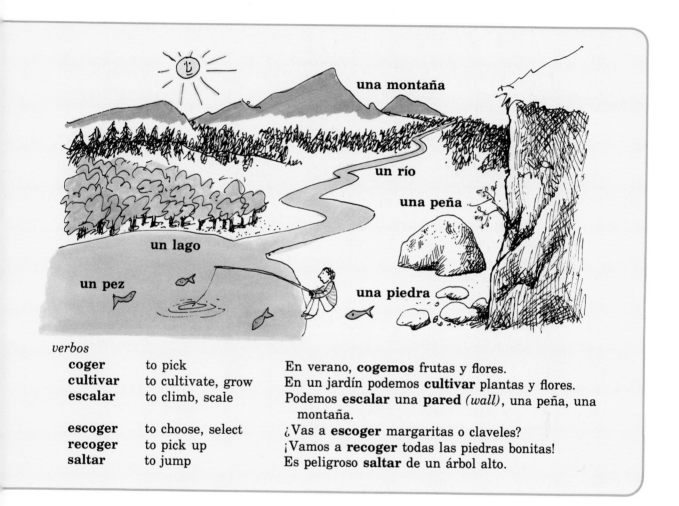

una montaña

un río

una peña

un lago

un pez

una piedra

verbos

coger	to pick	En verano, **cogemos** frutas y flores.
cultivar	to cultivate, grow	En un jardín podemos **cultivar** plantas y flores.
escalar	to climb, scale	Podemos **escalar** una **pared** *(wall)*, una peña, una montaña.
escoger	to choose, select	¿Vas a **escoger** margaritas o claveles?
recoger	to pick up	¡Vamos a **recoger** todas las piedras bonitas!
saltar	to jump	Es peligroso **saltar** de un árbol alto.

6. Cuando eras niño(a), ¿te gustaba escalar las paredes? ¿las peñas?

7. ¿Has pescado alguna vez en un río? ¿en el mar? ¿en el océano?

8. ¿Has escalado alguna vez una peña? ¿una montaña? ¿dónde?

9. ¿Has nadado alguna vez en el Océano Atlántico? ¿en el Océano Pacífico? ¿en el Mar Mediterráneo?

10. ¿Has saltado alguna vez de una ventana? ¿de un árbol? ¿de una pared alta?

A. El pluscuamperfecto

Note the *pluperfect* forms of the verb **trabajar.**

INFINITIVE	**trabajar**			
PLUPERFECT				
(yo)	**había** trabajado	(nosotros)	**habíamos**	trabajado
(tú)	**habías** trabajado	(vosotros)	**habíais**	trabajado
(él, ella, Ud.)	**había** trabajado	(ellos, ellas, Uds.)	**habían**	trabajado

Like the present perfect, the pluperfect is a compound tense.
It is formed as follows:

imperfect of **haber** + past participle

As in English, the pluperfect is used to describe past events that occurred before other past events.

Cuando llegué a la estación, el tren ya **había salido.**	*When I arrived at the station, the train **had** already **left**.*
¿**Habías hablado** con esa chica antes?	***Had** you **talked** with that girl before?*
No, no le **había hablado** nunca.	*No, I **had** never **talked** to her.*
He vendido mi reloj por veinte dólares.	*I have sold my watch for twenty dollars.*
Lo **había comprado** por diez. ¡Qué suerte!	*I **had bought** it for ten. What luck!*

ACTIVIDAD 2   El examen

Los alumnos de una clase de español sacaron las siguientes notas. ¿Puedes adivinar quiénes se habían preparado para el examen y quiénes no?

> Roberto (D)   Roberto no se había preparado para el examen.

1. Silvia (A)
2. Mercedes (D)
3. nosotros (A)
4. yo (una buena nota)
5. tú (una mala nota)
6. Felipe (F)
7. Paco y Andrés (F)
8. mis primas (B+)

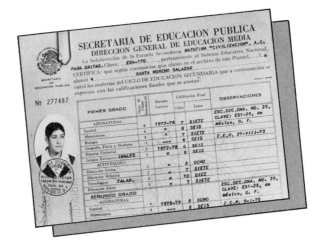

ACTIVIDAD 3   ¡Qué suerte!

Las siguientes personas han vendido ciertas cosas por el doble de lo que
habían pagado. Expresa esto.

> yo (mi reloj: 20 dólares)   He vendido mi reloj por 20 dólares.
> Lo había comprado por 10 dólares.

1. tú (tu tocadiscos: 40 dólares)
2. yo (mi raqueta: 20 dólares)
3. nosotros (nuestro radio: 30 dólares)
4. Carmen (su bicicleta: 100 dólares)
5. mis primos (su cámara: 40 dólares)
6. tú (tus discos: 20 dólares)
7. Ud. (su ciclomotor *(moped)*: 50 dólares)
8. Uds. (sus libros de español: 16 dólares)
9. Rafael y yo (nuestra grabadora: 120 dólares)
10. Antonio (su moto: 200 dólares)

ACTIVIDAD 4   Siempre se empieza por primera vez

Durante las vacaciones pasadas, las siguientes personas han hecho cosas
que nunca habían hecho antes. Expresa esto según el modelo.

> Paco ha montado a caballo.   Nunca había montado a caballo antes.

1. Carmen ha escalado una peña muy alta.
2. Silvia se ha bañado en el Océano Pacífico.
3. Yo he jugado al ajedrez *(chess)*.
4. Nosotros hemos pescado en un lago.
5. Francisco ha cogido una manzana enorme.
6. Uds. han visto el Mar Mediterráneo.
7. Mi padre ha alquilado un coche.
8. Tú has conducido un coche deportivo.
9. Yo he esquiado en el agua.
10. Nosotros hemos corrido las olas.

75 AÑOS

ICAI ICADE
UNIVERSIDAD PONTIFICIA COMILLAS

"AYER, HOY, MAÑANA"

"Encuentro
de la Comunidad Universitaria"

VOCABULARIO PRÁCTICO   Otras expresiones de tiempo

esta noche	tonight	**Esta noche** voy a ir al teatro.
anoche	last night	**Anoche** fui al concierto.
anteanoche	the night before (last)	**Anteanoche** fui a la ópera por primera vez. Nunca había ido antes.
ayer	yesterday	**Ayer** esquié.
anteayer	the day before yesterday	**Anteayer** esquié por primera vez. Nunca había esquiado antes.
el (la) . . . pasado(a)	last . . .	**La semana pasada** invité a Marta al cine.
el (la) . . . antepasado(a)	the . . . before (last)	**La semana antepasada** la invité por primera vez. Nunca la había invitado antes.

ACTIVIDAD 5   ¡Demasiado tarde!

Es importante hacer las cosas a tiempo. Describe lo que occurre cuando las siguientes personas no lo hacen.

⊃⊅   Regresas de vacaciones.   Hizo frío.
           Cuando regresaste de vacaciones ya había hecho frío.

1. Llegamos al cine. La película empezó.
2. Mis amigos llegan al teatro. Se vendieron todas las entradas.
3. Tomás llega a la pastelería. Se vendieron todos los pasteles.
4. Felipe llama a Elena para invitarla a un concierto. Ella aceptó la invitación de otro chico.
5. Salgo a dar un paseo. Empezó a llover.
6. Llego a la fiesta de unos amigos. Cenaron.

Para la comunicación

Cosas interesantes

Describe algunas cosas interesantes que hiciste recientemente. Di si antes las habías hecho o no.

- esquiar en el agua
- jugar al ajedrez
- visitar Disneylandia
- montar a caballo
- asistir al ballet
- conocer al presidente de los Estados Unidos

⊃⊅   el viernes pasado, cenar en un restaurante vietnamita
           El viernes pasado cené en un restaurante vietnamita.
           Nunca había cenado en un restaurante vietnamita antes.
           (Había cenado en un restaurante vietnamita antes.)

Variedades   La vida: una visión humorística

Miguel Mihura nació° en Madrid en 1905. Escribe obras de teatro que nos dan una visión humorística de la vida. En esta escena de *Mi adorado Juan,* Juan da a Irene, su novia, varias razones, graciosas, para no casarse con ella.

nació: *was born*

Irene. ¡Juan!

Juan. Hola, Irene.

Irene. ¿Es verdad que se ha ido mi padre?

Juan. Sí. Al café con mi amigo. . . Me esperan allí.

Irene. Entonces. . . ¿le has conquistado?

Juan. Es muy simpático.

Irene. ¿Y has hablado con él de algo?

Juan. Sí, naturalmente. . . De muchas cosas.

Irene. ¿De lo nuestro?

Juan. ¿Qué es lo nuestro?

Irene. De casarnos, Juan.

Juan. Sí, hemos hablado; pero yo no me caso contigo.

Irene. ¿Por qué?

Juan. No puedo casarme, compréndelo. Tú tienes dinero. . . Una casa puesta con lujo. . .° Un coche con chófer. . . Yo no tengo fortuna para sostener este plan de vida.

lujo: *luxury*

Irene. Bueno. . . me parece muy bien. . . Viviré como tú vivas. . .°

Juan. No te acostumbrarías,° Irene. Además cuando yo era joven, gané algún dinero y vivo de él, estirándolo° mucho. . . Tal como vivo y según mis cálculos, ese dinero podrá° durarme hasta que cumpla ochenta años. . .° Repartiéndolo° contigo, sólo me alcanzaría° hasta los cincuenta. . . Perdería° por ti casi treinta de vida.

viviré como tú vivas: *I will live as you live*
no te acostumbrarías: *You wouldn't get used to it*
estirándolo: *stretching it*
podrá *will be able*
hasta que cumpla ochenta años: *until I am eighty years old* Repartiéndolo: *Sharing it*
alcanzaría: *would reach* Perdería: *I would lose*

Irene. *(Abrazándole.)* ¡Yo la perdería toda por ti!

Juan. Eso piensas ahora. . . Pero más tarde. . .
Es mejor que rompamos esto nuestro de una manera definitiva.

Irene. ¡No puedes hacer eso, Juan!

Juan. Sí. . . Y debo hacerlo antes que la cosa se complique más. . . Yo lo siento mucho, porque me gustas, porque te quiero, porque me había acostumbrado a pasear contigo por el parque y junto a los barcos del muelle° y a charlar° de mil cosas. . . Pero es preferible dejarlo y ésta será la última vez que nos veamos. . . Adiós, Irene. . . Me voy al café.

muelle: *dock* charlar: *chat*

Irene. ¡Pero, Juan!

Adapted from *Mi adorado Juan*, John Wiley & Sons, New York, 1964. Reprinted by permission of John V. Falconieri and Anthony M. Pasquariello.

Unidad

7

Mañana será otro día

El año 2000 es casi mañana . . . o muy pronto. En pocos años, estaremos en el año dos mil. ¿Cómo será la vida entonces? No podemos saber exactamente qué va a ocurrir en el futuro, pero casi siempre es posible imaginarlo.

Aquí vamos a ver algunas predicciones. ¡Atención: di si estas cosas serán imposibles, posibles o ciertas!

pronto: *soon*
pocos: *a few*
estaremos: *we will be*
  Cómo será: *What will it be like*

ciertas: *certain*

En el año 2000 . . .	imposible	posible	cierto
1. La gente trabajará solamente tres horas al día y tres días a la semana.	☐	☐	☐
2. La gente hablará un idioma universal. (¡Y este idioma no será ni el inglés, ni el francés, sino el español!)	☐	☐	☐

al día: *per day*

	imposible	posible	cierto
3. Los estudiantes no irán al colegio. Estudiarán sus lecciones en casa con su propia computadora.	☐	☐	☐
4. Los cohetes reemplazarán a los aviones como medio de transporte intercontinental. Tomará veinte minutos para ir de Nueva York a Madrid.	☐	☐	☐

irán: *will go*

su propia: *their own*

cohetes: *rockets*
reemplazarán: *will replace*

	imposible	posible	cierto
5. La gente pasará sus vacaciones en la luna.	☐	☐	☐
6. Los habitantes de otros planetas nos visitarán regularmente.	☐	☐	☐
7. La gente vivirá en edificios de cien pisos y cada casa estará equipada con una computadora.	☐	☐	☐
8. Existirá una cura contra el cáncer.	☐	☐	☐
9. La población de los Estados Unidos será de más de seiscientos millones de habitantes.	☐	☐	☐
10. La gente será más feliz y el mundo será mejor que hoy.	☐	☐	☐

contra: *against*

ANÁLISIS

Ahora anota: 0 punto por cada contestación «imposible».
1 punto por cada contestación «posible».
2 puntos por cada contestación «cierto».
¿Cuántos puntos tienes?

menos de 2: Tú no crees en el progreso.
de 2 a 8: Tú tienes confianza en el futuro de la humanidad.
más de 8: Tú eres un super-optimista.

confianza: *confidence*

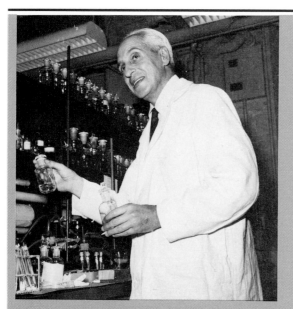

NOTA CULTURAL
El progreso

Cuando piensas en el progreso, ¿en qué clase de progreso piensas? Quizá tú piensas en el aterrizaje° de los astronautas norteamericanos en la luna,° en el lanzamiento° de un nuevo satélite por los rusos o en el futuro medio de transporte espacial entre la tierra° y la luna.

Pero el progreso no se limita a los desarrollos° de la tecnología espacial. Hay muchas otras áreas básicas como medicina, física y química° que afectan nuestra vida diaria. En estos dominios° y otros, los científicos hispanos han hecho contribuciones importantes. Algunas de estas contribuciones han merecido el Premio Nóbel.

aterrizaje *landing*   **luna** *moon*   **lanzamiento** *launching*
tierra *earth*   **desarrollos** *developments*   **química** *chemistry*
dominios *domains*

Bernardo Houssay	Argentina	Premio Nobel de Medicina	Por sus estudios de las glándulas
Luis Leloir	Argentina	Premio Nobel de Química	Por sus investigaciones sobre la glucosa
Severo Ochoa	España	Premio Nobel de Medicina	Por sus estudios acerca de las enzimas

—— Vocabulario ——

adjetivos	**cierto**	sure, certain
	(su) propio	(his, her, its, your, their) own
expresiones	**al día**	per day
	contra	against
	pronto	soon, quickly

CONVERSACIÓN

Vamos a hablar de lo que vas a hacer durante el verano próximo.

1. ¿**Viajarás?** Sí (No, no) **viajaré.**
2. ¿**Trabajarás?**
3. ¿**Visitarás** a tus primos?
4. ¿Te **quedarás** en casa?
5. ¿**Irás** a México?
6. ¿**Irás** a Puerto Rico?

OBSERVACIÓN

In the above questions you are asked about what you *will do* next summer. The verbs are in a new tense: the *future.*

• In Spanish, does the future tense consist of one or two words?
• In which two letters does the **tú** form end? In which letter does the **yo** form end?

Estructuras

A. El futuro

Note the use of the future tense in the sentences below.

Hablaré con el profesor después de la clase.   *I **will speak** to the teacher after the class.*

Paco **visitará** México el año próximo.   *Paco **will visit** Mexico next year.*

No **seremos** ricos pero **seremos** felices.   *We **will not be** rich, but we **will be** happy.*

The future tense is used to describe actions and events that will happen in the future.

In Spanish, the future is a simple tense: it consists of *one* word.

Note the future forms of **comprar,** paying special attention to the endings.

INFINITIVE	comprar	INFINITIVE STEM	FUTURE ENDINGS
FUTURE			
(yo)	**Compraré** un coche deportivo.		**-é**
(tú)	**Comprarás** un reloj.		**-ás**
(él, ella, Ud.)	**Comprará** una guitarra.	**comprar-**	**-á**
(nosotros)	**Compraremos** un bote de vela.		**-emos**
(vosotros)	**Compraréis** una computadora.		**-éis**
(ellos, ellas, Uds.)	**Comprarán** unos pendientes.		**-án**

As in other simple tenses, the forms of the future consist of a stem and an ending.

⋙ For most verbs, the future *stem* is the *infinitive*. Since the infinitive always ends in **r,** you always hear the consonant sound /r/ before the future ending.

⋙ The future *endings* are the same for all verbs, regular and irregular.

hablar	Tomás nunca **hablará** inglés en España.
leer	Ud. no **leerá** los periódicos norteamericanos.
vivir	Isabel **vivirá** en Madrid un año.
ir	¿Adónde **irá** Ud. para las vacaciones?
ser	¿**Será** Juan millonario algún día?

EMPIEZA A CONSTRUIR TU FUTURO

Aprende en tu propio domicilio esta profesión qué tanto te gusta

Nosotros te ayudaremos

ELECTRONICA
FOTOGRAFIA   PUERICULTURA
MECANICO DE AUTOMOVILES   ELECTRICIDAD DEL AUTOMOVIL   DECORACION
ALBAÑIL

ACTIVIDAD 1   Viajes

Un grupo de estudiantes va a pasar el verano en otros lugares. Di adónde
irá cada uno y qué idioma (¿español, francés o inglés?) hablará.

> Javier (San Juan)   Javier irá a San Juan. Hablará español.

1. Mari-Carmen (Londres)
2. Esteban y Jorge (Santiago)
3. Pilar y Concepción (Quebec)
4. yo (París)
5. tú (Chicago)
6. Uds. (Buenos Aires)
7. nosotros (Montreal)
8. Ud. (Barcelona)

ACTIVIDAD 2   Diálogo: La bola de cristal

Dile el futuro a un compañero, usando los siguientes verbos en frases
afirmativas o negativas. Tu compañero reaccionará a tus predicciones,
según el modelo.

> casarse   Estudiante 1: Un día te casarás. (Nunca te casarás.)
> Estudiante 2: Tienes razón. (No tienes razón.)
> Un día me casaré. (Nunca me casaré.)

1. hablar español perfectamente
2. comprar un Rolls Royce
3. conocer a una persona extraordinaria
4. descubrir la cura contra el cáncer
5. conducir un coche deportivo
6. escribir una novela
7. ganar el Premio Nóbel
8. vivir en un palacio
9. escalar los Andes
10. recibir un regalo fabuloso
11. ser millonario(a)
12. ser el (la) presidente(a) de los Estados Unidos
13. ser campeón (campeona) de tenis
14. recibir un «Oscar»
15. ir a la China
16. casarse con un(a) millonario(a)
17. visitar el planeta Marte *(Mars)*
18. ser gerente de una carnicería

VOCABULARIO PRÁCTICO   El futuro

sustantivos

un cohete	rocket	**una computadora**	computer
un medio	means	**la contaminación**	air pollution
el mundo	world	**del aire**	
un planeta	planet	**la luna**	moon
el progreso	progress	**la paz**	peace
		la población	population
		la tierra	earth, land

verbos

construir	to build, construct
desarrollar	to develop
descubrir	to discover
eliminar	to eliminate
suprimir	to suppress
transformar	to transform

ACTIVIDAD 3   El futurismo

Haz predicciones para el año 2000. Haz predicciones para **la gente** en las
frases 1–5, para **los hombres** en las frases 6–10 y para **nosotros** en las
frases 11–15.

⟩⟩ vivir cien años   En el año dos mil, la gente (no) vivirá cien años.

1. trabajar diez semanas por año
2. ir a la luna los fines de semana
3. viajar en cohete
4. usar «robots»
5. vivir en casas de cristal *(glass)*
6. dormir dos horas al día
7. vivir en paz
8. ser como hoy
9. ser inmortales
10. descubrir otros planetas
11. desarrollar un medio de comunicación
    con los extraterrestres *(people from space)*
12. construir casas en el fondo *(bottom)*
    del mar
13. construir edificios de 300 (trescientos)
    pisos
14. eliminar la contaminación del aire
15. ser muy felices

B. *Para* + sustantivo

Note the use of **para** in the sentences below:

¿Es el telegrama **para** mí?	*Is the telegram **for** me?*
En España, compraré una guitarra **para** mi hermana.	*In Spain, I will buy a guitar **for** my sister.*
Trabajaremos **para** una línea aérea.	*We will work **for** an airline company.*

The construction **para** + noun is often used to express an objective or goal.
In this case **para** is usually equivalent to the English *for*.
The goal may involve:

- a *person*
  Trabajo **para el Sr. Díaz.**
- a *thing*
  ¿Estudiarán tus amigos **para el examen?**
  Mi mamá comprará una mesa **para el comedor** *(dining room)*.
- a *place*
  Tomaremos el avión **para Buenos Aires.**
- a *point in time*
  Tengo que leer el poema **para mañana.**

¡PARA NIÑOS!

Cómodos shorts y frescas camisetas para un verano energético.

ACTIVIDAD 4   ¡Un poco de lógica!

En cinco minutos, ¿cuántas frases puedes crear? Usa los elementos de las columnas A, B, C y D.

A	B	C	D
yo	comprar	un regalo	mí
tú	llevar	un hueso *(bone)*	el examen
mi hermana	necesitar	aspirinas	el profesor
nosotros	estudiar	los verbos	la fiesta
Uds.	tomar	el avión	el perro
Paco y Carmen		unos discos	el cumpleaños de Enrique
		una guitarra	mañana
		el autobús	Madrid
		una caja *(box)* de chocolates	Nueva York
			la gripe *(flu)*

Compraré un hueso para el perro.

C. Repaso: el comparativo de los adjetivos

To form comparisons with adjectives, Spanish speakers use the following constructions:

(+) **más** + adjective + **que**	En diez años, seremos **más ricos que** hoy.
(−) **menos** + adjective + **que**	¿Será el mundo **menos loco que** hoy?
(=) **tan** + adjective + **como**	Soy **tan seria como** mi hermana.

↪ The comparative form of **bueno** is **mejor** *(better)*.

No soy tan **buen** estudiante como Andrés,   *I am not as **good** a student as Andrés,*
pero soy **mejor** compañero que él.   *but I am a **better** companion than he.*

ACTIVIDAD 5   Dentro de diez años . . .

Compara la vida dentro de diez años con la vida de hoy, según el modelo, usando el futuro de **ser.**

↪   yo: rico   Yo seré más (menos) rico(a) que hoy.
            (Yo seré tan rico[a] como hoy.)

1. yo: serio
2. mis padres: generoso
3. los profesores: tolerante
4. nosotros: racional
5. la vida: fácil
6. los aviones: rápido
7. las medicinas: barato

8. las mujeres: independiente
9. el mundo: peligroso
10. la tierra: fértil
11. la contaminación del aire: fuerte
12. la paz entre las naciones: necesario
13. las computadoras: caro
14. la población mundial: grande

Para la comunicación

Tu trabajo futuro

Escribe un pequeño párrafo sobre tu trabajo futuro. Puedes usar las siguientes preguntas como guía.

¿Dónde vivirás?
¿Dónde trabajarás? ¿en un hospital? ¿en una oficina?
   ¿en una fábrica *(factory)*? ¿en una tienda?
   ¿en un laboratorio?
¿Para qué compañía trabajarás?
¿Trabajarás solo(a) o con otras personas?
¿Viajarás mucho?
¿Ganarás mucho dinero?
¿En qué consistirá tu trabajo?

Lección 2 Bobby

La directora del colegio «Eugenio Espejo» de Quito, Ecuador, siempre tiene ideas excelentes.

Este año ella ha tenido la idea de organizar un intercambio con un colegio en San José, California.

El colegio norteamericano mandará a Bobby Williams (su mejor estudiante de español) a Quito por tres meses.

Los estudiantes del colegio «Eugenio Espejo» esperan con impaciencia la llegada de Bobby. Por fin . . . ¡el gran día es hoy! Una delegación de cinco alumnos va al aeropuerto a recoger a Bobby Williams.

Pero, los pobres chicos tienen un problema enorme . . . ¿cómo van a reconocer a Bobby Williams? En efecto, nadie tiene una foto de Bobby.

Cada uno tiene una idea de cómo será Bobby. Pero cada idea es diferente.

intercambio: *exchange*

llegada: *arrival*

reconocer: *to recognize*
En efecto: *In fact*

Marina Ortega: Yo reconoceré a Bobby en seguida. Será un chico alto, moreno y atlético.

en seguida: *right away*

Rocío Villanueva: ¡No! No será moreno, será rubio como todos los norteamericanos.

Roberto García: ¡Ridículo! Reconoceré a Bobby por su ropa. Llevará blue-jeans, botas y una camisa de cuadros.

botas: *boots*
camisa de cuadros: *checked shirt*

Héctor Montero: Y un sombrero de cowboy, ¿verdad? Eso es absurdo. Yo reconoceré a Bobby por sus maletas. Tendrá una guitarra y una bolsa al hombro.

bolsa al hombro: *backpack*

Consuelo Pérez: Yo digo que Bobby tendrá anteojos de sol y una bufanda.

bufanda: *scarf*

Finalmente llega el avión de San Francisco. Hay muchísimos pasajeros. Los pasajeros salen unos tras otros . . . ¿Cuál de ellos es Bobby Williams?

Hay muchos turistas, hombres de negocios, personas de edad . . . pero no aparece Bobby Williams. Finalmente una joven llega. Es de estatura mediana, con pelo de color castaño y está vestida como todo el mundo.

hombres de negocios: *businessmen*
personas de edad: *older persons*
aparece: *appears*
estatura mediana: *medium height*
vestida: *dressed*

—¡Hola! Me llamo Bobby Williams . . . ¿Son Uds. alumnos del Colegio «Eugenio Espejo»? Yo los reconocí en seguida. Pero, ¡Uds. parecen sorprendidos! ¿Por qué?

sorprendidos: *surprised*

NOTAS CULTURALES

¿Por qué se llama «Ecuador»?

Situado en la costa occidental de la América del Sur, entre Colombia y el Perú, el Ecuador es uno de los países más pintorescos° de Latinoamérica.

¿Por qué se llama Ecuador? Porque lo cruza la línea equinoccial o el ecuador,° que es una línea imaginaria que divide el mundo en dos hemisferios: el norte y el sur.

Quito, su capital, es una ciudad colonial de las más bellas, llena de iglesias, edificios y monumentos que reflejan° la gloria del pasado.

Otra ciudad de gran importancia es Guayaquil. Esta ciudad, muy comercial y activa, es el puerto° principal del país.

La variedad del Ecuador es asombrosa.° ¡Qué contraste entre la costa, la sierra° y el «oriente» o región amazónica! Si quieres dar un paseo en la época colonial, o la moderna o la prehistórica, ¡visita el Ecuador!

pintorescos *picturesque*   **ecuador** *equator*   **reflejan** *reflect*
puerto *port*   **asombrosa** *amazing*   **sierra** *mountain range*

══ Vocabulario ══

sustantivos	**un hombre de negocios**	businessman	**una llegada**	arrival
	un intercambio	exchange	**una persona de edad**	older person
verbo	**reconocer**	to recognize	**una salida**	departure
expresiones	**en efecto**	in fact		
	en seguida	immediately		

Estructuras

A. Futuros irregulares

A few verbs have irregular futures. Such verbs have:

—an irregular stem (that is, a stem that is different from the infinitive)

—regular future endings: **-é, -ás, -á, -emos, -éis, -án.**

VERBS	FUTURE STEMS	
decir	**dir-**	¿**Dirás** la verdad?
hacer	**har-**	**Haré** un viaje a Francia.
poder	**podr-**	**Podremos** visitar París.
poner	**pondr-**	Me **pondré** una camisa azul.
salir	**saldr-**	Carlos **saldrá** con una chica mexicana.
tener	**tendr-**	**Tendremos** que aprender español.
venir	**vendr-**	Mis primos **vendrán** mañana.
querer	**querr-**	Mis amigos **querrán** ver a sus amigos.
haber (hay)	**habr-**	¿**Habrá** mucha gente en la fiesta?
saber	**sabr-**	¿**Sabrás** tú los futuros irregulares para el examen?

Note that all future stems end in the consonant **r.**

ACTIVIDAD 1 En el aeropuerto

¿Cómo podemos reconocer a personas que no conocemos? No es difícil cuando esas personas deciden ponerse ropa distintiva. Di qué ropa se pondrán los siguientes estudiantes para ser reconocidos.

Juan: una chaqueta azul   Juan se pondrá una chaqueta azul.

1. Felipe: una corbata roja
2. Carmen: un vestido amarillo
3. yo: unos pantalones verdes
4. tú: un sombrero de cowboy
5. nosotros: un impermeable (raincoat)
6. mis amigos: un poncho de colores

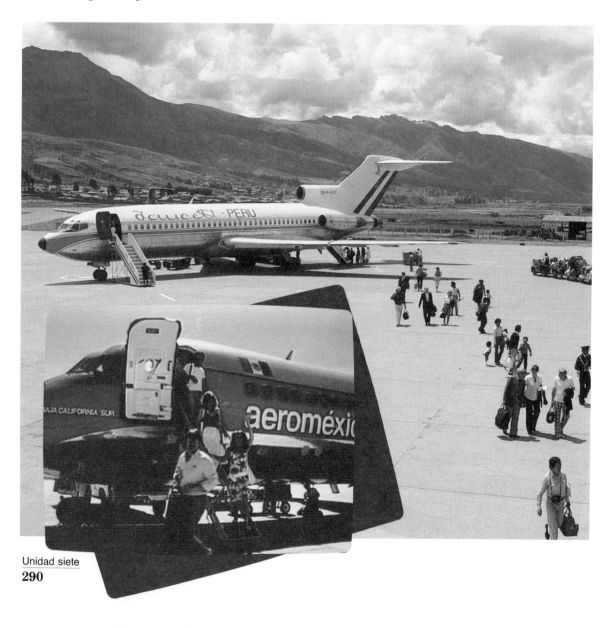

ACTIVIDAD 2   Dentro de diez años . . .

¿Cuántos años tendrás dentro de diez años? Unos veinte y cinco, más o menos . . . ¿Puedes imaginar cómo será tu vida entonces? Di cuáles de las siguientes cosas harás.

⮞   tener un coche   Dentro de diez años, (no) tendré un coche.

1. estar casado(a)
2. tener hijos
3. tener un trabajo de mucha responsabilidad
4. vivir en un apartamento cómodo (comfortable)
5. ser independiente
6. hacer muchos viajes
7. hacer cosas interesantes
8. ser alguien importante
9. salir mucho
10. saber correr las olas
11. saber hablar español muy bien
12. saber pilotar un avión
13. tener un bote de vela (sailboat)
14. tener un coche deportivo

ACTIVIDAD 3   Preguntas personales

Vamos a hablar del verano próximo.

1. ¿Harás un viaje? ¿adónde? ¿con quién?
2. ¿Qué harás si no haces un viaje?
3. ¿Tendrás trabajo? ¿dónde? ¿de qué tipo?
4. ¿Saldrás mucho? ¿con quién?
5. ¿Podrás usar el coche de tus padres?
6. ¿Tendrás que ayudar en casa?
7. ¿Vendrán tus primos a tu casa?

ACTIVIDAD 4   Optimismo

Un optimista piensa que la realidad de hoy cambiará por algo mejor. Haz predicciones optimistas según el modelo.

⮞   No soy rico(a).   No soy rico(a) ahora pero pronto seré rico(a).

1. Mis padres no tienen mucho dinero.
2. Paco no tiene amigos.
3. Dice mentiras.
4. Carmen dice cosas estúpidas.
5. Cometemos muchos errores.
6. No puedo usar la moto de Juan.
7. No podemos salir tarde.
8. Enrique no quiere salir conmigo.
9. Susana no sale con Roberto.
10. Mis amigos no salen los sábados.
11. No tenemos dinero.
12. Mis hermanas no saben conducir.
13. Hay mucha contaminación del aire.
14. Hay muchos problemas en el mundo.

B. El uso del futuro para indicar probabilidad

Note the use of the future in the following sentences.

¿Qué hora es?	*What time is it?*
No sé. **Serán** las dos.	*I don't know. **It is probably (it may be)** two o'clock.*
¿Cuántos años tiene el profesor?	*How old is the teacher?*
Tendrá unos cuarenta años.	*He is probably (he may be) about forty.*

In Spanish the future is sometimes used to express a guess about the present.

ACTIVIDAD 5   En busca del culpable *(Looking for the culprit)*

Cuando Carlos volvió de vacaciones, descubrió que alguien había pintado *(painted)* su cuarto de rojo. Sospecha *(He suspects)* de muchas personas. Haz el papel de Carlos.

🔲 Felipe   ¿Será Felipe el culpable?

1. Paco
2. Carmen
3. tu hermano

4. Uds.
5. tú
6. Conchita y Elena

ACTIVIDAD 6   El nuevo profesor

El director de la escuela anuncia que habrá un nuevo profesor. Cada alumno trata de adivinar cómo es el profesor y cuántos años tiene. Haz el papel de los siguientes alumnos.

🔲 Carmen (muy guapo / 25)   Según Carmen, el nuevo profesor será muy guapo.
                                Tendrá unos 25 años.

1. Felipe (estricto / 60)
2. Elena (brillante / 40)

3. Manuel (un dictador / 50)
4. Silvia (como todos los profesores / 35)

ACTIVIDAD 7   ¡Un poco de psicología!

Explica cómo se sienten las personas de la columna A, usando los elementos de las columnas B y C en frases lógicas.

A	B	C
tú	enfermo	tener una cita
Carlos	cansado	tener gripe *(flu)*
Marisol	contento	tener un problema serio
nosotros	agitado	tener que hablar en público
mis amigos	ocupado	tener mucho que hacer
Paco y Enrique	preocupado	acabar de jugar al tenis
Ud. y yo	pálido	acabar de perder el partido de fútbol

🔲 Paco y Enrique están cansados. Acabarán de jugar al tenis.

C. *Por* + sustantivo

The construction **por** + noun has many different uses.
It may express:

- *duration*
  - for, during   Estaré en Puerto Rico **por dos semanas.**
  - in   Te veré **por la tarde.**
- *manner or means*
  - by   Mandaré las maletas **por barco.**
  -      Te llamaré **por teléfono.**
  -      Mandarás el paquete **por correo.**
  -      Reconoceré a Juan **por su sombrero.**
- *movement*
  - along   Damos un paseo **por la avenida** José Antonio.
  - through   Si no tengo la llave, entraré **por la ventana.**
  - by   El tren pasará **por Nueva York** sin parar.
  - around   ¿Te gusta caminar **por la ciudad?**
- *exchange*
  - for   Te venderé mi bicicleta **por cincuenta dólares.**
  - in exchange for   ¿Quieres cambiarme tu tocadiscos **por mi guitarra?**
- *cause, motive*
  - for   Me casaré **por amor.**
  - because of   Me preocupo mucho **por ti.**
  - on behalf of   Hablaré con el profesor **por los otros alumnos.**
  - for the sake of   Haré lo imposible **por mis amigos.**
  - instead of   José trabaja **por Antonio.**

Por is also used in certain expressions:

ciento **por ciento**	*one hundred **percent***
cien kilómetros **por hora**	*one hundred kilometers **per hour***

> Although both **por** and **para** often correspond to the English preposition *for,* they have distinct uses and cannot be substituted for one another.

ACTIVIDAD 8   En la estación

Di cómo reconocerás a los siguientes pasajeros.

⚡ Alberto llevará una corbata amarilla.   Lo reconoceré por su corbata amarilla.

1. Carmen tendrá una guitarra.
2. Felipe viajará con su perro.
3. Esteban llevará una maleta gris.
4. Isabel y Susana llevarán un bolso negro.
5. Carlos traerá un saco de dormir *(sleeping bag)*.
6. María y Ana llevarán pendientes de oro.

ACTIVIDAD 9   Despachos internacionales *(International shipments)*

Imagina que trabajas para una compañía de despachos internacionales situada en Nueva York. Debes despachar las siguientes cosas y animales. ¿Cómo (por avión, por barco, por autobús, por tren) los despacharás?

⚡ una guitarra a Filadelfia   La despacharé por tren (autobús).

1. un tocadiscos a Miami
2. un piano a Los Ángeles
3. un televisor a Chicago
4. unos discos a Buenos Aires
5. un elefante a Río de Janeiro
6. un perro a Madagascar
7. un pájaro a Tokio
8. una boa a Vancouver

ACTIVIDAD 10   Preguntas personales

1. ¿Llamas a tus amigos por teléfono a menudo?
2. Cuando vas de vacaciones, ¿te vas por una semana? ¿quince días? ¿un mes?
3. ¿Te preocupas mucho por tus amigos?
4. ¿Cuál es más barato, mandar cartas a Europa por avión o por barco?
5. ¿Estudias mucho por la tarde? ¿por la mañana?
6. ¿Das muchos paseos por las calles? ¿por el campo?
7. ¿Te gusta dar paseos por los bosques? ¿por los parques?
8. ¿Adónde vas los sábados por la tarde?
9. ¿Te casarás por amor o por dinero?
10. ¿Por cuánto venderás tu bicicleta? ¿y tus discos?
11. ¿Haces muchas cosas por tus hermanos? ¿por tus amigos?
12. ¿Tienes mucho respeto por tus amigos? ¿por tus profesores?

Para la comunicación

Tu futuro

Imagina cómo será tu vida:
- dentro de cinco años
- dentro de veinte años
- dentro de cuarenta años

Para cada época, escribe un párrafo de cinco o seis líneas, usando los siguientes verbos: **ser / estar / tener / hacer / saber / tener que / poder.**

> Dentro de cinco años, estaré casado(a) . . .

Lección 3   Si un día . . .

A veces nos encontramos en circunstancias excepcionales. Por eso es muy importante saber reaccionar con calma.
¿Qué harías en las siguientes circunstancias?

reaccionar: *to react*
harías: *would you do*

1. Ves una casa que está ardiendo . . .

    A. Entrarías a la casa para salvar a los ocupantes.
    B. Llamarías a los bomberos.
    C. Sacarías fotos del incendio.

ardiendo: *burning*
Entrarías: *You would enter*
  salvar: *save*
bomberos: *firemen*
incendio: *fire*

2. Te paseas por un puente alto y ves a alguien que se ahoga . . .

    A. Saltarías del puente para ayudar a la víctima.
    B. Bajarías a la orilla y tomarías un bote para ayudar a la víctima.
    C. Te marcharías sin hacer nada.

puente: *bridge*
  se ahoga: *is drowning*

orilla: *bank*

3. Estás solo(a) en una casa aislada. A las dos de la mañana, oyes unos ruidos misteriosos afuera . . .

aislada: *isolated*

¡TLONK!

    A. Tomarías una pistola y dispararías en la oscuridad.
    B. Encenderías la luz para identificar el ruido.
    C. Te esconderías debajo de la cama.

dispararías: *would shoot*

4. Ganas diez mil dólares en la lotería . . .

    A. Irías a Las Vegas para probar fortuna.
    B. Depositarías la mitad del dinero en el banco y gastarías el resto.
    C. Gastarías todo el dinero en seguida.

probar fortuna: *to try your luck*
mitad: *half*

5. Estás en el banco en el momento de un robo . . .

    A. Perseguirías a los bandidos.
    B. Anotarías el número del coche de los bandidos.
    C. Te marcharías del banco muy rápidamente.

robo: *robbery*
Perseguirías: *You would chase*
Anotarías: *You would note*

6. Descubres un tesoro fabuloso en una casa abandonada . . .

    A. Lo compartirías inmediatamente con tus amigos.
    B. Les dirías a tus padres la buena noticia.
    C. Guardarías el tesoro sin decirle nada a nadie.

tesoro: *treasure*

7. Estás pescando con un amigo, estalla una tormenta y el barco se hunde. Tu amigo está herido y estás a cinco kilómetros de la costa . . .

    A. Nadarías hasta la costa con tu amigo.
    B. Buscarías un madero para sostenerse tú y tu amigo.
    C. Nadarías solito hasta la costa.

estalla una tormenta: *a storm breaks out*
se hunde: *sinks*
  herido: *injured*

madero: *plank*
  sostenerse: *support*

solito: *alone*

INTERPRETACIÓN

- Si has escogido la letra «A» cuatro veces o más, eres una persona dinámica, valiente y generosa. Pero eres demasiado impulsivo. ¡Piensa antes de actuar!
- Si has escogido la letra «B» cuatro veces o más, eres una persona prudente. Actúas con calma. Tus amigos pueden contar contigo.
- Si has escogido la respuesta «C» cuatro veces o más, no tienes los reflejos necesarios para actuar racionalmente en casos de urgencia.
- Si no perteneces a ninguna de estas categorías, eres como todo el mundo: un poco indeciso frente a lo excepcional.

valiente: *brave*
actuar: *acting*

contar contigo: *count on you*

reflejos: *reflexes*

En busca de tesoros

En los cuentos infantiles, a menudo el héroe o la heroína está buscando un tesoro escondido y lo encuentra.

¿Existen estos tesoros escondidos? ¡Claro que sí! Y uno de los lugares donde hay muchos tesoros escondidos está entre Cuba, la Florida y la mayor de las islas Bahamas. Esta región contiene restos° de naufragios° de muchos barcos españoles que eran parte de una famosa "flota° de plata".° Por más de dos siglos,° estos barcos, llamados "galeones", llevaron no solamente plata, sino también oro y esmeraldas° de México y del Perú a España. A causa de° los huracanes, el viaje era muy peligroso y muchos barcos naufragaron° en los arrecifes° lejos de los cayos° de la Florida. Muchas veces la valiosa° carga° de oro, plata y esmeraldas ha permanecido° allí para los buscadores de tesoros.°

Mel Fisher es buscador de tesoros. Más de mil personas invirtieron° en su proyecto de buscar el galeón español "Nuestra Señora de Atocha", que se hundió° en 1662, en la costa de la Florida.

El 20 de julio de 1985, después de 16 años de búsqueda°, encontraron el tesoro y, en ese año, encontraron 177 barras° de oro, 900 barras de plata y miles de monedas y objetos. En 1986 encontraron más de 2.500 esmeraldas, 35 barras de oro, 85 barras de plata y otros objetos.

A pesar de que estos descubrimientos han sido° valiosos, las personas dedicadas a esta exploración consideran que no han encontrado todo el tesoro

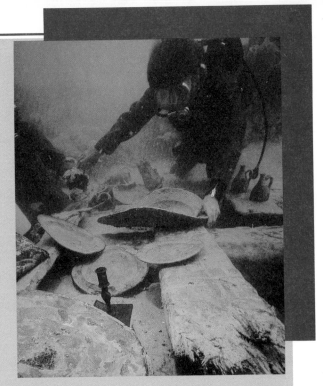

de "Nuestra Señora de Atocha." Y que, además,° hay muchos otros barcos con tesoros insospechados.°

¿Quién sabe? Tal vez un día tú irás en busca de tesoros escondidos.

restos *remains* **naufragios** *shipwrecks* **flota** *fleet* **plata** *silver* **siglos** *centuries* **esmeraldas** *emeralds* **A causa de** *Because of* **naufragaron** *were wrecked* **arrecifes** *reefs* **cayos** *keys* **valiosa** *valuable* **carga** *cargo* **permanecido** *remained* **buscadores de tesoros** *treasure hunters* **invirtieron** *invested* **se hundió** *sunk* **búsqueda** *searching* **barras** *bars* **han sido** *have been* **además** *in addition* **insospechados** *unsuspected*

— Vocabulario —

sustantivos	**un puente**	bridge	**una mitad**	half
	un tesoro	treasure		
adjetivo	**valiente**	courageous, brave		
verbos	**actuar**	to act		
	entrar (en, a)	to enter		
	reaccionar	to react		
expresión	**probar fortuna**	to try one's luck		

CONVERSACIÓN

Imagina que puedes hacer solamente una de las siguientes cosas. ¿Cuál harías?

1. **¿Comprarías** una bicicleta o una guitarra?
   Compraría una bicicleta (una guitarra).
2. **¿Visitarías** México o España?
3. **¿Vivirías** en una ciudad o en el campo?

OBSERVACIÓN

In the above questions, you are asked what you *would do* if you had certain choices.
The verbs used are in the *conditional*.

- Does the conditional consist of one or two words in Spanish?
- In which three letters does the **tú** form end?
- In which two letters does the **yo** form end?

Estructuras

A. El condicional

Note the use of the conditional in the sentences below:

Con cincuenta dólares, me **compraría** una guitarra.

*With fifty dollars, I **would buy** myself a guitar.*

Haríamos un viaje a México, si ...

*We **would take** a trip to Mexico if ...*

¿**Te gustaría** vivir en una isla desierta?

***Would** you **like** to live on a deserted island?*

Forms

1. In Spanish the conditional is a *simple verb form:* it consists of *one* word. Note the conditional forms of **comprar,** paying special attention to the endings.

INFINITIVE CONDITIONAL	comprar	FUTURE STEM	CONDITIONAL ENDINGS
(yo)	**Compraría** un avión.		-ía
(tú)	**Comprarías** un coche.		-ías
(él, ella, Ud.)	**Compraría** un perro.	**comprar-**	-ía
(nosotros)	**Compraríamos** una moto.		-íamos
(vosotros)	**Compraríais** una grabadora.		-íais
(ellos, ellas, Uds.)	**Comprarían** una calculadora.		-ían

As with other simple verb forms, the forms of the conditional consist of a stem and endings. The conditional is formed as follows:

> stem of the future + conditional endings

Note that the conditional endings for all verbs are the same as the imperfect endings of **-er** and **-ir** verbs.

2. Verbs with an irregular future stem have the same stem in the conditional.

decir	**diría**	salir	**saldría**
hacer	**haría**	saber	**sabría**
poder	**podría**	tener	**tendría**
poner	**pondría**	venir	**vendría**
querer	**querría**	haber (hay)	**habría**

Uses

1. The conditional is used to express what would happen under certain conditions.
2. It is also used to soften requests.

Compare

(present)	Me gusta viajar.	*I like to travel.*
(conditional)	**Me gustaría** viajar contigo.	*I would like to travel with you.*
(present)	¿Puedes ayudarme, José?	*José, can you help me?*
(conditional)	**¿Podría Ud.** ayudarme, Sr. Chávez?	*Could you help me, Sr. Chávez?*

ACTIVIDAD 1   Con un coche

Estos estudiantes norteamericanos dicen adónde irían y lo que visitarían con un coche. Explica el plan de cada uno usando el condicional de **ir** y **visitar.**

Linda (Washington: la Casa Blanca)
> Linda iría a Washington. Visitaría la Casa Blanca.

1. Silvia (San Antonio: el Álamo)
2. Mis amigos (San Francisco: la misión Dolores)
3. Uds. (Boston: el barco «Constitución»)
4. yo (el Canadá: Quebec)
5. tú (México: Acapulco)
6. nosotros (California: Santa Bárbara)
7. Tom y Jack (Nueva York: el Museo del Barrio)
8. María (Florida: San Agustín)

ACTIVIDAD 2   El (la) presidente(a)

¿Serás presidente algún día? ¿Por qué no? De las siguientes cosas, di cuáles harías y cuáles no.

vivir en la Casa Blanca   (No) viviría en la Casa Blanca.

1. pintar (*to paint*) la Casa Blanca de azul
2. comprar un Mercedes para todos los miembros de mi familia
3. viajar mucho
4. hablar en público a menudo
5. desarrollar los armamentos nucleares
6. invitar al presidente de México a la Casa Blanca
7. ir a África
8. transformar la sociedad
9. darles dinero a los pobres
10. mantener la paz por todo el mundo
11. construir palacios y monumentos en mi honor
12. suprimir los impuestos (*taxes*)

¿Le gustaría ir a la piscina sin salir de su casa?

Hemos conjugado lo mejor de la naturaleza y de la ciudad para que usted y su familia disfruten de un piso amplio. Exclusivamente, para usted y los suyos. 12.000 m² de tranquilidad en la mejor zona de Sevilla.

ACTIVIDAD 3 Diálogo: Preferencias

Pregúntales a tus compañeros si les gustaría hacer las siguientes cosas.

vivir en una isla desierta

> Estudiante 1: ¿Te gustaría vivir en una isla desierta?
> Estudiante 2: Sí, me gustaría mucho.
> (No, no me gustaría. Nunca viviría en una isla desierta.)

1. ser presidente de los Estados Unidos
2. vivir en otro planeta
3. comer ranas (*frogs*)
4. asistir a una corrida de toros
5. conducir un coche a 100 millas por
   hora
6. viajar en un cohete
7. estar en un submarino
8. nadar con tiburones (*sharks*)

ACTIVIDAD 4 Diálogo: Con 1.000 dólares

Supón que todos los alumnos van a recibir unos mil dólares cada uno(a). Pregúntales a tus compañeros qué harían y qué no harían.

poner el dinero en el banco

> Estudiante 1: ¿Pondrías el dinero en el banco?
> Estudiante 2: Sí (No, no) lo pondría en el banco.

1. hacer un viaje
2. dar una fiesta fabulosa
3. dejar la escuela
4. ir de vacaciones
5. salir para España
6. salir para Francia

ACTIVIDAD 5 ¡Emergencias!

Cada uno reacciona diferentemente en caso de emergencia. Lee la lista de
emergencias. En tu opinión, di qué cosas (B) harían las personas (A) en
estas emergencias.

Lista de emergencias:

	A	**B**
1. Hay un incendio (*fire*).	yo	quedarse quieto(a)
2. Hay un huracán (*hurricane*).	mi papá	escaparse
3. Hay una explosión nuclear.	un loco	saltar por la ventana
4. Los extraterrestres llegan.	las personas valientes	sacar fotos
5. Un platillo volante (*flying saucer*) aterriza (*lands*).		llamar a la policía
		rezar (*to pray*) a Dios
		ponerse nervioso(a)
		gritar (*to scream*)
		buscar refugio (*shelter*)
		llevarse el dinero
		leer el horóscopo
		mirar lo que ocurre

Hay un temblor.   Yo (no) me pondría nervioso(a).
Mi papá. . .

B. Repaso: preposición + infinitivo

Note the use of the infinitives in the following sentences:

Ahorro mi dinero **para comprar** un coche.	*I save my money **in order to buy** a car.*
Carlos se divierte **en vez de estudiar.**	*Carlos is having fun **instead of studying.***
¿Es posible ser feliz **sin tener** amigos?	*Is it possible to be happy **without having** friends?*

In Spanish, the infinitive may be used after prepositions such as **para** (*to,
in order to*), **sin** (*without*), and **en vez de** (*instead of*).

ACTIVIDAD 6   Expresión personal

Di para qué (*for what reason*) te gustaría hacer o tener las siguientes
cosas. Completa las frases con **para** + infinitivo. ¡Usa tu imaginación!

Me gustaría tener dinero . . .
> Me gustaría tener dinero para comprar una moto, para ayudar a
> los pobres, para dárselo a mis amigos o . . .

1. Me gustaría tener un coche . . .
2. Me gustaría asistir a la universidad . . .
3. Me gustaría hablar español muy bien . . .
4. Me gustaría ser presidente . . .
5. Me gustaría vivir cien años . . .
6. Me gustaría casarme . . .

ACTIVIDAD 7 Los distraídos (*The absent-minded ones*)

Las siguientes personas son un poco distraídas. Se olvidan de hacer cosas importantes. Expresa esto usando la construcción **sin** + infinitivo en las frases de uno a siete y la construcción **en vez de** + infinitivo en las frases de ocho a doce.

🙟 Carlos se va del restaurante pero no paga.

      Carlos se va del restaurante sin pagar.

🙟 Felipe pone agua en el coche pero no pone gasolina.

      Felipe pone agua en el coche en vez de poner gasolina.

1. Hablo pero no pienso.
2. Mi papá va a México pero no lleva pasaporte.
3. Mis amigos salen pero no dicen adiós.
4. Tú entras en la sala pero no saludas a tu familia.
5. Los alumnos quieren contestar pero no comprenden la pregunta.
6. El Sr. Vargas sale pero no se pone la corbata.
7. Me acuesto pero no me baño.
8. Pones sal en el té pero no pones azúcar.
9. Juego pero no estudio.
10. Mi hermano mira la televisión pero no aprende los verbos.
11. Mari-Carmen se divierte pero no ayuda a su hermanita.
12. Voy al cine pero no voy a la escuela.

ACTIVIDAD 8   Expresión personal

Expresa unas ideas personales completando las siguientes frases con
infinitivos. ¡Usa tu imaginación!

> Es imposible ser feliz sin . . .
>> Es imposible ser feliz sin tener amigos, tener dinero . . .

1. No es posible sacar buenas notas sin . . .
2. No es posible ganar dinero sin . . .
3. No es posible divertirse sin . . .
4. A veces me divierto en vez de . . .
5. A veces me quedo en casa en vez de . . .
6. A veces me gustaría . . . en vez de . . .

Para la comunicación

El gordo *(The top prize)*

Imagina que las personas siguientes sacan el gordo *(biggest prize)* de la
lotería. Describe qué haría cada uno (o qué no haría) en un párrafo de seis
frases.

- yo
- mi mejor amigo(a)
- mis padres

> Yo haría un viaje a Puerto Rico. Tomaría el sol en la playa . . .

El perro de Manolito

Para su cumpleaños, Manolito ha recibido un lindo perrito blanco. Es un perro inteligente, vivo, listo, que solamente tiene un defecto. Cuando Manolito no lo mira, el perro se escapa a la calle.

Hoy, otra vez, Manolito busca a su perro por todos lados y no puede encontrarlo.

¿Qué le habrá pasado a su perro?

Manolito está muy preocupado por él. Manolito está angustiado.

vivo: *lively*

por todos lados: *everywhere*

habrá pasado: *could have happened*
angustiado: *anguished*

¡Mi pobre perro! ¿Lo habrá atropellado un coche? o se habrá caído en un pozo . . .

atropellado: *run over*
pozo: *well*

o se habrá caído en el río y se habrá ahogado . . .

ahogado: *drowned*

o los gitanos lo habrán encontrado y se lo habrán llevado con ellos . . .

gitanos: *gypsies*

o un guardia civil lo habrá llevado a la estación de policía . . .

o habrá entrado en la carnicería y el carnicero lo habrá encerrado en el sótano por haber robado las salchichas . . .

¡Ay qué lástima! ¡Qué será de mí, sin mi perro! ¡Mi primero y único perro!

Manolito llora. Con tristeza va a su cuarto y se tira en la cama . . . y despierta a su perro que dormía tranquilamente debajo de la cama. ¡Qué alivio!

carnicero: *butcher*

encerrado: *locked*
sótano: *basement*
por haber robado:
for stealing
salchichas:
sausages
¡Qué será de mí!:
*What will become of
me!*

llora: *cries*
tristeza: *sadness*
se tira: *throws
himself*
¡Qué alivio!: *What a
relief!*

NOTAS CULTURALES

La guardia civil

En España, la guardia civil es una clase especial de la policía. Llevan un sombrero muy distinto, una moda del siglo XVIII.

Los gitanos

Hay algunos gitanos° en España, especialmente en el sur. ¿De dónde vinieron los gitanos? En realidad no se sabe. Muchos historiadores° piensan que vinieron del noroeste de la India. Eran un pueblo nómada° con cultura e idioma propios. La música popular española tiene mucha influencia gitana. Una de sus contribuciones más importantes es la creación del flamenco. El flamenco es un baile, una música y un canto° típico de los gitanos. Se cree que° el flamenco se originó° en el "cante hondo"° de los gitanos de Andalucía. Para mediados° del siglo XIX (diecinueve), el flamenco ya se había convertido en° un arte popular.

gitanos *gypsies* **historiadores** *historians* **pueblo nómada** *nomadic people* **canto** *song* **Se cree que** *It is believed that* **se originó** *originated* **cante hondo** *deep song* **mediados** *middle* **se había convertido en** *had become*

Vocabulario

sustantivo	**la tristeza**	sadness
verbos	**llorar**	to cry
	robar	to rob, to take away
expresiones	**por todos lados**	everywhere, on all sides
	¡qué alivio!	what a relief!
	¡qué será de mí!	what will become of me!

Vamos a anticipar un poco . . . Vamos a hablar de las cosas interesantes que
habrás hecho al terminar tus estudios secundarios.

1. **¿Habrás aprendido** muchas cosas
   interesantes?
     Sí (No, no) **habré aprendido** . . .
2. **¿Habrás aprendido** cosas útiles?
3. **¿Habrás aprendido** a hablar español?

4. **¿Habrás recibido** muchas «As»?
5. **¿Habrás conocido** a muchos chicos
   simpáticos?
6. **¿Habrás conocido** a muchas chicas
   simpáticas?

OBSERVACIÓN

In the above questions, you are asked about certain things that you *will have done*
by the time you finish high school. The verbs you are using are in the *future perfect*.

- How many words does the future perfect consist of in Spanish?
- What verb form is the second word of the future perfect?
- Is this the same verb form that is used in the present perfect and in the pluperfect?

VOCABULARIO PRÁCTICO   La casa del futuro

el techo

el dormitorio

la cocina

el comedor

la sala

ACTIVIDAD 1 Tu casa futura

1. ¿Tendrá tu casa una piscina? ¿un sistema de aire acondicionado? ¿un sistema de calefacción solar? ¿un garaje para tres coches? ¿un sótano muy grande?

2. ¿Cuántos pisos tendrá? ¿Cuántos cuartos?

3. ¿Será una casa de piedra? ¿de madera?

4. ¿Será el techo de vidrio *(glass)*? ¿el suelo de madera? ¿las paredes de vidrio?

5. ¿Cómo será la sala? ¿el comedor? ¿la cocina? ¿tu dormitorio?

POR 685.000 ptas.
·Bungalows·
EN LA COSTA BLANCA
1, 2 y 3 dormitorios •comedor •cocina •aseo •patio y jardín.

la calefacción solar

la madera

el primer piso

el vidrio

la pared

la planta baja

el suelo

el sótano

las piedras

el sistema de aire acondicionado

Estructuras

A. El futuro perfecto

Note the use of the future perfect in the following sentences.

Dentro de unos dos años, **me habré graduado.**

*Within about two years, I **will have graduated.***

Dentro de unos cinco años, Elena **se habrá casado con** Carlos.

*Within about five years, Elena **will have married** Carlos.*

Antes del año dos mil, los científicos **habrán descubierto** una cura contra el cáncer.

*Before the year 2000, scientists **will have discovered** a cure for cancer.*

Forms

1. The future perfect, like the present perfect, is a compound tense. In Spanish, it consists of *two* words. Note the forms of the future perfect tense of **comprar.**

INFINITIVE	**comprar**		
FUTURE PERFECT			
(yo)	**habré comprado**	(nosotros)	**habremos comprado**
(tú)	**habrás comprado**	(vosotros)	**habréis comprado**
(él, ella, Ud.)	**habrá comprado**	(ellos, ellas, Uds.)	**habrán comprado**

The future perfect is formed as follows:

> future of **haber** + past participle

2. Reminder: Regular past participles are formed as follows:

replace the infinitive ending:	with the ending:		
-ar →	**-ado**	tomar	→ tom**ado**
-er →	**-ido**	comer	→ com**ido**
-ir →	**-ido**	vivir	→ viv**ido**

Here are a few common irregular past participles:

decir	**dicho**	hacer	**hecho**
descubrir	**descubierto**	poner	**puesto**
escribir	**escrito**	ver	**visto**

Uses

1. As in English, the future perfect is used to express what *will have happened* by a certain point in time.
2. In Spanish, the future perfect, like the future, is used to make a guess or to express probability, but about a *past* event.

¿Con quién ha salido Carlos?   *With whom has Carlos gone out?*
No sé. **Habrá salido** con Carmen.   *I don't know. He **may have gone out** with Carmen.*
                                                *(He **has probably gone out** with Carmen.)*

ACTIVIDAD 2   Planes matrimoniales

Unos amigos están hablando de sus planes matrimoniales. Di quién se habrá casado dentro de cinco años, y quién no.

> Felipe (no)   Felipe no se habrá casado.

1. Carmen (sí)
2. Raúl y Marisela (sí)
3. yo (no)
4. tú (sí)
5. nosotros (sí)
6. mis hermanos (sí)
7. el primo de Roberto (no)
8. Ud. y yo (no)

ACTIVIDAD 3   Los planes de Marisela

Marisela tiene muchos planes interesantes. Di qué espera realizar *(accomplish)* dentro de cinco años. Di también si tú habrás realizado planes similares.

> graduarse de la universidad
> > Dentro de cinco años, Marisela se habrá graduado de la universidad.
> > Yo (no) me habré graduado de la universidad.

1. pilotar un avión
2. conducir un Ferrari
3. correr el maratón de Boston
4. correr una milla en menos de cinco minutos
5. hablar con el presidente de los Estados Unidos
6. lanzarse en paracaídas *(parachute jump)*
7. aprender cinco idiomas
8. viajar a África
9. correr las olas en el Perú
10. esquiar en los Alpes
11. vivir en París
12. ir a Moscú
13. ver los canguros *(kangaroos)* en Australia
14. escribir una novela
15. hacer un viaje a la China
16. visitar las pirámides de Egipto

ACTIVIDAD 4   El progreso

Di si, en tu opinión, los hombres habrán realizado las siguientes cosas antes del año 2000.

⟳   los científicos: descubrir una cura contra el cáncer
    Los científicos (no) habrán descubierto una cura contra el cáncer.

1. los astronautas: descubrir otros planetas
2. los astronautas: ir a Marte (Mars)
3. los medicos: descubrir una cura contra el catarro (common cold)
4. los ecologistas: suprimir la contaminación del aire
5. los arquitectos: construir ciudades en la luna
6. los hombres: ponerse en contacto con otras civilizaciones
7. los médicos: descubrir el elixir de la vida eterna
8. los políticos: transformar la sociedad
9. las mujeres: conseguir la igualdad (equality) con los hombres
10. los norteamericanos: hacer las paces con los rusos
11. los extraterrestres: establecer buenas relaciones con nosotros
12. yo: ganar el premio Nóbel

B. Por + infinitivo

Note the use of the construction **por** + infinitive in the following sentences.

El profesor me castigó
    por no saber la lección.

The teacher punished me
    for not knowing the lesson.

Tengo un dolor de cabeza
    por mirar la televisión demasiado.

I have a headache **from watching**
    television too much.

The construction **por** + infinitive usually corresponds to the English construction *for, because of, for reason of* + . . . *ing*.

ACTIVIDAD 5   Excusas

Los siguientes alumnos no vinieron al examen. Da la excusa de cada uno.

⟳   Rafael está enfermo.   Rafael no vino por estar enfermo.

1. Yo tengo dolor de estómago (stomachache).
2. Nosotros estamos cansados.
3. Teresa ayuda en casa.
4. Mis amigos acompañan a su padre al aeropuerto.
5. Tú no te sientes bien.
6. Uds. están en México.

ACTIVIDAD 6   Excesos y consecuencias

Los excesos son peligrosos. Expresa esto en frases lógicas usando los elementos de las columnas A, B y C. ¡Usa tu imaginación!

A	B	C	
yo	estar enfermo	hablar	mirar la televisión
tú	estar cansado	beber	jugar
Carlos	estar ronco *(hoarse)*	cantar	divertirse
Susana y Elena	tener dolor de cabeza	leer	comer
Uds.	tener dolor de estómago *(stomachache)*	gritar *(to scream)*	reírse

∑⟩ Carlos tiene dolor de estómago por reírse demasiado.

Para la comunicación

XXV reunión de la clase

Imagina que la clase se reúne después de veinte y cinco años. Por supuesto, tus compañeros y tú habrán hecho muchas cosas interesantes durante ese tiempo. Describe lo que tú y otras dos personas de la clase habrán realizado. Escribe un párrafo de seis frases para cada persona. Puedes usar los siguientes verbos:

ser / ir / tener / ganar / trabajar / casarse / ver / hacer / viajar / comprar / construir / descubrir / visitar

Variedades El secreto del jefe indio

Un día, un joven explorador norteamericano llegó a una aldea° de la región amazónica.

En esta aldea vivía una tribu de indios pacíficos.° Muy pronto el jefe de la tribu, un viejo de unos ochenta años, había hecho amistad° con el explorador. Un día el viejo le dijo al explorador:

—Yo sé que has organizado una expedición a la selva° y que quieres salir mañana. Pero, escúchame . . . Tú no irás. Te quedarás en la aldea con nosotros. Esta noche, habrá una tempestad° fuertísima. Hará un tiempo horrible por veinte días. Tendrás que esperar pacientemente el fin de la tempestad. Si después hace buen tiempo, podrás hacer la expedición. Entonces, si quieres, yo iré contigo.

Esa noche, tal como° había dicho el viejo, empezó una desastrosa tempestad que duró veinte días y que arrasó° un gran número de árboles de esta selva tropical. El joven explorador agradeció° al jefe indio que le había salvado° la vida.

De allí en adelante,° antes de cada expedición, él consultaba con su amigo. Éste° le pronosticaba° el tiempo con una exactitud increíble:

—Sí, podrás partir° . . .
—Hará buen tiempo por quince días . . .
—Hará mucho sol esta semana . . .
—Hará mucho calor por tres días . . .
O algo como:
—No, no podrás viajar porque hará mal tiempo por cinco o seis días.

Y cada vez, las predicciones del jefe indio se realizaban.°

El joven explorador estaba tan intrigado por el talento de su amigo pero nunca le preguntó nada de su secreto.

—Será sin duda un viejo secreto indígena, transmitido de generación a generación. Si yo le pregunto, él se enojará y nunca más me dirá nada.

Finalmente después de seis meses, el explorador norteamericano tuvo que partir. El día de su salida° el jefe indio le llamó y le dijo:

—Eres un joven muy simpático y yo estuve muy contento de poder ayudarte. Ahora, me toca° a mí pedirte un favor. Dentro de poco estarás en Nueva York. Allá, ¿podrás comprarme pilas° nuevas para mi radio-transistor? Las mías están bastante gastadas° y muy pronto no podré escuchar más las informaciones meteorológicas° que vienen de la estación cercana.° Pero con las pilas nuevas yo podré ayudar a los otros exploradores norteamericanos que vendrán después de ti . . .

aldea: *village*

pacíficos: *peaceful*
había hecho amistad: *had become friends*

selva: *forest*

tempestad: *storm*

tal como: *just as*
arrasó: *tore down*
agradeció: *was grateful to*
salvado: *saved*

De allí en adelante: *From then on*
Éste = el jefe
pronosticaba: *would predict*
partir: *leave*

se realizaban: *would come true*

salida: *departure*

me toca: *it's my turn*
pilas: *batteries*
gastadas: *used*
meteorológicas: *weather*
cercana: *nearby*

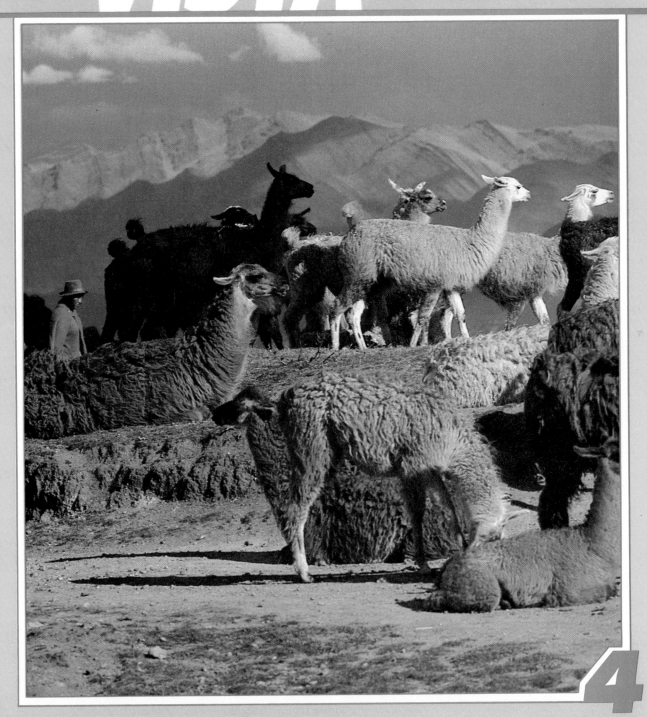

4

Un poco de historia

¿Sabes cuándo comienza la historia del hombre en la América del Sur?
Comienza cuando llegan tribus de indios cazadores,° 10.000 años antes de
Cristo. Y desde entonces, ¡bueno! ¡Han pasado muchas cosas! Hoy vamos a
recordar los grandes hechos.°

Machu Picchu Perú

Francisco Pizarro

1438–1493

Los emperadores incas Pachacútec y Túpac
dirigen la expansión imperial que crea en las
montañas de los Andes un imperio
extraordinario. Ocho millones de indios
llegan a ser parte de este imperio.

1532

Francisco Pizarro, un español inquieto y
ambicioso, llega al Perú y conquista a los
incas.

1535

El imperio de los incas derrotado,°
comienzan tres siglos° de dominación
española. Francisco Pizarro funda° la
«Ciudad de los Reyes»,° ciudad que llega a
ser el centro del poder° español en la
América del Sur. La «Ciudad de los Reyes»
es hoy Lima, la capital del Perú.

1735

Con la autorización de la Corona° española,
una expedición francesa° visita el territorio
que hoy es el Ecuador. Es una expedición
científica que llega a la región para tomar
algunas medidas° de la tierra y marcar la
posición exacta del ecuador.° Su jefe es el
famoso científico Charles Marie de La
Condamine.

cazadores *hunters* **hechos** *deeds* **derrotado** *defeated* **siglos** *centuries* **funda** *founds*
Reyes *Monarchs* **poder** *power* **Corona** *Crown* **francesa** *French* **medidas** *measurements*
ecuador *Equator*

Bolívar y San Martín

1810

En Caracas y en Buenos Aires, la gente declara su oposición a las autoridades españolas. Así comienza la lucha° por la independencia de la América del Sur. Surgen° dos grandes héroes: Simón Bolívar y José de San Martín.

1824

Bajo el mando de otro gran patriota, Antonio José de Sucre, 6.000 tropas libertadoras derrotan° a 9.000 tropas españolas en Ayacucho, Perú. Es el golpe° decisivo. Es la última gran batalla en las altas cumbres° de los Andes. Después de tres siglos, el poder español por fin° se retira de la América del Sur.

1879–1883

Durante la llamada «Guerra° del Pacífico», Chile, por un lado,° y el Perú y Bolivia, por el otro, pelean por el control de ciertos recursos° naturales. Como resultado de esta guerra, Bolivia pierde su salida° al mar (hoy es un país sin costas) y Chile gana el control del desierto de Atacama donde hay grandes depósitos de cobre° y de nitrato natural, un fertilizante.

1904

Los gobiernos de Chile y Argentina erigen° una estatua de Cristo como símbolo de la paz entre los dos países. Situada en la frontera, la estatua es de bronce y mide° 26 pies.

1912

En Maracaibo, Venezuela, se descubre petróleo. Este gran recurso natural transforma el país.

1948

En una reunión interamericana celebrada en Bogotá, Colombia, se crea oficialmente la Organización de Estados Americanos (OEA). Esta organización tiene su sede° en Washington, D.C. Veinte y seis naciones americanas, incluyendo los Estados Unidos, forman parte de la OEA.

1974

Muere° Juan Perón. Es sucedido por su esposa, Isabel Perón, que gobierna hasta 1976. Ella es la primera mujer que llega a ser presidente de un país del hemisferio occidental.

1983

Raúl Alfonsín es elegido presidente después de años de gobierno militar en la Argentina. Promete el reestablecimiento de la democracia y los derechos humanos.

---

lucha *struggle* **Surgen** *Arise* **derrotan** *defeat* **golpe** *blow* **cumbres** *peaks* **por fin** *finally*
Guerra *War* **por un lado** *on one hand* **recursos** *resources* **salida** *exit* **cobre** *copper*
erigen *erect* **mide** *measures* **sede** *headquarters* **Muere** *Dies*

LOS PAÍSES HISPANOS
DE LA AMÉRICA DEL SUR

Colombia

Población: 30.000.000
Ciudad capital: Bogotá
Unidad monetaria: el peso
Productos principales:
café, esmeraldas,° petróleo
Otros datos:°
Establecida en 1525, Santa Marta, en Colombia, es la población permanente más antigua de la América del Sur.

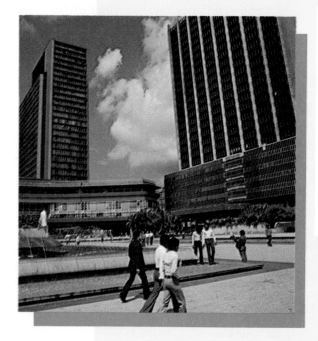

Venezuela

Población: 17.800.000
Ciudad capital: Caracas
Unidad monetaria:
el bolívar, en honor del héroe de la independencia, Simón Bolívar
Productos principales: petróleo, hierro°
Otros datos:
Venezuela es el noveno productor de petróleo en el mundo. La mayor parte del petróleo venezolano sale del Lago de Maracaibo.

318   **esmeraldas** *emeralds*   **datos** *facts*   **hierro** *iron*

Ecuador

Población: 9.600.000
Ciudad capital: Quito
Unidad monetaria:
    el sucre, en honor del héroe de la
    independencia, Antonio José de Sucre
Productos principales:
    bananas, cacao, petróleo
Otros datos:
    El Ecuador toma su nombre de la línea
    imaginaria que divide al mundo en los
    hemisferios norte y sur. Pero aunque°
    el ecuador pasa por el Ecuador, los
    espectaculares volcanes de este páis
    siempre están cubiertos° de nieve.

Perú

Población: 20.200.000
Ciudad capital: Lima
Unidad monetaria: el inti y
    el sol (Los incas adoraban al sol.)
Productos principales:
    cobre, harina de pescado°
Otros datos:
    El Perú es el país con la industria
    pesquera° comercial más grande del
    mundo hispano.

Bolivia

Población: 6.400.000
Ciudad capital: La Paz
Unidad monetaria: el peso
Producto principal: el estaño°
Otros datos:
    La Paz es la capital más alta del
    mundo. Está a 3.900 metros sobre el
    nivel del mar° (más de 12.000 pies).

aunque *although*   **cubiertos** *covered*   **harina de pescado** *fishmeal*   **pesquera** *fishing*
estaño *tin*   **nivel del mar** *sea level*

Chile

Población: 12.300.000
Ciudad capital: Santiago
Unidad monetaria: el peso
Productos principales:
   cobre,° mineral de hierro°
Otros datos:
   En Chile están los picos más altos de la
   impresionante Cordillera de los Andes.
   Ésta se extiende desde Colombia y
   Venezuela hasta Chile, donde muchas
   expediciones han intentado° conquistar la
   cumbre° del Aconcagua. Con una
   elevación de casi 7.000 metros (más de
   22.000 pies), es el pico más alto de América.

Argentina

Población: 31.200.000
Ciudad capital: Buenos aires
Unidad monetaria: el austral
Productos principales:
   trigo,° carne, cuero°
Otros datos:
   La Argentina es un país formado casi
   completamente por emigrantes europeos.
   Muchas familias italianas, inglesas,
   irlandesas, alemanas° y, por supuesto,
   españolas llegaron a la Argentina hace
   100 años.

Paraguay

Población: 4.100.000
Ciudad capital: Asunción
Unidad monetaria:
   guaraní, nombre de la cultura
   precolombina
Productos principales: madera,° carne
Otros datos:
   El Paraguay es un país bilingüe. El
   español y el guaraní, la lengua
   precolombina, se hablan en todas partes.
   También hay libros y periódicos en
   guaraní.

cobre *copper*   **mineral de hierro** *iron ore*   **intentado** *have tried*   **cumbre**
peak   **trigo** *wheat*   **cuero** *leather*   **alemanas** *German*   **madera** *wood*

Uruguay

Población: 3.000.000
Ciudad capital: Montevideo
Unidad monetaria: el peso
Productos principales: carne, lana°
Otros datos:

Uruguay es la república más pequeña de la América del Sur. Tiene un área comparable a la del estado de Washington.

¡SE SALVA LA VIDA CON UNOS POLVOS MILAGROSOS!

En la década de 1630, Luis Fernández, conde° de Chinchón, era el virrey° del Perú. Él era el hombre que gobernaba el Perú en representación del Rey° de España. El conde vivía con su esposa, Ana Ossorio, condesa de Chinchón, en Lima.

Luis quería mucho a Ana; desafortunadamente, un día ella se enfermó.° Tenía una fiebre° muy alta. Los médicos no podían controlársela.

—Imposible,— dijeron los médicos. —Es imposible curar a la condesa.

Pero cuando más triste estaba el conde, ocurrió algo maravilloso: llegó un indio con unos polvos° para la condesa. El indio anunció que traía un secreto inca, una sustancia mágica para la condesa.

Efectivamente, así fue. La condesa se curó milagrosamente.°

Los polvos que trajo el indio fueron de la corteza° de un árbol de las laderas° de los Andes. La corteza de este árbol contiene una sustancia química° que hoy se llama quinina (del quechua, que hablaban los incas). La expresíon quechua *quina-quina* quiere decir corteza de cortezas.

¿Sabes para qué usan la quinina los médicos hoy día?

lana *wool*   **conde** *count*   **virrey** *viceroy*   **Rey** *King*   **se enfermó** *fell ill*   **fiebre** *fever*
polvos *powders*   **milagrosamente** *miraculously*   **corteza** *bark*   **laderas** *slopes*   **química** *chemical*

321

Una ciudad perdida y encontrada

Cuzco. Estación San Pedro. Son las siete de la mañana y el tren va a partir para Machu Picchu, la ciudad perdida de los incas. Son cuatro horas de viaje. Cuatro horas subiendo y bajando montañas . . . Por fin,° ¡allí está!

Machu Picchu: nubes° y montañas, misterio y silencio, escaleras° y murallas° de piedra . . . ¿Fue Machu Picchu el último refugio de los incas? ¿Fue una fortaleza° militar? ¿Fue un centro ceremonial? ¿Fue una ciudad sagrada?°

Nadie lo sabe exactamente. Los arqueólogos creen que la ciudad de Machu Picchu fue construida por los incas hace 600 años. Pero los españoles nunca llegaron a Machu Picchu. La ciudad desapareció con la derrota° del imperio inca sin ser vista por ningún europeo.

Pasaron 400 años. Entonces, un norteamericano, Hiram Bingham, condujo una expedición arqueológica de «Yale University» en busca de la ciudad perdida. Y, en 1911, ¡la encontró! Una ciudad completamente de piedra, construida en la cima° de una montaña. Una ciudad abandonada, desierta, misteriosa. Escondida bajo una sábana° de vegetación. Una ciudad llamada Machu Picchu, hoy visitada por gente de todo el mundo.

Por fin *Finally* **nubes** *clouds* **escaleras** *stairs* **murallas** *walls* **fortaleza** *fortress*
sagrada *sacred* **derrota** *defeat* **cima** *top* **sábana** *sheet*

EL MISTERIOSO MUNDO DEL PASADO

¿Cómo eran los pueblos del pasado? ¿Cómo vivían los incas, por ejemplo? ¿Existían comunicaciones entre pueblos distantes? ¿Cómo comprendían la vida? En la América del Sur los misterios abundan.

El Dorado

Este misterio se refiere a un rey° de origen desconocido. No ha sido posible determinar dónde estaba su reino.° Este rey indio celebraba todos los años una ceremonia religiosa muy misteriosa. Primero se cubría° todo el cuerpo con polvos° de oro y después se bañaba en un lago. Hoy hay gente que todavía busca el lago de El Dorado. ¿Crees tú en la existencia de este lago?

Los egipcios en el Nuevo Mundo

En el lago Titicaca, entre el Perú y Bolivia, los indios que descienden de los incas navegan en balsas de junco° que son muy interesantes. Por su construcción y diseño° estas balsas son similares a las balsas que usaban los antiguos egipcios para navegar en el río Nilo. Este parecido° hace pensar en contactos antiguos entre el norte de África y el sur de América. Claro que hoy es imposible demostrar que los antiguos egipcios les enseñaron a los indios a fabricar balsas. Pero hay personas (como el antropólogo noruego, Thor Heyerdahl) que creen que los antiguos egipcios fueron capaces° de cruzar el Océano Atlántico en sus balsas.

Los gigantes de la Isla de Pascua

Al llegar a la Isla de Pascua,° un remoto territorio chileno en el Pacífico, los visitantes son recibidos por figuras gigantescas, tan altas como un edificio de cuatro o cinco pisos. Estos enormes gigantes de piedra sonríen irónicamente porque el hombre moderno no ha podido descubrir su secreto. Es fácil imaginar que esta isla fue una prisión precolombina, y que las estatuas fueron creadas por criminales. Pero ¿cómo puedes demostrar esta posibilidad?

rey *king*   **reino** *kingdom*   **se cubría** *was covered*   **polvos** *dust (particles)*   **balsas de junco** *boats (rafts) made of bulrushes*   **diseño** *design*   **parecido** *similarity*   **capaces** *capable*   **Isla de Pascua** *Easter Island*

El zoológico natural

Aquí hay cinco animales.
Todos son de origen sudamericano.

1. La llama es el amigo indispensable de los indios que viven en los Andes. Pero es un animal temperamental. Además las llamas no pueden llevar a una persona. Solamente pueden llevar cosas que no pesan° mucho.

2. Éste es un oso hormiguero. Las hormigas° son su plato favorito. Usa su gran hocico° y su lengua° de 30 centímetros (1 pie) para tomar las hormigas de la tierra.

3. Ésta es la anaconda. Vive cerca de los ríos. Come animales pequeños que estruja° entre los anillos° de su cuerpo.

4. ¿Conoces este animal? ¡Es una chinchilla! Este animalito es feliz entre la nieve y el frío de los Andes. Su piel° se usa para hacer finísimos abrigos.

5. El cóndor es un ave° similar al águila.° Los dos son enormes y vuelan° muy alto. Los dos son símbolos nacionales. El cóndor vive en las altas montañas de los Andes y en el escudo° de cuatro repúblicas. Es el ave nacional de Colombia, Ecuador, Bolivia y Chile.

pesan *weigh*	**hormigas** *ants*	**hocico** *snout*	**lengua** *tongue*	**estruja** *it squeezes*
anillos *rings*	**piel** *fur*	**ave** *bird*	**águila** *eagle*	**vuelan** *fly*	**escudo** *shield*

324

Los campeones de la libertad

Francisco Miranda, 1750-1816

Este general venezolano tomó parte en la Guerra de la Independencia de los Estados Unidos. Fue amigo de Jorge Washington y de Tomás Jefferson. Después, viajó por Europa buscando dinero, armas y hombres para luchar contra° los españoles en la América hispana.

Simón Bolívar, 1783-1830

Rico, aristocrático y muy guapo. Así fue Bolívar, un joven distinguido, nacido° en Caracas. Cuando era estudiante juró° solemnemente dedicar su vida a la libertad del Nuevo Mundo. Como todo gran romántico, fue idealista en sus ideas y dramático en sus acciones. Hizo gloriosamente lo que prometió porque liberó Colombia, Venezuela, Ecuador, el Perú y Bolivia.

Antonio José de Sucre, 1795-1830

Fue el más joven de los héroes. Cuando tenía 15 años se unió° al movimiento libertador. Fue el mejor amigo de Bolívar, y con él comparte la gloria de haber dirigido las grandes batallas. Después, creó la república de Bolivia, y la llamó así en honor a su amigo.

José de San Martín, 1778-1850

Con su ejército° que organizó y entrenó° en la Argentina, San Martín cruzó los Andes, liberó Chile y llegó al Perú. Luchó contra España y la naturaleza:° el frío, la nieve y la falta° de oxígeno en las altas cumbres° de los Andes.

Bernardo O'Higgins, 1778(?)-1842

Héroe nacional de Chile que se unió a las fuerzas de San Martín. Con él cruzó los Andes en 1817. Después, fue autor de la primera constitución de Chile. Su padre, nacido en Irlanda, fue representante de la Corona° española en Chile y en el Perú.

luchar contra *to fight against* **nacido** *born* **juró** *swore* **se unió** *joined* **ejército** *army*
entrenó *trained* **naturaleza** *nature* **falta** *lack* **cumbres** *peaks* **Corona** *Crown*

Gabriela Mistral

Gabriela Mistral (1889-1957). Nacida° en Chile, Mistral figura entre° los grandes poetas de Latinoamérica. Además de escritora° fue maestra.° También trabajó en el servicio diplomático de Chile y fue Ministro de Cultura. En 1945 ganó el Premio Nóbel y en 1951 su país le concedió° el Premio Nacional de Literatura.

Las obras° de Mistral han sido traducidas a muchos idiomas.° Todo el mundo conoce a esta mujer que en sus viajes por Europa y América siempre defendió los derechos° humanos. Algunos de los temas de sus poemas son el dolor,° la consolación religiosa, la maternidad y la infancia.

BALADA DE LA ESTRELLA

Este poema es un diálogo entre Mistral y una estrella.° La poetisa° quiere saber si hay alguien más triste y más sola que ella misma. La estrella responde de una manera sorprendente.

Estrella, estoy triste.
Tú dime° si otra
como mi alma° viste.
—Hay otra más triste.

—Estoy sola, estrella.
Di a mi alma si existe
otra como ella.
—Sí, dice la estrella.

—Contempla mi llanto.°
Dime si otra lleva
de lágrimas manto.°
—En otra hay más llanto.

—Di quién es la triste,
di quién es la sola,
si la conociste.

—Soy yo, la que encanto,
soy yo la que tengo
mi luz° hecha llanto.

DAME° LA MANO

Este poema es una invitación a una danza. ¿Qué simbolizan la flor, la espiga° y la danza? Para contestar esta pregunta, considera que las palabras *y nada más* son muy importantes en este poema.

Dame la mano y danzaremos;
dame la mano y me amarás.
Como una sola flor seremos,
como una flor, y nada más...

El mismo verso cantaremos,
al mismo paso° bailarás.
Como una espiga ondularemos,°
como una espiga, y nada más.

Te llamas Rosa y yo Esperanza;
pero tu nombre olvidarás,
porque seremos una danza
en la colina,° y nada más...

From *Poesías Completas*, Aguilar, 1968. Reprinted by permission of Aguilar, S.A. de Ediciones, Madrid, Spain.

Nacida *Born* **figura entre** *ranks among* **escritora** *writer* **maestra** *teacher*
concedió *awarded* **obras** *works* **idiomas** *languages* **derechos** *rights* **dolor** *pain*
estrella *star* **poetisa** *poet* **dime** *tell me* **alma** *soul* **llanto** *weeping*
de lágrimas manto *a cloak of tears* **luz** *light* **Dame** *Give me* **espiga** *wheat stalk*
paso *step* **ondularemos** *we will wave* **colina** *hill*

La cocina sudamericana

¿Te gustan los postres? Aquí está la receta° del dulce de leche. Es el dulce más fácil de preparar. Aprende a prepararlo y si te piden la receta, di que es un secreto de tus amigos argentinos y brasileños. Necesitas tres cosas:

una olla° pequeña

una lata° de leche condensada con azúcar

un poco de agua

Ahora, vamos a preparar la lata. NOTA: Antes de abrir la lata, tienes que cocinarla. Así es que, ¡NO LA ABRAS!

Preparación
1. Quítale el papel a la lata.
2. Pon la lata en la olla.
3. Ponle agua a la olla. La lata tiene que estar cubierta° de agua.
4. Cocínala a fuego lento° durante dos o tres horas.
5. Cuando la lata esté° fría, ábrela y . . . ¡buen provecho!°

Actividades culturales

1. *Prepara un cartel° que anuncie uno de los países hispanos de la América del Sur.*
2. *Escoge uno de los campeones de la libertad de la página 325 y prepara un informe° sobre su vida.*
3. *Prepara una exposición° de estampillas sudamericanas.*
4. *Escoge uno de los países hispanos de la América del Sur y prepara un informe oral. Puedes hablar de su historia, sus costumbres,° su economía, etc. Prepara también una exposición, usa algunas fotos.*
5. *Prepara un informe sobre la Isla de Pascua.*

cartel *poster*   **informe** *report*   **exposición** *exhibit*   **costumbres** *customs*

receta *recipe*   **olla** *pot*   **lata** *tin can*   **cubierta** *covered*   **a fuego lento** *over low heat*   **esté** *is*   **¡buen provecho!** *Enjoy it!*

Unidad 8

Perspectivas de hoy

Beatriz está muy contenta.

Acaba de obtener el permiso de conducir.

Un día, ella le pide a su hermano su coche. Le dice que es para ir de compras . . . En realidad, Beatriz tiene otra intención. Ella va a darle una lección de conducir a su amiga Gabriela. Las dos chicas están en el coche . . .

Es obvio que Beatriz todavía no es una experta en el manejo . . . Por eso, todos los consejos que ella le da a Gabriela no siempre son los mejores . . . En efecto, algunos son bastante malos.

manejo: *driving*

¿Puedes determinar cuáles son los buenos consejos y cuáles no lo son?

	buen consejo	mal consejo	
1. Ponte el cinturón de seguridad.	☐	☐	cinturón de seguridad: *seat belt*
2. Antes de arrancar, toca la bocina.	☐	☐	toca la bocina: *honk the horn*
3. Al arrancar, mira a la derecha y a la izquierda.	☐	☐	
4. Después de arrancar, acelera de repente.	☐	☐	de repente: *suddenly*
5. Al ver la luz roja, para.	☐	☐	
6. Al ver la luz amarilla, acelera.	☐	☐	
7. Ten mucho cuidado al pasar por un pueblo.	☐	☐	
8. Pon las luces direccionales antes de doblar la esquina.	☐	☐	doblar la esquina: *turning the corner*
9. Pon las luces direccionales después de parar.	☐	☐	
10. Ve más despacio cuando llueve.	☐	☐	más despacio: *slower*
11. Al doblar la esquina, acelera.	☐	☐	
12. Al ver a un policía, ve más de prisa.	☐	☐	más de prisa: *faster*

NOTA CULTURAL

El permiso de conducir

¿Cuándo recibirás tu permiso de conducir? ¿Dentro de un año o dos? ¿O tal vez, ya lo tienes?

Para los jóvenes hispanos, el sacar° el permiso de conducir es un hecho emocionante.° Primero porque el examen es muy difícil y muchos salen mal en° el examen. También, el sacar el permiso de conducir es como un símbolo, una señal de que eres cuidadoso y responsable, que eres de confianza,° en otras palabras, que ahora eres un adulto.

el sacar *getting*   **emocionante** *thrilling*   **salen mal en** *fail*
de confianza *worthy of confidence*

sustantivo	**un pueblo**	town
verbo	**obtener**	to obtain, to get
expresiones	**de repente**	suddenly
	tocar la bocina	to honk

NOTA: **Obtener** is conjugated like **tener**.

¿Cuándo **obtendrás** tu permiso de conducir?

CONVERSACIÓN

Vamos a hablar de lo que haces todos los días.

1. ¿Te lavas las manos **antes de** comer?
2. ¿Te lavas los dientes **antes de** acostarte?
3. ¿Miras **antes de** cruzar la calle?
4. ¿Estudias mucho **antes de** tomar un examen?
5. ¿Piensas **antes de** hablar?

OBSERVACIÓN

In the above questions, you are asked whether you do certain things before doing others.

- What is the expression that corresponds to *before?*
- Which form of the verb is used after this expression?

Estructuras

A. Repaso: mandatos afirmativos: la forma familiar (*tú*)

Commands are used to make a suggestion, to give a warning, or to give an order. In the following sentences, orders are given to people addressed as **tú**.

¡María, **escucha**!	*María, **listen**!*
¡Paquito, **come** el pan!	*Paquito, **eat** the bread!*
¡**Escribe** la carta, Manuel!	*Write the letter, Manuel!*

For most verbs, the affirmative **tú** form of the command is the same as the **él** form of the present tense.

> endings for the familiar or **tú** form of commands
> for   **-ar**   verbs: **-a**
> for   **-er**   verbs: **-e**
> for   **-ir**   verbs: **-e**

ACTIVIDAD 1 Unos consejos

Imagina que eres profesor(a). Unos alumnos necesitan cambiar sus actitudes. Aconséjalos.

🤏 Paco no lee libros interesantes.
    Por favor, Paco, ¡lee libros interesantes!

1. Carmen no estudia para el examen.
2. Rubén no estudia el vocabulario.
3. Felipe no saluda a sus profesores.
4. Isabel no aprende los verbos.
5. Federico no llega a clase a tiempo.
6. Inés no termina la tarea.
7. Alberto no escribe en su cuaderno.
8. Teresa no habla inglés en clase.

ACTIVIDAD 2 En la fiesta

Carlos ha invitado a algunos amigos a una fiesta en su casa. Le pide ayuda a cada uno. Haz el papel de Carlos. (Cuidado: Los verbos que Carlos usa tienen un cambio en el radical.)

🤏 cerrar las ventanas   ¡Cierra las ventanas, por favor!

1. cerrar la puerta
2. encender las luces
3. pedir prestado unos discos
4. mostrar tus fotos
5. jugar con Alberto

6. contar un chiste
7. servir las gaseosas
8. devolver los discos
9. contar algo divertido
10. servir los sándwiches

B. Repaso: mandatos afirmativos: la forma familiar (tú) irregular

A few verbs are irregular in the affirmative **tú** form of the command.

decir	**di**	¡**Di** la verdad!
hacer	**haz**	¡**Haz** la tarea!
ir	**ve**	¡**Ve** a la escuela!
poner	**pon**	¡**Pon** la mesa!
salir	**sal**	¡**Sal** conmigo!
ser	**sé**	¡**Sé** generoso!
tener	**ten**	¡**Ten** paciencia!
venir	**ven**	¡**Ven** aquí!

🤏 With the exception of **decir, hacer, ser,** and **ir,** the affirmative **tú** form of the above verbs is the stem of the verb, that is, the infinitive minus **-er** or **-ir.**

⮂ Note the idiomatic expressions with **tener.**

tener cuidado (con)	to watch out (for)	**¡Ten cuidado con** el perro!
	to be careful (about)	**¡Ten cuidado con** el coche!
tener paciencia	to be patient	**¡Ten paciencia,** por favor!
tener la bondad (de)	to be good enough (to)	**¡Ten la bondad de** ayudarme!
	(would you please)	

ACTIVIDAD 3   ¡Cuidado!

Un papá les da a sus hijos ciertas órdenes y les recomienda cuidado con
ciertas cosas. Haz el papel del papá.

⮂   Roberto: ir a la playa / el sol   ¡Ve a la playa, Roberto, pero ten cuidado con el sol!

1. Marta: ir al centro / los coches
2. Enrique: poner la mesa / los vasos
3. Silvia: hacer la tarea / los errores
4. Marta: salir con Gloria / su perro
5. Silvia: salir de casa / el tránsito (*traffic*)
6. Enrique: venir aquí / el perro

VOCABULARIO PRÁCTICO   El tránsito

el semáforo

el tranvía

el conductor

los pasajeros

la parada del tranvía

los peatones

la señal de tránsito

la acera

la esquina

el paso de peatones

ACTIVIDAD 4   Una lección de conducir

Supón *(Suppose)* que estás enseñándole a una amiga española el arte de conducir. ¿Qué consejo vas a darle en las circunstancias descritas abajo? Escoge entre **tener cuidado (con)**, **ir más despacio** y **parar**.

Un gato cruza la calle.   ¡Ten cuidado con el gato!
(¡Ve más despacio!)
(¡Para!)

1. Los peatones cruzan la calle.
2. El semáforo está verde.
3. El semáforo está amarillo.
4. El semáforo está rojo.
5. Hay un accidente.
6. El conductor del otro coche no tiene cuidado.
7. El coche de enfrente *(ahead)* anda muy despacio.
8. Hay un tremendo lío de tránsito.
9. El coche de atrás *(behind)* está tocando la bocina.
10. Estamos en una carretera.
11. Llegamos a un pueblo.
12. Llegamos a un peaje *(tollbooth)*.
13. El tranvía que está delante del coche para de repente.
14. Los pasajeros están subiendo al tranvía.

la carretera

el camión

cruzar	to cross, to go to the other side	Los peatones **cruzan** la calle.
doblar	to turn (a corner)	**Dobla** a la izquierda y después **dobla** a la derecha.
parar	to stop	Los coches **paran** cuando el semáforo está rojo.
seguir (e → i)	to follow, to continue	¡**Sigue** el taxi! ¡**Sigue** derecho *(straight ahead)*!
ir de prisa	to go quickly	**Ve** más **de prisa** en la carretera.
ir despacio	to go slowly	**Ve despacio** en el pueblo.

C. Repaso: preposición de tiempo + infinitivo

Note the use of the infinitives in the following sentences.

Cierra la puerta **al salir** de casa.	*Close the door **on leaving** the house.*
Ten cuidado **al cruzar** la calle.	*Be careful **when crossing** the street.*
Enciende las luces direccionales **antes de doblar.**	*Put on your turn signal **before turning.***
Apaga las luces direccionales **después de doblar.**	*Turn off the turn signal **after turning.***

ᗏ The infinitive is used after prepositions of time such as **al** (*while, on, when*), **después de** (*after*), and **antes de** (*before*).

ᗏ Reminder: The construction **al** + infinitive is used to express the fact that two actions are going on at the same time.

Al entrar, saludo a mis amigos.	*When I come in, I say hello to my friends.*
Al volver a casa, te llamaré.	*When I get back home, I will call you.*

ACTIVIDAD 5   Preguntas personales

1. ¿Qué haces al llegar a la escuela?
2. ¿Qué haces al volver a casa?
3. ¿Qué haces al encontrar a tus amigos?
4. ¿Qué harías al ver un accidente?
5. ¿Qué harías al ver un tigre?
6. ¿Qué harías al encontrarte con el presidente? ¿Frankenstein? ¿Paul Newman?
7. ¿Qué harías al ganar mil dólares en la lotería?

ACTIVIDAD 6   Primero uno, luego otro

Hay un orden cronológico en lo que hacemos. Describe este orden lógico con la construcción **antes de** o **después de** + infinitivo.

ᗏ   Carmen (estudiar / tomar el examen)   Carmen estudia antes de tomar el examen.

1. tú (lavarte las manos / comer)
2. yo (cepillarme los dientes / comer)
3. nosotros (vestirnos / levantarnos)

4. Felipe (quitarse la ropa / acostarse)
5. los alumnos (pensar / hablar)
6. las personas limpias (bañarse / vestirse)

ACTIVIDAD 7   Expresión personal

Completa las siguientes frases con una idea personal. ¡Usa tu imaginación!

1. Al llegar a casa esta tarde . . .
2. Al salir de clase . . .
3. Después de cenar esta noche . . .
4. Al recibir mi diploma . . .
5. Después de graduarme . . .

6. Antes de buscar trabajo . . .
7. Al recibir mi primer cheque . . .
8. Al decidir que voy a casarme . . .
9. Después de casarme . . .

Para la comunicación

Direcciones

Supón que un alumno hispano te pide direcciones para ir a los siguientes lugares. Dale las direcciones, usando verbos como **ir, cruzar, doblar en la esquina** y **seguir.**

para ir de la escuela a la biblioteca
> Ve hasta el semáforo. Cruza la calle . . . En la esquina, dobla a la izquierda en la calle de Colón. Sigue derecho hasta la biblioteca municipal.

1. para ir de la biblioteca al cine
2. para ir del cine a la parada del autobús
3. para ir de la parada del autobús a la Plaza Mayor
4. para ir de la Plaza Mayor a la farmacia

La gente del siglo veinte ha inventado un arte nuevo: el arte de la persuasión. Hoy día, con la publicidad, vemos este arte constantemente.

Por ejemplo:

¡Beba Ud. QUICK, el agua mineral de los campeones!

campeones: *champions*

¡Sean Uds. modernos!
¡Beban TROPICAL, la bebida de los jóvenes!

bebida: *drink*

¡Piense Ud. en el verano!
¡Piense Ud. en el sol!
¡Piense en su bronceado!
¡Compre hoy la loción bronceadora SOMBRA!

bronceado: *tan*
loción bronceadora: *suntan lotion*

¡Damas!
Para el pelo seco, para el pelo grasoso,
para el pelo fino, para el pelo grueso . . .
un solo champú
Usen el champú BRILLOR, el champú
de las estrellas de cine.

seco: *dry*
grasoso: *greasy*
grueso: *thick*
champú: *shampoo*
estrellas: *stars*

¡Jóvenes!
¡Lleven los blue-jeans YANKIS!
Los blue-jeans de la juventud internacional.

juventud: *youth*

Aprenda Ud. inglés electrónicamente
en menos de dos meses
con el método SINPENA.

¡No sean ridículos en sociedad!
Aprendan Uds. a bailar en 5 lecciones
en el ESTUDIO ESTRELLA.

Desarrolle Ud. su talento artístico.
Aprenda a dibujar con
la Escuela de Correspondencia
de Estudios Gráficos.

¿Sueñan Uds. con pasar unas vacaciones inolvidables?
¡No sueñen más!
Pasen sus vacaciones en las Islas Baleares
con el Club Internacional de Turismo.

¡Piensen Uds. en la salud!
Dejen de fumar inmediatamente:
Para eso, tomen las pastillas FUMASTOP.

La publicidad está por todas partes: en la televisión, en los periódicos, en la radio, en las paredes, en las carreteras, en el cine. ¿Cómo podemos resistirla?

La enseñanza° del inglés

¿Cuál es la lengua extranjera más popular entre los estudiantes norteamericanos? Naturalmente, es el español. El español viene primero, antes del francés, del alemán y del italiano.

¿Y cuál es la lengua extranjera más popular en los países hispanos? Es el inglés ... hasta en España, que es el vecino de Francia.

¿Por qué es el inglés tan popular?

... Tal vez porque el inglés es la lengua de los negocios y de las ciencias.

... Tal vez porque más gente está viajando al extranjero° y si sabe inglés puede comunicarse.

... Tal vez porque es la lengua de un país muy importante en el mundo: los Estados Unidos.

... Tal vez porque existe cierto grado° de americanización en la vida de los hispanos.

... Tal vez porque la mayoría° de los hispanos se considera amigos de los Estados Unidos.

Al visitar un país hispano, te darás cuenta de que muchas personas pueden hablar inglés — pero que también a ellos les gusta mucho y lo aprecian cuando haces el esfuerzo° de hablar español.

enseñanza *teaching* **al extranjero** *abroad* **grado** *level*
mayoría *majority* **esfuerzo** *effort*

— Vocabulario —

sustantivos	**un bronceado**	tan	**una bebida**	drink, beverage
	un campeón	champion	**una estrella**	star
	un método	method	**la juventud**	youth
	un siglo	century	**la mayoría**	majority
			una pastilla	tablet, pill
			la salud	health
adjetivos	**grasoso**	greasy		
	grueso	thick		
	inolvidable	unforgettable		
	seco	dry		
expresiones	**en menos de dos meses**	in less than two months		
	hoy día	today, nowadays		

NOTA: Note the following constructions:

más de	+	number	*more than*	+	number
menos de	+	number	*less than*	+	number

Tengo **más de** dos meses de vacaciones.
¿Hay **menos de** treinta alumnos en la clase?

CONVERSACIÓN

Vamos a conversar sobre lo que aprendes.

1. ¿Aprendes **a tocar** el piano?
2. ¿Aprendes **a tocar** la guitarra?
3. ¿Aprendes **a conducir**?
4. ¿Aprendes **a escribir** a máquina?
5. ¿Aprendes **a hablar** francés?

OBSERVACIÓN

In the above questions, you are asked about things you are learning to do.
- What is the form of the verb that follows **aprendes**?
- Does that verb come immediately after **aprendes?** What word comes between **aprendes** and the verb?

Estructuras

A. Mandatos: las formas negativas regulares de *tú* y de *Ud., Uds.*

Compare the stems of the verbs in the following questions and commands.
Note that in the questions, the verbs are in the **yo** form of the present.

questions	*commands*
¿**Hablo** inglés?	¡No, no **hables** inglés!
¿**Salgo** con Manuel?	¡No, no **salgas** con él!
¿Cuántas aspirinas **tomo?**	¡**Tome** Ud. una, Sra. de Móntez!
¿**Salgo** con Felipe?	¡Sí, **salga** Ud. con él!
¿Dónde **estudio** con Marisela?	¡**Estudien** Uds. en la biblioteca!
¿**Hago** la tarea con Roberto?	¡Sí, **hagan** Uds. la tarea juntos!

The forms of the commands (except for the affirmative **tú** form) are derived
from the **yo** form of the present. The **-o** of the present is replaced by the
following endings:

COMMANDS	**-ar** verbs	**-er** and **-ir** verbs			
(negative **tú**)	**-es**	**-as**	¡**No mires!**	¡**No comas!**	¡**No escribas!**
(Ud.)	**-e**	**-a**	¡**Mire Ud.!**	¡**Coma Ud.!**	¡**Escriba Ud.!**
(Uds.)	**-en**	**-an**	¡**Miren Uds.!**	¡**Coman Uds.!**	¡**Escriban Uds.!**

⟫ Note that the vowel of the endings is:
  -e for **-ar** verbs
  -a for **-er** and **-ir** verbs

⟫ This pattern for forming commands also applies to stem-changing
  verbs and to many verbs that are irregular in the **yo** form of the
  present.

infinitive	*present*	*commands (tú negativo, Ud., Uds.)*
cerrar	**cierro**	¡No **cierres** la ventana!
		¡Por favor, Sr. Móntez, **cierre** Ud. la puerta!
decir	**digo**	¡No **digas** mentiras, Carlos!
		¡No **digan** Uds. mentiras, José y Antonio!
		¡**Digan** Uds. la verdad!

⟫ In order to preserve the sound of the stem, some verbs have a
  spelling change in the stem:

ending	*change*	*commands (tú negativo, Ud., Uds.)*
-car	c → qu	¡Por favor, no **toques** el piano!
-gar	g → gu	¡Carlos y Felipe, **jueguen** Uds. con sus compañeros!
-zar	z → c	¡**Almuerce** Ud. conmigo, Sr. Chávez!

ACTIVIDAD 1 En el consultorio del médico *(In the doctor's office)*

La doctora Sánchez tiene un paciente, el Sr. Montero, que trabaja en una oficina y no hace ejercicio. Haz los papeles de la médica y del paciente. (Por supuesto, la médica usa *Ud.* con su paciente.)

> fumar el Sr. Montero: ¿Puedo fumar?
> la Dra. Sánchez: ¡No! ¡No fume Ud.!

> comer fruta el Sr. Montero: ¿Puedo comer fruta?
> la Dra. Sánchez: ¡Por supuesto! ¡Coma Ud. fruta!

1. nadar
2. esquiar
3. fumar cigarros
4. comer legumbres
5. comer dulces
6. beber wiski
7. comer helado
8. beber gaseosas
9. beber agua mineral
10. vivir en el campo
11. tomar pastillas para dormir *(sleeping pills)*
12. correr unas millas por día
13. montar en bicicleta al trabajo
14. trabajar 12 horas al día
15. trabajar los sábados y los domingos
16. saltar a la cuerda *(to jump rope)*
17. usar el ascensor *(elevator)*
18. subir la escalera a pie

ACTIVIDAD 2 ¡Nuevo, sí! ¡Viejo, no!

Un compañero te dice qué va a hacer. Ayúdale y dile que debe escoger las cosas nuevas, no las viejas.

> Voy a comprar libros. Compra los libros nuevos.
> No compres los libros viejos.

1. Voy a escuchar cintas.
2. Voy a leer revistas.
3. Voy a comprar un diccionario.
4. Voy a estudiar verbos.
5. Voy a aprender canciones.

ACTIVIDAD 3 ¡No!

Imagina que tienes hijos. Eres un papá (una mamá) muy estricto(a) y les dices que *no* cuando te dicen lo que van a hacer. Contéstales a tus hijos.

> Salgo con Inés. ¡No, no salgas con ella!

1. Salgo con Pablo.
2. Vuelvo a las doce.
3. Pongo unos discos de música popular.
4. Conduzco el coche.
5. Cuento un chiste.
6. Enciendo el radio.
7. Duermo en el saco de dormir *(sleeping bag)*.
8. Juego con Isabel.

ACTIVIDAD 4   ¡Son las doce!

Has invitado a algunos amigos a tu casa. Ahora son las doce de la noche y tus padres están en su cuarto. Tus amigos te preguntan si pueden hacer varias cosas. Contéstales sí o no.

⟴ ¿Podemos tocar el piano?   No, no toquen el piano.

⟴ ¿Podemos jugar a los naipes *(cards)?*   Por supuesto, jueguen a los naipes.

1. ¿Podemos tocar la guitarra?
2. ¿Podemos sacar el coche del garaje?
3. ¿Podemos jugar con el perro?
4. ¿Podemos jugar al «Monopolio»?
5. ¿Podemos sacar fotos?
6. ¿Podemos cantar?
7. ¿Podemos bailar?
8. ¿Podemos poner discos de jazz?
9. ¿Podemos hacer ruido?
10. ¿Podemos usar el teléfono?
11. ¿Podemos apagar el radio?
12. ¿Podemos poner el tocadiscos?
13. ¿Podemos abrir las ventanas?
14. ¿Podemos cerrar la puerta?
15. ¿Podemos mostrar nuestras fotos?
16. ¿Podemos contar chistes?

B. Mandatos: las formas negativas irregulares de *tú* y de *Ud., Uds.*

A few verbs have irregular commands in the **Ud., Uds.** and negative **tú** forms.

INFINITIVES	IRREGULAR COMMANDS: STEMS AND FORMS		
dar	**d-**	**(no des, dé, den)**	No **des** un paseo por el parque.
estar	**est-**	**(no estés, esté, estén)**	¡**Estén** Uds. aquí a las dos!
ser	**se-**	**(no seas, sea, sean)**	¡**Sean** Uds. buenos!
ir	**vay-**	**(no vayas, vaya, vayan)**	¡**Vayan** Uds. a la playa con ellos!
saber	**sep-**	**(no sepas, sepa, sepan)**	¡**Sepan** Uds. los verbos para el examen!

⟴ Note that the verbs with irregular command stems are those that do not end in **-o** in the **yo** form of the present (**doy, estoy, soy, voy,** and **sé).**

⟴ The imperative endings of these verbs are regular. Exception: there are accent marks on the following forms: **dé, esté, estés, estén.**

ACTIVIDAD 5   La clase

Imagina que eres el (la) profesor(a). Diles a los alumnos que deben hacer las siguientes cosas.

 estar atentos   ¡Estén Uds. atentos!

1. estar a tiempo
2. estar tranquilos
3. ser bien educados
4. ser buenos alumnos
5. saber los verbos
6. saber el vocabulario
7. ir al laboratorio
8. ir a España
9. darle regalos a su profesor(a)
10. darles buenos consejos a sus amigos

ACTIVIDAD 6   Algunas recomendaciones

Las siguientes personas quieren hacer muchas cosas. Diles que deben tener cuidado con ciertas cosas.

Paco y Elena quieren ir a la playa: el sol
          ¡Vayan a la playa! ¡Pero tengan cuidado con el sol!

1. Marisa y Roberto quieren ir a mi casa: el perro
2. El Sr. Gutiérrez quiere ir al centro: el tránsito *(traffic)*
3. Isabel y Marisol quieren dar un paseo por el campo: la hiedra venenosa *(poison ivy)*
4. Caperucita Roja *(Little Red Riding Hood)* quiere dar un paseo por el bosque: el lobo *(wolf)*
5. La Srta. de Clemente quiere ir al lago: los mosquitos
6. Mis hermanos quieren ir de compras: los coches

C. Repaso: verbo + preposición + infinitivo

Note the use of the infinitive after the verb in heavy print.

Quiero hablar francés.	*I want to speak French.*
Paco **aprende a** bailar.	*Paco is learning how to dance.*
¡Dejen de fumar!	*Stop smoking!*
Pienso ir a México.	*I am planning to go to Mexico.*

Some verbs are followed directly by the infinitive. Others follow the pattern:

verb + preposition **(a, de, con, en)** + infinitive

a	acostumbrarse a	to get used to	**Me acostumbro a** no tener mucho dinero.
	aprender a	to learn	**Aprendemos a** tocar la guitarra.
	comenzar a (e → ie)	to begin	**¿Comienzas a** tocar bien?
	empezar a (e → ie)	to begin	Paco **empieza a** conducir.
	enseñar a	to teach	Voy a **enseñarte a** hablar inglés.
de	alegrarse de	to be happy about	**Me alegro de** aprender cosas interesantes
	cansarse de	to get tired of	. . . pero **me canso de** ir al colegio todos los días.
	dejar de	to quit, to stop	**¡Dejen de** decir cosas estúpidas!
	tratar de	to try	**¡Trata de** estar tranquilo!

ACTIVIDAD 7   Buenos consejos

Imagina que escribes una columna en un periódico español. En esa
columna, tratas de ayudar a las personas que te escriben. Dale un consejo
a cada una de las siguientes personas. Empieza cada consejo con uno de los
siguientes verbos: **dejar / aprender / comenzar / tratar**. También usa el
infinitivo del verbo que las personas usan.

⟫ Fumo.   Deje de fumar.

⟫ No tengo paciencia.   Trate de tener paciencia.

1. Compro cosas inútiles.
2. Como muchos dulces.
3. Tomo muchas gaseosas.
4. Como mucho helado.
5. Duermo diez horas cada noche.

6. No hago ejercicios.
7. No juego al tenis.
8. No bailo bien.
9. No soy tolerante.
10. No nado.

ACTIVIDAD 8   Otros consejos

Ahora, da consejos similares a las siguientes personas. ¡Usa tu
imaginación!

⟫ a una persona gorda   Aprenda Ud. a comer menos.
(Deje de comer demasiado.)

1. a una persona muy flaca
2. a un chico tímido
3. a un estudiante que saca malas notas
4. a un alumno que se duerme en la clase
5. a una persona que no tiene amigos
6. a una persona que no sale nunca
7. a un chico que no practica ningún deporte

en	complacerse en	to take pleasure in	¿**Te complaces** mucho **en** decir tonterías?
	consistir en	to consist of, in	El trabajo **consiste en** vender discos.
	convenir en (e → ie)	to agree on	Hemos **convenido en** ir a las dos.
	insistir en	to insist on	**Insisto en** hablar con Ud.
	tardar en	to be late in	Paco **tarda en** venir.
	vacilar en	to hesitate	No **vacilo** nunca **en** decir la verdad.
con	soñar con (o → ue)	to dream about	Los alumnos **sueñan con** ir a Europa.

NOTAS: 1. **Convenir** is conjugated like **venir: convengo, convienes** ...
2. The present tense forms of **complacerse** are like those of **conocer:**
Me **complazco** en escuchar música clásica.

ACTIVIDAD 9   Expresión personal

Expresa algo sobre las siguientes situaciones. Empieza cada frase con la forma **yo** de uno de los verbos del vocabulario.

Hablo español en clase.

Empiezo a (aprendo a, me complazco en, vacilo en, sueño con ...) hablar español en clase.

1. Tengo muchas amigas.
2. Soy norteamericano(a).
3. Tengo mucho dinero.
4. Voy a España.
5. Salgo con amigos simpáticos.
6. Conduzco.
7. Veo programas idiotas en la televisión.
8. Escucho discos de música popular.

Para la comunicación

Un poco de publicidad

Imagina que trabajas para una estación de televisión.
Tienes que anunciar los siguientes productos:

la crema dental *(toothpaste)* LUX
la crema RUBY
el champú *(shampoo)* BELCOLOR
los discos MATADOR
el banco PACÍFICO
las aspirinas BADER

el hotel MIRAMAR
la gaseosa DÍNAMO
la revista MAÑANA
el método PERFECT para aprender inglés
el bolígrafo MARCA
BLANCO para lavar la ropa

Escoge tres productos y escribe un anuncio de tres o cuatro frases para cada producto. ¡Usa tu imaginación y tu sentido de la publicidad! Como modelo puedes usar los anuncios de «El arte de la persuasión».

Lección 3   El vendedor de la suerte

La suerte por unos pesos . . . o por unas pesetas . . . o por unos
quetzales . . . En los países hispánicos hay una persona que puede
traer a todo el mundo la felicidad eterna . . . Es el vendedor de lotería.

Desde la esquina de la calle, les ofrece la suerte a los transeúntes.
— . . . Lotería . . . Billetes de lotería . . . ¿Quién quiere transformar
unos pesos en unos millones de pesos?
¿Quién quiere comprarse unos billetes de lotería?

transeúntes:
passers-by
Billetes: *Tickets*

Un chico se acerca.
—Tú, chico. Cómprate este billete . . .
—No tengo dinero.

Una señorita pasa.
—Cómpreselo, señorita . . . ¡Es el último!
—¿El último? ¡Bueno! ¡Démelo, por favor!
—Gracias, señorita. Cuesta solamente diez pesos . . . Diez pesos que
pueden transformar su vida . . .

*La señorita se va. Y mientras se va, el vendedor les ofrece de nuevo sus
«últimos» billetes a los transeúntes.*
—La suerte por diez pesos . . . ¿Quién quiere comprarse billetes de
lotería . . .? ¡Me quedan sólo dos! ¡Ud., señor, cómpreselos! . . . ¡Mire!
Mañana podrá ser millonario. ¡Ud., señora, cómpreselos! . . . ¿Ud.
quiere uno? Bueno, diez pesos, ¡por favor!

¡Me quedan sólo dos!:
I have only two left!

La señora se aleja . . . y el vendedor sigue:
—Lotería . . . Lotería . . . ¡Me queda sólo uno! ¡Lléveselo hoy! ¿Quién quiere comprárselo? ¡Tú, chica, cómpratelo! ¿Sí? ¡Gracias! ¡Y que Dios te ayude!

se aleja: *moves on*

que Dios te ayude: *may God help you*

NOTA CULTURAL

Los millonarios instantáneos

¿Cómo puedes ganar un millón de dólares de la noche a la mañana sin trabajar? Pues, puedes encontrar un tesoro, o heredar° una fortuna de un

tío rico o descubrir que hay un pozo° de petróleo en tu propio patio. En los países hispanos hay otra manera de hacerse millonario: sacar el gordo° de la lotería.

¿Quieres probar tu suerte? Es muy fácil: compra un billete de lotería. ¿Dónde? ¿De quién? Del vendedor ambulante,° el lotero, la persona que se gana la vida vendiendo billetes de lotería.

En algunos sitios,° la lotería se juega cada semana y los números que salen determinan la cantidad de tu premio. Para los días de fiesta como Semana Santa, la Navidad o el Año Nuevo, el premio es mayor.° Si todos los números que tienes salen, quiere decir que sacaste el gordo. Sí, hijo mío, ¡eres millonario . . . y de la noche a la mañana!

heredar *inherit* **pozo** *well* **gordo** *top prize*
ambulante *walking* **sitios** *places* **mayor** *greater*

— Vocabulario —

sustantivos	**un billete**	ticket	**la felicidad**	happiness
	un premio	prize	**la lotería**	lottery
	un transeúnte	passer-by	**una transeúnte**	passer-by
	un vendedor	salesman, vendor	**una vendedora**	saleswoman, vendor
verbo	**alejarse**	to move away		
expresiones	**me queda(n)**	I have . . . left	**Que Dios te ayude.**	May God help you.

CONVERSACIÓN

Vamos a hablar de lo que te dicen tus padres. Di si ellos te dicen las siguientes cosas a menudo, de vez en cuando o nunca.

1. ¿Te dicen «¡**Acuéstate** temprano!»?
   Sí (No, no) me dicen eso . . .
2. ¿Te dicen «¡**Preocúpate** por el futuro!»?
3. ¿Te dicen «¡**Córtate** el pelo!»?

4. ¿Te dicen «¡**No te acuestes** tarde!»?
5. ¿Te dicen «¡**No te enojes!**»?
6. ¿Te dicen «¡**No te burles** de tus profesores!»?

OBSERVACIÓN

In the above questions, you are asked if your parents give you certain advice. Note the position of the pronouns used in their statements.

- Does the reflexive pronoun come before or after the verb in affirmative commands? In negative commands?

Estructuras

A. Mandatos: la primera persona del plural *(nosotros)*

Note the forms and use of commands in the following sentences.

¡**Compremos** un billete de lotería!	*Let's buy a lottery ticket!*
¡**No vendamos** el coche!	*Let's not sell the car!*
¡**No decidamos** nada ahora!	*Let's not decide anything now!*
¡**Salgamos** con nuestros amigos!	*Let's go out with our friends!*
¡**Pongamos** música de baile!	*Let's put on dance music!*
¡**Demos** una fiesta!	*Let's give a party!*

To express *let's* or *let's not,* Spanish speakers use the **nosotros** command form. For most verbs this form is derived from the **yo** form of the present as follows:

STEM	ENDINGS
yo form of the present minus **-o**	**-emos** for **-ar** verbs **-amos** for **-er** and **-ir** verbs

For stem-changing verbs in **-ar** and **-er**:

STEM		ENDINGS	
infinitive minus	**-ar**	**-emos**	¡**Cerremos** la puerta!
	-er	**-amos**	¡**No volvamos** tarde!

☙ The **nosotros** form of the command for **ir** is **vamos**.

Vamos a la playa.   *Let's go to the beach.*

☙ The *let's* construction may also be rendered by **vamos a** + infinitive.

Vamos a bailar.   *Let's dance.*
Vamos a salir.   *Let's go out.*

This construction, however, cannot be used in the negative.

ACTIVIDAD 1   La revolución

Imagina que los alumnos se niegan *(refuse)* a estudiar. En vez de estudiar, deciden hacer cosas más divertidas. Eres el (la) líder de esta revolución estudiantil. ¿Qué vas a proponerles a tus compañeros?

☙   estudiar (no)   ¡No estudiemos más!
☙   jugar a la pelota (sí)   ¡Juguemos a la pelota!

1. aprender los verbos (no)
2. escuchar la radio (sí)
3. escuchar las cintas (no)
4. regresar a casa (sí)
5. leer historietas *(comics)* (sí)
6. perder el tiempo (sí)
7. dibujar en los cuadernos (sí)
8. pintar el autobús de negro (sí)
9. hacer ruido (sí)
10. hacer la tarea (no)
11. saludar a los profesores (no)
12. hablar español (sí)

ACTIVIDAD 2   Diálogo: Planes para el fin de semana

Hablemos del fin de semana. Estás pensando en las siguientes actividades para ti y tus compañeros. Usa la forma **nosotros** en el presente. Tus compañeros aceptan tus ideas o no las aceptan, usando la forma **nosotros** en el imperativo.

☙   estudiar   Estudiante 1: ¿Estudiamos?
               Estudiante 2: ¡Sí (no, no) estudiemos!
                         ¡Qué buena idea! (¡Qué idea más tonta!)

1. organizar una fiesta
2. invitar a unos chicos (unas chicas) al cine
3. visitar un museo
4. tener un picnic
5. discutir la política
6. jugar al béisbol
7. correr el maratón
8. correr las olas
9. hacer un viaje al campo
10. salir con unos chicos (unas chicas)
11. ir al centro
12. ir a nadar

B. La posición de los pronombres con los mandatos

Note the position of the object pronouns in the following commands.

PRESENT	COMMAND (AFFIRMATIVE)	COMMAND (NEGATIVE)
¿Te invito?	¡Sí, invítame!	¡No, no **me** invites!
¿Me levanto?	¡Sí, levántate!	¡No, no **te** levantes!
¿Invitamos a Carlos?	¡Sí, invitémoslo!	¡No, no **lo** invitemos!
¿Nos lavamos?	¡Sí, lávense!	¡No, no **se** laven!

Object pronouns come before the verb in negative commands. In affirmative commands, they come after the verb and are attached to it.

➢ When one pronoun is attached to the command verb, there is an accent mark on the next-to-last syllable of the verb. If the verb has only one syllable, it does not have an accent: **Ponlo.**

➢ When the pronoun **nos** is attached to a **nosotros** command form, the final **s** of the verb is dropped.

¿Nos levantamos?　¡Sí, **levantémonos!**
¿Nos vamos?　¡Sí, **vámonos!**

ACTIVIDAD 3　La mudanza *(Moving)*

Marisela va a pasar un año en Buenos Aires. Ha alquilado un apartamento pequeño que tiene tres cuartos: una cocina, un dormitorio y una sala. El agente de mudanzas *(mover)* quiere saber en qué cuarto tiene que poner los varios objetos. Haz los papeles del agente y de Marisela según el modelo.

➢　la refrigeradora / el dormitorio

　　　El agente: ¿Pongo la refrigeradora en el dormitorio?
　　　Marisela: No, no la ponga allá. Póngala en la cocina.

1. la cama / la cocina
2. el televisor / la cocina
3. los discos / la cocina
4. los libros / la cocina
5. los cuchillos / el dormitorio
6. los vasos / el dormitorio
7. el sofá / el dormitorio
8. la máquina de escribir / la cocina

Para mantenerse en buena salud *(To stay healthy)*

Un médico les dice a sus clientes lo que tienen que hacer para mantenerse sanos. Haz el papel del (de la) médico(a) usando mandatos afirmativos o negativos según la lógica del caso.

> divertirse ¡Diviértanse!
> (¡No se diviertan!)

1. levantarse temprano
2. levantarse tarde
3. acostarse temprano
4. acostarse tarde
5. lavarse a menudo
6. enfadarse

7. irritarse
8. quedarse siempre enfrente del televisor
9. ponerse furiosos
10. preocuparse inútilmente
11. calmarse siempre
12. pelearse con otros

VOCABULARIO PRÁCTICO Para el camping

ir de camping   to go camping

unos gemelos

una mochila

una tienda de campaña

un saco de dormir

una linterna eléctrica

un cacharro

una sartén

una manta

ACTIVIDAD 5   Regalos de cumpleaños

Isabel es una chica muy generosa pero no sabe nunca qué regalarles a sus amigos para su cumpleaños. Dile cuál de los siguientes regalos puede comprarles a estas personas.

unos discos	un saco de dormir	unos cacharros
una raqueta	una sartén eléctrica	una manta
unos libros	una mochila	una tienda de campaña
un perro	unos gemelos	una linterna eléctrica

A Jaime le gusta observar los pájaros.   Cómprale unos gemelos.

1. A Paco y Roberto les gusta la música.
2. A mí me gusta el tenis.
3. A mis primos les gusta leer.
4. A Isabel le gusta ir de camping.
5. A nosotros nos gusta cocinar.
6. A Manuel le gustan los animales.
7. A Gloria y Adela no les gusta viajar con muchas maletas.
8. A Andrés no le gusta tener frío cuando duerme.

C. Los mandatos con dos pronombres

Note the pronouns in the sentences on the right.

¿Te muestro mis fotos?	No **me las muestres** hoy.
	Muéstramelas mañana.
¿Me pongo la corbata?	No **te la pongas** para ir a clase.
	Póntela para ir a la fiesta.

When two object pronouns are used, the order is:

> indirect object pronoun   +   direct object pronoun

When the two pronouns are attached to the verb, there is an accent mark on the next to the last syllable of the verb. If the verb has only one syllable, the accent is on that syllable.

Compare: **Compre** la mochila.   *Buy the backpack.*
Cómpreme la mochila.   *Buy me the backpack.*
Cómpremela.   *Buy it for me.*

ACTIVIDAD 6   El amigo norteamericano

Supón que un amigo norteamericano va a pasar el mes de agosto contigo
en México. Te pregunta si tiene que comprarse *(buy himself)* las siguientes
cosas. Dile si tiene que comprárselas o no. Usa el mandato de **comprarse**
en frases negativas o afirmativas.

> ¿Debo comprarme anteojos de sol?   ¡Sí, cómpratelos!
> (¡No, no te los compres!)

1. ¿Debo comprarme un traje de baño?
2. ¿Debo comprarme un saco de dormir?
3. ¿Debo comprarme una tienda de campaña?
4. ¿Debo comprarme una manta?
5. ¿Debo comprarme esquís?
6. ¿Debo comprarme unos suéteres?
7. ¿Debo comprarme una mochila?
8. ¿Debo comprarme discos de música latina?

ACTIVIDAD 7   Mañana

Hay muchas cosas que Carlos quiere hacer para Marina.
Desafortunadamente, Marina está muy ocupada hoy. Carlos tiene que
hacer estas cosas mañana. Haz el papel de Carlos y de Marina.

> mostrar mis fotos   Carlos: ¿Te muestro mis fotos?
> Marina: No me las muestres hoy.
> Muéstramelas mañana.

1. comprar el periódico
2. prestar la sartén
3. llevar los libros
4. mandar las cartas
5. devolver el saco de dormir
6. devolver la tienda de campaña
7. contar chistes
8. contar cuentos

Para la comunicación

¿Tienes talento para vender?

Imagina que quieres vender las siguientes cosas:
- unas entradas para la comedia musical organizada por tu escuela
- unas entradas para un partido de béisbol en que el equipo de tu
  escuela va a jugar (es un equipo muy bueno)
- unas entradas para un partido de fútbol en que el equipo de tu escuela
  va a jugar (es un equipo terrible)
- unas entradas para la fiesta del club de español

Haz unas frases en que tratas de vender estas cosas a una persona que no
conoces bien. Si quieres, puedes inspirarte en el texto «El vendedor de la
suerte».

> ¡No pierda la oportunidad! ¡Cómprese una entrada para la comedia musical!

Lección 4   Sí, pero . . .

Avisos, sugerencias, consejos, mandatos o prohibiciones . . . son
parte de nuestra existencia.

Por eso, todos los días tenemos que escuchar mil recomendaciones
diferentes, en el colegio y en casa también.

Por ejemplo . . .

Avisos: *Warnings*
sugerencias:
suggestions

Yo: Mamá, ¿puedo usar el teléfono?
Mamá: Claro, úsalo . . .
pero no permito que lo uses
más de cinco minutos.

Yo: Hay un programa de deportes
esta noche . . . ¿Puedo verlo?
Papá: Sí, por supuesto . . .
pero . . . antes de verlo, insisto
en que termines la tarea . . . y
que limpies tu cuarto . . . y que
ayudes a tu mamá . . .
y que . . .

Yo: ¿Puedo ir al cine?
Papá: Sí . . . pero quiero que vuelvas
a casa a las diez en punto . . .
e insisto en que no vayas allá
con la moto de tu amigo
Fernando . . . y que la película
sea sin violencia . . .

en punto: *on the dot*

sea: *be*

Yo: ¿Qué profesión me aconsejan
Uds.?
Papá: Por supuesto, la decisión es
tuya . . . pero espero que sea
una profesión respetable . . .
como la de médico . . . o la de
arquitecto.
Mamá: ¡Yo prefiero que seas abogado!
Tío Andrés: Y yo, espero que seas oficial
. . . ¡como yo!
La abuela: ¡Y yo prefiero que seas
sacerdote!

aconsejan: *advise*

seas: *you be*
oficial: *officer*

sacerdote: *priest*

A veces me pregunto: ¿Es posible sobrevivir cuando hay tantas limitaciones en la vida?

sobrevivir: *to survive*

La familia y la selección de una carrera

¿Sabes qué profesión escogerás o en qué campo° profesional entrarás? ¿Lo consultarás con tus amigos? ¿Con tu consejero escolar?° ¿O con tus padres? ¿O vas a tomar la decisión tú mismo?

En los países hispanos, la familia desempeña° un papel muy importante en la selección de las profesiones. En efecto, muchísimas veces los hijos escogen la profesión de sus padres. Ésta es la costumbre especialmente en los pueblos donde el comercio y la artesanía° son transmitidos de generación a generación.

Por eso, si el padre es carpintero, joyero,° albañil° o hacendado,° a menudo los hijos seguirán la misma profesión que el padre. En las ciudades grandes, las profesiones serán diferentes. Pero si el padre es médico, dentista, abogado, hombre de negocios o político, es probable que alguno de los hijos seguirán la misma profesión.

campo *field* **consejero escolar** *guidance counselor*
desempeña *plays* **artesanía** *crafts* **joyero** *jeweler*
albañil *mason* **hacendado** *rancher*

Aunque° la familia sigue desempeñando° un papel muy importante en la selección de las profesiones, los jóvenes hispanos gozan de° más libertad en esta selección. Sin embargo, por la abundancia de nuevas carreras, los jóvenes siguen pidiendo consejo° a sus padres sobre qué les convendría mejor° estudiar.

Aunque *Although* **sigue desempeñando** *continues to play* **gozan de** *enjoy* **consejo** *advice* **les convendría mejor** *would be best for them*

sustantivos	**un aviso**	warning, information	**una carrera**	career; race
	un mandato	command	**una prohibición**	ban, prohibition
	un sacerdote	priest	**una sugerencia**	suggestion
verbo	**aconsejar**	to advise		
expresión	**en punto**	on the dot, exactly		

CONVERSACIÓN

Vamos a hablar de tus relaciones con tus amigos.

1. ¿Quieres que tus amigos te **admiren**?
   Sí (No, no) quiero que mis amigos me **admiren**.
2. ¿Quieres que tus amigos te **imiten**?
3. ¿Quieres que tus amigos te **comprendan**?
4. ¿Quieres que tus amigos te **digan** siempre la verdad?
5. ¿Quieres que tus amigos **tengan** paciencia contigo?

OBSERVACIÓN

In the above questions, you were asked if you want your friends to do certain things. To express your request, you used the expression **quiero que** *(I want)*. Your command was *indirect* rather than direct. The verb form that follows **quiero que** and expresses the indirect command is called the *subjunctive*.

• Are the subjunctive forms the same as the **Uds.** command form?

Estructuras

A. El subjuntivo: la formación regular

A command, order, recommendation or suggestion may be given either:

—directly   **Study!**
—or indirectly   **I want you to study!**

Compare the verb forms used in the following direct and indirect commands.

direct commands
¡No **hables** inglés, María!
¡**Aprenda** inglés, Sr. Chávez!
¡**Salgamos** esta noche!
¡**Pongan** los discos aquí, Ana y Luis!

Quiero que

indirect commands
no **hables** inglés.
aprenda inglés.
salgamos esta noche.
pongan los discos aquí.

Except for the **tú** commands in the affirmative, Spanish speakers use the same verb forms for both direct and indirect commands. These are called *subjunctive* verb forms.

Note the subjunctive forms of the verbs in the chart below:

INFINITIVE	cantar	leer	escribir	salir
yo form of present	canto	leo	escribo	salgo
SUBJUNCTIVE				
(yo)	cante	lea	escriba	salga
(tú)	cantes	leas	escribas	salgas
(él, ella, Ud.)	cante	lea	escriba	salga
(nosotros)	cantemos	leamos	escribamos	salgamos
(vosotros)	cantéis	leáis	escribáis	salgáis
(ellos, ellas, Uds.)	canten	lean	escriban	salgan

As we have seen, the subjunctive is derived from the **yo** form of the present, as follows:

STEM	ENDINGS	
yo form of the present minus **-o**	**-e, -es, -e, -emos, -éis, -en**	(for **-ar** verbs)
	-a, -as, -a, -amos, -áis, -an	(for **-er** and **-ir** verbs)

As in the imperative, certain spelling changes are necessary to preserve the sound of the stem.

-car (c → qu) Quiero que no **toques** la guitarra.
-gar (g → gu) Quiero que **paguen.**
-zar (z → c) Quiero que **empiecen** el trabajo.

ACTIVIDAD 1 **En el campamento de veraneo** (*At summer camp*)

Imagina que trabajas como asistente del director de un campamento de veraneo. Insistes en que todos los chicos se laven antes de acostarse. Expresa esto, usando **quiero que** + el subjuntivo de **lavarse.**

Raúl   Quiero que Raúl se lave.

1. tú
2. Isabel
3. Carlos
4. Uds.
5. tus amigos
6. Rafael y Esteban
7. Mari-Carmen
8. nosotros

ACTIVIDAD 2　En la clase

El (la) profesor(a) es muy exigente. Para él (ella), hay tres cosas muy importantes: hablar español, aprender los verbos y no hacer ruido. Expresa que el (la) profesor(a) espera esto de cada uno de los alumnos.

> María　　El profesor quiere que María hable español.
> 　　　　　Quiere también que aprenda los verbos.
> 　　　　　Finalmente quiere que no haga ruido.

1. Felipe
2. Manuel y Roberto
3. Ud.
4. Uds.
5. Teresa y yo

6. toda la clase
7. yo
8. tú
9. nosotros
10. todos los alumnos

ACTIVIDAD 3　¿Sí o no?

Carlos le pregunta a su papá si tiene que hacer las siguientes cosas. Su papá le dice que sí o que no. Haz los dos papeles.

> poner la mesa (sí)　　Carlos: ¿Pongo la mesa, papá?
> 　　　　　　　　　　　Papá: ¡Por supuesto! . . . ¡Quiero que pongas la mesa!

> decir un chiste (no)　Carlos: ¿Te digo un chiste, papá?
> 　　　　　　　　　　　Papá: No, no quiero que me digas ningún chiste.

1. hacer la tarea (sí)
2. hacer un viaje con mis amigos (no)
3. poner el coche en el garaje (sí)
4. salir con Pedro (sí)
5. salir con Manuel (no)
6. conducir tu coche (no)
7. conducir el coche de mi abuelo (sí)
8. poner aceite en la ensalada (sí)
9. poner vinagre en el yogur (no)
10. poner una rana *(frog)* en la cama de la tía Isabel (no)
11. tener cuidado con el perro (no)
12. tener cuidado con el tránsito (sí)
13. decir la verdad (sí)
14. decir mentiras (no)

ACTIVIDAD 4   ¡Un poco de lógica!

En cinco minutos haz tantas frases lógicas como puedas, usando los
elementos de las columnas A, B, C y D. Las frases pueden ser afirmativas
o negativas.

A	B	C	D
tú		yo	organizar una fiesta
Carlos		nosotros	ayudar en casa
mi mejor amigo(a)	querer que	Manuela	estudiar
el profesor		los alumnos	hablar inglés
mis padres		tú y yo	usar el teléfono
			comprar cosas inútiles
			tocar la guitarra
			llevar el tocadiscos
			conducir el coche
			hacer ruido
			tener cuidado
			venir a la fiesta

¿Quiére Qué su Anuncio.
...tenga impacto?

PONGALO EN LOS CLASIFICADOS DE DIARIO LAS AMERICAS

Mis padres no quieren que (yo) use el teléfono.

B. El uso del subjuntivo: mandatos indirectos

In each of the sentences below, the subject expresses a wish (or an indirect
command) that concerns someone else. Note the use of the subjunctive.

El profesor **quiere que los alumnos estudien**.   *The teacher **wants the students to study.***

Mi papá **me pide que le ayude**.   *My father **is asking me to help him.***

Inés **no quiere que su novio vea a Elena**.   *Inés **does not want her boyfriend to see Elena**.*

Spanish speakers use the subjunctive after verbs and expressions in which
a wish (weak or strong) is made. Note that the wish must concern someone
(or something) other than the subject. When the wish concerns the subject,
the infinitive is used.

Contrast:

the wish concerns the subject (infinitive)	the wish concerns someone else (subjunctive)
Espero visitar México.	(Yo) **espero que Paco visite** México.
Mi padre **quiere aprender** español.	Mi padre **quiere que yo aprenda** español.

Some of the verbs and expressions that are used to express a wish or
indirect command appear in the **Vocabulario práctico**.

El papá de Felipe quiere que su hijo haga ciertas cosas . . . pero Felipe no
quiere hacerlas. Haz los dos papeles según el modelo.

> estudiar   el papá: Quiero que estudies.
>   Felipe: Y yo, no quiero estudiar.

1. aprender francés
2. estudiar para hacerte médico
3. aprender a tocar el violín
4. escuchar música clásica
5. leer poesía
6. conocer a personas importantes

7. salir con compañeros serios
8. levantarte temprano
9. cortarte el pelo
10. limpiar tu cuarto
11. hacer la cama
12. cuidar a tus hermanitos

VOCABULARIO PRÁCTICO   Mandatos indirectos

preference

(me) gusta que	(I) like	No **me gusta que** salgas con mi novia.
preferir (e → ie) que	to prefer	**Prefiero que** no vengas a la fiesta.

suggestion, advice

tolerar que	to tolerate	¿**Toleras que** tus amigos se burlen de ti?
sugerir (e → ie) que	to suggest	¿Qué **sugieres que** hagamos?
recomendar (e → ie) que	to advise	¿Qué **recomiendas que** yo le diga al profesor?

ACTIVIDAD 6   Sí, pero . . .

Carlos quiere hacer ciertas cosas para Mari-Carmen, pero Mari-Carmen
tiene ideas diferentes. Haz los dos papeles según el modelo.

⟩⟩   invitarte al teatro / al cine   Carlos: ¿Quieres que te invite al teatro?

Mari-Carmen: Sí, pero . . . prefiero que me invites al cine.

1. comprarte un helado / dulces
2. prestarte mis libros / discos
3. llamarte hoy / mañana
4. invitar a tus hermanos al teatro / primas
5. salir con Elena / conmigo
6. prestarte 5 dólares / 10 dólares

hope, wish

desear que	to wish	¿**Deseas que** hable español contigo?
esperar que	to hope	¿**Esperas que** tus amigos te inviten al cine?
ojalá (que)	let's hope that	**Ojalá (que)** haga buen tiempo mañana.

prohibition

oponerse a que	to be against	**Me opongo a que** leas mi diario.
prohibir que	to forbid	Mi papá **prohibe que** conduzca el coche.

request, command

pedir (e → i) que	to ask	Mis padres me **piden que** estudie más.
insistir en que	to insist	Mis amigos **insisten en que** me divierta con ellos.
mandar que	to order	La policía **manda que** los conductores sean prudentes.
rogar (o → ue) que	to beg	Los abogados **ruegan que** sus clientes digan la verdad.
exigir que	to demand	Los profesores **exigen que** los alumnos los respeten.

NOTA: The expression **ojalá** (or **ojalá que**), which must be followed by the subjunctive, is
derived from an Arabic expression meaning "May Allah grant that." It has several
English equivalents:

Let's hope that . . .   ¡**Ojalá** haga buen tiempo el próximo sábado!

I wish (hope) that . . .   ¡**Ojalá que** Carmen acepte mi invitación!

ACTIVIDAD 7   Expresión personal

¿Cómo reaccionas en las siguientes circunstancias? Para expresar tu
actitud, usa una de las siguientes expresiones: **(no) acepto que / (no)
tolero que / insisto en que / me opongo a que / prohibo que / ruego que.**

✍ Mi hermano toma mi guitarra.   (No) Tolero que mi hermano tome mi guitarra.

1. Mis profesores respetan mis ideas.
2. Mis padres me comprenden.
3. Mis amigos me ayudan.
4. Mis amigos olvidan mi cumpleaños.
5. Mi mejor amigo(a) sale con mi novio(a).
6. Mi mejor amigo(a) no me dice la verdad.
7. Mis hermanos me molestan.
8. Mis profesores reconocen mi talento.

ACTIVIDAD 8   Recomendaciones

Hazle una sugerencia a cada una de las siguientes personas. Empieza tus
sugerencias con **Sugiero o recomiendo que . . . .** Puedes usar uno de los
siguientes verbos. ¡Usa tu imaginación!

comprar / llevarse / aprender / tener / tener cuidado con

✍ Paco va a pasar un año en los Estados Unidos.

    Sugiero (Recomiendo) que Paco aprenda inglés (que se lleve sus discos . . .).

1. Mari-Carmen va a pasar un año en Francia.
2. Gil y Roberto van a pasar unos dos meses en Italia.
3. Isabel va a la playa.
4. Manuel y Clara van a la montaña.
5. Vamos a las Islas Galápagos.
6. Vamos a pescar.

ACTIVIDAD 9   Expresión personal: ¡Ojalá!

Haz tres frases para cada una de las siguientes personas. Empieza cada
frase con **Ojalá que.** Si quieres, usa los siguientes verbos: **comprar /
recibir / sacar / tener / vender / salir / conocer / hacer / invitar /
descubrir.** Usa también tu imaginación.

✍ Mi mejor amigo   Ojalá que compre una moto.
                       Ojalá que conozca chicas simpáticas.
                       Ojalá que haga algo interesante el próximo fin de semana.

1. mi mejor amiga	4. los vecinos	7. Ud.
2. el (la) profesor(a)	5. mis compañeros	8. Uds.
3. mis padres	6. yo	9. tú

C. El concepto del subjuntivo

Tenses and moods

In a sentence, the verbs tell what the action is. Each verb form is characterized by its tense and its mood.

- The *tense* indicates the time of the action.
  The present, the future, the imperfect and the preterite are different tenses.
- The *mood* reflects the attitude of the speaker toward the action.
  The indicative and the subjunctive are different moods.

Indicative vs. subjunctive

In English, the subjunctive, although rare, is still occasionally used.
Compare the verbs in the following sentences.

indicative	*subjunctive*
He *is* not a good student.	I wish he *were* an excellent student.
Carlos *is* in Mexico.	It is important that he *be* home for Christmas.
Elena *studies* English.	Her parents insist that she *study* French also.

Spanish speakers, on the other hand, use the subjunctive mood frequently.
Therefore, it is very important to know when to use it and why.
Compare the uses of the indicative and the subjunctive in the following sentences.

PRESENT INDICATIVE (what is)	PRESENT SUBJUNCTIVE (what may be)
Sé Veo } que Uds. **estudian** poco. Observo	Quiero Prefiero } que Uds. **estudien** más. Insisto en

Indicative

When you say **Uds. estudian poco** or **Sé que Uds. estudian poco,** you express a fact or your knowledge of this fact. In Spanish the indicative is used to *state facts*. It is the mood of *what is*.

Subjunctive

When you say **Quiero que Uds. estudien más** or **Insisto en que Uds. estudien más,** you express a wish. In Spanish, the subjunctive is used to express *wishes* and other *feelings* and *attitudes* about an idea or fact. It is the mood of *what may be*.

In this lesson, you have learned that the subjunctive is used to express indirect commands. In Units 9 and 10, you will learn more about other uses of the subjunctive.

ACTIVIDAD 10 La perfección

Imagina que eres una persona muy exigente *(demanding)*. Sabes que las siguientes personas hacen ciertas cosas bien pero quieres que las hagan mejor. Expresa esto según el modelo.

> Carlos toca la guitarra.
>
> Sé que Carlos toca la guitarra bien . . . pero quiero que toque mejor.

1. Inés canta.
2. Tú tocas el piano.
3. Pedro nada.
4. Mis primos bailan.
5. Tú hablas francés.
6. Hablan italiano.
7. Corren las olas.
8. Juegas al béisbol.
9. Marina monta a caballo.
10. Felipe esquía.
11. Carmen escala montañas.
12. Mis amigos se lanzan en paracaídas *(parachutes)*.

ACTIVIDAD 11 Lo que sabemos y lo que esperamos

¿Son reales las siguientes cosas o son solamente cosas deseables *(desirable)*? Expresa tu punto de vista personal usando **ojalá que** + subjuntivo o **sé que** + indicativo.

> los norteamericanos: hablar inglés   Sé que los norteamericanos hablan inglés.
> los norteamericanos: hablar español   Ojalá que los norteamericanos hablen español.

1. yo: tener un coche / ganar dinero / tener amigos simpáticos
2. los vecinos: tener un bote / ganar la lotería / invitar a mis padres a su casa
3. el (la) profesor(a): tener paciencia / ayudar a los alumnos / hablar español / hablar inglés
4. mis amigos: tener un coche deportivo / salir conmigo / invitarme a la fiesta
5. los norteamericanos: ayudar a los otros países / hacer las paces con todos

Para la comunicación

Expresión personal

Tú también quieres que los otros hagan ciertas cosas. Di lo que esperas *(expect)* de las siguientes personas. ¡Usa tu imaginación!

> mi papá   Espero que mi papá me compre una moto.
> (Espero que mi papá no me hable de mis estudios.)

1. mi mamá
2. mi mejor amigo
3. mi mejor amiga
4. mis profesores
5. mis hermanos
6. el presidente
7. el (la) alcalde *(mayor)*
8. todo el mundo

Variedades El ojo de Dios

Para los indios en el oeste de México, el ojo de Dios° es algo mágico. Estos objetos sirven para asegurar° el bienestar:° comida para todos, larga vida y salud para los niños. El ojo de Dios es un talismán° que protege° la casa y a las personas que viven en ella.

¿Y tú? ¿No quieres proteger tu casa? Pues,° mira. Hacer un ojo de Dios es muy fácil.

Materiales:

2 varillas° delgadas (más o menos del grueso° de un lápiz) de 25 centímetros de largo cada una
2 madejas° de lana,° una de cada color: rojo y negro, amarillo y verde, azul y rosado, o cualquier° otra combinación
goma° blanca
tijeras

Instrucciones:

1. Haz una cruz° con las varillas, cruzándolas en el centro.

2. Escoge el color que deseas para el centro del ojo y usa una punta° de lana para atar° las varillas con un nudo.°

3. Enrolla° la lana alrededor de las varillas, haciendo una ✕ . Haz esto dos o tres veces.

Dios: *God*	
asegurar: *to insure*	
bienestar: *well-being*	
talismán: *good-luck piece*	
protege: *protects*	
Pues: *Then*	
varillas: *sticks*	
grueso: *thickness*	
madejas: *skeins*	
lana: *yarn*	
cualquier: *any*	
goma: *glue*	
cruz: *cross*	
punta: *end*	
atar: *to tie*	
nudo: *knot*	
Enrolla: *Wrap*	

4. Ahora, toma la lana
   y comienza a
   enrollarla en cada
   varilla. Primero,
   pásala delante de la varilla,
   luego por detrás y
   luego delante
   otra vez.

5. Trae la lana a la
   varilla más cerca a
   tu derecha, tirándola°
   para que quede
   tensa° y junto al
   centro.

tirándola: *pulling it*

tensa: *tight*

6. Haz la misma
   operación que hiciste
   en la primera varilla
   (Punto 4).

7. Sigue haciendo esta
   operación pasando la
   lana siempre a la
   próxima varilla.
   Cuando tienes una
   banda de color de
   unos tres o cuatro
   centímetros de ancho,
   cambia de color.

8. Corta la lana y pega° la punta a la parte de atrás° de la varilla. Toma la punta del nuevo color y pégala a la parte de atrás de esta varilla. Luego enrolla, como hiciste con la primera banda de color.

pega: *glue*

de atrás: *in back*

9. Sigue haciendo lo mismo, alternando las bandas de colores. No necesitas cubrir° las varillas completamente. Al contrario, muchos ojos se terminan dejando las puntas de las varillas expuestas.°

cubrir: *to cover*

expuestas: *uncovered*

10. Para colgar° el ojo, amarra° una argolla° de lana a la punta de una de las varillas.

colgar: *to hang*
amarra: *fasten*
argolla: *loop*

¡Así es la vida!

Un distraído

El profesor Ramos es un señor muy amable . . . pero un poco distraído. Y de vez en cuando, él mete la pata.

distraído: *absent-minded*
mete la pata: *blunders*

¡Me alegro de que su hija sepa esquiar!

¡Siento que haya un apagón!

apagón: *blackout*

¿Le molesta que abra la ventana un poco?

¡Estoy contento de que lleguemos
muy temprano para la película!

¡Me alegro de que Uds. se vayan
de vacaciones!

Vocabulario

sustantivo	**un apagón**	blackout
adjetivo	**distraído**	absent-minded
verbo	**meter**	to put (in)
expresión	**meter la pata**	to make a blunder

En el mundo moderno, hay muchas cosas que no nos gustan. En particular, ¿te molesta lo siguiente?

1. ¿Te molesta que **haya** conflictos entre las generaciones?
   Sí (No, no) me molesta que . . .
2. ¿Te molesta que **haya** mucha violencia en la televisión?
3. ¿Te molesta que **haya** mucha injusticia en el mundo?
4. ¿Te molesta que **haya** mucha contaminación del aire?
5. ¿Te molesta que no **haya** más cooperación entre las naciones del mundo?

OBSERVACIÓN

In answering the above questions you use the expression **me molesta que** to say how you feel about certain problems.

- Is the verb that follows that expression in the indicative or the subjunctive?

Estructuras

A. Los subjuntivos irregulares

We have seen that the stem of the subjunctive is the same as the stem of the command form. This is also true of irregular verbs. Verbs that have an irregular stem in the command form have an irregular subjunctive stem.

INFINITIVE STEM OF THE COMMAND SUBJUNCTIVE	ser se-	ir vay-	saber sep-
Mis profesores quieren que . . .			
(yo)	sea	vaya	sepa
(tú)	seas	vayas	sepas
(él, ella, Ud.)	sea	vaya	sepa
(nosotros)	seamos	vayamos	sepamos
(vosotros)	seáis	vayáis	sepáis
(ellos, ellas, Uds.)	sean	vayan	sepan

↪ The subjunctive of **hay** is **haya**.

¡Me alegro de que no **haya** examen!

↪ Note also the accent marks on some of the subjunctive forms of **dar** and **estar**.

dar	dé	des	dé	demos	(deis)	den
estar	esté	estés	esté	estemos	(estéis)	estén

ACTIVIDAD 1   Buenos consejos

Las siguientes personas aprenden idiomas. ¿A cuál de estos países quieres
que vaya cada uno?

Francia / Italia / el Japón / Portugal / Alemania / España / Inglaterra

⟆⟅   Carlos aprende inglés.   Quiero que vaya a Inglaterra.

1. Paco y Ramón aprenden francés.
2. Maribel aprende italiano.
3. Uds. aprenden japonés.
4. Aprendemos portugués.
5. Aprendes español.
6. Ud. aprende alemán.

ACTIVIDAD 2   ¡Un poco de lógica!

En cinco minutos, ¿cuántas frases lógicas puedes crear? Usa los elementos
de las columnas A, B, C, D y E, según el modelo. Las frases pueden ser
afirmativas o negativas.

A	B	C	D	E
yo	querer	tú	ser	al (en el) laboratorio
Carlos	preferir	el profesor	estar	aquí a las dos
el profesor	desear	Mari-Carmen	dar	de buen humor
los alumnos	esperar	los alumnos	saber	los verbos
mis padres		nosotros	ir	buenas notas
		mis / sus amigos		dinero
		yo		hablar español
				bailar
				a tiempo
				a (en) la fiesta
				más generoso

⟆⟅   Los alumnos esperan que el profesor dé buenas notas.

B. El uso del subjuntivo después de las expresiones que muestran emociones

The subjunctive is used to describe feelings and emotions, which are subjective. Note the use of the subjunctive in the sentences below.

Me alegro de que mi hermana **tenga** amigas simpáticas.	*I am happy (that)* my sister *has nice friends.*
Siento que mis amigos no **tengan** mucho dinero.	*I am sorry (that)* my friends *do not have much money.*
¿Te molesta que yo **me lleve** tu guitarra?	*Do you mind if I take your guitar?*

To express the subject's feelings about the actions of someone else, Spanish speakers use the construction:

> expression of emotion + **que** + subjunctive

📖 While the word *that* may be omitted in English, **que** must be used in Spanish.

📖 When the feelings concern the actions of the subject, the infinitive is used instead of the subjunctive.

Contrast:

Me alegro de hacer un viaje.	*I am happy to go on a trip.*
Me alegro de que hagas un viaje.	*I am happy that you are going on a trip.*
Siento marcharme.	*I am sorry to leave.*
Siento que te marches.	*I am sorry that you are leaving.*
Me encanta aprender español.	*I am delighted to learn Spanish.*
Me encanta que mis hermanos aprendan español.	*I am delighted that my brothers are learning Spanish.*

ACTIVIDAD 3   La fiesta

Las fiestas son buenas ocasiones para ver a los amigos. Di que las siguientes personas se alegran de que sus amigos vengan a la fiesta.

📖 Felipe (Carmen)   Felipe se alegra de que Carmen venga a la fiesta.

1. Susana (Rafael)
2. Roberto y Luis (Ana y Elena)
3. mis amigos (sus novias)
4. yo (tú)
5. Teresa y yo (Uds.)
6. tú (mi hermana)
7. nosotros (los chicos mexicanos)
8. mi prima (Jaime)

ACTIVIDAD 4　Decepciones *(Disappointments)*

Luis se alegra de que Elena haga las siguientes cosas, pero siente que ella
no las haga con él. Haz los dos papeles según los modelos.

> invitar a Paco al cine

Elena: Invito a Paco al cine.
Luis: Me alegro de que invites a Paco al cine, pero siento
que no me invites.

> salir con Felipe

Elena: Salgo con Felipe.
Luis: Me alegro de que salgas con Felipe, pero siento que no
salgas conmigo.

1. invitar a Rafael al café
2. escribirle a Jaime
3. llamar a Roberto
4. salir con Tomás

5. trabajar con Manuel
6. hacer un viaje con Juan Carlos
7. bailar con Antonio
8. ir al teatro con Pablo

ACTIVIDAD 5　Expresión personal

Describe tus reacciones en las siguientes circunstancias. Empieza cada
frase con **Me alegro de que** . . . o **Siento que** . . .

> Tu mejor amigo va a España.
> Me alegro de que (Siento que) mi mejor amigo vaya a España.

1. El profesor está enfermo.
2. El profesor no viene a clase.
3. El profesor va de vacaciones.
4. El profesor da malas notas.
5. Tus padres compran un coche nuevo.
6. Tus padres no te comprenden siempre.
7. Tus amigos organizan una fiesta.
8. Tus amigos no te invitan a salir.
9. Tu mejor amigo está enojado contigo.
10. Tu mejor amigo va a vivir en otra ciudad.
11. Tu mejor amigo se burla de ti.
12. Tu mejor amigo(a) sale con tu novio(a).

ACTIVIDAD 6　Un egoísta

Raúl es muy egoísta. Se alegra de hacer las siguientes cosas, pero no se
alegra de que sus amigos las hagan también. Expresa esto, según el
modelo.

> ir de vacaciones

Raúl se alegra de ir de vacaciones.
No se alegra de que sus amigos vayan de vacaciones.

1. salir
2. sacar buenas notas
3. hacer un viaje

4. tener un trabajo interesante
5. saber tocar la guitarra
6. ir a España

VOCABULARIO PRÁCTICO Algunas expresiones que indican emociones

estar {
alegre
contento
desilusionado *(disappointed)*
enojado
furioso
orgulloso
sorprendido *(surprised)*
triste
} de que . . .

alegrarse de que . . .	to be happy that	**Me alegro de que** mis amigos me comprendan.
sentir (e → ie) que . . .	to be sorry that	**Siento que** mis hermanos no me comprendan.
temer que . . .	to fear that	**Temo que** mi primo esté enojado conmigo.
tener miedo de que . . .	to be afraid that	**Tengo miedo de que** mi novio no venga.
(me) molesta que . . .	it bothers (me) that, (I) mind	**Me molesta que** Uds. fumen.

NOTAS: 1. Note the use of **de** in the constructions with **estar** + adjective.

Estoy sorprendido de que mis amigos no me llamen.
El profesor **está orgulloso de que** los alumnos hablen bien el español.

2. The **me molesta** construction is similar to the **me gusta** construction.

¿**Te molesta** que yo fume?　　*Do you mind (does it bother you) that I smoke?*
Amigos, ¿**les molesta**　　*Friends, do you mind (does it bother you) that*
que yo abra la ventana?　　*I open the window?*

ACTIVIDAD 7   Un chico bien educado

Ramón es un chico bien educado (pero un poco indiscreto). Siempre les pregunta a sus amigos si les molesta que haga ciertas cosas. Unos dicen que sí, otros que no. Haz los papeles de Ramón y de sus amigos.

abrir la puerta (no)　　Ramón: ¿Te molesta que abra la puerta?
　　　　　　　　　　　El amigo: No, no me molesta que abras la puerta.

1. abrir la ventana (sí)
2. apagar el radio (no)
3. apagar el tocadiscos (sí)
4. invitar a tus amigos al cine (no)
5. invitar a tu novia al cine (sí)
6. leer tus revistas (no)

7. leer tu diario (sí)
8. llevarme tus discos (no)
9. llevarme tu dinero (sí)
10. ir a la playa (no)
11. ir a tu cuarto (sí)
12. usar tu bicicleta (no)

ACTIVIDAD 8   Expresión personal: temores *(fears)*

Di si temes que las siguientes cosas ocurran. Empieza cada frase con **(no)**
temo que o **(no) tengo miedo de que.**.

🔸 El profesor me da una mala nota.   (No) temo que el profesor me dé una mala nota.

1. El examen es difícil.
2. Mis amigos se burlan de mí.
3. Mi mejor amigo me olvida.
4. Mis amigos no me escriben.
5. No hay vacaciones este año.

6. Hay un terremoto *(earthquake)*.
7. Los extraterrestres invaden la tierra.
8. La tierra deja de girar *(turn)*.
9. El fin del mundo ocurre mañana.
10. Drácula existe.

ACTIVIDAD 9   ¡Un poco de lógica!

En cinco minutos, ¿cuántas frases lógicas puedes crear? Usa los elementos
de las columnas A, B, C y D. Tus frases pueden ser afirmativas o
negativas.

A	B	C	D
yo	contento	novio(a)	ser egoísta
tú	alegre	amigos	estar enfermo
Carlos	orgulloso	profesor(a)	ir de vacaciones
Marina	sorprendido	padres	salir con otros chicos (otras chicas)
mis amigos	furioso	vecinos	tener dinero
mis padres	enojado		tener buen trabajo
Ud. y yo	triste		saber hablar francés
	desilusionado		organizar una fiesta
			comprar un coche nuevo

🔸 Carlos está sorprendido de que su novia esté enferma.

Para la comunicación

Expresión personal

¿Qué piensas del mundo que te rodea *(surrounds)?* Expresa tus sentimientos
con ideas personales.

Estoy enojado(a) de que . . .
Estoy alegre de que . . .
Estoy triste de que . . .
Estoy furioso(a) de que . . .
Estoy desilusionado(a) de que . . .
Temo que . . .
No tengo miedo de que. . .
Me molesta que . . .
No me molesta que . . .

🔸 Estoy triste de que haya mucha discriminación en el mundo.

Una cuestión de interpretación

Hay cien maneras de poner en práctica los consejos que recibimos.
Escucha lo que la maestra les dice a sus alumnos ...
Luego, ve cómo los alumnos interpretan los consejos.

¡Chicos! . . .
¡Es importante que Uds. demuestren su talento!
¡Es bueno que Uds. encuentren soluciones a sus problemas personales!
¡Es normal que Uds. muestren cariño a los compañeros menos afortunados que Uds.!
¡Es bueno que Uds. puedan expresarse!
¡Es útil que piensen en el futuro!
¡Es esencial que Uds. se sientan cómodos en presencia de los mayores!
¡Es importante que Uds. sigan el ejemplo de los mayores!
¡Es justo que Uds. les devuelvan a sus amigos lo que reciben de ellos!

demuestren: *demonstrate*

cariño: *affection*

cómodos: *comfortable*

¡Es importante que demostremos nuestro talento!

¡Es bueno que encontremos soluciones a nuestros problemas personales!

¡Es normal que mostremos cariño a los compañeros menos afortunados que nosotros!

¡Es bueno que podamos expresarnos!

Papá, necesito 300 pesetas para ir al cine mañana.

¡Es útil que pensemos en el futuro!

¡Es esencial que nos sintamos cómodos en presencia de los mayores!

¡Es importante que sigamos el ejemplo de los mayores!

¡Es justo que les devolvamos a nuestros amigos lo que recibimos de ellos!

NOTA CULTURAL

El papel de las escuelas y los colegios en el mundo hispano

¿Piensas que el colegio tiene un papel muy importante en la formación moral de los alumnos norteamericanos? Las escuelas y los colegios hispanos les enseñan responsabilidad y patriotismo a sus estudiantes. Todos tienen que tomar el curso de Instrucción Cívica. Allí aprenden a sentir orgullo por su patria° y a ser ciudadanos° responsables.

Las escuelas y colegios urbanos ponen menos énfasis° en esto porque muchos de sus estudiantes asistirán a la universidad. Pero las escuelas y los colegios rurales ponen más énfasis en la educación cívica porque saben que para muchos de sus alumnos esto es el fin de la vida estudiantil.°

¿Sabes mucho de la historia de tu país? ¿Crees que serás un(a) ciudadano(a) responsable?

patria *country* **ciudadanos** *citizens* **énfasis** *emphasis*
estudiantil *student*

—— Vocabulario ——

sustantivos	**una cuestión (de)**	a matter (of)
	una manera	manner
adjetivos	**cómodo**	comfortable, at ease
	justo	fair
verbos	**demostrar (o → ue)**	to demonstrate, show
	expresarse	to express oneself

Estructuras

A. El uso del subjuntivo después de expresiones impersonales

Each of the following sentences begins with the impersonal construction **es** + adjective + **que.** Such constructions are used to express a particular opinion. Note the use of the subjunctive in the following examples.

Es necesario que los alumnos **estudien.**	*It is necessary that the students study.*
Es importante que digas la verdad.	*It is important that you tell the truth.*
Es bueno que Marisela **aprenda** inglés.	*It is good that Marisela is learning English.*
Es justo que ayudemos a los otros.	*It is fair that we help others.*

Spanish speakers use the subjunctive after many impersonal expressions.

≫ The above impersonal expressions are used to express an indirect command (**es necesario que ...**) or an opinion (**es bueno que ...**).

≫ Note that these impersonal expressions may be followed by:
—**que** + subjunctive when the expressions concern someone in particular
—the infinitive when the expression does not specifically refer to anyone.

Es importante que trabajes.	*It is important that you work.*
Es importante trabajar.	*It is important to work.*

ACTIVIDAD 1   Expresión personal: lo más importante

De las dos cualidades, di cuál es la más importante para las siguientes personas, según el modelo.

∑〉   mis profesores: justos o interesantes
         Es más importante que sean justos (interesantes).

1. mi papá: generoso o enérgico
2. mi mamá: cariñosa *(loving)* o paciente
3. mi mejor amigo: sincero o divertido
4. mi mejor amiga: entusiasta o inteligente
5. mi futuro(a) esposo(a): rico(a) o responsable
6. mi futuro(a) jefe(a): brillante o tolerante
7. mis amigos: simpáticos o inteligentes

ACTIVIDAD 2   Unos alumnos perezosos

Imagina que eres el (la) profesor(a) de unos alumnos perezosos. Di que es necesario que cambien sus actitudes.

∑〉   Felipe no estudia.   Es necesario que Felipe estudie.

1. Silvia y Carlos no estudian.
2. Ramón no escucha las cintas.
3. Mari-Carmen no lee.
4. Ana María y Luisa no me escuchan.
5. Roberto no llega a tiempo.
6. Raúl y Elena no hablan inglés.
7. Los alumnos no preparan la tarea.
8. Juan Manuel no usa el diccionario.
9. Inés y Jaime no aprenden los verbos.
10. Consuelo no asiste a la clase.

ACTIVIDAD 3   Una lección de conducir *(A driving lesson)*

Imagina que le enseñas a una amiga española a conducir. Dile si las siguientes cosas son necesarias o no. Empieza cada frase con **(No) es importante** o **(No) es necesario** o **(No) es útil.**

∑〉   tener cuidado   (No) es necesario que tengas cuidado.

1. usar las luces direccionales
2. mirar en el espejo
3. llenar el tanque a menudo
4. parar ante *(in front of)* los peatones
5. quedarte tranquila en toda ocasión
6. ir de prisa
7. ser amable con los otros conductores
8. ser paciente
9. estar de buen humor
10. tener un coche rápido
11. tener un coche nuevo
12. conocer bien el código de tránsito *(traffic rules)*
13. conocer bien las señales de tránsito
14. ponerte un casco *(helmet)*

ACTIVIDAD 4   Requisitos profesionales

Para ciertos empleos se necesitan habilidades *(skills)* especiales. Di cuáles
de las siguientes habilidades son importantes o útiles para las siguientes
personas y cuáles no.

las habilidades: hablar inglés   ser cortés
                  hablar español   asistir a la universidad
                  escribir a máquina   tener paciencia
                  saber conducir

▷ Felipe quiere ser abogado en Panamá.
   Es útil que hable inglés y que asista a la universidad.
   No es importante que escriba a máquina.

1. Carlos quiere ser taxista.
2. Susana quiere ser intérprete.
3. Paco y Silvia quieren ser secretarios
   bilingües.

4. Rafael quiere ser policía.
5. Isabel y Raúl quieren trabajar en una
   agencia de viajes.

VOCABULARIO PRÁCTICO   Expresiones impersonales

es sorprendente *(surprising)* **(que)**

es bueno (que)
es malo (que)
es mejor (que)
es peligroso (que)

es agradable (que)
es natural (que)
es justo (que)
es lógico (que)

es importante (que)
es necesario (que)
es útil (que)
es indispensable (que)
es esencial (que)

es absurdo (que)
es ridículo (que)
es raro *(strange)* **(que)**
es triste (que)

importa (que)	it matters	**Importa que** todos los hombres **sean** iguales.
es lástima (que)	it's a pity	**Es lástima que** no lo **sean.**
vale la pena (que)	it is worthwhile	**¿Vale la pena que** estudiemos **tanto** *(so much)*?

ACTIVIDAD 5   Lo que importa

Éstas son ciertas cualidades: **generoso** / **justo** / **inteligente** / **divertido** / **paciente** / **tranquilo** / **cortés** / **honrado** (*honest*) / **hábil** (*skillful*) / **prudente**.
En tu opinión, ¿qué cualidad importa que las siguientes personas tengan y qué no importa?

🏵   un(a) profesor(a)   Importa que sea justo. No importa que sea generoso.

1. un taxista
2. un(a) arquitecto(a)
3. un(a) abogado(a)
4. un político
5. un(a) fotógrafo(a)

6. un(a) médico(a)
7. el presidente
8. yo
9. tus amigos
10. tus hermanos

ACTIVIDAD 6   Expresión personal

Expresa tu opinión personal sobre las siguientes cosas, usando las expresiones del vocabulario.

🏵   No tengo mucho dinero.

(No) es importante (justo, necesario . . .) que no tenga mucho dinero.

1. Tenemos mucho trabajo.
2. Hay exámenes.
3. Los profesores son estrictos.
4. Mis amigos me prestan sus discos.
5. La vida es complicada.
6. Ayudamos a los pobres.
7. Hay mucha contaminación del aire.
8. Hay discriminación.
9. Los Estados Unidos ayudan a otros países.
10. Los Estados Unidos hacen las paces con Rusia.

11. Los jóvenes ayudan a los viejos.
12. Los padres castigan (*punish*) a sus hijos.
13. Los niños respetan a los mayores.
14. Los hombres exploran el espacio.
15. Los científicos inventan productos nuevos.
16. Los científicos desarrollan armas atómicas.
17. Los hombres son civilizados.
18. Las mujeres son iguales a los hombres.

ACTIVIDAD 7   Expresión personal: yo

¿Qué es importante en tu vida y qué no es importante? Completa las
siguientes frases con una idea personal.

> Es importante que yo . . .
>> Es importante que yo sea feliz (tenga mucho dinero, tenga
>> muchas amigas, asista a la universidad . . .).

1. Es necesario que yo . . .
2. Es natural que yo . . .
3. Es absurdo que yo . . .

4. Es lástima que yo . . .
5. Importa que yo . . .
6. Vale la pena que yo . . .

B. El subjuntivo de los verbos en -ar y en -er con cambios en el radical

The **-ar** and **-er** verbs with a stem change in the present indicative have
the same stem change in the subjunctive.

| INFINITIVE | pensar | volver | jugar |
| STEM CHANGE | e → ie | o → ue | u → ue |
SUBJUNCTIVE: Es importante que . . .			
(yo)	piense	vuelva	juegue
(tú)	pienses	vuelvas	juegues
(él, ella, Ud.)	piense	vuelva	juegue
(nosotros)	pensemos	volvamos	juguemos
(vosotros)	penséis	volváis	juguéis
(ellos, ellas, Uds.)	piensen	vuelvan	jueguen

> Stem-changing verbs in **-ar** and **-er** have regular subjunctive endings.
> Note that there is no stem change in the **nosotros** and **vosotros**
> forms.

ACTIVIDAD 8   ¿Es bueno?

Los alumnos le preguntan a la maestra si es bueno que hagan (o no
hagan) ciertas cosas. La maestra les contesta afirmativamente o
negativamente. Haz los papeles de los alumnos y de la maestra según el
modelo.

> pensar en el futuro (sí)   Alumnos: ¿Es bueno que pensemos en el futuro?
>> Maestra: Sí, es necesario que Uds. piensen en el futuro.

1. pensar en otros (sí)
2. cerrar la puerta de la clase (sí)
3. cerrar los libros (sí)
4. despertarse temprano (sí)

5. despertarse temprano los domingos (no)
6. acostarse temprano (no)
7. volver a casa a tiempo (sí)
8. querer a otros (sí)

C. El subjuntivo de los verbos en -ir con cambios en el radical

The **-ir** stem-changing verbs have the same stem changes in the present subjunctive as in the present indicative. In addition, in the **nosotros** and **vosotros** forms, these verbs have the following stem changes: **e → i** and **o → u**.

INFINITIVE STEM CHANGES SUBJUNCTIVE: Es importante que . . .	**sentir** e → ie, i	**pedir** e → i, i	**dormir** o → ue, u
(yo)	sienta	pida	duerma
(tú)	sientas	pidas	duermas
(él, ella, Ud.)	sienta	pida	duerma
(nosotros)	sintamos	pidamos	durmamos
(vosotros)	sintáis	pidáis	durmáis
(ellos, ellas, Uds.)	sientan	pidan	duerman

ACTIVIDAD 9   ¿Es importante?

Ahora los alumnos de la Actividad 8 le preguntan a la maestra si es importante o no que hagan ciertas cosas. Haz los dos papeles según el modelo.

🐦 sentirse contento (sí)   Alumnos: ¿Es importante que nos sintamos contentos?
　　　　　　　　　　　　　　Maestra: Sí, es importante que Uds. se sientan contentos.

1. pedir consejos a sus padres (sí)
2. pedir dinero a sus abuelos (no)
3. seguir los buenos ejemplos (sí)
4. seguir los malos ejemplos (no)
5. dormir bien (sí)
6. dormir diez horas (no)
7. vestirse bien (no)
8. divertirse en casa (sí)
9. divertirse durante los exámenes (no)

ACTIVIDAD 10   ¡Un poco de humor!

En diez minutos, ¿cuántas frases divertidas puedes crear? Usa los
elementos de A, B, C y tu imaginación para completar la columna D.

A	B	C	D
Es agradable	yo	poder	
Es raro	nosotros	querer	
Es absurdo	mis amigos	pensar	
Es ridículo	el (la) profesor(a)	volver	
Es bueno	los alumnos	despertarse	
Es malo	mi amigo y yo	sentirse	
Es normal		dormirse	
Es lástima		dormir	
Es triste		cerrar	
		pedir	
		preferir	

» Es normal que los alumnos se duerman cuando el profesor habla.

Para la comunicación

Para un mundo mejor

En tu opinión, ¿cómo es posible crear un mundo mejor? Expresa tus ideas
personales. Si quieres, puedes usar una de las siguientes palabras con cada
expresión impersonal.

el presidente / los hombres / los jóvenes / los mayores / los
norteamericanos / los rusos / los ricos / los pobres / los científicos / los
médicos / los políticos

      Es esencial . . .
      Es indispensable . . .
      Es necesario . . .
      Es útil . . .
      Es importante . . .
      Vale la pena . . .
      No vale la pena . . .

» Es importante . . .   Es importante que los políticos transformen la sociedad.

El mundo misterioso

Todos tenemos una mente racional. Y con esta mente, podemos explicar muchas cosas . . . pero no todas. Hay todavía muchas cosas que no pueden ser explicadas lógicamente. Éstas constituyen los misterios del universo . . .

mente: *mind*

¿Qué piensas de los siguientes misterios? Y ¿crees que estos misterios existan?

	Sí, es posible.	No, no es posible.
1. Muchas personas creen que los fantasmas existen. ¿Y tú? ¿Crees que haya fantasmas?	☐	☐
2. De vez en cuando, unas personas declaran que han observado objetos misteriosos en el cielo. ¿Y tú? ¿Crees que los OVNIS (objetos volantes no identificados) existan?	☐	☐
3. Ciertas personas dicen que tienen poderes extraordinarios como lo de trasladar o romper objetos sin tocarlos. En tu opinión, ¿es posible que ellas tengan tales poderes?	☐	☐

fantasmas: *ghosts*

cielo: *sky*
  OVNIS: *UFOs*
volantes: *flying*
poderes: *powers*
trasladar: *moving*
tocarlos: *touching them*
tales: *such*

	Sí, es posible.	No, no es posible.

4. De vez en cuando, un vidente predice una catástrofe como un accidente de aviación o un terremoto. ¿Crees que sea posible predecir el futuro? ☐ ☐

  vidente: *fortune teller*
  predice: *predicts*
  terremoto: *earthquake*

5. Ciertas personas parecen tener el talento de adivinar lo que pensamos. ¿Crees que esas personas tengan poderes extrasensoriales? ☐ ☐

  adivinar: *guessing*

6. De vez en cuando, alguien dice que ha visto el famoso monstruo del Loch Ness. ¿Crees que tal monstruo exista? ☐ ☐

7. En África y Asia, hay curanderos que mantienen hacer operaciones quirúrgicas sin usar ningún instrumento. ¿Crees que esas operaciones sean reales? ☐ ☐

  curanderos: *healers*
  mantienen: *claim*
  quirúrgicas: *surgical*

8. Muchas personas creen en la vida eterna. ¿Crees que haya vida después de la muerte? ☐ ☐

  muerte: *death*

9. Muchas personas consultan el horóscopo antes de tomar decisiones importantes. ¿Crees que las estrellas determinen nuestro destino? ☐ ☐

  estrellas: *stars*

10. Para los científicos es muy difícil explicar el origen de ciertas líneas misteriosas de la región de Nazca en el Perú. ¿Crees que astronautas extraterrestres hayan dibujado esas líneas hace muchos años? ☐ ☐

  extraterrestres: *from outer space*
  hace muchos años: *many years ago*

INTERPRETACIÓN

- Si has contestado sí a ocho preguntas o más: la gente pensará que eres crédulo(a).

  crédulo: *gullible*

- Si has contestado sí a de cinco a siete preguntas: crees en el poder de la razón . . . aunque para ti las razones no lo explican todo.

  razón: *reason*

- Si has contestado sí a de dos a cuatro preguntas: eres muy racional. Crees lo que ves. Para ti no hay nada como la experiencia.

- Si has contestado afirmativamente menos de dos preguntas: piensas que puedes explicarlo todo racionalmente. ¿No crees que haya un lugar en tu vida para un poquito de imaginación y misterio?

  poquito: *little bit*

Las líneas misteriosas de Nazca

Estas líneas fueron descubiertas en los años de 1920 (mil novecientos veinte) por un piloto que estaba volando° sobre Nazca, una región desértica° del Perú. Él observó un diseño° muy curioso que solamente se podía distinguir desde arriba.° Estas líneas representaban figuras geométricas de triángulos y cuadrados.° También había° flores y animales gigantescos como pájaros, culebras,° un mono y una araña.°

Los científicos han tratado de descubrir el origen de estas líneas y su propósito.° Naturalmente hay muchas teorías. Por ejemplo:

¿Representan estas líneas un calendario solar gigantesco?

¿Eran caminos° usados por civilizaciones antiguas?

¿Son estas líneas vestigios° de canales de irrigación antiguos?

¿Es un mapa que apunta° a un tesoro escondido?°

¿Fueron usadas por los antiguos astronautas como aeropuerto?

¿Tienen significado religioso? ¿Son vestigios de un culto antiguo?

¿Cuál es la verdadera explicación? ¡Nadie lo

sabe! Hoy día, las líneas de Nazca son todavía uno de los numerosos misterios de la América del Sur.

volando *flying* **desértica** *deserted* **diseño** *pattern*
arriba *above* **cuadrados** *squares* **había** *there were*
culebras *snakes* **araña** *spider* **propósito** *meaning*
caminos *roads* **vestigios** *remains* **apunta** *points*
tesoro escondido *hidden treasure*

Vocabulario

sustantivos	**un científico**	scientist	**una estrella**	star
	un fantasma	ghost	**una línea**	line
	un poder	power	**la mente**	mind
			la muerte	death
			la razón	reason
adjetivos	**crédulo**	gullible, credulous		
	eterno	eternal		
verbos	**predecir**	to predict		
	tocar	to touch		
	trasladar	to move, to transfer		
	volar (o → ue)	to fly		

NOTA: **Predecir** is conjugated like **decir**.

CONVERSACIÓN

Vamos a ver si eres una persona supersticiosa.

1. ¿Crees realmente que el viernes trece **sea** un día de mala suerte?
   Sí (No, no) lo creo.
2. ¿Crees realmente que los gatos negros **traigan** mala suerte?

3. ¿Crees realmente que **sea** peligroso pasar debajo de una escalera?
4. ¿Crees realmente que los fantasmas **existan**?

OBSERVACIÓN

When you ask someone whether they really believe something, you are questioning that belief or putting it in doubt. **¿Crees realmente que . . .?** is an expression of doubt.

- Is the verb that follows that expression in the indicative or the subjunctive?

Estructuras

A. El uso del subjuntivo después de expresiones de duda

In the sentences below, Carmen considers some things as certain, whereas Manuel considers them doubtful, untrue, or at best only possible. Compare the verbs in each pair of sentences.

(certainty)	*(doubt or uncertainty)*
Carmen:	Manuel:
Sé que Raúl **es** generoso.	**Dudo** (*I doubt*) **que** Raúl **sea** generoso.
Creo que Felipe **habla** inglés.	**No creo que** Felipe **hable** inglés.
Es cierto que mis amigos **van** a la fiesta.	**Es posible que** mis amigos **vayan** a la fiesta.

The *indicative* is used after expressions of *certainty*.
The *subjunctive* is used after expressions of *doubt* or *uncertainty*.

⟩ Some expressions of certainty may become expressions of doubt when used in the negative or interrogative form. In such cases, the subjunctive can be used.

certainty: **Creo que** Paco **es** simpático.
doubt: **No creo que** Paco **sea** simpático.
¿Crees que Paco **sea** buen compañero?

⟩ While the word *that* may be omitted in English after an expression of certainty or doubt, the word **que** must always be used in Spanish.

ACTIVIDAD 1   Opiniones

María y Alberto están hablando de sus amigos. Es obvio que no tienen las mismas opiniones. Haz los papeles de María y Alberto según el modelo.

> Enrique es simpático.   María: Creo que Enrique es simpático.
> Alberto: ¡Bah! No creo que Enrique sea simpático.

1. Inés es bonita.
2. Tomás y Felipe son interesantes.
3. Gloria y Susana son aburridas.
4. Paco habla francés muy bien.
5. Isabel estudia mucho.
6. Elena y Manuel juegan bien al tenis.
7. Ana dice la verdad.
8. Esteban sale siempre con Consuelo.

ACTIVIDAD 2   Expresión personal: sí o no

Expresa tu opinión de lo siguiente. Empieza cada frase con **Creo que** + indicativo o **No creo que** + subjuntivo.

> El español es difícil.   Creo que el español es difícil.
> (No creo que el español sea difícil.)

1. El español es útil.
2. El (la) profesor(a) es estricto(a).
3. Los alumnos de la clase hablan español bien.
4. Los chicos son más inteligentes que las chicas.
5. Los hombres son mejores conductores que las mujeres.
6. Los jóvenes son más idealistas que los mayores.
7. Los alumnos tienen más paciencia que los profesores.
8. La China es más pequeña que los Estados Unidos.

VOCABULARIO PRÁCTICO   Expresiones de duda

Es posible que	**No es verdad que**
Es imposible que	**No es cierto que**
Es probable que	**No es seguro que**
Es improbable que	**Es dudoso** (*doubtful*) **que**

dudar que	to doubt that	**Dudo que** los marcianos existan.
no creer que	not to believe that	**No creo que** haya hombres en la luna.
no estar seguro(a) de que	not to be sure that	**No estoy seguro de que** digas la verdad.
negar (e → ie) que	to deny that	**Niego que** haya vida después de la muerte.

ACTIVIDAD 3 Expresión personal

Di lo que piensas de lo siguiente. Empieza cada frase con **creo que** + el indicativo o una expresión de duda + el subjuntivo.

⟩⟩ Los fantasmas existen. Creo que los fantasmas existen.
(Es posible [dudoso . . .] que los fantasmas existan.)

1. La percepción extrasensorial existe.
2. Dios existe.
3. Los OVNIS existen.
4. Las brujas *(witches)* existen.
5. El número 13 trae mala suerte.
6. El número 7 trae buena suerte.
7. Los gatos negros traen mala suerte.
8. Hay vida después de la muerte.
9. Los muertos *(dead)* pueden comunicarse con los vivos *(living)*.
10. Es necesario consultar el horóscopo antes de tomar una decisión importante.
11. Ciertas personas pueden predecir el futuro.
12. El universo es un misterio.
13. Hay vida en la luna.
14. Hay vida extraterrestre.
15. Las estrellas determinan nuestro destino.
16. El fin del mundo es mañana.

ACTIVIDAD 4 Una disputa

Juan Carlos contradice todo lo que le dice Elena. Haz los dos papeles.

⟩⟩ El profesor habla inglés bien (es cierto).
Elena: Es cierto que el profesor habla inglés bien.
Juan Carlos: No es cierto que el profesor hable inglés bien.

1. Los chicos norteamericanos son simpáticos (es cierto).
2. Las chicas norteamericanas son deportistas (es verdad).
3. Mi novio es muy inteligente (estoy segura).
4. Mis amigas son generosas (creo).
5. Los chicos son impacientes (es cierto).
6. Tú eres tonto (es verdad).

B. El pretérito perfecto del subjuntivo

Note the use and the forms of the present perfect of the subjunctive in the sentences below.

Me alegro de que Carlos **haya llamado.**	*I am happy that Carlos (has) called.*
Es bueno que haya hablado contigo.	*It's good that he (has) talked with you.*
No creo que Felipe **haya asistido** a una corrida.	*I do not believe that Felipe has been to a bullfight.*
¿Es posible que haya ido a España?	*Is it possible that he went (has gone) to Spain?*

The present perfect subjunctive is sometimes used instead of the present subjunctive to refer to past actions and events.

The present perfect subjunctive is a compound tense. It is formed as follows:

present subjunctive of **haber**   +   past participle

PRESENT PERFECT SUBJUNCTIVE   Es importante que . . .

(yo)	**haya estudiado**	(nosotros)	**hayamos estudiado**
(tú)	**hayas estudiado**	(vosotros)	**hayáis estudiado**
(él, ella, Ud.)	**haya estudiado**	(ellos, ellas, Uds.)	**hayan estudiado**

ACTIVIDAD 5   El profesor se alegra

El profesor se alegra de que los alumnos hayan visitado países interesantes durante las vacaciones, pero siente que no hayan asistido a ciertos espectáculos. Haz el papel del profesor.

⟯⟯ Carmen: España / un concierto de música flamenca
     Me alegro de que Carmen haya visitado España,
       pero siento que no haya asistido a un concierto de música flamenca.

1. Antonio: Colombia / una corrida
2. Roberto y Marta: la Argentina / un partido de fútbol
3. tú: los Estados Unidos / un partido de béisbol
4. Uds.: el Canadá / un partido de hockey
5. María y Consuelo: Inglaterra / un concierto de rock
6. Ud.: México / el Ballet Folklórico

ACTIVIDAD 6 Expresión personal: los misterios del universo

¿Qué piensas de lo siguiente? Expresa tu opinión personal, empezando tus frases con: **Es posible que** . . . o **No es cierto que** . . . o **Dudo que** . . . + el pretérito perfecto del subjuntivo.

> los egipcios (¿descubrir la electricidad?)
> > Es posible (Dudo) que los egipcios hayan descubierto la electricidad.

1. los vikingos (¿descubrir América?)
2. los marcianos (¿explorar la tierra?)
3. Cristóbal Colón (¿vivir más de cien años?)
4. Drácula (¿existir?)
5. los indios (¿venir de Asia?)
6. los rusos (¿inventar el avión?)

ACTIVIDAD 7 Un jactancioso (A boaster)

Raúl dice que ha hecho muchas cosas extraordinarias. Carmen no lo cree. Haz los dos papeles según el modelo.

> visitar la China
> > Raúl: He visitado la China.
> > Carmen: ¡Bah! No creo que hayas visitado la China.

1. visitar el Japón
2. hablar con el presidente
3. vivir en Tahití
4. actuar en una película del oeste
5. salir con una actriz famosa
6. correr el maratón de Boston
7. conducir en las quinientas millas de Indianapolis
8. viajar en cohete
9. ganar una medalla de oro en los juegos olímpicos

Para la comunicación

Tus creencias (Your beliefs)

Expresa lo que crees y lo que no crees sobre tres de las siguientes cosas:

los fantasmas
los OVNIS
la vida después de la muerte
Nessie (el monstruo del Loch Ness)
el triángulo de las Bermudas
los poderes extrasensoriales

> Muchísimas personas dudan que Nessie sea un verdadero monstruo.

> Mi amigo Juan sabe mucho de lo que piensan otros. Creo que tiene poderes extrasensoriales.

Nunca satisfechos

Hay personas que son felices con poco y . . .
hay otras . . .

La Srta. García tiene un coche
que es muy cómodo, pero que no anda rápido.

anda: *goes*

Quiere cambiarlo por otro coche
que sea pequeño y que ande a doscientos
kilómetros por hora.

El Sr. Meléndez tiene una casa muy grande y muy moderna
que está situada en un barrio muy elegante
y que tiene muchas habitaciones, un garaje para tres coches
y una piscina.

barrio: *district*
habitaciones: *rooms*

Pero quiere vivir en una casita
que esté situada en el campo
y que tenga pocas habitaciones, con
un jardín grande con árboles y flores.

Ramón conoce a una chica muy inteligente y muy seria
que habla francés, inglés e italiano, que va a la universidad
y que tiene padres muy ricos.

Pero prefiere salir con chicas
que no hablen idiomas extranjeros, ni
que vayan a la universidad,
pero que tengan buen sentido del humor.

Carmen conoce a un chico muy simpático
que es alto, rubio y buen mozo,
que tiene trabajo interesante,
que sabe jugar al tenis muy bien
y a quien le gustan todos los deportes.

buen mozo:
good-looking

¿Y con quién sueña Carmen?
Ella sueña con tener otro novio
que sea moreno y romántico,
que tenga poco,
pero que sepa tocar la guitarra,
a quien le guste la poesía
y que no le hable nunca de deportes.

La vida de la ciudad y la del campo

¿Dónde te gustaría vivir? ¿En la ciudad o en el campo? En la caricatura,° el Sr. Meléndez vive en una casa muy cómoda en la ciudad, pero él sueña con vivir en el campo. ¿Crees que este sueño es típico?

En muchos países hispanos, lo opuesto° es lo verdadero.° Mucha gente que vive en el campo sueña con mudarse° a las ciudades grandes. ¿Por qué? En el campo, las condiciones de la vida son muy difíciles. Muchas veces la gente no puede encontrar trabajo, y cuando lo encuentra, es trabajo duro° y no recibe mucho dinero. La vida en la ciudad significa mejores condiciones de trabajo, mejor paga,° mejor educación y las posibilidades de divertirse.

Pero esto es un sueño . . .

Para muchísima gente, la vida en la ciudad es dura y a veces más dura que la del campo. Sin embargo, las ciudades hispanas crecen° cada día más por la afluencia° de las personas del campo que llegan en busca° de una vida mejor.

caricatura *cartoon* **opuesto** *opposite* **verdadero** *truth*
mudarse *moving* **duro** *hard* **paga** *pay* **crecen** *grow*
afluencia *influx* **busca** *search*

—— Vocabulario ——

sustantivos	**un barrio**	district, neighborhood	**una habitación**	room
adjetivo	**satisfecho**	satisfied, happy		
expresiones	**andar a doscientos kilómetros por hora**	to go 200 km. per hour (≅ 120 mph)		
	buen mozo	good-looking		

CONVERSACIÓN

Vamos a hablar de tu mejor amigo(a). Después vamos a hablar de ciertas personas que te gustaría conocer.

1. ¿Es tu mejor amigo(a) un(a) chico(a) que **habla** español?
2. ¿Es un(a) chico(a) que **vive** en la misma ciudad que tú?
3. ¿Es un(a) chico(a) que **tiene** buen sentido del humor?
4. ¿Es un(a) chico(a) que te **comprende** bien?
5. ¿Quieres encontrar un chico que **hable** español?
6. ¿Quieres tener correspondencia con una chica que **viva** en otro país?
7. ¿Quieres conocer un chico que **tenga** buen sentido del humor?
8. ¿Quieres casarte con una persona que te **comprenda**?

OBSERVACIÓN

In the first four sentences, you are asked questions about a specific person, namely your best friend.

• Is the verb that follows **que** *(who)* in the indicative or the subjunctive?

In the last four sentences, you are asked questions about people who may exist but who have not yet been identified.

• Is the verb that follows **que** in the indicative or the subjunctive?

Estructuras

A. Los pronombres relativos

The words in heavy print are used to connect two sentences. They are called *relative pronouns*. Note the forms and uses of these pronouns in the sentences below:

Tengo un amigo **que** vive en México.　　*I have a friend **who** lives in Mexico.*
Los amigos **que** tengo son generosos.　　*The friends (**whom**) I have are generous.*

Tengo una guitarra **que** es de España.　　*I have a guitar **that** comes from Spain.*
Los libros, **que** están aquí,　　*The books, **which** are here,*
　　son interesantes.　　　　　　　　*are interesting.*

The relative pronoun **que** may refer to people or things. It corresponds to the English pronouns *who, whom, that, which.*

> While *whom, that,* and *which* may be omitted in English, **que** must always be used in Spanish.

> After a preposition (**a, de, con, para . . .**), **quien (quienes)** is used instead of **que** to refer to people.

Compare:

¿Dónde están los instrumentos　　*Where are the instruments **with which** you work?*
　　con que trabajas?

¿Dónde están los chicos　　*Where are the boys **with whom** you work?*
　　con quienes trabajas?

Ésa es la revista **de que** te hablé.　　*That is the magazine **about which** I spoke to you.*
Ése es el chico **de quien** te hablé.　　*That is the boy **about whom** I spoke to you.*

ACTIVIDAD 1   ¿Cómo se llaman?

María quiere saber cómo se llaman ciertas personas y objetos. Haz el papel de María según los modelos. Empieza cada pregunta con **¿Cómo se llama(n)...?**

𝔇 Un chico entra.   ¿Cómo se llama el chico que entra?
𝔇 Carlos lee unas revistas.   ¿Cómo se llaman las revistas que Carlos lee?

1. Una chica toca la guitarra.
2. Unos chicos hablan.
3. Enrique invita a una chica al baile.
4. Silvia llama a unos chicos.
5. Juan Miguel compra una revista.
6. Elena compra unos libros.
7. Alberto escucha unas cintas.
8. Clara escucha a unos amigos.

ACTIVIDAD 2   ¿Quién es?

Roberto quiere saber los nombres de las personas de quienes habla Susana. Haz el papel de Roberto, empezando cada pregunta con **¿Quién es...?** o **¿Quiénes son...?**

𝔇 Le escribo a un chico.   ¿Quién es el chico a quien le escribes?

1. Les escribo a unas chicas.
2. Hablo con una profesora.
3. Hablo de unos vecinos.
4. Trabajo para una persona.
5. Salgo con unas chicas.
6. Estoy enamorada de un chico.
7. Estoy enojada con unos chicos.

ACTIVIDAD 3   Expresión personal: las personas que figuran en tu vida

Describe las siguientes personas, usando el pronombre relativo apropiado. ¡Usa tu imaginación!

𝔇 Tengo un amigo...
   Tengo un amigo que se llama Roberto (tiene un coche, es mi compañero de tenis, corre las olas...).
𝔇 Tengo una amiga con...
   Tengo una amiga con quien voy al cine (salgo mucho, juego al volibol...).

1. Tengo una amiga...
2. Tengo un amigo con...
3. Tengo vecinos...
4. Tengo vecinos con...
5. Tengo un(a) profesor(a) de español...
6. Tengo compañeros con...
7. Tengo padres...
8. Tengo hermanos con...
9. Tengo amigos...
10. Tengo amigos a...

B. El uso del subjuntivo después de los pronombres relativos

In the sentences on the left, Carlos is speaking about friends or possessions *he has*. In the sentences on the right, he is speaking about friends or possessions *he would like to have*. Compare the verbs in each pair of sentences.

<table>
<tr><td align="center">(what is)</td><td align="center">(what may be)</td></tr>
<tr><td>Conozco a un amigo que habla inglés.</td><td>Busco un amigo que hable francés.</td></tr>
<tr><td>Tengo amigas que juegan al volibol.</td><td>Prefiero tener amigas que jueguen al tenis.</td></tr>
<tr><td>Tengo un coche que es muy viejo y que gasta mucha gasolina.</td><td>Quiero comprar un coche que sea nuevo y que no gaste mucha gasolina.</td></tr>
<tr><td>Vivo en un apartamento que es pequeño y que cuesta mucho.</td><td>Quiero vivir en un apartamento que sea grande y que no cueste mucho.</td></tr>
</table>

In Spanish, the indicative or the subjunctive may be used after a relative pronoun. The choice between the two depends on what the speaker wants to describe:

The *indicative* is used to describe *what is*.

Carlos conoce a un amigo **que habla** inglés.   *Carlos knows a friend **who speaks** English (that is, **who does** indeed **speak** English).*

In the above sentence, Carlos has a very specific person in mind. The indicative describes *facts* and *realities*.

The *subjunctive* is used to describe *what may* or *could be*.

Carlos busca un amigo **que hable** francés.   *Carlos is looking for a friend **who speaks** French (that is, **who could speak** French).*

In the above sentence, Carlos does not have a particular person in mind. The subjunctive describes *possibilities*.

ACTIVIDAD 4   En búsqueda de ...

Las siguientes personas buscan a otras personas u objetos con ciertas cualidades. Expresa esto según el modelo.

Carlos: coche (ir despacio/ir rápido)
   Carlos tiene un coche que va despacio. Busca un coche que vaya rápido.

1. Alicia: amiga (hablar italiano/hablar ruso)
2. Yo: máquina de escribir (funcionar mal/funcionar bien)
3. Yo: reloj de pulsera (andar mal/andar bien)
4. Carmen: amigos (jugar a los naipes/jugar al ajedrez)
5. Felipe: moto (hacer mucho ruido/no hacer mucho ruido)

ACTIVIDAD 5   La envidia *(Envy)*

Rafael tiene una amiga que tiene mucha suerte. Es un poco envidioso
(envious) de ella. Haz los dos papeles según el modelo.

⮑   Tengo amigos que me ayudan.   Alicia: Tengo amigos que me ayudan.

Rafael: Quiero tener amigos que me ayuden.

1. Tengo amigas que me invitan a salir.
2. Tengo una amiga que me presta su coche.
3. Tengo profesores que me dan buenas notas.
4. Tengo padres que me comprenden.
5. Tengo hermanos que no se enfadan conmigo.
6. Tengo abuelos que son generosos.

ACTIVIDAD 6   Anuncios de empleo *(Want ads)*

Imagina que trabajas para una agencia de empleo. Estás encargado(a) de
(in charge of) escribir anuncios de empleo. Prepara los anuncios según el
modelo.

⮑   Buscamos una secretaria: debe hablar español y escribir a máquina.
        Buscamos una secretaria que hable español y que escriba a máquina.

1. Buscamos un dependiente: debe tener una buena presentación y hablar inglés.
2. Necesitamos dos agentes de viajes: deben tener coche y ser ambiciosos.
3. Se busca un ingeniero: debe tener título *(degree)* de ingeniero y estar especializado en electrónica.
4. Se necesitan dos dibujantes: deben tener experiencia y ser de nacionalidad española.
5. Buscamos una intérprete: debe hablar francés e italiano y tener título universitario.

ACTIVIDAD 7   ¡Sueños imposibles!

Todo el mundo tiene sueños. Describe los sueños imposibles de las
siguientes personas.

⮑   Roberto quiere comprar un coche: ser cómodo / andar a 200 kilómetros por hora / no gastar mucha gasolina.
        Roberto quiere comprar un coche que sea cómodo, que ande a 200 kilómetros por hora y que no gaste mucha gasolina.

1. Teresa quiere vivir en un apartamento: ser grande / estar situado en el centro / costar poco.
2. El Sr. Navarro busca una casa: tener una piscina / ser muy espaciosa / ser barata.
3. Carmen quiere encontrar un chico: hablar tres idiomas / tocar la guitarra muy bien / ser un campeón de tenis / no ser presumido *(stuck-up)*.
4. Los alumnos quieren tener un profesor: ser muy divertido / enseñar cosas interesantes / no dar exámenes.

ACTIVIDAD 8   Un chico bien informado

Es muy útil conocer a Paco porque es un chico que conoce a todos y que lo
sabe todo. Haz los papeles de Paco y sus amigos según el modelo.

Quiero encontrar un chico: hablar inglés

Un amigo: Quiero encontrar un chico que hable inglés.

Paco: Pues, yo conozco a un chico que habla inglés.

1. Quiero conocer una chica: vivir en
   México
2. Quiero hablar con una persona: poder
   ayudarme
3. Quiero conocer chicos: tener un coche
   deportivo
4. Quiero ir a un restaurante: servir
   comida francesa
5. Quiero ir a una tienda: vender anteojos
   de sol
6. Quiero ir a una agencia: alquilar
   apartamentos baratos

ACTIVIDAD 9   Los novios ideales

Cada persona tiene una idea diferente de la persona con quien espera
casarse. Di si quieres casarte con un hombre o con una mujer que tenga
las siguientes características.

ser más inteligente que yo

(No) quiero casarme con un hombre (una mujer) que sea más
inteligente que yo.

1. ser mucho mayor que yo
2. ser más rico(a) que yo
3. ser menos instruido(a) (educated) que yo
4. tener buenas cualidades morales
5. tener un futuro estable pero limitado
6. tener un trabajo que requiere viajes
   frecuentes

7. ser muy conservador(a)
8. respetarme
9. tratar de dominarme
10. desear tener una familia grande
11. no desear tener hijos
12. tener una religión diferente de la mía

ACTIVIDAD 10   La agencia matrimonial

Imagina que trabajas en una agencia matrimonial. Di con qué clase de esposo(a) deben casarse las siguientes personas.

ॐ   Paco es muy tímido.

> Debe casarse con una chica que sea cariñosa (con quien se sienta cómodo . . .).

1. Teresa es muy inteligente.
2. Esteban es muy rico.
3. A Elena le gustan los deportes.
4. A Enrique le gusta la música.
5. Federico quiere tener una familia grande.
6. Mari-Carmen quiere continuar con su profesión.

Para la comunicación

Tus preferencias

¿Qué esperas? Describe tus preferencias, completando las siguientes frases. Usa tu imaginación (¡y tu sentido del humor!).

Deseo conocer personas que . . .
Quiero hacer un viaje con una persona con quien . . .
Espero tener un(a) jefe(a) que . . .
No me gusta trabajar para una persona que . . .
Quiero comprar un coche que . . .
Prefiero vivir en una casa que . . .
Quiero vivir en una ciudad en que . . .
Deseo vivir en un mundo en que . . .
Quiero casarme con una persona con quien . . .
No quiero casarme con una persona que . . .

ॐ   No quiero casarme con una persona que lo sepa todo (que no sepa reír . . .).

Variedades   Pablo Neruda

Pablo Neruda (1904-1973), nacido° en Chile, es uno de los poetas
sudamericanos más conocidos° de este siglo.° Empezó a publicar sus
poemas cuando era muy joven. Después de escribir varios libros, viajó
como diplomático a muchos países. Tuvo que salir de Chile por razones
políticas en 1948, pero volvió en 1952.

    La poesía de Neruda es fuerte, lírica y profunda. Su obra° es una de
las cumbres° de la poesía española. Ganó el premio° Nobel de
literatura en 1971.

    En este poema, ¿cuáles son las cinco cosas que quiere el poeta?

Pido silencio

Ahora me dejen tranquilo.
Ahora se acostumbren sin mí.

Yo voy a cerrar los ojos.°

Y sólo quiero cinco cosas,
cinco raíces° preferidas.

Una es el amor sin fin.°

Lo segundo es ver el otoño.
No puedo ser sin que las hojas°
Vuelen° y vuelvan a la tierra.°

Lo tercero es el grave° invierno,
la lluvia que amé,° la caricia°
del fuego° en el frío silvestre.°.

En cuarto lugar el verano
redondo° como una sandía.°

La quinta cosa son tus ojos.
Matilde[1] mía, bienamada,°
no quiero dormir sin tus ojos,
no quiero ser sin que me mires:
yo cambio la primavera
porque tú me sigas mirando.

Amigos, eso es cuanto quiero.
Es casi nada y casi todo.

[1]Matilde: Neruda's wife.

Copyright © Pablo Neruda.

nacido: *born*
conocidos: *famous*
  siglo: *century*

obra: *work*
cumbres: *peaks*
  premio: *prize*

ojos: *eyes*

raíces *roots*

fin: *end*

hojas: *leaves*
Vuelen: *They fly*
  tierra: *ground*
grave: *serious*
amé: *I loved*
  caricia: *caress*
fuego: *fire*
  silvestre: *wild*

redondo: *round*
  sandía: *watermelon*

bienamada: *beloved*

5

Un poco de historia

¿Qué es España? . . . Bueno, podemos hablar de muchas Españas. Por ejemplo, hay una España romana, una España árabe, una España cristiana . . . Hay una España increíblemente poderosa,° y una España profundamente dividida. En todas las Españas hay cosas memorables. Éstas son algunas.

133 a.C.°

Cae Numancia, ciudad que ha resistido la invasión romana durante mucho tiempo. Pero sus habitantes no se rinden.° Antes de ser prisioneros, prefieren quitarse la vida. Cuando el general romano Escipión Emiliano y sus 60.000 hombres entran a la ciudad, ni siquiera° los caballos están vivos.

711

Bajo el mando del general Tarik, los moros° cruzan el Estrecho de Gibraltar.° En poco tiempo ocupan la región. Los cristianos que huyen° del poder° árabe se refugian en las montañas de Asturias. Allí comienza la reconquista cristiana de España. Dura° más de ocho siglos.

El Cid

1094

El Cid conquista Valencia durante una de sus más famosas campañas militares contra los moros. El Cid es uno de los grandes héroes de España.

La Alhambra

1492

Cae el último reino° moro cuando las fuerzas de los Reyes° Católicos, Fernando e Isabel, vencen° a Boabdil, rey° moro de Granada. Boabdil, su familia y su corte° son obligados a abandonar el maravilloso palacio de La Alhambra.

poderosa *powerful*   **a.C.** *antes de Cristo*   **se rinden** *surrender*   **ni siquiera** *not even*
moros *Moors*   **Estrecho de Gibraltar** *Strait of Gibraltar*   **huyen** *flee*   **poder** *power*
Dura *It lasts*   **reino** *kingdom*   **Reyes** *Sovereigns*   **vencen** *conquer*   **rey** *king*   **corte** *court*

Los Reyes Católicos reciben a Colón.

1493

Los Reyes Católicos reciben a Colón en Barcelona. Es su gran triunfo. A los reyes les presenta los indios, los papagayos° y las otras cosas que ha traído. Y dice Colón:—A los pies de Vuestras° Majestades, pongo las Indias españolas.

1588

España sufre una gran derrota.° El poder del viento y el poder de los ingleses destruyen la Armada Invencible, un ejército° naval creado por el rey Felipe II de España para derrotar a la reina Isabel I de Inglaterra.

1808

El emperador francés Napoleón se apodera de° España. En Madrid el pueblo se subleva.° Así comienza la llamada Guerra° de Independencia contra la ocupación francesa. Inspirado por la brutalidad y la crueldad de esta guerra, el pintor Francisco de Goya crea algunas de sus obras maestras.°

1936

Estalla° otra guerra. Esta vez es una guerra civil. Durante tres años España se destruye a sí misma.° La guerra deja un millón de muertos. Termina cuando Madrid se rinde.° Las fuerzas victoriosas son las del general Francisco Franco. Franco pasa a ser jefe del nuevo gobierno° y gobierna a España durante casi 40 años, hasta su muerte en 1975.

1975

Juan Carlos I, nieto° del último rey de España. Alfonso XIII, llega a ser rey. Establece un gobierno nuevo basado en principios democráticos.

1986

En enero España se hizo° miembro de la Comunidad Económica Europea.° Este ingreso° en la Comunidad contribuye a su mejor desarrollo° económico y amplía° sus relaciones con los países de Europa.

1992

Se celebran los Juegos Olímpicos de Verano en Barcelona.

---

papagayos *parrots* **Vuestras** *Your* **derrota** *defeat* **ejército** *army* **se apodera de** *seizes*
se subleva *rebels* **Guerra** *War* **obras maestras** *masterpieces* **Estalla** *Breaks out*
sí misma *herself* **se rinde** *surrenders* **gobierno** *government* **nieto** *grandson* **se hizo** *became*
Comunidad Económica Europea *European Economic Community* **ingreso** *entry* **desarrollo**
development **amplía** *broadens*

España

Población: 38.800.000
Ciudad capital: **Madrid**
Unidad monetaria: la peseta
Productos principales:
  hierro,° coches, barcos, aceitunas,°
  naranjas, sardinas
Otros datos:
  España está formada de varias regiones.
  Por todo el país hay una gran variedad
  de clima. Es también un país muy
  montañoso. Después de Suiza, su
  elevacíon media° es la más alta de Europa.

412   **hierro** *iron*   **aceitunas** *olives*   **datos** *facts*   **media** *average*

Algunas autonomías° de España

Galicia

Población: 2.754.000
Ciudades principales: La Coruña,
Santiago de Compostela
Lengua:° el gallego, una lengua que se
parece° al portugués

País Vasco

Población: 2.135.000
Ciudades principales: Bilbao, San
Sebastián
Lengua: el vasco, una lengua de origen
desconocido

GALICIA

PAÍS VASCO

CASTILLA–LEÓN

CATALUÑA

COMUNIDAD
DE MADRID

CASTILLA–LA MANCHA

ANDALUCÍA

Cataluña

Población: 5.958.000
Ciudad principal: Barcelona
Lengua: el catalán

Castilla–León

Población: 2.577.000
Ciudades principales: Valladolid,
Burgos, Segovia, Ávila
Lengua: el castellano (el español)

Castilla–la Mancha

Población: 1.628.000
Ciudad principal: Toledo
Lengua: el castellano

Comunidad de Madrid

Población: 4.727.000
Ciudad principal: Madrid
Lengua: el castellano

Andalucía

Población: 6.442.000
Ciudades principales: Sevilla, Córdoba,
Granada
Lengua: el andaluz, una variedad del
español

---

autonomías *autonomies (self-governing states)*   **Lengua** *Language*   **se parece** *is similar*

¿Sabes quién es quién?

Hombres y mujeres de todos los tiempos.
Gente que hay que° conocer porque es extraordinaria.
¿No has oído hablar de . . .

Teodosio I, el Grande?

Fue uno de los emperadores romanos nacidos° en España. Durante su gobierno el paganismo desapareció para siempre. Cristo reemplazó° a Júpiter, Venus, Neptuno y todos los demás dioses.° Al morir,° Teodosio dividió el imperio entre sus hijos Arcadio y Honorio.

Isabel la Católica?

Fue reina de Castilla y gobernó junto° con su esposo, Fernando el Católico, rey de Aragón. Fue protectora de Colón y promotora de sus planes. Durante su gobierno terminó la dominación árabe de España. Las acciones de Isabel y su esposo cambiaron profundamente el destino de España.

Miguel Servet?

Famoso médico del siglo XVI que descubrió la circulación de la sangre.° (Sobre esto hay una controversia. Los ingleses dicen que fue William Harvey.) Servet también fue un teólogo y esto le costó la vida. Juan Calvino lo condenó a morir en la hoguera.°

Fernando de Magallanes?

Este navegante, nacido en Portugal, sirvió a la Corona° española como comandante de una expedición fantástica. Su increíble viaje de 1519 a 1522 alrededor del mundo demostró que el mundo era redondo.° De los 240 hombres que comenzaron el viaje en cinco barcos, sólo regresaron 18. Magallanes no fue uno de ellos. Y de los cinco barcos, solamente regresó el *Victoria.* ¡Qué apropiado para los 18 hombres que sobrevivieron!

Don Quijote?

No fue un ser° humano de verdad, pero tiene más vida que todos nosotros. Este héroe idealista, creado por Miguel de Cervantes hace cuatrocientos años, no ha perdido su popularidad. ¿Has oído hablar de la obra teatral *Man of la Mancha?*

Felipe de Borbón y Grecia?

Es el hijo mayor de los Reyes de España. Este chico es hoy el Príncipe° de Asturias. Será el futuro rey de España. Nacido el 30 de enero de 1968, es rubio, de ojos azules. Le gusta nadar y jugar al fútbol.

---

hay que *one ought to*   **nacidos** *born*   **reemplazó** *replaced*   **dioses** *gods*   **Al morir** *When he was dying*   **junto** *together*   **sangre** *blood*   **hoguera** *stake*   **Corona** *Crown*   **redondo** *round*   **ser** *being*   **Príncipe** *Prince*

LA FIESTA BRAVA

Hay varias clases de fiesta. Hay una fiesta que es para bailar, y hay una fiesta que es para morir.° Ésta es la fiesta brava. Siempre (o casi siempre) muere el toro. A veces, también muere el torero. Los aficionados° nunca olvidarán que Bailaor mató° a Joselito . . . que Islero mató a Manolete. Bailaor e Islero eran toros. Joselito y Manolete eran toreros con un talento muy especial. Eran dos personalidades magnéticas.

La fiesta brava es un espectáculo que se puede interpretar de muchas maneras. Veamos lo que dicen estos jóvenes:

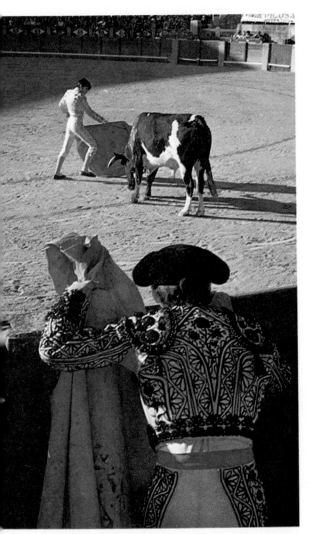

José María Arrazola es vasco. Vive en Pamplona y dice: —La fiesta brava es una danza de vida o muerte. Es una obra de arte en movimiento. El torero juega con la muerte que es el toro.

María de los Ángeles Ibarra es de Galicia. Vive en Vigo y dice: —Es el drama del hombre que pone su vida en peligro° y sabe dominar su miedo.° Los toros de lidia° no son como otros toros. Son animales creados para atacar, y son más rápidos y más poderosos° que el hombre.

Antonio Vargas es valenciano. Vive en Valencia y dice: —La fiesta brava es un espectáculo que hay que° prohibir. Hay maneras menos sangrientas° y menos bárbaras de hacer arte. No lo digo por el toro, sino por el torero que puede perder la vida para satisfacer al público.

Luz Marina Mendizábal es andaluza. Vive en Córdoba y dice: —En España, para ser millonario, hay que ser torero. Además, las corridas de toros son una atracción turística muy popular. Así es que es imposible prohibir un espectáculo que es una mina de oro.°

morir *dying*   aficionados *fans*   mató *killed*   peligro *danger*   miedo *fear*   toros de lidia *fighting bulls*
poderosos *powerful*   hay que *they ought to*   sangrientas *bloody*   oro *gold*

PEQUEÑO RETRATO
DE UN GRAN PINTOR

Fue un niño precoz. Después, un muchacho rebelde. A los 25 años hizo una revolución. Y desde entonces el arte de pintar cambió para siempre.

¿Quién no conoce por lo menos un cuadro° de Picasso? . . . Picasso, el gran rebelde, es posiblemente el pintor más popular de nuestro siglo. Cuando la gente ve uno de sus cuadros siempre reacciona. A veces, bien. A veces, mal. Pero reacciona. Los seres humanos fueron el tema favorito del pintor, especialmente la mujer.

A veces, la pintó así:

PICASSO, Pablo. *Woman with blue veil.* 1923. Oil on canvas, 39¼″ × 32″. Collection, Los Angeles County Museum of Art. Museum purchase with DeSylva funds.

PICASSO, Pablo. *Seated Woman.* 1927. Oil on wood. 51⅛″ × 38¼″. Collection, The Museum of Modern Art, New York. Fractional gift of James Thrall Soby.

Otras veces, así:

Picasso nació° para pintar. Y afortunadamente, la familia reconoció inmediatamente el gran talento de un niño prodigio. Su padre también era pintor. Así es que padre e hijo comenzaron a pintar juntos. Claro que la familia esperaba un pintor tradicional. Pero no fue así.

A los 16 años Picasso aprobó° el examen de admisión para entrar a estudiar en la Real Academia de San Fernando en Madrid. Trabajó con intensidad. En un solo día creó todos los trabajos que tenía que presentar para ser admitido. Después, las clases comenzaron, y Picasso nunca asistió a ellas. Prefería pasar las horas en el Museo del Prado. Pablo Ruiz Picasso pintaba según sus propias ideas. Más tarde fue a Francia donde pintó sus obras más famosas.

nació *was born*   **aprobó** *passed*   **417**

EL CID

SUS SUFRIMIENTOS Y SU TRIUNFO

En la Edad Media° el norte de España estaba bajo el control de los cristianos y el sur estaba bajo el control de los moros.° En general los cristianos y los moros convivían en paz. Pero en el siglo XI los cristianos decidieron reconquistar las tierras del sur y unificar el país. Al mismo tiempo un nuevo grupo de moros vino del norte del África para conquistar toda España. Así comenzó una lucha° larga por el dominio del país.

Por ese entonces° vivió el hombre más famoso de toda la historia de España: Rodrigo Díaz de Vivar, llamado «el Cid». Este valiente y noble guerrero° llegó a ser° un gran héroe, pero primero debía sufrir muchas adversidades. Aquí está su historia.

El Cid fue inicialmente el vasallo° de Sancho, rey° de Castilla, quien lo hizo capitán de su ejército° y su cortesano° favorito. Pero cuando Sancho fue asesinado, sus tierras pasaron a su hermano Alfonso, rey de León. Como Sancho y Alfonso habían sido rivales, el nuevo rey no confiaba° mucho en el Cid. Además, los cortesanos le envidiaban° al Cid el prestigio que había obtenido bajo el rey Sancho. Veían al Cid como a un rival.

A pesar de° la hostilidad de los cortesanos y de la desconfianza° del rey, el Cid continuó sirviendo a Alfonso. Un día el rey mandó al Cid a Sevilla, una ciudad mora, para cobrar° un tributo. El conde don García Ordóñez, el rival

principal del Cid, incitó a los moros de otra ciudad para atacarlo. En la batalla el Cid salió victorioso, y como castigo° encarceló° al conde y le cortó la barba . . . ¡la mayor humillación para un caballero!°

Los cortesanos aprovecharon° esta oportunidad para deshonrar al Cid. Organizaron una protesta ante el rey.

—El Cid ha humillado a una persona importante de esta corte— declararon los cortesanos.

—El Cid ha robado parte del tributo— acusó falsamente Ordóñez a su rival.

Vocabulario	
Edad Media	los años desde el siglo V hasta la mitad del siglo XV
moros	el nombre dado a los árabes que viven en el norte del África
vasallo	persona subordinada a un señor feudal que recibe protección por su lealtad
cortesano	persona que pertenece a la corte del rey
tributo	lo que se paga a un rey por su protección
conde	título de nobleza

Edad Media *Middle Ages* **moros** *Moors* **lucha** *struggle* **Por ese entonces** *At that time*
guerrero *warrior* **llegó a ser** *became* **vasallo** *vassal* **rey** *king* **ejército** *army* **cortesano** *courtier*
confiaba *trusted* **envidiaban** *envied* **A pesar de** *Despite* **desconfianza** *distrust*
cobrar *to collect* **castigo** *punishment* **encarceló** *he imprisoned* **caballero** *knight*
aprovecharon *took advantage*

418

Alfonso no dijo nada, pero escuchó atentamente. «Cuando mi hermano estaba vivo,° el Cid era mi enemigo principal. Ahora ha insultado a un cortesano mío. Tal vez haya robado mi tesoro. Ha faltado a la fidelidad que todo vasallo debe al rey.» Estos pensamientos terminaron por enojar mucho al rey. Éste mandó al Cid un mensaje en el cual lo exiliaba. ¡El Cid tenía nueve días para dejar su casa y salir de las tierras del rey!

Ofendido pero fiel° al rey, el Cid obedeció. Con mucho dolor se despidió de su esposa y de sus dos hijas.

—Me da pena abandonarlas.

—Pero, ¿cuándo volverás?

—Sólo Dios sabe. Pero les seré fiel a ustedes y al rey hasta que él se dé cuenta que no soy su enemigo.

Acompañado de unos pocos hombres y servidores, el Cid partió. Pero antes de salir de las tierras del rey sufrió otra ofensa. En la ciudad de Burgos, por donde pasó primero, todos se apartaron° de él y no querían ni hablarle. El Cid se quedó confuso y triste. Pero todo se explicó cuando una niña se le acercó y le dijo:

—Por favor, márchese usted de este lugar, gran señor, pues° el rey ha ordenado que nadie le dé alojamiento° ni le dirija la palabra.°

«¿Ha sufrido jamás un caballero una desgracia tan grande?» se preguntó el Cid. «Soy fiel, honrado° y valiente, pero he perdido el respeto de todos. ¿Qué debo hacer ahora?»

El Cid decidió partir para otro reino.° Después de poco tiempo encontró un lugar donde lo acogieron.° Allí reunió a sus hombres. ¿Para qué? Para luchar contra los moros. A pesar de la injusticia que Alfonso le había hecho, el Cid luchaba contra los enemigos del rey. «Así demostraré al rey . . . y a todos . . . que soy un caballero honorable.»

En los años siguientes toda España oyó hablar de las valientes conquistas del Cid «Campeador».° Sus hazañas° le dieron fama, dinero y tierras. De ser una persona pobre y humillada pasó a ser una persona rica, famosa y admirada por muchos. Pero todavía le faltaba lo que más deseaba: estar con su familia y tener el favor del rey.

«¿Qué debo hacer para obtener el perdón del rey? Si le presentara° una ofrenda° rica . . .» El Cid decidió ofrecerle al rey un regalo. Mandó a un mensajero° para llevárselo.

—El Cid, mi señor, besa° sus manos y sus pies y le ruega que acepte estos 30 caballos como ofrenda para obtener su perdón.

—Es demasiado pronto para que lo perdone. Él no ha pagado suficientemente por sus ofensas. Pero acepto este regalo porque viene de las tierras de los moros.

Así el Cid debía continuar en su exilio. Siguió peleando contra los moros, y no sólo ganó más batallas sino que también ganó el nombre que lo hizo famoso. Este héroe era tan justo con sus enemigos que fue respetado aún por los moros, quienes en señal de admiración le dieron el nombre de «Cid», una palabra que viene del árabe. Quiere decir «Gran Señor» en español.

La reconquista

711	*Los moros invaden España.*
1085	*Victoria de los cristianos en Toledo*
1094	*El Cid conquista Valencia.*
1230	*Castilla y León se unen.*
1269	*Toda España es cristiana con la excepción de Granada.*
1492	*El fin de la reconquista: victoria de los cristianos en Granada*

---

vivo *alive*   **fiel** *loyal*   **se apartaron** *kept away*   **pues** *for*   **alojamiento** *lodging*
dirija la palabra *speak*   **honrado** *honest*   **reino** *kingdom*   **acogieron** *welcomed*   **Campeador** *Warrior*
hazañas *deeds*   **presentara** *I presented*   **ofrenda** *gift*   **mensajero** *messenger*   **besa** *kisses*

Finalmente el Cid conquistó Valencia, una importante ciudad mora. Allí se apoderó de° un gran botín.° Por segunda vez decidió mandar un rico regalo al rey, pidiéndole ser perdonado para poder reunirse con su familia. Esta vez el rey no pudo rehusar.°

—El Cid, mi señor, manda saludos a su majestad, besa sus manos y sus pies y pide que en el nombre del Creador acepte estos 200 caballos que le manda como ofrenda de paz.

—El Cid, su señor, ha dado prueba° de su valor y fidelidad. Mi corazón se alegra de sus conquistas. Recibo este regalo en buena fe.°

—El Cid, mi señor, pide que le conceda° el favor de su perdón para poder reunirse con su esposa y sus hijas.

—Al Cid, su señor, le concedo mi perdón. Desde este momento lo considero como un vasallo fiel. Pongo en libertad a su esposa y a sus hijas y les doy una escolta° hasta los límites de mi reino.

Así fue que el Cid pudo reunirse con su familia en sus nuevas tierras de Valencia.

La historia del Cid fue muy popular en la Edad Media y es popular aún hoy. El Cid es admirado porque conservó su honor a través de° todos sus infortunios y nunca abandonó sus principios de fidelidad y justicia.

ESPAÑA EN LA ÉPOCA DEL CID

■ **El territorio de los cristianos**
■ **El territorio de los moros**

se apoderó de *he seized*   **botín** *booty*   **rehusar** *refuse*
ha dado prueba *has proved*   **fe** *faith*
conceda *you grant*   **escolta** *escort*   **a través de** *through*

La historia del Cid fue conservada en el «Poema del Cid», el primer monumento de la literatura española. Escrito hacia 1140, este poema épico combina elementos históricos y elementos ficticios al contar la leyenda del héroe nacional de España.

Abajo° hay un pasaje del poema antiguo. Relata la parte donde el mensajero del Cid le presenta al rey Alfonso el primer regalo. Puede compararse con la versión moderna del mismo pasaje para establecer cuánto la lengua° española ha cambiado desde los tiempos del Cid.

Un pasaje del poema antiguo	*Versión moderna*
Mio Çid Roy Díaz de Dios aya su graçia!	¡El Cid Ruy Díaz, por todos, que Dios lo tenga en su gracia!
Ido es a Castiella Albar Fáñez Minaya,	Ya se fue para Castilla Alvar Fáñez el Minaya.
treynta cavallos al rey los enpresentava;	El don° de treinta caballos° ante el Rey lo presentaba;
vídolos el rey, fermoso sonrrisava:	Violos el Rey, que sonríe con hermosa y gentil cara:°
"¿quin los dio estos, si vos vala Dios, Minaya?"	—¿Quién os dio estos caballos, que Dios os valga° Minaya?
—"Mio Çid Roy Díaz, que en buen ora cinxo espada.	—Nuestro Cid Rodrigo Díaz, que en buena hora ciño espada.°
. . . .	. . . .
A vos, rey ondrado, enbía esta presentaja;	y a vos, Rey honrado, envía° este don para que os plazca.°
bésavos los piedes e las manos amas	Los pies os besa, señor, y también las manos ambas,°
quel ayades merçed, si el Criador vos vala."	y os pide le hagáis favor, ¡así el Creador os valga!

420

Abajo *Below*   **lengua** *language*   **don** *present*   **caballos** *horses*   **cara** *face*   **valga** *may protect*
ciñó espada *wore a sword*   **envía** *he sends*   **plazca** *it please*   **ambas** *both*

Sorprende a tus amigos con una sopa fría

El gazpacho es una sopa° española muy popular. Es una sopa fría, deliciosa y muy fácil de preparar. ¿Deseas preparar el gazpacho español?

Los ingredientes:

 3 tomates medianos°

 1 cebolla° pequeña

 1 pimiento° rojo o verde, no muy grande

 1 pepino° mediano

 1 diente de ajo°

1 taza de jugo de tomate

2 cucharadas° de vinagre

2 cucharadas de aceite (de oliva, si es posible)

1 cucharadita de sal

pan

La preparación:
1. Pela° los tomates.
2. Corta en cubitos los tomates, la cebolla, el pimiento, el pepino y el ajo.
3. Pon los ingredientes, excepto el pepino, en una licuadora.°
4. Mézclalos° durante uno o dos minutos con un poco de pan para espesarlo.°
5. Pon la sopa a enfriar° en la refrigeradora durante dos horas o más, si es necesario. ¡Tiene que estar bastante fría!
6. Revuelve° el gazpacho frío con una cuchara.
7. Sírvelo con los pepinos. ¡Buen provecho!

Actividades culturales

1. *Prepara un informe° sobre Juan Carlos, el rey de España.*
2. *Escoge una de las regiones de España y prepara una exposición.° Puedes usar mapas, carteles,° fotos o folletos° turísticos.*
3. *Aprende algo de un aspecto de la cultura árabe en España y descríbelo a la clase.*
4. *Prepara un informe sobre Pablo Ruiz Picasso. Si es posible, ve al museo para ver sus obras o míralas en varios libros.*

informe *report*   **exposición** *exhibit*   **carteles** *posters*   **folletos** *brochures*

---

sopa *soup*   **medianos** *medium-sized*   **cebolla** *onion*   **pimiento** *pepper*   **pepino** *cucumber*
diente de ajo *garlic clove*   **cucharadas** *spoonfuls*   **Pela** *Peel*   **licuadora** *mixer*   **Mézclalos** *Mix them*
espesarlo *thicken it*   **enfriar** *to cool*   **Revuelve** *Stir*

Cambios

La generosidad tiene límites

Hay personas muy generosas.
Otros ponen condiciones a su generosidad.
Por ejemplo:

Aquí tienes diez pesos . . .

. . . para que vayas a la heladería y me compres un helado.

> Aquí tienes: *Here are*
> para que: *in order that*

Voy a invitarte a mi casa . . .

. . . para que me ayudes a pintar mi cuarto.

Te invito a mi fiesta . . .

. . . con la condición de que me prestes tu tocadiscos y que lleves tus discos de Elio Roca.

Voy a presentarte a mi mejor amigo . . .

. . . con la condición de que me presentes a tus hermanas y primas.

presentarte: *to introduce you*

Por supuesto, puedes usar mi bicicleta . . .

. . . con tal que repares los frenos, infles las llantas y arregles el asiento.

con tal que: *provided that*

Claro, voy a prestarte mi diccionario de inglés . . .

. . . con tal que me prestes tu guitarra y tu moto y que me invites al picnic.

Lección uno

NOTA CULTURAL

Los jóvenes hispanos y la música

¿Te gusta la música? Para los jóvenes hispano-hablantes, la música es sin duda el pasatiempo favorito. Muchos tocan la guitarra o el piano. Otros escuchan los últimos «hits» del momento. Hay muchos cantantes populares: Julio Iglesias de España, José José de México, Elio Roca de la Argentina. Y a casi todos los jóvenes les encanta bailar.

¿Qué clase de música es popular? Natural-mente la música hispana: el merengue, la cumbia, el bolero, la salsa y también la música norte-americana: el jazz, el rock and roll y la música disco. El hecho es que «Miami Sound Machine», «Santana» y muchos conjuntos° famosos son tan populares en el mundo hispanohablante como en los Estados Unidos. Para la juventud hispánica, la música y el baile son más que diversiones. Son parte de la cultura y de la vida.

conjuntos *groups*

Vocabulario

sustantivo	**un hecho**	fact, deed
verbo	**presentar**	to introduce
expresión	**aquí tiene(s)**	here is, here are

CONVERSACIÓN

De vez en cuando invitas a tus amigos a tu casa. ¿Los invitas por las siguientes razones?

1. ¿Los invitas **para que pasen** unas horas contigo?
2. ¿Los invitas **para que jueguen** al ping pong contigo?
3. ¿Los invitas **para que conozcan** a tus padres?
4. ¿Los invitas **para que** te **ayuden** con tus tareas?
5. ¿Los invitas **para que** te **hablen** de sus problemas?
6. ¿Los invitas **para que** te **cuenten** su vida?

OBSERVACIÓN

In the above sentences, you are asked about certain objectives you may have in mind for inviting your friends to your house.

- Are these objectives or conditions realized or not at the time you make the invitation?

- Are the verbs describing these objectives or conditions in the indicative or the subjunctive?

Estructuras

A. El subjuntivo después de *para que*

Note the use of the subjunctive after **para que** in the following sentences.

Voy a invitar a Carlos **para que** me **preste** sus discos.	*I am going to invite Carlos **so that** he **will lend** me his records.*
Te llamo **para que vengas** a mi fiesta.	*I am calling you **so that** you **will come** to my party.*
Aquí tienes un dólar **para que** te **compres** la revista.	*Here is a dollar **so that** you **can buy** yourself the magazine.*

The subjunctive is always used after the conjunction **para que** to express objectives or conditions not yet realized.

Note the constructions in the following chart.

When the objective concerns	the construction to use is
the subject	**para** + infinitive
another person	**para que** + subjunctive

Compare the following sentences.

Compro el periódico **para leer** el horóscopo.	*I buy the newspaper (**in order**) **to read** the horoscope.*
Compro el periódico **para que tú leas** la página de deportes.	*I buy the newspaper **so that you may read** the sports page.*

ACTIVIDAD 1   Un tío generoso

El tío Alberto es muy generoso. Manda dinero para que sus sobrinos
(nephews) se compren algo. Haz el papel del tío Alberto.

> Ricardo (5 dólares: anteojos de sol)
>> Manda 5 dólares para que Ricardo se compre anteojos de sol.

1. Luisa (15 dólares: un traje de baño)
2. tú (1 dólar: dulces)
3. Felipe (50 dólares: una bicicleta)
4. Uds. (20 dólares: un radio)
5. Elena y Carmen (40 dólares: un tocadiscos)
6. tú y Pepe (2 dólares: helado)

ACTIVIDAD 2   La compañía internacional

Una compañía internacional manda a sus empleados a países extranjeros.
Explica los objetivos de la compañía.

> Silvia (México / hablar español)
>> La compañía manda a Silvia a México para que hable español.

1. Rafael (Francia / hablar francés)
2. Elena (Roma / aprender italiano)
3. Carlos y Pedro (Tokio / aprender japonés)
4. Felipe (Nueva York / estudiar electrónica)
5. Luisa (Londres / establecer relaciones comerciales)
6. Raúl y Guillermo (Los Ángeles / hacer investigaciones [research] técnicas)

ACTIVIDAD 3   ¡Un poco de lógica!

Explica los objetivos de las personas de la columna A. ¿Cuántas frases
lógicas puedes crear usando los elementos de A, B y C?

A	B	C
yo	darle dinero a Enrique	venir a la fiesta
tú	escribirles a (mis) padres	comprender la situación
Elena	invitar a Carlos a la fiesta	traer sus discos
nosotros	llamar a Raúl y Felipe	prestar su coche
Luis y Ana	explicarle el problema a Antonio	saber la verdad
	decirle la verdad al profesor	comprar billetes de lotería
	mandarle un regalo a Felicia	comprar un coche
	mandarle un telegrama a Teresa	estar de buen humor
	mandarle un cheque de mil dólares a Carmen	quedarse en casa
		(no) enojarse
		(no) irritarse
		(no) ponerse furioso

> Elena le da dinero a Enrique para que compre billetes de lotería.

B. El subjuntivo después de ciertas conjunciones

The following sentences describe certain actions that are subject to certain conditions that have not yet been fulfilled.
Note the use of the subjunctive after the conjunctions in heavy print that introduce these conditions.

Voy a terminar la tarea **antes de que** Carlos venga.	*I am going to finish the assignment **before** Carlos comes.*
Te presto mis discos **con la condición de que** me prestes tu guitarra.	*I am lending you my records **on the condition that** you lend me your guitar.*
Te presto mi bicicleta **con tal que** no la rompas.	*I am lending you my bicycle **provided that** you do not break it.*
Vamos a hacer un picnic **a menos que** llueva.	*We will have a picnic **unless** it rains.*
En caso de que llueva, vamos a ir al cine.	***In case** it rains, we will go to the movies.*

The subjunctive is always used after the following conjunctions that introduce conditions not yet fulfilled.

a menos que	unless
antes de que	before
con la condición de que	on the condition that
con tal que	provided that
en caso de que	in case (that)

> The construction **antes de que** + subjunctive is replaced by **antes de** + infinitive when the conditions concern the subject.
> Compare:

Pablo me llama **antes de venir**.	*Pablo calls me **before coming** (he comes).*
Pablo me llama **antes de que yo venga**.	*Pablo calls me **before I come**.*

ANTES DE VIAJAR ¡CONSÚLTENOS!
Rio CHARTERS CORP.
285-0400
CHILE $658 IDA Y VUELTA
BRAZIL RIO – SAO $610 IDA Y VUELTA

ACTIVIDAD 4   Invitaciones recíprocas

Las siguientes personas invitan a sus amigos a bailar con la condición de
que sus amigos las inviten también. Expresa esto según el modelo.

👫   yo: tú   Te invito a bailar con la condición de que tú me invites también.

1. yo: Paco
2. Paco: Elena
3. nosotros: tus primos

4. tú: Jaime
5. Héctor: Rafaela
6. Ana y Susana: Felipe y Carlos

ACTIVIDAD 5   El picnic de Teresa

Teresa ha organizado un picnic. Sus amigos van al picnic a menos que algo
ocurra. Expresa esto según el modelo.

👫   Elena: sentirse cansada   Elena va al picnic a menos que se sienta cansada.

1. Raúl: sentirse enfermo
2. Felipe: tener mucho trabajo
3. Bárbara: no tener tiempo
4. mis primos: no tener su moto
5. tú: tener que estudiar
6. yo: salir con mi novio(a)
7. nosotros: estar de viaje
8. Roberto y Consuelo: estar cansados

ACTIVIDAD 6   ¡Una cuestión de tiempo!

Hay cosas que tenemos que hacer antes de que otras cosas ocurran.
Expresa esto según el modelo.

👫   yo: limpiar mi cuarto / mis amigos llegan
          Tengo que limpiar mi cuarto antes de que mis amigos lleguen.

1. tú: estudiar más / el profesor da el examen
2. Carlos: invitar a Elena al cine / Raúl la invita
3. el cocinero (cook): preparar la comida / los clientes llegan
4. los bandidos: salir del banco / la policía llega
5. la policía: llegar / los bandidos se escapan
6. el Sr. Montero: llegar a la estación / el tren sale

Para la comunicación

Planes

Completa las siguientes frases con una idea personal.

Voy a salir el fin de semana con tal que . . .

Voy a sacar una «A» en español con la condición de que . . .

Voy a pasar unas vacaciones muy buenas a menos que . . .

Voy a asistir a la universidad con la condición de que . . .

Voy a casarme a menos que . . .

Siempre estoy de buen humor con la condición de que . . .

No me pongo furioso a menos que . . .

Voy a salir el fin de semana con tal que mis amigos me inviten
(mis padres me den dinero).

¿Eres una persona cuidadosa?
A veces somos un poco negligentes. Como resultado algo estúpido o vergonzoso nos pasa. La experiencia nos enseña a ser más cuidadosos ...la próxima vez.

Como resultado: *As a result*
vergonzoso: *embarrassing*

La Sra. de Ramos no lleva nunca paraguas cuando sale.

La próxima vez, llevará su paraguas cuando salga.

paraguas: *umbrella*

El Sr. Cárdenas no se pone el cinturón de seguridad cuando conduce.

La próxima vez, el Sr. Cárdenas se pondrá el cinturón cuando conduzca.

cinturón: *belt*

La Sra. de Martínez no cierra la puerta cuando va al mercado.

La próxima vez, cerrará la puerta cuando vaya al mercado.

Micifus no mira cuando cruza la calle.

La próxima vez, él mirará cuando cruce la calle.

Felipe no tiene cuidado cuando pasa debajo de una escalera.

La próxima vez, él tendrá cuidado cuando pase debajo de una escalera.

Cuando pasean, Jaime y Carmen no llevan su cámara.

La próxima vez, Jaime y Carmen llevarán su cámara cuando paseen.

pasean: *they take a walk*

El mercado

En los Estados Unidos, hay un lugar muy práctico donde se puede comprar todo. Éste es el supermercado. Los supermercados existen también en el mundo hispano, pero se encuentran principalmente en las ciudades grandes. No hay supermercados en los pueblecitos, pero hay otra institución muy pintoresca:° el mercado.

El día del mercado, los comerciantes° de la región se reúnen en la plaza mayor e instalan sus tiendas°... Venden frutas y legumbres, ropa y utensilios de cocina, productos de belleza° y medicinas... Viene también el fotógrafo con su cámara, el barbero° con sus tijeras, el dentista con sus instrumentos... el curandero ambulante° con sus drogas milagrosas° y la adivinadora°...

El día del mercado es el día en que la gente del campo va de compras, vende sus productos y se reúne con sus amigos... En verdad, ¡es un día de gran actividad!

pintoresca *picturesque* **comerciantes** *merchants* **instalan sus tiendas** *set up their booths* **belleza** *beauty* **barbero** *barber* **curandero ambulante** *traveling healer* **milagrosas** *miraculous* **adivinadora** *fortune teller*

—— Vocabulario ——

sustantivos	**un cinturón**	belt
	un mercado	market, open-air market
	un paraguas	umbrella
verbo	**pasear**	to take a walk
expresión	**como resultado**	as a result

CONVERSACIÓN

1. ¿Estás contento(a) **cuando sacas** una buena nota?
2. ¿Estás contento(a) **cuando sacas** una mala nota?
3. ¿Estás contento(a) **cuando sales** con amigos simpáticos?
4. ¿Estás contento(a) **cuando** tus padres te **dan** dinero?
5. ¿Estarás contento(a) **cuando recibas** tu diploma?
6. ¿Estarás contento(a) **cuando te ganes** la vida?
7. ¿Estarás contento(a) **cuando compres** tu primer coche?
8. ¿Estarás contento(a) **cuando te cases?**

OBSERVACIÓN

Reread questions 1 to 4. These questions concern events that are happening to you now.
- Is the first verb in the present or in the future?
- Is the verb after **cuando** in the indicative or the subjunctive?

Now reread questions 5 to 8.
- Do these questions concern events that are happening now or events that may happen to you in the future?
- Is the first verb in the present or in the future?
- Is the verb after **cuando** in the indicative or the subjunctive?

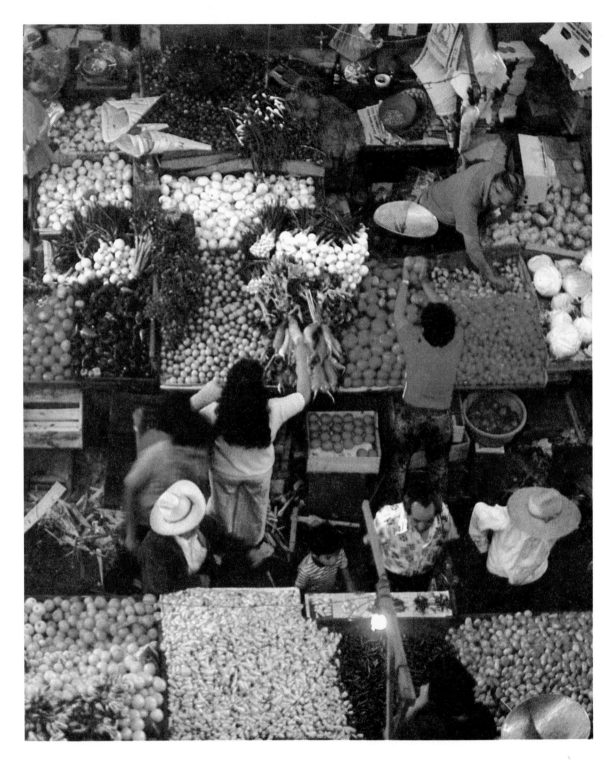

Estructuras

A. Repaso: el futuro

Review the forms of the future in the chart below:

yo	hablar**é**	nosotros	hablar**emos**
tú	hablar**ás**	vosotros	hablar**éis**
él, ella, Ud.	hablar**á**	ellos, ellas, Uds.	hablar**án**

ACTIVIDAD 1   Diálogo: Un día

Pregúntales a tus compañeros si algún día harán las siguientes cosas.

🔊 visitar España   Estudiante 1: ¿Visitarás España?
Estudiante 2: Sí, un día visitaré España.
(No, no visitaré nunca España.)

1. hablar español perfectamente
2. asistir a la universidad
3. comprar un coche
4. ganarse la vida
5. casarse
6. comprar una casa
7. vivir en un país extranjero

8. ir a México
9. ser profesor(a)
10. ser médico(a)
11. ser famoso(a)
12. ir a la luna
13. conocer al presidente de los Estados Unidos
14. viajar en cohete

ACTIVIDAD 2   Varias profesiones

Describe lo que harán las siguientes personas en sus profesiones. Usa por lo menos 3 de los siguientes verbos en frases afirmativas o negativas: **trabajar / vivir / cuidar / asistir a / ser / estar / viajar / ganar / recibir / comprar / ver.**

🔊 Teresa será ingeniera.
Trabajará para una compañía de petróleo. Vivirá en Texas.
De vez en cuando viajará a Alaska. Se ganará la vida muy bien.
Con su dinero comprará un Jaguar.

1. Carlos será político.
2. Nosotros seremos trabajadores sociales.
3. Tú serás médico.
4. Felipe y Manuel serán fotógrafos.
5. Ana María será periodista.
6. Adela será jugadora profesional de tenis.
7. Uds. serán instructores de esquí acuático.
8. Yo seré el rey (king) / la reina (queen) de los holgazanes.

B. El subjuntivo o el indicativo después de algunas conjunciones de tiempo

In the sentences below, Carlos (age nineteen) describes what he does.
He speaks about events that actually do happen to him.
His little sister Luisa (age eight) speaks about what she will do.
She speaks about events that may happen, but that have not yet
happened. Compare the verbs used after **cuando** in each set of sentences.

Carlos: **Cuando tengo** tiempo, llamo a mis amigos.	*When I have time, I call my friends.* (actual event)
Luisa: Y yo, **cuando tenga** tiempo, llamaré a mi novio.	*When I have time, I will call my boyfriend.* (future event)
Carlos: **Cuando estoy** con mi novia, vamos al cine.	*When I am with my girlfriend, we go to the movies.* (actual event)
Luisa: Y yo, **cuando esté** con mi novio, iremos a bailar.	*When I am with my boyfriend, we will go dancing.* (future event)

After **cuando,** the verb may be in the indicative or the subjunctive.

It is in the *indicative* if the action or event is actually taking place, takes place regularly, or has taken place.

It is in the *subjunctive* if the action or event is yet to take place.

ACTIVIDAD 3   Enrique

Enrique habla de lo que hace regularmente y de lo que va a hacer en el futuro. Completa las frases de Enrique con **estoy** o **esté,** según el caso.

1. Cuando ___ en la clase de francés, me duermo.
2. Cuando ___ en la universidad, no estudiaré francés.
3. Cuando ___ con mi novia, vamos al cine.
4. Cuando ___ en la biblioteca, leo los periódicos.
5. Cuando ___ en Nueva York, hablaré inglés.
6. Cuando ___ con mis amigos, hablamos de la política.
7. Cuando ___ casado, me compraré un coche deportivo.
8. Cuando ___ enfermo, tomo aspirinas.
9. Cuando ___ en mi palacio, invitaré a todos mis amigos.
10. Cuando ___ en mi yate *(yacht),* organizaré fiestas.

ACTIVIDAD 4   Planes universitarios

Unos alumnos están hablando de lo que van a estudiar en la universidad.
Expresa lo que dicen según el modelo, usando el subjuntivo de **estar**.

 Juan Carlos (biología)

> Cuando esté en la universidad, Juan Carlos estudiará biología.

1. Felipe (arquitectura)
2. Alberta (medicina)
3. yo (electrónica)
4. tú (física)
5. nosotros (matemáticas)
6. Ignacio y Roberto (astronomía)

ACTIVIDAD 5   ¡La felicidad!

Nadie es completamente feliz. Por ejemplo, las siguientes personas están
bastante contentas ahora . . . pero estarán más contentas en el futuro
cuando . . . Expresa esto según el modelo.

 Carmen sale con Ricardo (con Felipe).

> Carmen está contenta cuando sale con Ricardo.
> Estará más contenta cuando salga con Felipe.

1. Susana sale con Eduardo (con Roberto).
2. Alberto tiene una cita con Inés (con Ana María).
3. Rafaela nada bien (como una campeona).
4. Nosotros cantamos en el coro *(choir)* de la escuela (en la Ópera
   Metropolitana de Nueva York).
5. Emilio y Esteban juegan para el equipo de la escuela (para los Yankis).
6. Yo saco una «B» («A»).

ACTIVIDAD 6 Esperanzas *(Hopes)*

La felicidad es diferente para cada uno de nosotros. Di qué significa la
felicidad para las siguientes personas, según el modelo.

❧ María espera tener trabajo.   María estará feliz cuando tenga trabajo.

1. Felipe espera vivir en México.
2. Isabel espera trabajar como abogada.
3. Raúl espera casarse con Isabel.
4. Ramón espera graduarse.
5. Manuela espera descubrir el novio ideal.
6. Luisa espera ser arquitecta.
7. Raquel espera recibir una carta de Roberto.
8. Carlos espera encontrar la novia ideal.
9. Elena espera asistir a la universidad.
10. José espera tocar bien la guitarra.

ACTIVIDAD 7 Paco y Carlitos

Carlitos (8 años) no quiere hacer lo que hace su hermano Paco (20 años).
Haz el papel de Paco y de Carlitos.

❧ estar en la universidad / estudiar mucho
       Paco: Cuando estoy en la universidad, estudio mucho.
     Carlitos: Y yo, cuando esté en la universidad, no estudiaré mucho.

1. estar con amigos / discutir de política
2. estar en casa / mirar la televisión
3. estar de buen humor / invitar a mis amigos a un café
4. salir con una chica / pagar por ella
5. tener dinero / prestarles mi dinero a mis amigos
6. tener tiempo / leer poemas

ACTIVIDAD 8 ¡Un poco de lógica!

En cinco minutos, ¿cuántas frases lógicas (afirmativas o negativas) puedes
crear, usando los elementos de las columnas A, B y C y tu imaginación?
Para la columna D, usa tu imaginación.

A	B	C	D
yo	estar en España	hablar	
tú	ir a Francia	visitar	
Roberto	encontrar a los chicos (las chicas)	estar	
nosotros	tener un coche	comprar	
Manuela y Ana	tener dinero	invitar	
		ir	

❧ Cuando esté en España, compraré una guitarra (visitaré Madrid, etc.).

C. Resumen: el uso del subjuntivo

The main uses of the subjunctive are summarized in the following chart.

LESSON	The subjunctive is used after . . .	
8.4	1. verbs and expressions of indirect command	**Quiero que toques** la guitarra.
9.1	2. verbs and expressions of emotion	**Me alegro de que toques** la guitarra.
9.3	3. verbs and expressions of doubt	**No creo que toques** el piano.
9.2	4. many impersonal expressions (indirect command, emotion, or doubt)	**¡Es estupendo que toques** bien!
9.4	5. **que** + possible facts or events that have not yet happened	Quiero encontrar a **alguien que toque** el clarinete.
10.1	6. conjunctions + objectives or conditions that have not yet been fulfilled	Voy a invitarte **con la condición de que toques** la guitarra.
10.2	7. **cuando** + events that have not yet happened	Te escucharé **cuando toques** la guitarra.

ACTIVIDAD 9   Reacciones personales

Expresa tus reacciones a lo siguiente. Para eso empieza cada frase con una expresión que requiera el subjuntivo.

⌇⌇ Mis padres me compran un Ferrari.

Quiero que (No creo que, Dudo que, Ojalá que, Es imposible que) mis padres me compren un Ferrari.

1. Mis amigos me respetan.
2. Mis padres me comprenden.
3. Mis profesores son tolerantes.
4. Todos los hombres son iguales (equal).
5. Los políticos son sinceros.
6. Somos inmortales.
7. La vida extraterrestre existe.

Para la comunicación

Expresión personal

Completa las siguientes frases usando tu imaginación y un verbo en el subjuntivo.

Me casaré cuando . . .
Espero conocer personas que . . .
Quiero tener un trabajo que . . .
Quiero casarme con una persona que . . .
Seré independiente cuando . . .

Estaré muy contento(a) con la condición de que . . .
Compraré un coche deportivo cuando . . .
Iré a España cuando . . .
Iré a la luna cuando . . .

∑✗ Me casaré cuando tenga trabajo (esté en la universidad, etc.).

¿Víctimas o no?

¿Eran tus padres estrictos . . . o muy tolerantes contigo?
Por lo general, la disciplina familiar es más fuerte en los países
hispánicos que en los Estados Unidos.
Cuatro jóvenes hablan de cómo era la disciplina familiar cuando
eran niños. En tu opinión, ¿eran víctimas de esa disciplina o no?

familiar: *of the family*

Emilio Fiestas

¡Ay, la disciplina familiar!
En el colegio importaba que yo sacara
buenas notas y en casa importaba que
estudiara antes y después de comer. ¡Pero
eso no era todo! Mis padres exigían también
que me bañara todos los días, que me lavara
las manos antes de comer, que me cepillara
los dientes, que limpiara mi cuarto, que . . .

Ana María Clemente

En mi casa, mis padres no insistían en
que sacara buenas notas ni que estudiara
siempre. Otras cosas eran más importantes.
Era importante que yo respetara a los
mayores y que escuchara sus consejos. Mis
padres exigían que compartiera lo que tenía
y que me llevara bien con todos. Y
naturalmente, no querían que me peleara
con mis hermanos ni que me burlara de mis
compañeros.

Carlos Ramos

Mis padres no eran muy estrictos
conmigo . . . Pero sí lo eran con mi
hermana. Durante la semana, mi mamá
insistía en que ella regresara
inmediatamente después de las clases y
que ayudara en casa después de estudiar
y los fines de semana. Mi papá no le
permitía que saliera con sus compañeras (y
mucho menos con chicos). ¡Ay, la pobrecita!

Marisa Fuentes

No, no eran mis padres muy estrictos. No insistían en que estudiara y me permitían salir con mis compañeras . . . (¡y de vez en cuando con chicos también!).

Sin embargo, había muchas cosas que querían que yo hiciera. Querían que tocara el piano (¡quizás esperaban que llegara a ser una gran artista!). Querían que tomara clases particulares de francés. Querían que aprendiera a montar a caballo y a patinar. Querían que aprendiera a cantar. Querían que . . .

NOTA CULTURAL

¿Más igualdad?

En los Estados Unidos, las chicas reciben mensualidades,° tienen empleos,° participan en todos los deportes y seleccionan° cursos . . . ¡como los chicos!

En los países hispanos, tradicionalmente los padres eran más estrictos con las hijas que con los hijos. Ellas recibían menos dinero y generalmente no podían salir solas con chicos. Empezaban a salir solas cuando se hacían novias y solamente salían con sus novios.

Ahora la situación es muy diferente. Muchas chicas empiezan a salir solas o con sus amigas y amigos. Comienzan a participar más en todos los deportes y a estudiar carreras donde tradicionalmente había solamente chicos. Cada vez más,° se encuentran chicas que estudian, trabajan o son deportistas.

mensualidades *allowances* **empleos** *jobs* **seleccionan** *choose* **Cada vez más** *More and more*

Vocabulario

adjetivos	**exigente**	demanding
	familiar	(of the) family
expresiones	**peor**	worse
	por lo general	in general

Vamos a hablar de la disciplina familiar de ahora y de cuando estabas en la escuela primaria.

Ahora . . .

1. ¿**Insisten** tus padres **en que estudies** mucho?
2. ¿**Insisten en que saques** buenas notas?
3. ¿**Insisten en que trabajes** durante las vacaciones?
4. ¿**Insisten en que ayudes** en casa?

Cuando estabas en la escuela primaria . . .

5. ¿**Insistían** tus padres **en que estudiaras** mucho?
6. ¿**Insistían en que sacaras** buenas notas?
7. ¿**Insistían en que trabajaras** durante las vacaciones?
8. ¿**Insistían en que ayudaras** en casa?

OBSERVACIÓN

Carefully reread questions 1 to 4.
- Do these questions concern the present or the past?
- Is the verb of indirect command (**insistir**) in the present or the past?
- Are the verbs that follow **que** in the present subjunctive?

Carefully reread questions 5 to 8.
- Do these questions concern the present or the past?
- Is the verb **insistir** in the present or in the past? In what tense is it?
- Are the verbs that follow **que** in the present subjunctive?

The verbs here are in a new tense: the *imperfect subjunctive*.

Estructuras

A. El imperfecto del subjuntivo: formas regulares

So far we have been using the subjunctive mainly in the present tense. The most frequently used past tense in the subjunctive is the *imperfect*. The forms of the *imperfect subjunctive* are easy to remember because they are derived from a form you already know: the **ellos** form of the preterite.

Note these forms in the chart below, paying attention to the endings.

INFINITIVE **ellos** form of the preterite	**hablar** **hablaron**	**comer** **comieron**	**vivir** **vivieron**
IMPERFECT SUBJUNCTIVE Era importante que . . .			
yo	**hablara**	**comiera**	**viviera**
tú	**hablaras**	**comieras**	**vivieras**
él, ella, Ud.	**hablara**	**comiera**	**viviera**
nosotros	**habláramos**	**comiéramos**	**viviéramos**
vosotros	**hablarais**	**comierais**	**vivierais**
ellos, ellas, Uds.	**hablaran**	**comieran**	**vivieran**

The imperfect subjunctive is formed as follows:

ellos form of the preterite minus -ron	+	-ra -ras -ra	-ramos -rais -ran

ACTIVIDAD 1 ¡Ay, qué catástrofe!

Felipe estuvo fuera de su casa por unas dos horas. Durante ese tiempo sus amigos hicieron cosas que no le gustaban mucho a Felipe. Expresa esto, empezando cada frase con **Felipe no quería ...**

⟯⟯ Miraron sus fotos.   Felipe no quería que miraran sus fotos.

1. Sacaron fotos con su cámara.
2. Llamaron a su novia por teléfono.
3. Usaron su moto.
4. Hablaron mal de los vecinos.
5. Usaron su tocadiscos.
6. Jugaron a la pelota en su cuarto.
7. Tocaron su guitarra.
8. Bebieron su Coca-Cola.
9. Comieron sus dulces.
10. Leyeron su diario.
11. Rompieron su radio.
12. Le pidieron dinero a su hermana.
13. Durmieron en su cama.
14. Cogieron las flores de su jardín.

ACTIVIDAD 2   La familia Hernández

La familia Hernández tiene diez hijos. Para cada uno, la Sra. de Hernández tenía un plan especial. Describe esos planes según el modelo.

⟯⟯ Paco: estudiar francés   La Sra. de Hernández esperaba que Paco estudiara francés.

1. Ana María: estudiar medicina
2. Felipe: aprender inglés
3. Raúl: estudiar música
4. Isabel: asistir a la universidad
5. Raquel: asistir al Conservatorio de Música
6. Andrea: casarse con un médico
7. Pedro: casarse con la hija de una amiga
8. Clara: ganar mucho dinero
9. Roberto: trabajar en los Estados Unidos

ORQUESTA SINFONICA UNIVERSIDAD AUTONOMA DE GUADALAJARA
Concierto de Gala
50 ANIVERSARIO 1935 1985
de la UNIVERSIDAD AUTONOMA DE GUADALAJARA
PROGRAMA

ACTIVIDAD 3 ¡Qué vida!

A cada uno de los alumnos, el profesor le decía que estudiara más y que se divirtiera menos. Expresa esto según el modelo.

⟯⟯ a Carmen
      A Carmen, el profesor le decía que estudiara más y que se divirtiera menos.

1. a Roberto
2. a mí
3. a ti
4. a Isabel y Consuelo
5. a Paco y Manuel
6. a nosotros
7. a Uds.
8. a Bárbara

B. El imperfecto del subjuntivo: usos

The imperfect subjunctive is used after the same verbs and expressions as the present subjunctive, when these expressions and verbs are in the past. In the sentences below, Carmen and her father compare their lives as students. Carmen speaks about the present. Her father speaks about the past.

Compare the forms of the subjunctive in each pair of sentences.

Carmen	el papá de Carmen
Ahora ...	Hace unos veinte años ...
El profesor sugiere que **trabaje** más.	El profesor sugería que **trabajara** más.
Es importante que **estudiemos**.	Era importante que **estudiáramos**.
Espero que mis amigos me **inviten** a sus fiestas.	Esperaba que mis amigos me **invitaran** a sus fiestas.

When an expression that requires the subjunctive (that is, an expression of indirect command, doubt, emotion . . .) is in a past tense, the subjunctive is usually in the imperfect.

EXPRESSIONS REQUIRING THE SUBJUNCTIVE	SUBJUNCTIVE TENSE
present tense	present subjunctive
past tense	imperfect subjunctive

ACTIVIDAD 4   Expresión personal: en tu casa

¿Eran las siguientes cosas importantes cuando eras niño(a)? Para contestar estas preguntas, comienza tus frases con una de las siguientes expresiones afirmativas o negativas:

(no) era importante / esencial / necesario / bueno / malo

∑ᴐ   comer mucho   (No) Era importante que yo comiera mucho.

1. estudiar mucho
2. respetar a los mayores
3. pelearme con mis hermanos
4. hablar bien de todos
5. limpiar mi cuarto
6. lavar los platos (*dishes*)
7. ayudar en casa
8. aprender a tocar el piano
9. compartir mis juguetes con mis amigos
10. volver temprano a casa
11. salir sin permiso
12. escribirles a mis abuelos
13. vivir en paz con mis hermanos
14. cortarme el pelo
15. bañarme todos los días

ACTIVIDAD 5 ¡Pobre Antonio!

Antonio sólo hizo las siguientes cosas después de que alguien le pidió que las hiciera. Expresa esto en un diálogo según el modelo.

∑ᴐ   estudiar mucho / el profesor   Estudiante 1: ¿Por qué estudió mucho Antonio?
Estudiante 2: El profesor le pidió que estudiara mucho.

1. estudiar más / su papá
2. comer más / su mamá
3. comer menos / su hermana
4. cerrar la ventana / Anita
5. pagar las entradas / su novia
6. comprar helados para todos / sus amigos

ACTIVIDAD 6   ¿Alegre o triste?

Explica las reacciones de Carmen en las siguientes situaciones. Empieza
cada frase con: **Se alegró de que . . .** o **Sintió que . . .**

⟐   Su mejor amiga le escribió una carta.
      Carmen se alegró de que su mejor amiga le escribiera una carta.

1. Su papá le mandó dinero.
2. Héctor la invitó al cine.
3. Silvia y Elena la invitaron a un restaurante.
4. Carlos no la invitó a la fiesta.
5. Felipe no habló bien de ella.
6. Raúl le vendió su bicicleta.
7. Sus padres le compraron un radio.
8. Su novio le compró un anillo.

ACTIVIDAD 7   ¡Nada cambia!

Carmen es una estudiante de la universidad de Madrid. Un día visita a su
tía que vive cerca de la universidad. Le habla de su vida. Su tía le dice que
la vida era igual cuando ella era estudiante. Haz el papel de la tía.

⟐   Carmen: Mi papá quiere que estudie para ser profesora.
        su tía: Mi papá también quería que estudiara para ser profesora.

1. Mi mamá espera que estudie para ser médica.
2. Mis profesores insisten en que estudiemos siempre.
3. Mi novio quiere que coma más.
4. Mi novio se alegra de que salga con él.
5. Mis amigos se alegran de que los invite a un restaurante.

Para la comunicación

Cuando eras más joven . . .

Describe como era tu vida cuando eras más joven. Puedes completar las
siguientes frases con una idea personal.

      Importaba que yo . . .
      Importaba que mis amigos / mis hermanos / mis primos . . .
      Me alegraba de que mis amigos / mis padres / mis abuelos . . .
      Sentía que mis amigos / mis padres / mis profesores . . .
      Mis padres esperaban que yo / mis hermanos . . .
      Los maestros insistían en que yo / mis compañeros . . .
⟐   Importaba que yo limpiara mi cuarto y lavara los platos cada día.

Cada día nos levantamos a una hora más o menos fija. Nos lavamos, nos desayunamos y vamos a la escuela. Tenemos nuestras costumbres . . .
Tenemos discos favoritos, revistas favoritas y tiendas favoritas . . .
Y cuando salimos, salimos con los mismos amigos . . .

¿Es decir que somos esclavos de la rutina? No, porque nuestras costumbres cambian. A veces pueden cambiar rápidamente, especialmente cuando ocurre un suceso importante o excepcional en nuestra existencia.

¿Cambiarías completamente tu estilo de vida en las siguientes circunstancias?

A sí	B no	
☐	☐	1. Si me mudara a otra ciudad
☐	☐	2. Si fuera a España por un año
☐	☐	3. Si asistiera a la universidad
☐	☐	4. Si ganara un millón de dólares
☐	☐	5. Si me casara con alguien muy rico
☐	☐	6. Si me quedara solamente un año de vida
☐	☐	7. Si fuera un atleta famoso
☐	☐	8. Si me dieran un papel importante en una película
☐	☐	9. Si tuviera un coche deportivo
☐	☐	10. Si pudiera participar en una expedición espacial

fija: *fixed*
costumbres: *habits*

¿Es decir que: *Is that to say?*
  esclavos: *slaves*
suceso: *event*

me mudara: *I moved*

papel: *role*

espacial: *in space*

INTERPRETACIÓN

Cuenta tus respuestas «A».

Si tienes menos de cuatro respuestas:

Tus amigos siempre pueden contar contigo porque tú eres una persona muy estable.

Si tienes de cuatro a ocho respuestas:

Te adaptas fácilmente a los cambios de situación . . . pero sabes también mantener tus principios y conservar tus amistades.

Si tienes más de ocho respuestas:

Cambias de opinión muy rápidamente y también de sentimientos. ¡Tienes que ser un poco más estable si quieres conservar tus amistades!

estable: *stable, solid*

mantener: *to keep*
amistades:
    friendships

NOTA CULTURAL

Cambio y estabilidad

¿Has vivido siempre en la ciudad donde vives ahora? ¿Has asistido siempre al mismo colegio? ¿Y tus amigos? ¿Han vivido en esta ciudad toda su vida? Probablemente conoces a mucha gente que son de otros lugares. Esto pasa porque los norteamericanos se mudan con frecuencia. Se mudan de una ciudad a otra, de un estado a otro; y por lo tanto° de un colegio a otro y de una compañía a otra.

Esto no ocurre tanto en la sociedad hispánica. A menudo la gente vive en el mismo pueblo o ciudad donde su familia ha vivido por generaciones. Es allí donde nace, va a la escuela, trabaja, se casa y establece una familia.

No hay muchos cambios. No hay tantos cambios como en la sociedad norteamericana. Esta estabilidad permite que se conserven mejor las tradiciones.

¿Qué prefieres? ¿El cambio o la estabilidad?

por lo tanto *even*

Vocabulario

sustantivos	**un esclavo**	slave
	una costumbre	habit
	un papel	role
verbos	**conservar**	to keep, to preserve
	mudarse	to move
expresión	**es decir (que)**	that is to say (that), this means (that)

Vamos a hablar otra vez de la época de cuando eras niño(a).

1. ¿Era importante que **fueras** cortés?
2. ¿Era importante que **dijeras** la verdad?
3. ¿Era importante que **hicieras** tu cama?
4. ¿Era importante que **tuvieras** buenas notas?

OBSERVACIÓN

Reread the above questions.
• Do they concern the past or the present?
The verbs in heavy print are in the imperfect subjunctive.
• What is the infinitive of each of these verbs?

Estructuras

A. El imperfecto del subjuntivo: formas irregulares

We have seen that the stem of the imperfect subjunctive is always derived from the **ellos** form of the preterite. Note the **yo** forms of the imperfect subjunctive of the following irregular verbs.

INFINITIVE	PRETERITE (ellos form)	IMPERFECT SUBJUNCTIVE (yo form)
ser	fueron	**fuera**
ir	fueron	**fuera**
tener	tuvieron	**tuviera**
estar	estuvieron	**estuviera**
hacer	hicieron	**hiciera**
venir	vinieron	**viniera**
dar	dieron	**diera**
decir	dijeron	**dijera**

The endings of the imperfect subjunctive of the above verbs are the same as those of the regular verbs:

-ra -ras -ra ´ramos -rais -ran

ACTIVIDAD 1   Lo que importa

Lo que importa es diferente para cada persona.
¿Qué les importaba más a las siguientes personas?
Haz dos frases usando el verbo **ser** en la primera y el verbo **tener** en la
segunda.

> Teresa (buena alumna / buenas notas)   Importaba que Teresa fuera buena alumna.
> Importaba que tuviera buenas notas.

1. Rafael (cortés / buenos modales)
2. mis primos (buenos compañeros / amigos simpáticos)
3. tú (elegante / ropa bonita)
4. nosotros (los mejores alumnos / notas excelentes)
5. yo (el [la] mejor atleta de la escuela / muchos trofeos)
6. Sara y Manuela (populares / muchos admiradores)

ACTIVIDAD 2   La fiesta de Ana María

Los amigos y parientes de Ana María hicieron las siguientes cosas.
Di cuáles fueron las reacciones de Ana María (entre paréntesis) según el modelo.

> Rafael y Carlos no vinieron a la fiesta. (Era lástima)
> Era lástima que Rafael y Carlos no vinieran a la fiesta.

1. Silvia y Elena le regalaron unos discos. (Era fabuloso)
2. Roberto y Alfredo fueron muy amables con sus padres. (Era importante)
3. Julia y Teresa estuvieron muy coquetas (*flirtatious*) con su novio. (No era bueno)
4. Emilio y Manuel le contaron chistes. (Era interesante)
5. Luisa y Carmen le hicieron un pastel delicioso. (Era impresionante)
6. Sus primas vinieron tarde. (Era lástima)
7. Sus padres le regalaron una bicicleta. (Era impresionante)
8. Sus primas no tuvieron regalos para ella. (Era lástima)

ACTIVIDAD 3   El profesor dijo . . .

El profesor les dijo a sus alumnos que hicieran ciertas cosas. Expresa esto
en un diálogo según el modelo.

> a Pedro: tener cuidado   Estudiante 1: ¿Qué le dijo el profesor a Pedro?
> Estudiante 2: Le dijo que tuviera cuidado.

1. a Rafaela: tener mejores notas
2. a Silvia: ir al laboratorio
3. a Mari-Carmen: ir a la biblioteca
4. a Roberto: irse a casa
5. a Alberto: decir la verdad
6. a José: no decir mentiras
7. a Susana: hacer la tarea
8. a Antonio: no hacerse el payaso
9. a Elena: estar más atenta
10. a Julio: venir en seguida

B. Repaso: el condicional

The conditional is equivalent to the English *would* + verb.

Me gustaría tener un coche deportivo.	*I would like to have a sports car.*
¿**Conducirías** rápidamente?	*Would you drive fast?*
Sí, pero **conduciría** prudentemente.	*Yes, but I would drive carefully.*

Review the forms of the conditional in the chart below.

yo	hablar**ía**	nosotros	hablar**íamos**
tú	hablar**ías**	vosotros	hablar**íais**
él, ella, Ud.	hablar**ía**	ellos, ellas, Uds.	hablar**ían**

➢ The stem of the conditional is the same as the future stem: for most verbs this stem is the infinitive.

➢ The endings are: **-ía, -ías, -ía, -íamos, -íais, -ían**

ACTIVIDAD 4   Con cien dólares

Imagina que alguien va a darles 100 dólares a las siguientes personas. Di lo que cada uno se compraría.

➢ Alfredo: un tocadiscos   Alfredo se compraría un tocadiscos.

1. nosotros: una bicicleta
2. tú: una grabadora
3. Felipe: un traje nuevo
4. Elena: un par de esquís (*a pair of skis*)
5. Roberto y Andrés: una tienda de campaña
6. yo: una calculadora

ACTIVIDAD 5   Con un millón de dólares

Estas personas sueñan con recibir un millón de dólares. Di que con este dinero no harían lo que hacen ahora.

➢ Felipe: trabajar de mecánico
     Felipe trabaja de mecánico.
     Con un millón de dólares, no trabajaría de mecánico.

1. Susana: trabajar de secretaria
2. Alberto: aprender a escribir a máquina
3. nosotros: comer hamburguesas todos los días
4. tú: vivir en un apartamento muy pequeño
5. el Sr. Morales: conducir un coche muy viejo
6. yo: ir a la escuela

C. El uso del imperfecto del subjuntivo: después de *si*

In each group of sentences, people are talking about what they would do under certain conditions. Both conditions are introduced by **si** (*if*). Note that in the first sentence in each group the condition expresses something that is possible. In the second sentence, the condition expresses something that is contrary to reality. Compare the use of the verb forms in Spanish and English.

Si tengo cuatro dólares este fin de semana, **iré** al cine.	*If I **have** four dollars this weekend, **I will go** to the movies.*
Si tuviera un millón de dólares, **iría** a Tahiti.	*If I **had** a million dollars, **I would go** to Tahiti.*
Si estoy aquí mañana, te **llamaré**.	*If I **am** here tomorrow, **I will call** you.*
Si estuviera en San Juan, **llamaría** a tus primos.	*If I **were** in San Juan, **I would call** your cousins.*

The following verb forms are used with **si**:

	condition (**si**)	result
when the condition expresses something possible	present indicative	future
when the condition expresses something contrary to reality	imperfect subjunctive	conditional

ACTIVIDAD 6 ¡Es obvio!

Las siguientes personas dicen qué idioma hablarían si vivieran en el extranjero. Expresa esto según el modelo.

⚬⚬ Paco: París / francés   Si Paco viviera en París, hablaría francés.

1. Amalia: Nueva York / inglés
2. Carlos: Moscú / ruso
3. Uds.: Hong Kong / chino
4. yo: Río / portugués
5. nosotros: Amsterdam / holandés
6. tú: Berlín / alemán
7. Raúl y Juan: México / español

FONART
GENUINO ARTE
POPULAR MEXICANO

ACTIVIDAD 7 ¡Un poco de lógica!

Di lo que harían las siguientes personas si tuvieran ciertos empleos.
¿Cuántas frases lógicas puedes crear, usando los elementos de las columnas
A, B y C?

A	B	C
yo	médico(a)	trabajar mucho
tú	enfermero(a)	ganar mucho dinero
mi hermana	abogado(a)	viajar mucho
Carlos y Rafael	policía	conocer a muchas personas
Elena y Amalia	periodista	trabajar en una oficina
nosotros	fotógrafo(a)	ayudar a otras personas
	instructor(a) de esquí	trabajar al aire libre (*outdoors*)
	actor (actriz)	
	cantante	

Si tú fueras instructor de esquí, trabajarías al aire libre.

ACTIVIDAD 8 Sueños

Los siguientes estudiantes hablan de lo que harían si no fueran estudiantes.
Expresa esto.

Raúl quiere viajar.   Si no fuera estudiante, Raúl viajaría.

1. Dolores quiere ser actriz.
2. Mis primos quieren vivir en España.
3. Nosotros queremos aprender judo.
4. Tú quieres correr las olas.
5. Yo quiero ser pintor (*painter*).
6. Elena quiere esquiar todo el año.

ACTIVIDAD 9 Expresión personal

Di lo que harías si no hicieras las siguientes cosas.

estudiar español
    Si no estudiara español, estudiaría italiano (francés, música, etc.).

1. vivir en los Estados Unidos
2. ser alumno(a)
3. estar en esta clase
4. asistir a esta escuela
5. vivir en esta ciudad
6. comer en la cafetería

Para la comunicación

Soñar no cuesta nada

Escoge una de las siguientes situaciones y sueña un poco en un párrafo de seis líneas.

> ser millonario(a)
> ser campeón (campeona) de tenis
> pasar un año en México
> tener un avión
> tener un yate (*yacht*)
> conocer al presidente
> ser presidente
> ser un(a) cantante famoso(a)

✍ Si fuera millonario(a), compraría un yate enorme, iría a Europa, viajaría por todo el mundo y no trabajaría.

✍ Si tuviera un yate, iría a Hawai, visitaría todas las islas del Pacífico y me divertiría muchísimo.

Variedades   Dos temas

Hay cosas que conocemos y que no podemos explicar. Estos dos poetas nos hablan de dos temas:° la vida y la juventud.°

la vida

¿Qué es la vida? un frenesí;°
¿Qué es la vida? una ilusión,
una sombra,° una ficción,
y el mayor° bien es pequeño;
que toda la vida es sueño,°
y los sueños, sueños son.

> De *La vida es sueño* por Calderón de la Barca (1600-1681), de España, autor de muchos dramas simbólicos y religiosos.

la juventud

Juventud, divino tesoro,
¡ya te vas para no volver!
Cuando quiero llorar, no lloro,
¡y a veces lloro sin querer!

> De «Canción de otoño en primavera», * por Rubén Darío (1867-1916), poeta de Nicaragua.

*In Rubén Darío, *Cantos de vida y esperanza*, Colección Austral No. 118, 12th edition, 1971, Madrid (Espasa-Calpe), p. 90.

APPENDIX 1 LOS NÚMEROS

A. Cardinal numbers

0	cero	16	diez y seis (dieciséis)	90	noventa
1	uno	17	diez y siete (diecisiete)	100	cien (ciento)
2	dos	18	diez y ocho (dieciocho)	101	ciento uno
3	tres	19	diez y nueve (diecinueve)	102	ciento dos
4	cuatro	20	veinte	200	doscientos
5	cinco	21	veinte y uno (veintiuno)	201	doscientos uno
6	seis	22	veinte y dos (veintidós)	300	trescientos
7	siete	23	veinte y tres (veintitrés)	400	cuatrocientos
8	ocho	30	treinta	500	quinientos
9	nueve	31	treinta y uno	600	seiscientos
10	diez	40	cuarenta	700	setecientos
11	once	41	cuarenta y uno	800	ochocientos
12	doce	50	cincuenta	900	novecientos
13	trece	60	sesenta	1.000	mil
14	catorce	70	setenta	2.000	dos mil
15	quince	80	ochenta	1.000.000	un millón (de)

NOTAS:
1. **Uno** becomes **un** before a masculine noun: **treinta y un** chicos
   una before a feminine noun: **treinta y una** chicas
2. **Ciento** is used before numbers under 100: **ciento** veinte
3. The hundreds from two to nine hundred agree with the nouns they introduce: **doscientas** pesetas

B. Ordinal numbers

1°	primero(a)	6°	sexto(a)
2°	segundo(a)	7°	séptimo(a)
3°	tercero(a)	8°	octavo(a)
4°	cuarto(a)	9°	noveno(a)
5°	quinto(a)	10°	décimo(a)

NOTAS:
1. **Primero** becomes **primer** before a masculine singular noun: **el primer** libro
2. **Tercero** becomes **tercer** before a masculine singular noun: **el tercer** papel

APPENDIX 2 VOCABULARIO PRÁCTICO

This Appendix reviews selected vocabulary by topics from Book One of *Spanish for Mastery*.

La hora *(Time)*

¿Qué hora es?	*What time is it?*
Es la una.	*It is 1:00.*
Son las dos.	*It is 2:00.*
Son las dos y cinco.	*It is 2:05.*
Son las dos y diez.	*It is 2:10.*

Son las dos y cuarto.	*It is 2:15.*
Son las dos y veinte.	*It is 2:20.*
Son las dos y veinte y cinco.	*It is 2:25.*
Son las dos y media.	*It is 2:30.*
Son las tres menos veinte y cinco.	*It is 2:35. (It is 25 of 3.)*
Son las tres menos veinte.	*It is 2:40. (It is 20 of 3.)*
Son las tres menos cuarto.	*It is 2:45. (It is quarter of 3.)*
Son las tres menos diez.	*It is 2:50. (It is 10 of 3.)*
Son las tres menos cinco.	*It is 2:55. (It is 5 of 3.)*
Son las tres.	*It is 3:00.*

NOTAS:

y cuarto	*quarter past*
y media	*half past*
menos cuarto	*quarter of*

To express the English concept of *past* or *after*, Spanish uses the word **y**.
To express the English concept of *of* or *to*, Spanish uses the word **menos**.

¿A qué hora?	*At what time?*
A la una y cinco **de la mañana**.	*At 1:05 in the morning (A.M.)*
A las tres y cuarto **de la tarde**.	*At 3:15 in the afternoon (P.M.)*
A las ocho y media **de la noche**.	*At 8:30 at night (P.M.)*

Los días de la semana *(The days of the week)*

(el) lunes	*Monday*	hoy	*today*
(el) martes	*Tuesday*	mañana	*tomorrow*
(el) miércoles	*Wednesday*	ayer	*yesterday*
(el) jueves	*Thursday*	el jueves pasado	*last Thursday*
(el) viernes	*Friday*	el sábado próximo	*next Saturday*
(el) sábado	*Saturday*		
(el) domingo	*Sunday*		

NOTA: In Spanish, the definite article is used before days of the week except after *ser*:

el lunes (martes, etc.)	*(on) Monday (Tuesday, etc.)*
los lunes (martes, etc.)	*(on) Mondays (Tuesdays, etc.)*
but: ¿Qué día es hoy (mañana)?	*What day is it today (tomorrow)?*
Hoy (Mañana) es lunes (martes).	*Today (Tomorrow) is Monday (Tuesday).*

Los meses del año *(The months of the year)*

enero	*January*	julio	*July*
febrero	*February*	agosto	*August*
marzo	*March*	septiembre	*September*
abril	*April*	octubre	*October*
mayo	*May*	noviembre	*November*
junio	*June*	diciembre	*December*

Las estaciones *(The seasons)*

la primavera	*spring*	el otoño	*fall*
el verano	*summer*	el invierno	*winter*

La fecha *(The date)*

To express the date, Spanish uses the construction **el** + number + **de** + month.
However, the first day of the month is always expressed as **el primero**.

¿Cuál es la fecha de hoy (mañana)?   *What is today's (tomorrow's) date?*

Hoy (Mañana) es el trece de enero.   *Today (Tomorrow) is January 13th.*
Es el primero de mayo.   *It is May first.*

El tiempo *(The weather)*

¿Qué tiempo hace (hoy, en mayo, en el otoño)?   *How's the weather (today, in May, in the fall)?*

Hace buen tiempo.	*It's nice.*
Hace mal tiempo.	*It's bad.*
Hace (mucho) calor.	*It's (very) hot.*
Hace frío.	*It's cold.*
Hace viento.	*It's windy.*
Hace sol.	*It's sunny.*
Está nublado.	*It's cloudy.*
Llueve.	*It's raining.*
Nieva.	*It's snowing.*

¿Cuál es la temperatura?   *What's the temperature?*

−doce grados   *−twelve degrees*
−tres grados bajo cero   *−three degrees below zero*

Los países y los adjetivos de nacionalidad

las Américas

  la América del Norte

el Canadá	canadiense
los Estados Unidos	norteamericano

  la América Central

México	mexicano
Panamá	panameño

  la América del Sur

la Argentina	argentino
el Brasil	brasileño
Chile	chileno

Asia

China	chino
el Japón	japonés (japonesa)
Rusia	ruso

el Caribe

Cuba	cubano
Puerto Rico	puertorriqueño

Europa

Alemania	alemán (alemana)
España	español
Francia	francés (francesa)
Inglaterra	inglés (inglesa)
Italia	italiano
Portugal	portugués (portuguesa)

El cuerpo *(The body)*

la boca	*mouth*	la cara	*face*	el pelo	*hair*
el brazo	*arm*	la frente	*forehead*	el pie	*foot*
la cabeza	*head*	la mano	*hand*	la pierna	*leg*
los dedos	*fingers*	la nariz	*nose*	la rodilla	*knee*
los dientes	*teeth*	el ojo	*eye*		
la espalda	*back*	la oreja	*ear*		

La ropa *(Clothing)*

un abrigo	*(over)coat*	un impermeable	*raincoat*
unos anteojos	*eyeglasses*	unos pantalones	*pants*
unos anteojos de sol	*sunglasses*	unos pantalones cortos	*shorts*
una blusa	*blouse*	unas sandalias	*sandals*
unos calcetines	*socks*	un suéter	*sweater*
una camisa	*shirt*	un sombrero	*hat*
una camiseta	*tee shirt*	un traje	*suit*
una corbata	*necktie*	un traje de baño	*bathing suit*
una chaqueta	*jacket*	un vestido	*dress*
una falda	*skirt*	unos zapatos	*shoes*

Ocupaciones

un abogado, una abogada	*lawyer*
un aeromozo, una aeromoza	*flight attendant*
un agente de viajes, una agente de viajes	*travel agent*
un carpintero	*carpenter*
un científico, una científica	*scientist*
un dentista, una dentista	*dentist*
un dibujante, una dibujante	*designer*
un electricista, una electricista	*electrician*
un empleado, una empleada	*employee*
un enfermero, una enfermera	*nurse*
un fotógrafo, una fotógrafa	*photographer*
un gerente, una gerente	*manager*
un guía, una guía	*guide*
un ingeniero, una ingeniera	*engineer*
un locutor, una locutora	*announcer*
un mecánico	*mechanic*
un médico, una médica	*doctor*
un modista, una modista	*dressmaker*
un periodista, una periodista	*journalist*
un pescador, una pescadora	*fisherman*
un policía	*police officer*
un programador, una programadora	*programmer*
un secretario, una secretaria	*secretary*
un trabajador social, una trabajadora social	*social worker*
un vendedor (viajero), una vendedora (viajera)	*(traveling) salesperson*
un veterinario, una veterinaria	*veterinarian*

Los colores

¿De qué color . . . ?	*What color . . . ?*	gris	*gray*
amarillo	*yellow*	negro	*black*
blanco	*white*	rojo	*red*
castaño	*brown*	verde	*green*

NOTA: Colors are adjectives and agree with the nouns they describe. Tengo **un abrigo negro** y **una blusa roja. Las corbatas** son **azules** y **los pantalones** son **verdes**.

La comida *(Food)*

Los alimentos *(Foods)*

la carne	*meat*	un pastel	*pastry*
el bistec	*steak*	una torta, una tarta,	
el jamón	*ham*	un bizcocho	*cake*
el pollo	*chicken*	otros alimentos	*other foods*
		el aceite	*oil*
las frutas y los vegetales	*fruits and vegetables*	el azúcar	*sugar*
el arroz	*rice*	una ensalada	*salad*
una banana	*banana*	una hamburguesa	*hamburger*
los frijoles	*beans*	un huevo	*egg*
el maíz	*corn*	la mantequilla	*butter*
una manzana	*apple*	el pan	*bread*
una naranja	*orange*	la pimienta	*pepper*
una papa	*potato*	el queso	*cheese*
una pera	*pear*	la sal	*salt*
un plátano	*banana, plantain*	un sándwich	*sandwich*
un tomate	*tomato*	el vinagre	*vinegar*
los postres	*desserts*		
un helado	*ice cream*		

Las bebidas *(Drinks)*

el agua	*water*	un jugo de frutas	*fruit juice*
el café	*coffee*	la leche	*milk*
la cerveza	*beer*	el té	*tea*
una gaseosa	*soda, carbonated drink*	el vino	*wine*

Las comidas *(Meals)*

el desayuno	*breakfast*	la merienda	*late afternoon snack*
desayunarse	*to have breakfast*	merendar (e → ie)	*to have a late afternoon snack*
el almuerzo	*lunch*		
almorzar (o → ue)	*to have lunch*	la cena	*dinner*
		cenar	*to have dinner*

Los muebles *(Furniture)*

una cama	*bed*	un radio	*radio*
un estante	*bookcase*	una silla	*chair*
una lámpara	*lamp*	un televisor	*television set*
una mesa	*table*	un tocadiscos	*record player*

A. REGULAR VERBS

Simple Tenses

INFINITIVE:	**hablar** *(to speak)*		**comer** *(to eat)*		**vivir** *(to live)*	
INDICATIVE						
PRESENT	hablo	hablamos	como	comemos	vivo	vivimos
	hablas	habláis	comes	coméis	vives	vivís
	habla	hablan	come	comen	vive	viven
IMPERFECT	hablaba	hablábamos	comía	comíamos	vivía	vivíamos
	hablabas	hablabais	comías	comíais	vivías	vivíais
	hablaba	hablaban	comía	comían	vivía	vivían
PRETERITE	hablé	hablamos	comí	comimos	viví	vivimos
	hablaste	hablasteis	comiste	comisteis	viviste	vivisteis
	habló	hablaron	comió	comieron	vivió	vivieron
FUTURE	hablaré	hablaremos	comeré	comeremos	viviré	viviremos
	hablarás	hablaréis	comerás	comeréis	vivirás	viviréis
	hablará	hablarán	comerá	comerán	vivirá	vivirán
CONDITIONAL	hablaría	hablaríamos	comería	comeríamos	viviría	viviríamos
	hablarías	hablarías	comerías	comeríais	vivirías	viviríais
	hablaría	hablarían	comería	comerían	viviría	vivirían

COMMANDS			
tú	habla	come	vive
negative tú	no hables	no comas	no vivas
Ud.	hable	coma	viva
Uds.	hablen	coman	vivan

SUBJUNCTIVE						
PRESENT	hable	hablemos	coma	comamos	viva	vivamos
	hables	habléis	comas	comáis	vivas	viváis
	hable	hablen	coma	coman	viva	vivan
IMPERFECT	hablara	habláramos	comiera	comiéramos	viviera	viviéramos
	hablaras	hablarais	comieras	comierais	vivieras	vivierais
	hablara	hablaran	comiera	comieran	viviera	vivieran

PARTICIPLE		
PRESENT	hablando	comiendo	viviendo
PAST	hablado	comido	vivido

Compound Tenses

	INDICATIVE		
PRESENT PERFECT			
he hemos has habéis ha han	hablado	comido	vivido
PLUPERFECT			
había habíamos habías habíais había habían	hablado	comido	vivido
FUTURE PERFECT			
habré habremos habrás habréis habrá habrán	hablado	comido	vivido
	SUBJUNCTIVE		
PRESENT PERFECT			
haya hayamos hayas hayáis haya hayan	hablado	comido	vivido

IRREGULAR PAST PARTICIPLES OF REGULAR VERBS

abrir	**abierto**	descubrir	**descubierto**
cubrir	**cubierto**	escribir	**escrito**
describir	**descrito**	romper	**roto**

B. STEM-CHANGING VERBS

INFINITIVE IN -ar:	cerrar (e → ie) *(to close)*		probar (o → ue) *(to try)*		jugar (u → ue) *(to play)*	
	INDICATIVE					
PRESENT	**cierro** **cierras** **cierra**	cerramos cerráis **cierran**	**pruebo** **pruebas** **prueba**	probamos probáis **prueban**	**juego** **juegas** **juega**	jugamos jugáis **juegan**
	SUBJUNCTIVE					
PRESENT	**cierre** **cierres** **cierre**	cerremos cerréis **cierren**	**pruebe** **pruebes** **pruebe**	probemos probéis **prueben**	**juegue** **juegues** **juegue**	juguemos juguéis **jueguen**

like **cerrar:** comenzar, despertarse, empezar, encerrar, gobernar, negar(se), pensar, recomendar, regar, sentarse, tropezar

like **probar:** acostarse, almorzar, aprobar, contar, costar, demostrar, encontrar(se), mostrar, recordar, revolver, sonar, soñar, tostar, volar

INFINITIVE IN **-er:**	**perder** (e → ie) _(to lose)_		**volver** (o → ue) _(to return)_	
INDICATIVE				
PRESENT	**pierdo**	perdemos	**vuelvo**	volvemos
	pierdes	perdéis	**vuelves**	volvéis
	pierde	**pierden**	**vuelve**	**vuelven**
SUBJUNCTIVE				
PRESENT	**pierda**	perdamos	**vuelva**	volvamos
	pierdas	perdáis	**vuelvas**	volváis
	pierda	**pierdan**	**vuelva**	**vuelvan**

like **perder:** defender, descender, encender, entender, extenderse
like **volver:** devolver, doler, llover _(used only in third-person singular),_ revolver

INFINITIVE IN **-ir:**	**pedir** (e → i, i) _(to ask)_		**dormir** (o → ue, u) _(to sleep)_		**sentir** (e → ie, i) _(to feel)_	
INDICATIVE						
PRESENT	**pido**	pedimos	**duermo**	dormimos	**siento**	sentimos
	pides	pedís	**duermes**	dormís	**sientes**	sentís
	pide	**piden**	**duerme**	**duermen**	**siente**	**sienten**
PRETERITE	pedí	pedimos	dormí	dormimos	sentí	sentimos
	pediste	pedisteis	dormiste	dormisteis	sentiste	sentisteis
	pidió	**pidieron**	**durmió**	**durmieron**	**sintió**	**sintieron**
SUBJUNCTIVE						
PRESENT	**pida**	**pidamos**	**duerma**	**durmamos**	**sienta**	**sintamos**
	pidas	**pidáis**	**duermas**	**durmáis**	**sientas**	**sintáis**
	pida	**pidan**	**duerma**	**duerman**	**sienta**	**sientan**
IMPERFECT	**pidiera**	**pidiéramos**	**durmiera**	**durmiéramos**	**sintiera**	**sintiéramos**
	pidieras	**pidierais**	**durmieras**	**durmierais**	**sintieras**	**sintierais**
	pidiera	**pidieran**	**durmiera**	**durmieran**	**sintiera**	**sintieran**
PRESENT PARTICIPLE	**pidiendo**		**durmiendo**		**sintiendo**	

like **pedir:** conseguir, despedirse, perseguir, reír, rendirse, repetir, seguir, servir, sonreír, vestirse
like **dormir:** morir (past participle: **muerto**)
like **sentir:** divertir(se), hervir, mentir, preferir, referir, requerir, sugerir

C. SPELLING-CHANGING VERBS

actuar _(to act)_

present indicative: **actúo, actúas, actúa,** actuamos, actuáis, **actúan**
present subjunctive: **actúe, actúes, actúe,** actuemos, actuéis, **actúen**

like **actuar:** continuar, graduarse

buscar *(to look for)*

preterite: **busqué,** buscaste, buscó, buscamos, buscasteis, buscaron
present subjunctive: **busque, busques, busque, busquemos, busquéis, busquen**
    like **buscar:** acercarse, arrancar, atacar, comunicar, criticar, chocar, dedicar(se), desembarcar, equivocarse, explicar, fabricar, identificar, indicar, marcar, mascar, pescar, pronosticar, publicar, sacar, salpicar, secarse, significar, tocar

coger *(to seize, grasp, gather)*

present indicative: **cojo,** coges, coge, cogemos, cogéis, cogen
present subjunctive: **coja, cojas, coja, cojamos, cojáis, cojan**
    like **coger:** dirigir(se), elegir, erigir, escoger, exigir, proteger, recoger, surgir

conducir *(to drive)*

present indicative: **conduzco,** conduces, conduce, conducimos, conducís, conducen
preterite: **conduje, condujiste, condujo, condujimos, condujisteis, condujeron**
present subjunctive: **conduzca, conduzcas, conduzca, conduzcamos, conduzcáis, conduzcan**
imperfect subjunctive: **condujera, condujeras, condujera, condujéramos, condujerais, condujeran**
    like **conducir:** producir, traducir

conocer *(to know, be acquainted with)*

present indicative: **conozco,** conoces, conoce, conocemos, conocéis, conocen
present subjunctive: **conozca, conozcas, conozca, conozcamos, conozcáis, conozcan**
    like **conocer:** aparecer, crecer, complacer(se), desaparecer, establecer, florecer, merecer, nacer, obedecer, ofrecer, parecer(se), permanecer, pertenecer, reconocer

construir *(to construct, build)*

present indicative: **construyo, construyes, construye,** construimos, construís, **construyen**
preterite: construí, construiste, **construyó,** construimos, construisteis, **construyeron**
present subjunctive: **construya, construyas, construya, construyamos, construyáis, construyan**
imperfect subjunctive: **construyera, construyeras, construyera, construyéramos, construyerais, construyeran**
present participle: **construyendo**
    like **construir:** constituir, destruir, huir, influir, reconstruir

creer *(to believe)*

preterite: creí, **creíste, creyó, creímos, creísteis, creyeron**
present participle: **creyendo**
imperfect subjunctive: **creyera, creyeras, creyera, creyéramos, creyerais, creyeran**
past participle: **creído**
    like **creer:** leer

cruzar *(to cross)*

preterite: **crucé,** cruzaste, cruzó, cruzamos, cruzasteis, cruzaron
present subjunctive: **cruce, cruces, cruce, crucemos, crucéis, crucen**
    like **cruzar:** abrazar, adelgazar, almorzar (o → ue), analizar, aterrizar, cazar, colonizar, comenzar (e → ie), cristianizar, empezar (e → ie), especializarse, gozar, lanzarse, organizar, popularizar; realizar(se), reemplazar, rezar, tropezar (e → ie)

distinguir *(to distinguish)*

present indicative: **distingo,** distingues, distingue, distinguimos, distinguís, distinguen
present subjunctive: **distinga, distingas, distinga, distingamos, distingáis, distingan**
    like **distinguir:** conseguir (e → i, i), perseguir (e → i, i), seguir (e → i, i)

esquiar *(to ski)*

present indicative: **esquío, esquías, esquía,** esquiamos, esquiáis, **esquían**
present subjunctive: **esquíe, esquíes, esquíe,** esquiemos, esquiéis, **esquíen**
        like **esquiar:** enfriar

llegar *(to arrive)*

preterite: **llegué,** llegaste, llegó, llegamos, llegasteis, llegaron
present subjunctive: **llegue, llegues, llegue, lleguemos, lleguéis, lleguen**
        like **llegar:** ahogarse, apagar, castigar, colgar (o → ue), entregar, jugar (u → ue), navegar,
                negar(se) (e → ie), pagar, pegar, regar (e → ie), rogar (o → ue)

vencer *(to conquer)*

present indicative: **venzo,** vences, vence, vencemos, vencéis, vencen
present subjunctive: **venza, venzas, venza, venzamos, venzáis, venzan**   like **vencer:** convencer

D. IRREGULAR VERBS

andar *(to walk, go)*

preterite: **anduve, anduviste, anduvo, anduvimos, anduvisteis, anduvieron**
imperfect subjunctive: **anduviera, anduvieras, anduviera, anduviéramos, anduvierais, anduvieran**

caer *(to fall)*

present indicative: **caigo,** caes, cae, caemos, caéis, caen
preterite: caí, **caíste,** cayó, **caímos, caísteis, cayeron**
present subjunctive: **caiga, caigas, caiga, caigamos, caigáis, caigan**
imperfect subjunctive: **cayera, cayeras, cayera, cayéramos, cayerais, cayeran**
present participle: **cayendo**
past participle: **caído**

dar *(to give)*

present indicative: **doy,** das, da, damos, dais, dan
preterite: **di, diste, dio, dimos, disteis, dieron**
present subjunctive: **dé,** des, **dé,** demos, deis, den
imperfect subjunctive: **diera, dieras, diera, diéramos, dierais, dieran**

decir *(to say, tell)*

present indicative: **digo, dices, dice,** decimos, decís, **dicen**
preterite: **dije, dijiste, dijo, dijimos, dijisteis, dijerón**
future: **diré, dirás,** etc.   conditional: **diría, dirías,** etc.
command: **di** (tú), no **digas** (neg. tú), **diga** (Ud.), **digan** (Uds.)
present subjunctive: **diga, digas, diga, digamos, digáis, digan**
imperfect subjunctive: **dijera, dijeras, dijera, dijéramos, dijerais, dijeran**
present participle: **diciendo**
past participle: **dicho**   like **decir:** contradecir, predecir

estar *(to be)*

present indicative: **estoy, estás, está,** estamos, estáis, **están**
preterite: **estuve, estuviste, estuvo, estuvimos, estuvisteis, estuvieron**
present subjunctive: **esté, estés, esté,** estemos, estéis, **estén**
imperfect subjunctive: **estuviera, estuvieras, estuviera, estuviéramos, estuvierais, estuvieran**

466

haber *(to have–auxiliary)*

present indicative: **he, has, ha, hemos,** habéis, **han**
preterite: **hube, hubiste, hubo, hubimos, hubisteis, hubieron**
future: **habré, habrás,** etc.   conditional: **habría, habrías,** etc.
present subjunctive: **haya, hayas, haya, hayamos, hayáis, hayan**
imperfect subjunctive: **hubiera, hubieras, hubiera, hubiéramos, hubierais, hubieran**

hacer *(to make, do)*

present indicative: **hago,** haces, hace, hacemos, hacéis, hacen
preterite: **hice, hiciste, hizo, hicimos, hicisteis, hicieron**
future: **haré, harás,** etc.   conditional: **haría, harías,** etc.
command: **haz** (tú), no **hagas** (neg. tú), **haga** (Ud.), **hagan** (Uds.)
present subjunctive: **haga, hagas, haga, hagamos, hagáis, hagan**
imperfect subjunctive: **hiciera, hicieras, hiciera, hiciéramos, hicierais, hicieran**
past participle: **hecho**   like **hacer:** satisfacer

ir *(to go)*

present indicative: **voy, vas, va, vamos, vais, van**
imperfect indicative: **iba, ibas, iba, íbamos, ibais, iban**
preterite: **fui, fuiste, fue, fuimos, fuisteis, fueron**
command: **ve** (tú), no **vayas** (neg. tú), **vaya** (Ud.), **vayan** (Uds.)
present subjunctive: **vaya, vayas, vaya, vayamos, vayáis, vayan**
imperfect subjunctive: **fuera, fueras, fuera, fuéramos, fuerais, fueran**
present participle: **yendo**   past participle: **ido**

oír *(to hear)*

present indicative: **oigo, oyes, oye,** oímos, oís, **oyen**
preterite: oí, oíste, **oyó,** oímos, oísteis, **oyeron**
present subjunctive: **oiga, oigas, oiga, oigamos, oigáis, oigan**
imperfect subjunctive: **oyera, oyeras, oyera, oyéramos, oyerais, oyeran**   present participle: **oyendo**

poder *(to be able, can)*

present indicative: **puedo, puedes, puede,** podemos, podéis, **pueden**
preterite: **pude, pudiste, pudo, pudimos, pudisteis, pudieron**
future: **podré, podrás,** etc.   conditional: **podría, podrías,** etc.
present subjunctive: **pueda, puedas, pueda,** podamos, podáis, **puedan**
imperfect subjunctive: **pudiera, pudieras, pudiera, pudiéramos, pudierais, pudieran**
present participle: **pudiendo**

poner *(to put, place)*

present indicative: **pongo,** pones, pone, ponemos, ponéis, ponen
preterite: **puse, pusiste, puso, pusimos, pusisteis, pusieron**
future: **pondré, pondrás,** etc.   conditional: **pondría, pondrías,** etc.
command: **pon** (tú), no **pongas** (neg. tú), **ponga** (Ud.), **pongan** (Uds.)
present subjunctive: **ponga, pongas, ponga, pongamos, pongáis, pongan**
imperfect subjunctive: **pusiera, pusieras, pusiera, pusiéramos, pusierais, pusieran**
past participle: **puesto**   like **poner:** componer, oponerse, proponer, suponer

querer *(to want)*

present indicative: **quiero, quieres, quiere,** queremos, queréis, **quieren**
preterite: **quise, quisiste, quiso, quisimos, quisisteis, quisieron**
future: **querré, querrás,** etc.   conditional: **querría, querrías,** etc.
present subjunctive: **quiera, quieras, quiera,** queramos, queráis, **quieran**
imperfect subjunctive: **quisiera, quisieras, quisiera, quisiéramos, quisierais, quisieran**

saber *(to know)*

present indicative: **sé,** sabes, sabe, sabemos, sabéis, saben
preterite: **supe, supiste, supo, supimos, supisteis, supieron**
future: **sabré, sabrás,** etc.   conditional: **sabría, sabrías,** etc.
present subjunctive: **sepa, sepas, sepa, sepamos, sepáis, sepan**
imperfect subjunctive: **supiera, supieras, supiera, supiéramos, supierais, supieran**

salir *(to go out, leave)*

present indicative: **salgo,** sales, sale, salimos, salís, salen
future: **saldré, saldrás,** etc.   conditional: **saldría, saldrías,** etc.
command: **sal** (tú), no **salgas** (neg. tú), **salga** (Ud.), **salgan** (Uds.)
present subjunctive: **salga, salgas, salga, salgamos, salgáis, salgan**

ser *(to be)*

present indicative: **soy, eres, es, somos, sois, son**
imperfect indicative: **era, eras, era, éramos, erais, eran**
preterite: **fui, fuiste, fue, fuimos, fuisteis, fueron**
command: **sé** (tú), no **seas** (neg. tú), **sea** (Ud.), **sean** (Uds.)
present subjunctive: **sea, seas, sea, seamos, seáis, sean**
imperfect subjunctive: **fuera, fueras, fuera, fuéramos, fuerais, fueran**

tener *(to have)*

present indicative: **tengo, tienes, tiene,** tenemos, tenéis, **tienen**
preterite: **tuve, tuviste, tuvo, tuvimos, tuvisteis, tuvieron**
future: **tendré, tendrás,** etc.   conditional: **tendría, tendrías,** etc.
command: **ten** (tú), no **tengas** (neg. tú), **tenga** (Ud.), **tengan** (Uds.)
present subjunctive: **tenga, tengas, tenga, tengamos, tengáis, tengan**
imperfect subjunctive: **tuviera, tuvieras, tuviera, tuviéramos, tuvierais, tuvieran**

like **tener:** contener, detener, mantener(se), obtener, sostenerse

traer *(to bring)*

present indicative: **traigo,** traes, trae, traemos, traéis, traen
preterite: **traje, trajiste, trajo, trajimos, trajisteis, trajeron**
present subjunctive: **traiga, traigas, traiga, traigamos, traigáis, traigan**
imperfect subjunctive: **trajera, trajeras, trajera, trajéramos, trajerais, trajeran**
present participle: **trayendo**   past participle: **traído**

venir *(to come)*

present indicative: **vengo, vienes, viene,** venimos, venís, **vienen**
preterite: **vine, viniste, vino, vinimos, vinisteis, vinieron**
future: **vendré, vendrás,** etc.   conditional: **vendría, vendrías,** etc.
command: **ven** (tú), no **vengas** (neg. tú), **venga** (Ud.), **vengan** (Uds.)
present subjunctive: **venga, vengas, venga, vengamos, vengáis, vengan**
imperfect subjunctive: **viniera, vinieras, viniera, viniéramos, vinierais, vinieran**
present participle: **viniendo**   like **venir:** convenir, intervenir

ver *(to see)*

present indicative: **veo,** ves, ve, vemos, veis, ven
imperfect indicative: **veía, veías, veía, veíamos, veíais, veían**
preterite: **vi,** viste, **vio,** vimos, visteis, vieron
present subjunctive: **vea, veas, vea, veamos, veáis, vean**
past participle: **visto**

SPANISH-ENGLISH VOCABULARY

The Spanish-English Vocabulary lists the words and expressions in the student text except for specialized vocabulary glosses in the *vistas* and *Notas culturales*. Active words and expressions, that is, vocabulary items that students are expected to know, are followed by a number. The number (2.1), for example, indicates that the item is active in Unit 2, Lesson 1. An asterisk (*) in front of a verb means that the verb is irregular or that it has a spelling change. See the verb charts in Appendix 3.

a

a   to, at
  a la casa de __   to __'s house **(1.3)**
  a la derecha   on the right **(5.2)**
  a la izquierda   on the left **(5.2)**
  a lo largo de   along
  a menos que   unless **(10.1)**
  a menudo   often **(1.3)**
  a tiempo   on time   **(5.2)**
  a veces   at times, sometimes **(1.3)**
  a ver   let's see
  abajo   down (with) . . .
abandonado   abandoned
abandonar   to abandon
abierto   open: *see* **abrir (6.2)**
un abogado, una abogada   lawyer
la abolición   abolition
* abrazar   to embrace
un abrigo   overcoat
  abrir   to open **(1.4)**
absoluto   absolute
absurdo   absurd **(9.2)**
una abuela   grandmother **(1.2)**
un abuelo   grandfather **(1.2)**
  los abuelos   grandparents **(1.2)**
una abundancia   abundance
aburrido   bored **(1.4)**, boring **(1.2)**
aburrir   to bore
aburrirse   to get bored **(3.3)**
acabar de + *inf.*   to have just + *p.p.* **(4.1)**
una academia   academy
un accesorio, una accesoria   accessory
accidentalmente   accidentally
un accidente   accident
una acción *(pl.* acciones)   action
el aceite   oil **(4.2)**
una aceituna   olive
un acelerador   accelerator
  acelerar   to accelerate
  aceptar   to accept
una acera   sidewalk **(8.1)**
  acerca de   on, about
* acercarse a   to approach, to get near **(4.4)**

el acero   steel
acomodado   wealthy
  la clase acomodada   upper middle class
acompañar   to accompany
acondicionado   conditioned
  el sistema de aire acondicionado   air conditioning system **(7.4)**
aconsejar   to advise, counsel **(8.4)**
acostarse (o → ue)   to go to bed **(3.2)**
acostumbrarse a   to get used to **(8.2)**
una actitud   attitude
una actividad   activity
  activo   active **(1.2)**
un acto   act
un actor   actor
una actriz *(pl.* actrices)   actress
la actuación   acting out, performance
  actual   present, current
  actuar (u → ú)   to act **(7.3)**
un acuario   aquarium, fishbowl
acuático   aquatic
  unos esquís acuáticos   water skis
un acuerdo   agreement
  estar de acuerdo   to agree **(4.2)**
una acusación *(pl.* acusaciones)   accusation
la acústica   acoustics
una adaptación *(pl.* adaptaciones)   adaptation
  adaptar   to adapt
  adelante   ahead, forward
  de allí en adelante   from then on
* adelgazar   to get thin, lose weight
  además   besides **(1.2)**
un adivinador, una adivinadora   fortuneteller
  adivinar   to guess **(4.4)**
un adjetivo   adjective
la admiración   admiration
un admirador, una admiradora   admirer

admirar   to admire **(1.3)**
la admisión   admission
admitido   admitted
admitir   to admit
¿adónde?   (to) where?
adorar   to adore
un adulto   adult
un adverbio   adverb
aérea   concerning air
  una línea aérea   airline
un aeromozo, una aeromoza   flight attendant
afectar   to affect
una afeitadora   razor **(3.2)**
afeitarse   to shave *(oneself)* **(3.2)**
un aficionado, una aficionada   fan
afirmativamente   affirmatively
afirmativo   affirmative
la afluencia   influx
afortunadamente   fortunately
afortunado   fortunate, lucky **(4.4)**
africano   African
afrocubano   Afro-Cuban
afuera   outside
una agencia   agency
  una agencia de coches   car dealer
  una agencia de empleo   employment agency
  una agencia de viajes   travel agency
  una agencia matrimonial   marriage counselor
un agente, una agente   agent
  un agente de mudanzas   mover
  un agente de viajes   travel agent
la agilidad   agility
agitado   agitated, irritated, excited
agitar   to agitate, irritate, excite
agosto   August
agradable   pleasant, agreeable **(9.2)**
agradar   to be pleasing
  me agrada(n)   I enjoy **(2.4)**
agradecido   grateful

agresivo aggressive

el **agua** (f.) water (5.3)
    el **agua dulce** fresh water
    esquiar en el agua to
        water-ski

un **aguacate** avocado

un **águila** (f.) eagle
    ahí there (2.2)

* **ahogarse** to drown
    ahora now (1.4)
    ahorrar to save

el **aire** air
    al aire libre outdoors
    el sistema de aire
      acondicionado air
      conditioning system (7.4)
    la contaminación del aire
      air pollution (7.1)
    aislado isolated

el **ajedrez** chess
    jugar al ajedrez to play chess

el **ajo** garlic
    un diente de ajo clove of
      garlic

al (a + el) to the, at the (1.3)
    al + inf. when, on (doing
      something), while, upon
      (doing something), at
      the (moment of) + verb
      (4.3)
    al contrario on the
      contrary (4.3)
    al día per day (7.1)

una **alameda** mall, public walk

un **albañil** mason

un **alcalde** mayor

una **aldea** village
    alegrarse (de) to get/be
      happy (because of) (3.3)
    alegre happy (1.4)
    alejarse (de) to move away
      (from) (8.3)
    alemán (f. **alemana**) German

el **alemán** German (language)

un **alemán, una alemana**
    German (person)

Alemania Germany

una **alfombra** rug
    algo something, anything (5.1)

el **algodón** cotton
    alguien someone, somebody (5.1)
    algún, alguno some (4.1)
      alguna vez ever, once (6.3)
      algunos some, several (4.1)

el **aliento** breath
    sin aliento out of breath
  alimentarse to eat

el **alimento** nourishment, food

el **alivio** relief
    ¡qué alivio! what a relief!
    (7.4)

el **alma** (f.) soul

un **almacén** (pl. **almacenes**)
    (department) store (1.3)

* **almorzar** (o → ue) to have
    lunch (3.1)

el **alpinismo** mountain climbing
    (2.4)
    alquilado rented
    alquilar to rent (6.1)
    alrededor de around (6.2)
    alternar to alternate
    alto tall (1.2), high
    en voz alta aloud

un **alumno, una alumna**
    student (1.2)
    allá over there (2.2)
    allí there (2.2)
    de allí en adelante from
      then on
    desde allí from there (4.3)
    amable kind (2.1), friendly
    amado beloved
    amarillo yellow
    amarrar to fasten
    amazónico Amazon

una **ambición** (pl. **ambiciones**)
    ambition
    ambicioso ambitious

el **ambiente** atmosphere
    ambos both
    ambulante walking, traveling

la **América** America
    la América del Sur
      South America

la **americanización**
    Americanization

un **amigo, una amiga** friend (1.2)

la **amistad** friendship (3.4)

un **amo** master

el **amor** love (3.4)

una **anaconda** anaconda

un **análisis** analysis

* **analizar** to analyze

la **anarquía** anarchy
    ancho wide

el **andaluz** language of
    Andalusia

un **andaluz, una andaluza**
    person from Andalusia

* **andar** to walk, work, run
    (function) (4.3), go (9.4)

los **Andes** Andes mountains

un **ángel** angel (5.2)

la **angustia** anguish

un **anglohablante, una**
    anglohablante English-
    speaking person
    angustiado anguished

un **anillo** ring (2.3)

un **animal** animal

un **animalito** little animal

el **ánimo** spirit, mind (4.4)
    la presencia de ánimo
      mental alertness (4.4)
    anoche last night (6.4)
    anotar to note
    anteanoche the night before
      last (6.4)
    anteayer the day before
      yesterday (6.4)

una **antena** antenna

unos **anteojos** eyeglasses
    unos anteojos de sol
      sunglasses (2.2)
    antepasado __ before last (6.4)

los **antepasados** ancestors
    anterior before
    anteriormente previously
    antes (de) before (1.4)
    anticipar to anticipate
    antiguo old, antique (5.1)
    antillano Caribbean

un **antillano, una antillana**
    person from the West Indies
    (Caribbean)

las **Antillas** West Indies (Caribbean)
    antipático unpleasant,
      disagreeable (1.2)

un **antropólogo** anthropologist
    anunciar to announce

un **anuncio** announcement,
    advertisement (6.1)
    un anuncio de empleo want ad

un **año** year
    el Año Nuevo New Year
    apagado extinguished, shut off

* **apagar** to turn off (6.2)

un **apagón** (pl. **apagones**)
    blackout (9.1)

* **aparecer** to appear, seem

un **apartamento** apartment

un edificio de apartamentos
apartment building **(4.3)**
un **apellido** last name
apenas hardly, scarcely
un **aperitivo** apéritif
aplicable applicable
apoderarse de to seize
apreciado appreciated
apreciar to appreciate
aprender (a) to learn **(1.4)**
aprobar (o → ue) to
approve, pass
apropiado appropriate
apuntar to point
el **apuro** difficulty
aquel (f. **aquella**) that (over there) **(2.2)**
aquél (f. **aquélla**) that one (over there) **(2.2)**
aquellos those (over there) **(2.2)**
aquéllos those (over there) **(2.2)**
aquí here **(2.2)**
aquí tiene(s) here is, here are **(10.1)**
árabe Arabic
un **aragonés, una aragonesa**
person from Aragon
una **araña** spider
arawako Arawak
un **árbol** tree **(5.4)**
un **árbol de frutas** fruit tree **(6.4)**
ardiendo burning
un **área** (f.) area
la **arena** sand **(2.2)**
la **Argentina** Argentina
argentino Argentinean
una **argolla** loop
aristocrático aristocratic
un **arma** (f.) weapon, arm
una **armada** armada, navy, fleet
un **armamento** armament
los **armamentos nucleares**
nuclear armaments
aromático aromatic
la **arqueología** archeology
arqueológico archeological
un **arqueólogo** archeologist
un **arquitecto** architect
* **arrancar** to pull out, start (a car) **(4.2)**
arrasar to tear down
un **arrecife** reef
arreglar to fix **(2.1)**

el **arreglo** care
arrestado arrested
arrestar to arrest
arriba above
arrogante arrogant
un **arroyo** stream
el **arte** art
la **artesanía** crafts
un **artesano, una artesana**
artisan, craftsman
un **artículo** article
artificial artificial
un **artista, una artista** artist
artístico artistic
un **ascensor** elevator
asegurar to insure
asesinado assassinated
así so, like that
así (es que) therefore, so (it is that) **(3.1)**
Asia Asia
asiático Asian
un **asiento** seat **(6.2)**
un **asistente, una asistenta** assistant
asistir a to attend
asociado associated
asomar to appear
asomarse to look out
asombroso amazing
un **aspecto** aspect
la **aspiración** aspiration, ambition
una **aspirina** aspirin
un **astronauta, una astronauta**
astronaut
la **astronomía** astronomy
asumir to assume
un **asunto** matter, topic
* **atacar** to attack
atar to tie
la **atención** attention
prestar atención to pay attention
atentamente attentively
atento attentive, polite **(5.2)**
un **aterrizaje** landing
* **aterrizar** to land
atestado crowded **(6.2)**
atestar to crowd, cram **(6.2)**
Atlántico Atlantic
un **atleta, una atleta** athlete
atlético athletic
el **atletismo** athletics
atómico atomic
atormentar to torment, torture

una **atracción** (pl. **atracciones**)
attraction
atractivo attractive
atrás behind
atropellar to run over
aumentar to augment, increase
aun even **(3.4)**
aunque though, although **(1.2)**
el **auspicio** auspice, protection
Australia Australia
auténtico authentic
una **autobiografía** autobiography
autobiográfico
autobiographical
un **autobús** (pl. **autobuses**) bus **(1.3)**
un **automóvil** automobile
un **automovilista, una automovilista** motorist, driver
la **autoridad** authority
la **autorización** authorization
avanzado advanced
avaro miserly
un **ave** (f.) bird
una **avenida** avenue
una **aventura** adventure
una **película de aventuras**
adventure film
un **avión** (pl. **aviones**) airplane
un **aviso** warning **(8.4)**, information
¡ay! oh!
ayer yesterday **(6.4)**
la **ayuda** aid, help
ayudar to aid, help **(1.3)**
un **azteca, una azteca** Aztec
azteca Aztec
el **azúcar** sugar
la **caña de azúcar** sugarcane
azul blue

b

¡bah! bah!
bailar to dance **(1.1)**
un **bailarín, una bailarina** dancer
un **baile** dance **(2.4)**
bajar (de) to descend, get off **(4.3)**
bajo short **(1.2)**, low
la **planta baja** ground floor, street floor **(7.4)**
los **Países Bajos** The Low Countries (Netherlands, Belgium, Luxembourg)

bajo below, under
el balboa *money of Panama*
un balcón (*pl.* **balcones**) balcony
una balsa de junco bulrush raft
el ballet ballet
una banana banana (6.1)
un banco bank (3.4), bench
una banda band
una bandera flag
un bandido, una bandida bandit
bañarse to bathe, take a
   bath (3.2)
un baño bathroom, bath
   un traje de baño bathing
      suit (2.2)
barato cheap, inexpensive
una barba beard
una barbacoa barbecue
la barbaridad outrage
   ¡qué barbaridad! what
      nonsense! (1.4)
bárbaro barbaric
un barbero barber
un barco boat
un barrio district, neighborhood (9.4)
el barro mud
básico basic
el básquetbol basketball (2.4)
bastante rather, enough (1.1)
una batalla battle
batallar to fight a battle
la bauxita bauxite
beber to drink (1.4)
una bebida drink, beverage (8.2)
el béisbol baseball
Belén Bethlehem
la belleza beauty
bello beautiful
las Bermudas Bermuda
un beso kiss (5.4)
la Biblia Bible
una biblioteca library (1.3)
una bicicleta bicycle (1.3)
bien well (1.1)
   bien educado well-
      mannered (5.2)
   portarse bien to behave (3.3)
el bienestar well-being
un bigote mustache (3.2)
bilingüe bilingual
un billete bill, paper money
   (2.3), ticket (8.3)
una billetera wallet (2.3)
una biografía biography

la biología biology
el bistec steak (6.1)
blanco white
los blancos white people
unos blue-jeans blue jeans
una blusa blouse
una boa boa
un bobo, una boba dummy, fool (5.1)
una boca mouth
una bocina horn
   tocar la bocina to honk
      (the horn) (8.1)
una boda wedding (3.4)
una bola de cristal crystal ball
el bolero bolero *(dance)*
un bolígrafo pen (2.3)
el bolívar *money of Venezuela*
Bolivia Bolivia
una bolsa bag
   una bolsa al hombro
      backpack
un bolsillo pocket (2.3)
un bolso purse (2.3)
un bombero fireman
una bombilla light bulb
la bonanza prosperity, success
la bondad kindness
   tener la bondad (de) to be
      good enough (to) *(would you
      please)* (8.1)
bonito pretty (1.2)
un borlote dance, party
un bosque forest (6.4)
un bote boat (2.2)
   un bote de vela sailboat (2.2)
una botella bottle
Brasil Brazil
brasileño Brazilian
bravo brave, valiant
un brazo arm (3.4)
brillante brilliant
una broma joke (5.1)
bronceado tanned (6.2)
un bronceado tan (8.2)
   la loción bronceadora
      suntan lotion
una bruja witch
la brutalidad brutality
bucear to go scuba diving
buen, bueno good (1.2)
   buen mozo good-looking (9.4)
   ¡buen provecho! enjoy it!
   de buen humor in a good
      mood (1.4)

los buenos modales good
   manners (5.2)
   ¡qué bueno! how great (3.1)
una bufanda scarf
burlarse de to make fun of (3.3)
un burro donkey
la busca search
   en busca de looking for,
      in search of
un buscador de tesoro treasure-
   hunter
 * **buscar** to look for (1.3)
un buzo diver

C

un caballero gentleman, knight
un caballo horse
   a caballo on horseback
   montar a caballo to ride
      a horse
caber to fit
una cabeza head
   me duele la cabeza my
      head hurts
   un dolor de cabeza
      headache
el cacao cocoa
un cacharro pot, saucepan
   (8.3)
   cada each (3.2)
      cada uno each one (3.2)
una cadena chain
 * **caer** to fall (3.4)
 * **caerse** to fall (3.4)
el café coffee, café (2.1)
una cafetería cafeteria
una caja box
un cajón (*pl.* **cajones**) drawer
un calcetín (*pl.* **calcetines**) sock
una calculadora calculator (1.3)
la calefacción heat
   la calefacción solar solar
      heating (7.4)
un calendario calendar
calentar to heat
la calma calmness, tranquility
calor hot
   hace calor it's hot
      (weather) (2.2)
   tener calor to be warm,
      hot (5.4)
caluroso hot (2.2)
callarse to keep quiet, silent (3.2)

una **calle** street **(2.1)**
    estar en la calle to be out
una **cama** bed **(6.1)**
    hacer la cama to make the bed
una **cámara** camera **(1.3)**
una **camarera** waitress
un **camarero** waiter **(2.1)**
cambiar to change, to
    exchange **(2.3)**
    cambiar de idea to
    change one's mind
el **cambio** change *(money)*
un **cambio** change
caminar to walk **(2.2)**
un **camino** road, way
    El Camino Real The
    Royal Way
un **camión** *(pl.* camiones) truck **(8.1)**
una **camisa** shirt
    una camisa de cuadros
    checked shirt
un **campamento de veraneo**
    summer camp
una **campana** bell
la **campaña** country(side)
    una tienda de campaña
    tent **(8.3)**
una **campaña** campaign
un **campeón,** una **campeona**
    champion **(8.2)**
el **camping** camping
    ir de camping to go
    camping **(8.3)**
el **campo** country(side) **(1.3)**
un **campo** field
    un trabajador del campo
    field worker
canadiense Canadian **(1.2)**
un **canal de irrigación**
    irrigation canal
el **cáncer** cancer
una **canción** *(pl.* canciones) song
un **candado** padlock
un **candelero** candlestick
un **candidato,** una **candidata**
    candidate
un **canguro** kangaroo
una **canica** marble
una **canoa** canoe
cansado tired **(1.4)**
cansarse (de) to get tired
    (of) **(3.3)**
un **cantante,** una **cantante** singer
cantar to sing **(1.1)**

una **cantidad** quantity **(6.1)**
una **caña** cane, pole
    la caña de azúcar
    sugarcane
    una caña de pescar
    fishing pole
capaz *(pl.* capaces) capable
la **Caperucita Roja** Little Red
    Riding Hood
una **capital** capital
capturado captured
una **cara** face
el **carácter** character
una **característica** characteristic
¡caramba! wow! **(1.3)**
una **carga** cargo, load, burden
el **Caribe** Caribbean
una **caricatura** cartoon
el **cariño** affection **(3.4)**
cariñoso loving, affectionate
la **carne** flesh, meat
    el chile con carne chile
    with meat
    la carne de res beef **(6.1)**
una **carnicería** butcher shop **(6.1)**
un **carnicero,** una **carnicera**
    butcher
un **carpintero,** una **carpintera**
    carpenter
una **carrera** career, race **(8.4)**
una **carretera** highway
una **carta** card, letter
un **cartel** poster
un **cartero,** una **cartera** mail
    carrier **(2.1)**
una **casa** house **(1.3)**
    a casa home **(1.3)**
    a la casa de __ at __'s
    house **(1.3)**
    en casa at home
    una casa de fantasmas
    haunted house
el **casamiento** marriage
casarse to get married **(3.4)**
    casarse con to marry **(3.4)**
una **cáscara** peel
un **casco** helmet
casero domestic
casi almost **(2.4)**
una **casita** little house
un **caso** case
    en caso de que in case
    (that) **(10.1)**
el **castellano** *Spanish language*

un **castellano,** una **castellana**
    person from Castile
* **castigar** to punish
un **castillo** castle
el **catalán** *language of*
    Catalonia
un **catalán,** una **catalana**
    person from Catalonia
una **catástrofe** catastrophe
una **catedral** cathedral
una **categoría** category
católico Catholic
catorce fourteen
una **causa** cause
un **cayo** key *(island)*
la **caza** hunting **(2.4)**
un **cazador,** una **cazadora**
    hunter
* **cazar** to hunt **(2.4)**
una **cebolla** onion
ceder to cede, yield
celebrado celebrated
celebrar to celebrate
una **celebridad** celebrity
los **celos** jealousy
    tener celos to be jealous **(5.4)**
la **cena** dinner
un **centavo** cent
un **centímetro** centimeter
central central
el **centro** downtown **(1.3)**
    Centroamérica Central
    America
cepillarse to brush one's hair **(3.2)**
un **cepillo** brush **(3.2)**
la **cerámica** pottery **(2.4)**
cerca de near **(6.2)**
cercano nearby
una **ceremonia** ceremony
ceremonial ceremonial
una **cereza** cherry **(6.1)**
cero zero
cerrado closed **(6.2)**
cerrar (e → ie) to close, to
    shut **(3.1)**
    cerrar con llave to lock **(3.1)**
un **cerro** hill
un **ciclomotor** moped
ciego blind
el **cielo** sky, heaven
cien one hundred
la **ciencia** science
    la ciencia ficción science
    fiction

una película de ciencia
    ficción science-fiction movie
científico scientific
un científico, una científica
    scientist (9.3)
ciento one hundred
    por ciento percent (1.2)
cierto certain, sure (7.1)
un cigarrillo cigarette
un cigarro cigar
la cima top
cinco five
cincuenta fifty
un cine movie theater (1.3)
la cinemanía movie madness
una cinta tape, cassette (1.3)
un cinturón belt (10.2)
un cinturón de seguridad seat belt
un circo circus
la circulación circulation
un círculo circle
una circunstancia circumstance
una cita date, meeting, appointment
una ciudad city (1.3)
un ciudadano, una ciudadana
    citizen
cívico civic
civil civil
una civilización (pl.
    civilizaciones) civilization
civilizado civilized
claramente clearly
un clarinete clarinet
claro light (colored)
¡claro! of course!
    ¡claro que no! of course not!
una clase kind, type (2.4); class
    la clase acomodada
        upper middle class
    una sala de clase classroom
clásico classical
clavar to fix
un clavel carnation (6.4); key
    (in music)
un cliente, una cliente
    customer, client
el clima climate
un club club
el cobre copper
una Coca-Cola Coca-Cola
la cocina cooking (2.4)
una cocina kitchen (7.4)
cocinar to cook (1.1)
un cocinero, una cocinera cook

un coche car (1.3)
    una agencia de coches
        car dealer
un código set of rules, code
coeducacional coeducational
* coger to pick (6.4)
un cohete rocket (7.1)
la cola glue, tail, line
    hacer cola to stand in line
una colección (pl. colecciones)
    collection (2.4)
coleccionar to collect (2.4)
un colegio high school
colgar (o → ue) to hang
Colombia Colombia
el colón money of Costa Rica
    and El Salvador
una colonia colony
colonial colonial
la colonización colonization
* colonizar to colonize
un color color
    color de rosa rose-
        colored, "fun"
una columna column
un collar necklace (2.3)
un comandante, una
    comandante commander
una combinación (pl. combinaciones)
    combination
una comedia comedy (2.4)
    una comedia musical
        musical comedy
un comedor dining room (7.4)
* comenzar (e → ie) to begin,
    start (3.1)
comer to eat (1.4)
comercial commercial
un comerciante, una
    comerciante merchant
el comercio commerce, trade
cometer to commit
cómico comical, funny
la comida food, meal
el comino cumin
como since (3.2), like, as, because
    como resultado as a
        result (10.2)
    tal como just as
    tan __ como as __ as
    tanto __ como as much __ as
¿cómo? how? (1.1) what?
    ¿cómo es __? what is __
        like?

¿Cómo te llamas? What's
    your name?
cómodo comfortable (9.2)
un compañero, una compañera
    classmate (1.2)
una compañía company
    una compañía aérea
        airline company
    una compañía de seguros
        insurance company
comparable comparable
comparar to compare
comparativo comparative
compartir to share (5.2)
una competencia competition
* complacer to please
* complacerse en to take
    pleasure in (8.2)
complemento complement
completamente completely
completar to complete
complicado complicated (5.1)
un cómplice, una cómplice
    accomplice
* componer to compose
un comprador, una compradora
    buyer
comprar to buy (1.3)
las compras shopping (4.1)
    ir de compras to go
        shopping (4.1)
comprender to understand (1.4)
comprometerse to get engaged
un compromiso engagement
una computadora computer (7.1)
común common (5.1)
la comunicación communication
* comunicar to communicate
el comunismo communism
comunista communist
con with (2.3)
    con la condición de que
        on the condition that (10.1)
    con tal que provided that (10.1)
un concepto concept
un concierto concert (1.3)
    un concierto de rock
        rock concert
una conclusión (pl. conclusiones)
    conclusion
un conde count
condenar to condemn
condensado condensed
una condesa countess

una **condición** (*pl.* **condiciones**)
    condition
    con la condición de que
      on the condition that **(10.1)**
 el **condicional** conditional
 un **condimento** condiment, spice
 un **condor** condor
  * **conducir** to drive **(4.4)**
    un permiso de conducir
      driver's license **(4.2)**
 un **conductor, una conductora**
    driver **(8.1)**
    conectar to connect
una **conexión** (*pl.* **conexiones**)
    connection
 un **conejo** rabbit
una **conferencia** conference
    confiable worthy of confidence
 la **confianza** confidence
 un **conflicto** conflict
    confundido confused
 el **Congreso** Congress
una **conjunción** (*pl.* **conjunciones**)
    conjunction
 un **conjunto** group
    conmemorar to commemorate
    conmigo with me
  * **conocer** to know, be
    acquainted with, to be
    familiar with **(2.1)**; to
    meet for the first time
  * **conocerse** to meet
    conocido famous
 un **conocido, una conocida**
    acquaintance
una **conquista** conquest
    conquistado conquered
 un **conquistador, una**
    conquistadora conqueror
    conquistar to conquer
una **consecuencia** consequence
  * **conseguir** (e → i, i) to obtain
 un **consejero, una consejera**
    adviser, counselor
    un consejero escolar
      guidance counselor
 un **consejo** (*piece of*) advice **(5.2)**
    los consejos advice
    conservador conservative
    conservar to preserve, keep **(10.4)**
 un **conservatorio** conservatory
    considerado considered
    considerar to consider
    consistir en to consist of **(8.2)**

    constantemente constantly
    constipado congested with a cold
una **constitución** (*pl.* **constituciones**)
    constitution
  * **constituir** to constitute
 la **construcción** construction
    construido constructed
  * **construir** to construct **(4.3)**
    consultar to consult
 un **consultorio** office
    un consultorio del médico
      doctor's office
 un **contacto** contact
 la **contaminación** pollution
    la contaminación del aire
      air pollution **(7.1)**
    contar (o → ue) to count,
    tell **(3.1)**
    contar con to count on
    contemplar to contemplate
  * **contener** (e → ie) to contain
    contento content, happy **(1.4)**
una **contestación** (*pl.*
    contestaciones) answer
    contestar to answer
    contigo with you (*fam.*)
 la **continuación** continuation
    continuar (u → ú) to continue
    continuo continuous
    contra against **(7.1)**
    en contra against
  * **contradecir** to contradict
 el **contrario** contrary, opposite
    al contrario on the
      contrary **(4.3)**
    de lo contrario on the
      other hand, on the
      contrary **(6.4)**
    lo contrario the opposite
 un **contraste** contrast
 un **contrato** contract
una **contribución** (*pl.* **contribuciones**)
    contribution
 un **control** control
    controlar to control
una **controversia** controversy
  * **convencer** to convince
    convencido convinced
  * **convenir** (e → ie, i) **en** to
    agree on **(8.2)**
una **conversación** (*pl.* **conversaciones**)
    conversation
    conversar to converse
    cooperar to cooperate

una **copa** cup
    coqueta flirtatious
    coquetear to flirt
 un **coquí** coqui (*small frog from*
    Puerto Rico)
 un **corazón** (*pl.* **corazones**) heart
una **corbata** tie
una **cordillera** mountain chain
 el **córdoba** *money of Nicaragua*
 un **coro** choir
una **corona** crown
 un **corral** corral
 un **corredor** corridor
 el **correo** mail
 un **correo** post office **(2.1)**
    correr to run **(1.4)**
    correr las olas to surf **(2.2)**
 la **correspondencia** correspondence
    corresponder to correspond
una **corrida** run, bullfight
    una corrida de toros
      bullfight
    cortar to cut
    cortarse to cut (*oneself*) **(3.2)**
 la **corte** king's court
    cortés polite **(5.2)**
 la **cortesía** courtesy
 la **corteza** bark of a tree
    corto short
    unos pantalones cortos
      shorts
una **cosa** thing **(1.3)**
    ¿qué cosa? what thing?,
      what is it? **(2.3)**
    cosmopolita cosmopolitan
una **costa** coastline
    Costa Rica Costa Rica
    costar (o → ue) to cost **(3.1)**
 el **costo** cost
una **costumbre** custom, habit
    de costumbre habitually
 un **cowboy** cowboy
 la **creación** creation
    creado created
    creador creator
    crear to create **(3.3)**
  * **crecer** to grow
    crédulo gullible, credulous **(9.3)**
una **creencia** belief
  * **creer** to believe **(1.4)**
una **crema** cream **(6.1)**
    la crema dental toothpaste
    criar (i → í) to bring up
una **criatura** creature

un **crimen** (*pl.* **crímenes**) crime
un **criminal, una criminal**
    criminal
  cristal crystal
    una **bola de cristal**
      crystal ball
  * **cristianizar** to Christianize
  cristiano Christian
un **cristiano, una cristiana**
    Christian
  Cristo Christ
la **crítica** criticism
  * **criticar** to criticize **(1.3)**
el **crol** crawl *(swimming)*
un **cruce** crossing
  crudo raw
la **crueldad** cruelty
una **cruz** (*pl.* **cruces**) cross
  * **cruzar** to cross **(5.4)**
un **cuadrado** square
  cuadrangular square
un **cuadro** painting, square
    una **camisa de cuadros**
      checked shirt
  ¿cuál(es)? which? **(2.4)**
una **cualidad** quality
  cualquier any
  cuando when **(10.2)**
    de vez en cuando once in
      a while, from time to
      time **(3.1)**
  ¿cuándo? when? **(1.1)**
  ¿cuánto? how much? **(1.1)**
    ¿cuántas veces? how
      often?, how many times?
    ¿cuánto tiempo? how
      long?
    ¿cuántos? how many? **(1.3)**
  cuarenta forty
  cuarto fourth
un **cuarto** room
  cuatro four
  cuatrocientos four hundred
  cubano Cuban
  cubierto covered
un **cubito** small pail
  cubrir to cover
una **cuchara** spoon
una **cucharada** spoonful
un **cuchillo** knife
  cuenta: darse cuenta (de)
    to realize **(3.3)**
un **cuento** story
    un **cuento de hadas**
      fairytale

una **cuerda** cord, rope
    saltar a la cuerda to
      jump rope
el **cuero** leather
un **cuerpo** body, corps
  cuesta it costs; *see* **costar**
una **cuestión** (*pl.* **cuestiones**)
    matter **(9.2)**
el **cuidado** care **(5.4)**
    tener cuidado to be
      careful **(5.4)**
  cuidadoso careful **(4.4)**
  cuidar to take care of **(2.1)**
una **culebra** snake
la **culpa** guilt, blame
    tener la culpa to be to
      blame, be at fault **(5.4)**
  culpable guilty **(4.3)**
un **culpable, una culpable**
    guilty person
  cultivar to cultivate, grow **(6.4)**
el **cultivo** cultivation
un **culto** cult
una **cultura** culture
  cultural cultural
la **cumbia** *dance from Colombia*
la **cumbre** top
un **cumpleaños** birthday
un **cumplido** complement
  cumplir to fulfill
la **cuna** birthplace, cradle
una **cuñada** sister-in-law
un **cuñado** brother-in-law
una **cura** cure
un **curandero, una curandera**
    healer
    un **curandero ambulante**
      traveling healer
  curarse to be cured
la **curiosidad** curiosity
  curioso curious
un **curso** course

ch

el **champú** shampoo **(3.2)**
el **chantaje** blackmail **(2.3)**
una **chaqueta** jacket
el **chaquete** backgammon
    jugar al chaquete to play
      backgammon
  charlar to chat
un **cheque** check
el **chicle** gum **(2.3)**

una **chica** girl **(1.2)**
un **chico** boy **(1.2)**
  Chile Chile
el **chile con carne** chile with meat
  chileno Chilean
  China China
una **chinchilla** chinchilla
un **chinchoso, una chinchosa** a
    "pain" **(3.3)**
  chino Chinese
  chismoso gossipy, tattling
un **chismoso, una chismosa**
    gossip, tattle-tale **(5.1)**
un **chiste** joke **(3.1)**
  * **chocar con** to run into,
    bump into **(4.3)**
el **chocolate** chocolate
una **chuleta** cutlet **(6.1)**

d

una **dama** lady
las **damas** checkers
    jugar a las damas to
      play checkers
una **danza** dance
el **daño** damage
  * **dar** to give **(2.2)**
    dar un paseo to go for a
      walk, ride **(4.3)**
    dar una ojeada to glance
    dar una vuelta to go for
      a ride **(4.2)**
    darse cuenta (de) to
      realize **(3.3)**
    darse prisa to hurry **(3.2)**
un **dato** fact
  de of **(2.1)** from
    de alguna manera (in)
      some way **(5.1)**
    de buen humor in a good
      mood **(1.4)**
    de costumbre habitually
    de hecho in fact **(1.1)**
    de lo contrario otherwise **(6.4)**
    de mal humor in a bad
      mood **(1.4)**
    de ninguna manera (in)
      no way **(5.1)**
    de nuevo again **(3.4)**
    de prisa quickly **(4.2)**
    ¿de quién(es)? whose? **(2.1)**
    de repente suddenly **(5.3)**

de vez en cuando once in a while, from time to time **(3.1)**

de visita on a visit

debajo de below, under(neath) **(6.2)**

deber to owe **(1.4)**

deber + inf. should, ought to **(1.4)**

una **década** decade

una **decepción** (*pl.* **decepciones**) disappointment

decidir to decide

décimo tenth

* **decir** to say, tell **(2.2)**

es decir this means, that is to say **(10.4)**

una **decisión** (*pl.* **decisiones**) decision

tomar una decisión to make a decision

decisivo decisive

declarado declared

declarar to declare

la **decoración** decoration

decorar to decorate

* **dedicar** to dedicate

* **dedicarse** to devote (*oneself*)

un **dedo** finger

un **defecto** fault **(5.2)**

defender (e → ie) to defend

definido definite

dejar to leave, let

dejar de + inf. to quit, stop + *verb* **(8.2)**

del (**de + el**) of the, from the, about the **(1.3)**

delante de before, in front of **(6.2)**

una **delegación** (*pl.* **delegaciones**) delegation

un **delfín** (*pl.* **delfines**) dolphin

delgado thin **(1.2)**

delicado delicate

delicioso delicious

demandar to demand

los **demás** the rest, the others **(3.3)**

demasiado too, too much **(1.1)**

la **democracia** democracy

un **demonio** demon, devil

demostrar (o → ue) to demonstrate **(9.2)**

demostrativo demonstrative

dental dental

la **crema dental** toothpaste

un **dentista, una dentista** dentist **(2.1)**

dentro de inside **(6.2)**; within

depender to depend

un **dependiente, una dependienta** clerk **(2.1)**

deportado deported

un **deporte** sport **(2.4)**

deportista athletic, sports-loving **(1.2)**

deportivo concerning sports

depositar to deposit

un **depósito** deposit

la **derecha** right (side)

a la derecha on the right **(5.2)**

derecho straight ahead

un **derecho** right

derivado derived

derivar to derive

derrotado defeated

derrotar to defeat

desafortunadamente unfortunately

desafortunado unfortunate **(4.4)**

desagradable unpleasant **(5.2)**

* **desaparecer** to disappear **(6.4)**

desarreglar to mess up

desarrollar to develop **(7.1)**

el **desarrollo** development

desastroso disastrous

desayunarse to have breakfast

el **desayuno** breakfast

descansado relaxed, rested

descansar to rest **(1.1)**

descender (e → ie) to descend

un **descendiente, una descendiente** descendant

descifrar to decipher

desconocido unknown

descontento discontent, unhappy

descortés impolite **(5.2)**

describir to describe

una **descripción** (*pl.* **descripciones**) description

descrito described

descubierto discovered **(6.3)**

un **descubridor, una descubridora** discoverer

un **descubrimiento** discovery

descubrir to discover **(7.1)**

desde from **(4.3)**, since

desde allí from there **(4.3)**

desde entonces from then on

deseable desirable

desear wish **(1.1)**, to desire

* **desembarcar** to disembark

desempeñar to play a role (*in an organization*)

desértico deserted

desgraciadamente unfortunately

desierto deserted

desigualdad inequality

desilusionado disappointed **(9.1)**

desintegrar to disintegrate

despacio slowly **(8.1)**

despachar to ship, dispatch

un **despacho** shipment

despedirse (e → i, i) to say goodbye, take leave **(3.2)**

me despido I say goodbye

despertarse (e → ie) to wake (*oneself*) up **(3.2)**

despierto awake

soñar despierto to daydream

después (**de**) after **(1.4)**

el **destino** destiny

destructivo destructive

* **destruir** to destroy

detalladamente in detail

un **detalle** detail **(3.3)**

un **detective, una detective** detective

* **detener** (e → ie) to stop

determinar to determine

detrás de behind **(6.2)**

un **devastador, una devastadora** devastator, harasser

devolver (o → ue) to return (*an object*), give back **(3.1)**

di say: *see* **decir**

un **día** day

al día per day **(7.1)**

de día in the daytime

el día de acción de gracias Thanksgiving

hoy día nowadays **(8.2)**

por el día during the day **(3.2)**

todos los días every day

un día someday, one day **(1.1)**

un **diablo** devil **(5.2)**

diagonalmente diagonally

un **diálogo** dialog

diario daily **(3.2)**

un **diario** diary

dibujar to design, draw

un **dibujo** design, drawing

un **diccionario** dictionary

un **dictador** dictator

dicho said: *see* **decir**

diecinueve nineteen

un **diente** tooth **(3.4)**

un diente de ajo clove of
    garlic
diez ten
diez y nueve nineteen
una diferencia difference
diferente different
diferentemente differently
difícil difficult (5.1)
dificilísimo very difficult
una dificultad difficulty
dificultar to make difficult
digital digital
digo I say: *see* decir
dijo he (she) (you) *(formal)*
    said: *see* decir
dime tell me: *see* decir (2.3)
dinámico dynamic
el dinero money
dio he (she) (you) *(formal)*
    gave: *see* dar
un dios god
Dios God (4.3)
¡Dios mío! my goodness! (4.3)
el dios-sol sun-god
que Dios te ayude may
    God help you (2.3)
¡Válgame Dios! God help
    me! (4.3)
una diosa goddess
un diploma diploma
dirás you will say: *see* decir
una dirección *(pl.* direcciones)
    address, direction
las luces direccionales
    directional lights (4.2)
directo direct
un director, una directora director
diría I would say: *see* decir
  * dirigir to direct (2.1)
  * dirigirse (a) go toward
    (4.2); to head
la disciplina discipline
disciplinado disciplined
disco disco
un disco record (1.3)
descompuesto not working
una discoteca discotheque
la discriminación discrimination
discutir to discuss
un diseño design
disgustar to disgust, not to
    like, hate (2.4)
disparar to shoot
un disparo shot
una disputa dispute

distante distant
  * distinguir to distinguish
distintivo distinctive
distinto distinct
distraído absent-minded
    (9.1); scatterbrained
un distraído, una distraída
    scatterbrained person
la distribución distribution
un distrito district
una diversión *(pl.* diversiones)
    entertainment
divertido entertaining,
    amusing (1.2)
divertir (e → ie, i) to amuse (3.3)
divertirse (e → ie, i) to have
    fun (3.3); to enjoy oneself
dividido divided
dividir to divide
divino divine
el divorcio divorce
doblar to turn (8.1)
doblar la esquina to turn
    the corner
un doctor, una doctora doctor
un dólar dollar
doler (o → ue) to be in pain,
    to feel pain
me duele la cabeza my
    head hurts (3.1)
un dolor pain, ache
un dolor de cabeza headache
un dolor de estómago
    stomachache
doméstico domestic
la dominación domination
dominar to dominate
domingo Sunday
el domingo (on) Sunday (1.3)
los domingos (on)
    Sundays (1.3)
dominicano Dominican
la República Dominicana
    Dominican Republic
un dominicano, una dominicana
    *person from the Dominican
    Republic*
el dominio domain, mastery
el dominio de ti mismo
    self-control
¿dónde? where? (1.1)
dorado browned
dorar to brown
dormido asleep
dormir (o → ue, u) to sleep (3.1)

un saco de dormir
    sleeping bag (8.3)
una pastilla para dormir
    sleeping pill
dormirse (o → ue, u) to fall
    asleep (3.2)
un dormitorio bedroom (7.4)
dos two
dos veces seguidas twice
    in a row
doscientos two hundred
doy I give: *see* dar
un drama drama
dramático dramatic
una droga drug
una duda doubt
sin duda without a doubt,
    doubtless
dudar to doubt (9.3)
dudoso doubtful (9.3)
un dueño, una dueña owner
duermo I sleep: *see* dormir
dulce sweet, fresh
el agua dulce fresh water
los dulces candy (2.3)
la duración duration
durante during (1.4)
durar to last (3.4)
durmió he (she) (you, *formal*)
    slept: *see* dormir
duro hard

e

e and *(before words beginning
    with* i *or* hi) (1.3)
un ecologista, una ecologista
    ecologist
económico economical
el ecuador equator
el Ecuador Ecuador
echar to throw, cast, pour
    out, add
la edad age
una persona de edad
    older person (7.2)
un edificio building
un edificio de
    apartamentos
    apartment building (4.3)
una editorial publishing house
la educación education
educado educated

bien educado polite **(5.2)**

mal educado impolite **(5.2)**

efectivamente effectively

efecto: en efecto in fact **(7.2)**, in effect

un **egipcio,** una **egipcia** Egyptian

Egipto Egypt

el **egoísmo** selfishness

egoísta selfish

un **ejemplo** example

por ejemplo for example

un **ejercicio** exercise

un **ejército** army

el *(pl.* **los)** the **(1.2)**

El Salvador El Salvador

él he **(1.1);** him, it *(m.) (after prep.)*

la **electricidad** electricity

un **electricista,** una **electricista** electrician

eléctrico electric, electrical

una linterna eléctrica flashlight **(8.3)**

la **electrónica** electronics

electrónicamente electronically

un **elefante** elephant

la **elegancia** elegance

elegante elegant

elegido elected

* **elegir** to elect, choose

elemental elementary

un **elemento** element

la **elevación** elevation

elevado elevated

eliminar to eliminate **(7.1)**

un **elixir** elixir

ella she **(1.1);** her *(after prep.)*

ellas they *(f.);* them *(f.) (after prep.)*

ello it *(neuter)*

ellos they *(m.);* them *(m.) (after prep.)*

un **embajador,** una **embajadora** ambassador

la **emigración** emigration

un **emigrante,** una **emigrante** emigrant

emigrar to emigrate

una **emoción** *(pl.* **emociones)** emotion

emocionante exciting, thrilling

un **emperador** emperor

* **empezar** (e → ie) to start, begin **(3.1)**

un **empleado,** una **empleada** employee **(2.1)**

un **empleo** job, employment

una agencia de empleo employment agency

un anuncio de empleo want ad

empujar push **(4.2);** to step on

en in, on, at **(6.2)**

en alguna parte somewhere **(5.1)**

en busca de in search of, looking for

en casa at home

en contra against

en efecto in fact **(7.2)**

en ninguna parte nowhere **(5.1)**

en particular in particular

en pro for

en punto on the dot **(8.4)**

en seguida immediately **(7.2)**

en vano in vain

enamorado in love **(1.4)**

estar enamorado de to be in love with **(1.4)**

un **enamorado,** una **enamorada** loved one

enamorarse (de) to fall in love (with) **(3.4)**

encadenado in chains

encantado enchanted, haunted

encantador delightful

encantar to enchant, delight

me encanta I very much like **(1.1)**

encender (e → ie) to light, turn on **(6.2)**

encendido turned on

encerar to wax

encerrar (e → ie) to lock

encima de on top of **(6.2)**

encontrado found

encontrar (o → ue) to find (like) **(3.1)**, meet

encontrarse (o → ue) **con** to meet

enérgico energetic

enero January

enfadarse (con) to get angry (with, at) **(3.3)**

un **énfasis** emphasis

enfermarse to fall ill

un **enfermero,** una **enfermera** nurse **(2.1)**

enfermo sick **(1.4)**

un **enfermo,** una **enferma** sick person **(2.1)**

enfrentarse to face, meet face to face

enfrente de facing, in front of **(6.2)**

enfriar (i → í) to cool

engordar to get fat

un **enigma** enigma

enojado angry **(9.1)**

enojarse (con) to get angry (with, at) **(3.3)**

enorme enormous

enrollar to wrap

una **ensalada** salad

la **enseñanza** teaching

enseñar (a) to teach, show **(2.2)**

entender (e → ie) to understand **(3.1)**, hear

enterrado buried

entonces then **(2.4)**

desde entonces from then on

una **entrada** ticket **(2.4)**

entrar (en) to enter **(7.3)**

entre among, between **(6.2)**

* **entregar** to deliver **(2.1)**

el **entrenamiento** training

entrenar to train

una **entrevista** interview **(6.4)**

entusiasta enthusiastic

envidioso envious, jealous

una **enzima** enzyme

un **episodio** episode

una **época** time, period **(5.2)**

equinoccial: la línea equinoccial line of the equator

equipado equipped

un **equipo** team **(2.4)**

la **equitación** horseback riding **(2.4)**

* **equivocarse** to make a mistake, be mistaken **(3.3)**

era was: *see* **ser**

una **era** era

eres you *(fam.)* are: *see* **ser**

* **erigir** to erect

un **error** error

es he (she) is, you *(formal)* are: *see* **ser**

es decir that is to say **(10.4)**

esa that *(f.)* **(2.2)**

ésa that one *(f.)* **(2.2)**
esas those *(f.)* **(2.2)**
ésas those *(f.)* **(2.2)**
escalar to climb, scale **(2.4)**
  escalar la montaña to climb the mountain.
una **escalera** stairway, ladder **(5.4)**
escaparse to escape **(5.3)**
la **esclavitud** slavery
un **esclavo, una esclava** slave **(10.4)**
* **escoger** to choose, select **(6.4)**
escolar scholastic
  un consejero escolar guidance counselor
esconder to hide **(6.2)**
escondido hidden **(6.2)**
escribir to write **(1.4)**
  escribir a máquina to typewrite
  una máquina de escribir typewriter
escrito written **(6.3)**
un **escritor, una escritora** writer
un **escritorio** desk
escuchar to listen to **(1.1)**
un **escudo** coat of arms, shield
una **escuela** school **(1.3)**
un **escultor, una escultora** sculptor
una **escultura** sculpture
ese that *(m.)* **(2.2)**
ése that one *(m.)* **(2.2)**
esencial essential **(9.2)**
un **esfuerzo** effort
una **esmeralda** emerald
un **esnob, una esnob** snob
eso that *(neuter)* **(2.3)**
  por eso because of that **(3.1)**
esos those *(m.)* **(2.2)**
ésos those *(m.)* **(2.2)**
espacial spacial, in space
el **espacio** space
espacioso spacious
una **espalda** back
  nadar de espalda to swim on one's back
España Spain
español *(f. española)* Spanish **(1.2)**
especial special
especializado specialized
* **especializarse** to specialize
especialmente especially

espectacular spectacular
un **espectáculo** sight, spectacle **(4.3)**; show
un **espectador, una espectadora** spectator
un **espejo** mirror **(2.3)**
la **esperanza** hope
esperar hope **(1.1)**, wait for, to expect
un **espíritu** spirit
una **esposa** wife **(3.4)**
un **esposo** husband **(3.4)**
  los esposos spouses, husband and wife
la **espuma** foam
un **esquí** ski
  unos esquís acuáticos water skis
esquiar (i → í) to ski **(1.1)**
  esquiar en el agua to waterski **(2.2)**
una **esquina** corner **(8.1)**
  doblar la esquina to turn the corner
esta this *(f.)* **(2.2)**
  esta noche tonight **(6.4)**
ésta this one *(f.)* **(2.2)**
la **estabilidad** stability
estable stable, solid
* **establecer** to establish
establecido established
una **estación** *(pl. estaciones)* season, station
  una estación de servicio service station **(2.1)**
estacionar to park **(6.1)**
un **estadio** stadium
un **estado** state **(4.4)**
los **Estados Unidos** United States
estallar to break out
el **estaño** tin
* **estar** to be **(1.4)**
  estar de acuerdo to agree **(4.2)**
  estar de vacaciones to be on vacation **(4.1)**
  estar de viaje to be on a trip
  estar en la calle to be out **(4.1)**
estas these *(f.)* **(2.2)**
éstas these *(f.)* **(2.2)**
una **estatua** statue
la **estatura** stature, height
  la estatura mediana medium height

este this *(m.)* **(2.2)**
éste this one *(m.)* **(2.2)**
un **estereotipo** stereotype
un **estilo** style
  el estilo de vida lifestyle
estimado held in esteem
esto this *(neuter)* **(2.3)**
un **estómago** stomach
  un dolor de estómago stomachache
estornudar to sneeze
estos these *(m.)* **(2.2)**
éstos these *(m.)* **(2.2)**
una **estrategia** strategy
estrecho narrow
un **estrecho** strait
una **estrella** star **(8.3)**
un **estreno** premiere
estricto strict
una **estructura** structure
estrujar to squeeze
un **estudiante, una estudiante** student **(1.2)**
estudiantil student
estudiar to study **(1.1)**
estupendo stupendous
estúpido stupid **(1.2)**
estuve I was: *see* estar
eterno eternal **(9.3)**
étnico ethnic
Europa Europe
europeo European
un **europeo, una europea** *person from Europe*
un **evento** event
exactamente exactly
exacto exact
una **exageración** *(pl. exageraciones)* exaggeration
un **examen** *(pl. exámenes)* exam
excelente excellent
una **excepción** *(pl. excepciones)* exception
excepcional exceptional
excepto except **(5.1)**
un **exceso** excess
excitante exciting
exclamar to exclaim **(4.3)**
una **excusa** excuse
excusarse to excuse oneself
exigente demanding **(10.3)**
* **exigir** to demand **(8.4)**
la **existencia** existence
existir to exist
el **éxito** success **(5.4)**

tener éxito   to be
   successful   **(5.4)**
exótico   exotic
la **expansión**   expansion
una **expectación** *(pl.* **expectaciones)**
   expectation
una **expedición** *(pl.* **expediciones)**
   expedition
una **experiencia**   experience
un **experto, una experta**   expert
una **explicación** *(pl.* **explicaciones)**
   explanation
explicado   explained
* **explicar**   to explain   **(4.2)**
una **exploración** *(pl.* **exploraciones)**
   exploration
un **explorador, una exploradora**
   explorer
explorar   to explore
una **explosión** *(pl.* **explosiones)**
   explosion
expresar   to express
expresarse   to express oneself   **(9.2)**
una **expresión** *(pl.* **expresiones)**
   expression
expuesto   uncovered
expulsado   expelled, driven out
exquisito   exquisite
extenderse (e → ie)   to extend
la **extensión**   extension
extranjero   foreign   **(6.1)**
un **extranjero, una extranjera**
   foreigner, stranger
   al extranjero   abroad
   en el extranjero   abroad
extraordinario   extraordinary
extrasensorial   extrasensory
   la **percepción**
      extrasensorial
      extrasensory perception
extraterrestre   from outer space
un **extraterrestre**   being from
   outer space
extravagante   extravagant
el **extremo**   end, extreme
   al extremo   to the extreme

f

una **fábrica**   factory
* **fabricar**   to manufacture,
   create
fabuloso   fabulous

fácil   easy   **(5.1)**
fácilmente   easily
una **falda**   skirt
falso   false   **(5.1)**
una **falta**   lack
faltar   to lack, be lacking   **(2.4)**
la **fama**   fame
   el **Salón de Fama**   Hall of
      Fame
una **familia**   family
familiar   *(of the)* family
   (10.3), familiar
los **familiares**   family members
famoso   famous
un **fantasma**   ghost   **(9.3)**
   una **casa de fantasmas**
      haunted house
fantástico   fantastic
un **farmacéutico, una**
   farmacéutica   pharmacist,
   druggist
una **farmacia**   pharmacy, drugstore
un **faro**   headlight   **(4.2)**
un **farol**   streetlight
fascinante   fascinating
fascinar   to fascinate
fatal   fatal
fatuo   vain
favor: por favor   please
favorito   favorite
la **fe**   faith
febrero   February
la **fecha**   date
federal   federal
la **felicidad**   happiness   **(8.3)**
las **felicitaciones**   congratulations
felicitar   to congratulate   **(4.4)**
feliz *(pl.* **felices)**   happy
un **fenómeno**   phenomenon
feo   ugly   **(1.2)**
una **feria**   fair
feroz *(pl.* **feroces)**   ferocious
fértil   fertile
el **fertilizante**   fertilizer
la **ficción**   fiction
   la **ciencia ficción**   science
      fiction
una **fiebre**   fever
fiel   faithful
una **fiesta**   party   **(1.3)**
una **figura**   figure
figurar (en)   to be part (of),
   figure (in)
fijar   to fix
fijo   fixed, firm, secure

una **fila**   row
la **filosofía**   philosophy
el **fin**   end
   el **fin de semana**   weekend
      (1.4)
   por fin   finally
final   final
finalmente   finally
una **finca**   farm
finísimo   very fine
fino   thin, fine
la **física**   physics
físico   physical
flaco   skinny   **(1.2)**
flamenco   flamenco
flexible   flexible
una **flor**   flower   **(6.4)**
* **florecer**   to flourish
una **florería**   flower shop
un **florero, una florera**   florist
una **flota**   fleet
folklórico   folk
el **fondo**   bottom
una **forma**   form
una **formación** *(pl.* **formaciones)**
   formation
formar   to form
una **fortaleza**   fortress
fortificado   fortified
la **fortuna**   fortune
   probar (o → ue) fortuna
      to try one's luck   **(7.3)**
una **foto**   photo   **(2.4)**
la **fotografía**   photography   **(2.4)**
un **fotógrafo, una fotógrafa**
   photographer
un **fragmento**   fragment
francés *(f.* **francesa)**   French   **(1.2)**
Francia   France
franciscano   Franciscan
una **frase**   phrase, sentence
frecuente   frequent
frecuentemente   frequently
freír (e → i, i)   to fry
el **frenesí**   frenzy, madness
los **frenos**   brakes   **(4.2)**
frente a   opposite, facing   **(4.3)**
   enfrente de   in front of,
      facing   **(6.2)**
el **frente**   front
fresco   cool   **(2.2)**, fresh
   hace fresco   it's cool
      (weather)   **(2.2)**
un **frijol**   bean
frío   cold   **(2.2)**

481

hace frío   it's cold
    (weather) (2.2)
  tengo frío   I'm cold   (5.4)
la frito   fried
fronterizo   border, bordering
la fruta   fruit   (6.4)
una frutería   fruit market   (6.1)
fue   he (she) was, you *(formal)*
    were: *see* ser
un fuego   fire
una fuente   fountain
fuera (de)   outside (of)   (2.1)
fuerte   strong
la fuerza   force, strength
fuiste   you *(fam.)* were: *see* ser
fumar   to smoke   (6.1)
una función *(pl. funciones)*
    function
funcionar   to function
fundado   founded
un fundador, una fundadora
    founder
fundar   to found
furioso   furious   (1.4)
el fútbol   soccer   (2.4)
  jugar al fútbol   to play
    soccer
el futurismo   futurism
futurista   futuristic
el futuro   future

g

un gachupín, una gachupina
    *Spanish settler in Latin
    America*
un galeón *(pl. galeones)*   galleon
una galería   gallery
el galope   gallop
el gallego   *language of Galicia*
un gallego, una gallega   *person
    from Galicia*
el ganado   cattle
  ganar   to earn, win   (1.1)
  ganarse la vida   to earn a
    living
un garaje   garage
una gaseosa   soda, carbonated
    drink
la gasolina   gasoline   (4.2)
gastado   used
gastar   to spend   (4.4)
un gasto   expense

un gato, una gata   cat
el gazpacho   gazpacho *(soup
    with tomato, oil, spices;
    served cold)*
unos gemelos   binoculars   (8.3)
una generación *(pl. generaciones)*
    generation
general   general   (10.3)
un general   general
una generalización *(pl.
    generalizaciones)*
    generalization
generalmente   generally
el género   gender
la generosidad   generosity
generoso   generous
un genio   genius   (3.3)
la gente   people   (4.4)
la geografía   geography
geométrico   geometric
un gerente, una gerente
    manager   (2.1)
gigante   giant
un gigante   giant
gigantesco   gigantic
girar   to turn
un gitano, una gitana   gypsy
una glándula   gland
un globo   (hot air) balloon
la gloria   glory
gloriosamente   gloriously
glorioso   glorious
la glucosa   glucose
gobernar (e → ie)   to govern
un gobierno   government
un golpe   blow
golpear   to hit
gordo   fat   (1.2)
el gordo   top prize
la gordura   thickness
* gozar de   to enjoy   (4.1)
una grabadora   tape recorder   (1.3)
grabar   to record
gracias   thank you
  el día de acción de
    gracias   Thanksgiving
gracioso   gracious, funny
un grado   level
graduarse (u → ú)   to graduate
gráfico   graphic
gran   great   (1.3)
grande   big, large; great   (1.3)
un grano   grain
grasoso   greasy   (8.2)
Grecia   Greece

la gripe   flu
gris   gray
gritar   to scream
un grito   cry
grueso   thick   (8.2)
el grueso   thickness
un grupo   group
un guante   glove
guapísimo   very handsome
guapo   handsome, beautiful   (1.2)
el guaraní   *money of Paraguay,
    pre-Columbian language*
guardar   to keep   (5.1), put
    away
la guardia   guard
un guardián nocturno   night
    guard
Guatemala   Guatemala
una guerra   war
  una película de guerra
    war movie
guerrero   warlike
un guía, una guía   guide
una guía   guidebook   (6.1)
una guitarra   guitar
gustar   to like, to please, be
    pleasing   (2.4)
  me gusta(n)   I like   (1.1)
  me gusta(n) más   I prefer   (1.1)
  me gustaría(n)   I would
    like   (1.1)
el gusto   taste
  a cada uno su gusto   each
    to his or her own taste
  al gusto   to your taste

h

* haber   to have *(auxiliary)*   (6.3)
habría   there was, there were:
    see haber
hábil   skillful
una habilidad   skill
una habitación *(pl. habitaciones)*
    room   (9.4)
un habitante, una habitante
    inhabitant
un hábito   habit   (10.4)
el habla *(f.)*   speech
  de habla hispana
    Spanish-speaking
hablado   spoken
hablar   to talk, speak   (1.1)
habrá   there will be: *see* haber

un **hacendado, una hacendada**
    rancher
* **hacer** to do, make **(3.4)**
    hace + *time (time)* ago **(4.4)**
    hace + *time* + **que** +
    (verb) to have been __
    ing for + *time*
    hace calor (frío, fresco,
    sol, viento) it's hot
    (cold, cool, sunny,
    windy) **(2.2)**
    hacer cerámica to make
    pottery **(2.4)**
    hacer cola to stand in line
    hacer el papel to play
    the role **(3.4)**
    hacer el payaso to clown
    around
    hacer la cama to make
    the bed
    hacer la maleta to pack a
    suitcase **(3.4)**
    hacer un viaje to take a
    trip **(3.4)**
    ¿qué tiempo hace?
    what's the weather?
    se hace is made
* **hacerse** to become **(3.4)**
    se hizo became
    hacia toward, in the direction
    of **(4.2)**
una **hacienda** farm
un **hada** *(f.)* fairy
    un cuento de hadas fairytale
una **hamaca** hammock
el **hambre** *(f.)* hunger
    tener hambre to be
    hungry **(5.4)**
    haré I will make, do; *see* **hacer**
la **harina** flour
    la harina de pescado
    fishmeal
    hasta even, until, down to
    hawaiano Hawaiian
    una tabla hawaiana
    surfboard
    hay there is, there are
    hay que one must, it is
    necessary to **(2.4)**
    ¿qué hay? what's up?,
    what is it? **(2.3)**
    haya *(subjunctive of* **haber)**
    there is, there are
    haz do: *see* **hacer**
    he I have *(auxiliary):* see **haber**

    hecho done: *see* **hacer**
un **hecho** fact, deed **(10.1)**
    de hecho in fact **(1.1)**
una **heladería** ice cream parlor **(2.1)**

el **helado** ice cream
un **helicóptero** helicopter
un **hemisferio** hemisphere
    hemos we have *(auxiliary);*
    see **haber**
    heredar to inherit
    herido wounded
una **hermana** sister **(1.2)**
una **hermanita** little sister
un **hermano** brother **(1.2)**
    los hermanos brothers
    and sisters **(1.2)**
    hermosísimo very beautiful
    hermoso beautiful **(5.1)**
un **héroe** hero
una **heroína** heroine
    hervir (e → ie, i) to boil
    hice I did: *see* **hacer**
la **hiedra venenosa** poison ivy
el **hierro** iron
    hierve it boils: *see* **hervir**
una **hija** daughter **(1.2)**
un **hijo** son **(1.2)**
    los hijos children **(1.2)**
un **himno** hymn
    hispano, hispánico Hispanic
un **hispano, una hispana**
    Hispanic person
un **hispanohablante, una**
    hispanohablante
    Spanish-speaking person
la **historia** history
una **historia** story
un **historiador, una historiadora**
    historian
    histórico historical
unas **historietas** comics
un **hocico** snout
el **hockey** hockey
una **hoguera** bonfire, stake
una **hoja** leaf
    hola hi, hello
    holandés *(f.* **holandesa)** Dutch
un **holgazán, una holgazana**
    loafer **(5.1)**
un **hombre** man **(1.2)**
    un hombre de negocios
    businessman **(7.2)**
un **hombrecito** little man
un **hombro** shoulder

    una bolsa al hombro
    backpack
    homogéneo homogeneous
    Honduras Honduras
las **honduras** depths
la **honestidad** honesty
el **honor** honor
    honrado honest
una **hora** hour
un **horario** schedule
una **hormiga** ant
    un oso hormiguero anteater
el **horóscopo** horoscope
el **horror** horror
    ¡qué horror! how
    terrible!, how horrible!
    una película de horror
    horror movie
un **hospital** hospital **(2.1)**
la **hospitalidad** hospitality
un **hotel** hotel
    hoy today **(1.4)**
    hoy día today, nowadays **(8.2)**
    hubo there was: *see* **haber**
    huele it smells
una **huella** track
un **hueso** bone
* **huir** to flee **(4.4)**
la **humanidad** humanity
    humano human
    un ser humano human being
    húmedo humid
el **humor** mood, humor
    de buen humor in a good
    mood **(1.4)**
    de mal humor in a bad
    mood **(1.4)**
    hundirse to sink
un **huracán** *(pl.* **huracanes)**
    hurricane
    huyen they flee

i

    iba I was going: *see* **ir**
una **idea** idea
    cambiar de idea to
    change one's mind
    ideal ideal
el **idealismo** idealism
    idealista idealistic
un **idealista, una idealista** idealist
la **identidad** identity
la **identificación** identification

483

* **identificar** to identify
un **idioma** language
idiota idiotic
un **idiota, una idiota** idiot
ido gone: *see* **ir**
una **iglesia** church
igual equal, same
la **igualdad** equality
una **ilusión** *(pl.* **ilusiones)** illusion
una **ilustración** *(pl.* **ilustraciones)**
illustration
una **imagen** image
la **imaginación** imagination
imaginar(se) to imagine
imaginario imaginary
imaginativo imaginative
un **imitador, una imitadora** mimic
imitar to imitate
la **impaciencia** impatience
impacientarse (con) to get
impatient (because of) **(3.3)**
impaciente impatient
imperativo imperative
imperfecto imperfect
imperial imperial
un **imperio** empire
un **impermeable** raincoat
impersonal impersonal
impertinente impertinent
la **importancia** importance
importante important **(9.2)**
importantísimo very
important
importar to matter
me importa(n) it matters
to me **(2.4)**
no me importa it doesn't
matter to me **(6.3)**
imposible impossible **(5.1)**
impresionante impressive
impresionar to impress **(5.1)**
improbable improbable **(9.3)**
imprudente careless **(4.4),**
imprudent, indiscreet
un **impuesto** tax
impulsivo impulsive
inaugurar to inaugurate
un **inca, una inca** Inca
incendiar to burn
un **incendio** fire
incluyendo including
increíble unbelievable **(4.3),**
incredible
increíblemente incredibly
indeciso indecisive

indefinido indefinite
la **independencia** independence
independentista
Independent *(political party)*
independiente independent
independizarse to become
independent
India India
las **Indias** the Indies
* **indicar** to indicate
indicativo indicative
indiferente indifferent
indígena native
indio Indian
un **indio, una india** Indian
indirecto indirect
indisciplinado undisciplined
indiscreto indiscreet
indispensable indispensable **(9.2)**
el **individualismo** individualism
individualista individualist
una **industria** industry
industrial industrial
infantil for children, children's
un **infinitivo** infinitive
inflar to inflate
una **influencia** influence
influenciar to influence
* **influir** to influence
las **informaciones**
meteorológicas weather report
informado informed
informarse to inform oneself,
find out
un **ingeniero, una ingeniera**
engineer
Inglaterra England
inglés *(f.* **inglesa)** English **(1.2)**
el **inglés** English *(language)*
un **inglés, una inglesa** *person*
from England
la **ingratitud** ingratitude
un **ingrediente** ingredient
la **injusticia** injustice
inmediatamente immediately
un **inmigrante, una inmigrante**
immigrant
inmortal immortal
inolvidable unforgettable **(8.2)**
inquietar to worry
inquieto worried
inquisitivo inquisitive,
curious **(2.3)**
una **inscripción** *(pl.* **inscripciones)**
inscription

insistente insistent
insistir (en) to insist (on) **(8.2)**
el **insomnio** insomnia
una **inspiración** *(pl.* **inspiraciones)**
inspiration
inspirado inspired
inspirarse to be inspired
instalar to install, set up
instantáneo instantaneous
una **institución** *(pl.* **instituciones)**
institution
una **instrucción** *(pl.* **instrucciones)**
instruction
un **instructor, una instructora**
instructor
instruido educated
un **instrumento** instrument
un instrumento musical
musical instrument
insultar to insult
un **insulto** insult
intelectual intellectual **(1.2)**
inteligente intelligent **(1.2)**
inteligentemente intelligently
una **intención** *(pl.* **intenciones)**
intention
la **intensidad** intensity
intentar to try
un **intento** attempt
interamericano inter- American
un **intercambio** exchange **(7.2)**
intercontinental
intercontinental
el **interés** interest
interesado interested
interesante interesting **(1.2)**
interesantísimo very
interesting
interesar to interest
me interesa(n) I am
interested in **(2.4)**
interesarse to be interested **(2.4)**
interior interior
un **intermedio** intermission
internacional international
interoceánico interoceanic
interplanetario interplanetary
una **interpretación** *(pl.*
interpretaciones)
interpretation
interpretar to interpret
un **intérprete, una intérprete**
interpretor
interrogativo interrogative
interrumpir to interrupt

* **intervenir (e → ie, i)** to intervene
íntimo intimate
intrigado intrigued
inútil useless (2.4)
inútilmente uselessly
invadir to invade
una **invasión** *(pl.* **invasiones)** invasion
invencible invincible, unconquerable
inventado invented
inventar to invent
la **investigación** investigation, research
un **investigador, una investigadora** investigator
el **invierno** winter
una **invitación** *(pl.* **invitaciones)** invitation
un **invitado, una invitada** guest
invitar to invite (1.3)
* **ir** to go (1.3)
ir de camping to go camping (8.3)
ir de compras to go shopping (4.1)
ir de vacaciones to go on a vacation (4.1)
irlandés *(f.* **irlandesa)** Irish
irónicamente ironically
irregular irregular
la **irrigación** irrigation
irritable irritable (1.4)
irritarse (con) to be irritated (at, with) (3.3)
* **irse (a)** to go (away), to leave (for) (3.2)
una **isla** island
Italia Italy
italiano Italian
el **italiano** Italian *(language)*
un **italiano, una italiana** Italian *(person)*
un **itinerario** path
la **izquierda** left (side) (5.2)
a la izquierda on the left (5.2)

j

el **jabón** soap (3.2)
jactancioso boastful
el **jai alai** jai alai

jamás never (5.1)
el **jamón** ham (6.1)
el **Japón** Japan
japonés *(f.* **japonesa)** Japanese
el **japonés** Japanese *(language)*
un **japonés, una japonesa** Japanese *(person)*
un **jardín** *(pl.* **jardines)** garden (6.4)
una **jaula** cage
el **jazz** jazz
un **jefe, una jefa** chief, boss (2.1)
la **jota** *national dance of Aragon*
joven *(pl.* **jóvenes)** young (1.2)
más joven younger
un **joven, una joven** young person (1.2)
jóvenes young people (1.2)
un **joyero, una joyera** jeweler
el **judo** judo
un **juego** game
jueves Thursday
un **jugador, una jugadora** player
* **jugar (u → ue)** to play (2.4)
el **jugo** juice
un **juguete** toy (5.2)
julio July
junco bulrush
una balsa de junco bulrush raft
una **junta** junta
junto together (3.1); joined
junto a next to (6.2)
jurar to swear
la **justicia** justice
justo fair (1.4)
no es justo it's not fair (2.4)
la **juventud** youth (8.2)

k

un **kilómetro** kilometer

l

la the *(f.)* (1.2); her, you *(f. formal)*, it (2.1)
un **labio** lip
un lápiz de labios lipstick (3.2)
un **laboratorio** laboratory
una **ladera** slope
un **lado** side
al lado de beside (6.2)

por todos lados everywhere (7.4)
por un lado on one hand
un **ladrón, una ladrona** thief
un **lago** lake (6.4)
una **lámpara** lamp (6.1)
la **lana** wool
el **lanzamiento** launching, launch
* **lanzar** to launch, throw
lanzarse en paracaídas to parachute jump
un **lápiz** *(pl.* **lápices)** pencil
un lápiz de labios lipstick
largo long
a lo largo de along
las the *(f. pl.)* (1.2); them *(f.)*, you *(f. pl.)* (2.1)
la **lástima** pity
es lástima (que) it's a pity (9.2)
¡qué lástima! what a pity!, too bad! (3.1)
la **lata** boredom
¡qué lata! what a bore! (3.1)
una **lata** tin can
latín Latin
Latinoamérica Latin America
latinoamericano Latin American
una **lavandería** laundry
lavar to wash (3.2)
lavarse to get washed (3.2)
un **lazo** lasso
le to him, to her, to you *(formal)* (2.2)
una **lección** *(pl.* **lecciones)** lesson
la **lectura** reading (2.4)
la **leche** milk (6.1)
una **lechería** dairy (6.1)
* **leer** to read (1.4)
una **legumbre** vegetable (6.4)
lejano far
lejos (de) far away (from) (6.2)
el **lempira** *money of Honduras*
una **lengua** language, tongue
lento slow (4.4)
les to them, to you *(pl.)* (2.2)
una **letra** letter
un **letrero** sign, poster, notice (6.1)
levantarse to get up (3.2)
una **leyenda** legend
leyó he (she) (you) *(formal)* read: *see* leer
liberar to liberate
la **libertad** liberty

un **libertador, una libertadora**
  liberator
Libra Libra *(zodiac sign)*
una **libra** pound
libre free
  al aire libre outdoors
una **librería** bookstore **(6.1)**
una **libreta** memo book **(2.3)**
un **libro** book **(1.3)**
una **licuadora** blender
un **líder, una líder** leader
una **lidia** fight, bullfight
  unos toros de lidia
    fighting bulls
una **liebre** hare
una **limitación** *(pl.* **limitaciones)**
  limitation
limitado limited
limitar to limit
un **límite** limit
limpiar to clean **(4.2)**
la **limpieza** cleanliness
limpio clean **(4.4)**
lindo pretty
una **línea** line **(6.2)**
  la línea equinoccial line
    of the equator
  una línea aérea airline
una **linterna** lantern
  una linterna eléctrica
    flashlight **(8.3)**
un **lío** entanglement, mess
  ¡qué lío! what a mess!,
    what a mix-up! **(3.1)**
  un lío de tránsito traffic jam
una **lista** list
listo clever *(with* **ser)** **(1.2)**;
  ready, prepared *(with*
  estar) **(1.4)**
la **literatura** literature
un **litro** liter
lo it, that; him, you *(m.*
  formal) **(2.1)**
  lo que that which, what **(5.1)**
  lo siguiente the following,
    what follows
  por lo tanto therefore
un **lobo, una loba** wolf
local local
localizar to localize
una **loción** *(pl.* **lociones)** lotion
  la loción bronceadora
    suntan lotion
loco crazy **(1.2)**
lógicamente logically

lógico logical **(9.2)**
lograr to manage to
los the *(m. pl.)* **(1.2)**; them
  (m.), you *(m. pl.)* **(2.1)**
una **lotería** lottery **(8.3)**
un **lotero, una lotera** lottery
  ticket seller
las **luces direccionales**
  directional lights
la **lucha** fighting
luchar to fight
luego then **(3.2)**
un **lugar** place **(6.1)**
  en lugar de instead of
  tener lugar to take place
un **lujo** luxury
la **luna** moon **(7.1)**
lunes Monday
una **luz** *(pl.* **luces)** light **(4.2)**
  una luz de semáforo
    traffic light **(8.1)**

11

una **llama** llama
una **llamada** call **(4.4)**
llamar to call **(1.3)**
  llamar por teléfono to
    call on the telephone **(1.3)**
llamarse to be called
una **llanta** tire **(4.2)**
una **llave** key **(2.3)**
la **llegada** arrival **(7.2)**
* **llegar** to arrive, get to **(5.2)**
  llegar a oídos to reach
    the ears
llenar to fill **(4.2)**
lleno full **(6.2)**; crowded
llevar take (along) **(1.1)**
llevarse to take away, carry away
  llevarse (con) to get
    along (with) **(3.4)**
llorar to cry **(7.4)**
llover (o → ue) to rain **(3.1)**
la **lluvia** rain

m

una **madeja** skein
la **madera** wood **(7.4)**
un **madero** beam
una **madre** mother **(1.2)**
maduro ripe

maestro master
  una obra maestra work
    of art, masterpiece
mágico magic, magical
magnético magnetic
magnífico magnificent
el **maíz** corn, maize
la **majestad** majesty
  vuestras majestades
    your majesties
mal badly **(1.1)**
  de mal humor in a bad
    mood **(1.4)**
  mal educado impolite **(5.2)**
  portarse mal to
    misbehave **(3.3)**
una **maleta** suitcase **(3.4)**
  hacer la maleta to pack a
    suitcase **(3.4)**
malo bad **(1.2)**, sick **(1.4)**
  malos modales bad
    manners **(5.2)**
  ¡qué malo! how awful! **(3.1)**
maltratar to mistreat **(5.2)**
mamá mom, mother **(1.2)**
mandar to send **(2.2)**, to
  order **(8.4)**
un **mandato** order, command **(8.4)**
el **mando** command
el **manejo** driving, management **(9.2)**
una **manera** manner **(9.2)**, way
  de alguna manera (in)
    some way **(5.1)**
  de ninguna manera (in)
    no way **(5.1)**
  de una manera in a way **(3.2)**
una **mano** hand **(3.4)**
una **manta** blanket **(8.3)**
* **mantener** (e → ie) to claim,
  maintain, keep
* **mantenerse** (e → ie) to
  remain, keep *(oneself)*
la **mantequilla** butter **(6.1)**
una **manzana** apple **(6.1)**
mañana tomorrow **(1.4)**
una **mañana** morning **(1.4)**
  por la mañana in the
    morning **(1.4)**
un **mapa** map **(6.1)**
una **máquina** machine
  escribir a máquina to
    typewrite
  una máquina de escribir
    typewriter
el **mar** sea

el nivel del mar sea level

un marATÓN *(pl.* **maratones)** marathon

una maravilla wonder

maravilloso marvelous (1.1), wonderful

una marca brand

marcado marked, branded

* **marcar** to mark

un marciano Martian

marcharse to leave (3.2)

una margarita daisy (6.4)

un marido husband

Marte Mars

martes Tuesday

marzo March

más more (1.1)

  más de more than (8.2)

  más joven younger

  más o menos more or less (3.4)

  me gusta(n) más I prefer (1.1)

* **mascar** to chew

una máscara mask

matar to kill

el mate herb tea

las matemáticas mathematics

el material material

una matrícula license

  un número de matrícula license plate (4.2)

matrimonial matrimonial

  una agencia matrimonial marriage counselor

el matrimonio marriage (3.4)

un maya, una maya Maya

mayor greater, greatest, older, main

  la plaza mayor main square

los mayores adults (5.1)

la mayoría majority (8.2)

una mazorca ear *(of corn)*

me me, to me (2.3); myself (3.2)

un mecánico, una mecánica mechanic (2.1)

un mecanógrafo, una mecanógrafa typist

una medalla medal (2.3)

la media mean, half

  (las dos) y media half past (two)

mediano medium

  la estatura mediana medium height

la medicina medicine

un médico, una médica doctor (2.1)

una medida measurement

medio half

el medio middle

  en medio de in the middle of (6.2)

un medio means (7.1)

Mediterráneo Mediterranean

mejor better (3.1), best (1.2)

un melocotón *(pl.* **melocotones)** peach

memorable memorable

una memoria memory

menor younger, youngest (4.1)

menos less (1.1); minus

  a menos que unless (10.1)

  (en) menos de (in) less than (8.2)

  más o menos more or less (3.4)

  por lo menos at least

un mensaje message

una mensualidad monthly allowance

la mente mind (9.3)

mentir (e → ie, i) to lie (3.1)

una mentira lie (5.1)

una menudencia small thing

menudo: a menudo often (1.3)

un mercado market (1.3)

* **merecer** to deserve (2.1); to merit

el merengue merengue *(dance)*

un mes month

una mesa table (6.1)

un mestizo, una mestiza *person of Indian and European ancestry*

una meta goal (6.4)

meter to put (in) (9.1)

  meter la pata to blunder (9.1)

meteorológico weather

un método method (8.2)

un metro meter

mexicano Mexican (1.2)

México Mexico

una mezcla mix

mezclar to blend, mix

mi, mis my (2.1)

mí me *(after prep.)*

el miedo fear

  tener miedo to be afraid (5.4)

un miembro member

mientras while (5.3)

miércoles Wednesday

mil thousand, a thousand

milagrosamente miraculously

milagroso miraculous

un militar military man

una milla mile

un millón *(pl.* **millones)** million

un millonario, una millonaria millionaire

una mina mine

mineral mineral

una minicomedia mini-comedy

un mini-drama mini-drama

mínimo minimum

un minuto minute

mío my, of mine (4.2)

  ¡Dios mío! my goodness! (4.3)

el mío mine

mirar to watch, look at (1.1)

una misa Mass

una misión *(pl.* **misiones)** mission

mismo same (2.1)

  sí mismo oneself

un misterio mystery

  una película de misterio mystery movie

misterioso mysterious (2.3)

una mitad half (7.3)

mitológico mythological

una mochila knapsack, backpack (8.3)

la moda fashion (1.4)

los modales manners

  buenos modales good manners (5.2)

  malos modales bad manners (5.2)

modelo model

un modelo model

moderno modern (5.1)

molestar to bother, annoy (3.3)

  (me) molesta (que) it bothers (me) (that), I mind (9.1)

molido ground

un molino de viento windmill

un momento moment

  ¡un momento! wait a minute! (2.4)

una monarquía monarchy

un monasterio monastery

una moneda coin (2.3)

monetario monetary

un mono, una mona monkey

un monstruo monster

una montaña mountain (6.4)

montar to get on

  montar a caballo to ride a horse (2.4)

un monumento monument

un **moped** moped
moral moral
moreno dark **(1.2)**, brown
morir (o → ue, u) to die
mortal mortal
un **mosquito** mosquito
mostrar (o → ue) to show **(3.1)**
un **motivo** motive, reason
una **moto** motorcycle **(1.3)**
una **motocicleta** motorcycle
un **motor** motor **(4.2)**
móvil mobile
un **movimiento** movement
mozo: buen mozo good-
looking **(9.4)**
una **muchacha** girl **(1.2)**
un **muchacho** boy **(1.2)**
los **muchachos** boys and girls
muchísimo very much, a
great deal
mucho much **(1.1)**
muchos many **(1.3)**
la **mudanza** moving
un **agente de mudanzas**
moving agency
mudarse to move **(10.4)**
una **mueblería** furniture store **(6.1)**
un **muelle** wharf
la **muerte** death **(9.3)**
muere he (she) dies, you
(formal) die: *see* **morir**
muerto dead: *see* **morir**
un **muerto, una muerta** dead
person
una **mujer** woman **(1.2)**
una **mula** mule
un **mulero** mule-boy
una **multitud** multitude
mundial world, worldly
el **mundo** world **(1.3)**
el **Nuevo Mundo** New World
todo el mundo everyone
municipal municipal
un **mural** mural
una **muralla** wall
un **museo** museum
la **música** music **(2.4)**
musical musical
un **instrumento musical**
musical instrument
una **comedia musical**
musical comedy
un **músico, una música**
musician
muy very **(1.1)**

n

* **nacer** to be born
nacido born
una **nación** *(pl.* **naciones)** nation
nacional national
la **nacionalidad** nationality
nada nothing, not anything **(5.1)**
nadar to swim **(1.1)**
nadar de espalda to
swim on one's back
nadie nobody, no one, not
anyone **(5.1)**
el **náhuatl** *language of the Aztecs*
los **naipes** playing cards
jugar a los naipes to
play cards
una **naranja** orange *(fruit)* **(6.1)**
una **nariz** *(pl.* **narices)** nose
la **natación** swimming **(2.4)**
nativo native
natural natural **(9.2)**
la **naturaleza** nature
naturalmente naturally
un **naufragio** shipwreck
una **navaja** folding knife, penknife **(2.3)**
naval naval
una **nave** ship
la **navegación** navigation
un **navegante, una navegante**
navigator
* **navegar** to sail **(2.2)**, to
navigate
la **Navidad** Christmas
necesariamente necessarily
necesario necessary **(2.4)**
necesitar to need **(1.3)**
la **negación** negation
* **negar (e → ie)** to deny **(9.3)**
* **negarse (e → ie)** to refuse
negativamente negatively
negativo negative
la **negligencia** negligence
negligente negligent
negociar to negotiate
los **negocios** business
un **hombre de negocios**
businessman **(7.2)**
negro black
nervioso nervous **(1.4)**
ni nor **(5.1)**
ni ... ni neither ... nor **(5.1)**
ni siquiera not even
Nicaragua Nicaragua
nicaragüense Nicaraguan

la **nieve** snow
ninguno none, no **(5.1)**
la **niñez** childhood **(5.2)**
un **niño, una niña** child **(1.2)**
el **níquel** nickel
el **nitrato** nitrate
un **nivel** level
el **nivel del mar** sea level
no no, not **(1.1)**
¡claro que no! of course not!
no ... todavía not yet **(6.3)**
no me importa it doesn't
matter to me **(6.3)**
ya no no longer
nocturno nighttime
un **guardián nocturno**
night guard
una **noche** night **(1.4)**
de noche at night
esta noche tonight **(6.4)**
por la noche at night **(1.4)**
Noel Christmas
el **Papá Noel** Father
Christmas, Santa Claus
nombrar to name
un **nombre** name
normal normal
el **norte** north
norteamericano North
American **(1.2)**
noruego Norwegian
nos us, to us **(2.3)**; ourselves
(3.2), each other **(3.4)**
nosotros(as) we **(1.1)**, us
(after prep.)
una **nota** note, mark, grade
las **noticias** news **(2.1)**
novecientos nine hundred
una **novela** novel
noveno ninth
un **novio, una novia** boyfriend,
girlfriend **(1.2)**;
sweetheart, fiancé(e)
un **ramo de novia** bridal
bouquet
una **nube** cloud
nublado cloudy **(2.2)**
nuclear nuclear
los **armamentos nucleares**
nuclear arms
un **nudo** knot
nuestro our **(2.1)**; of ours **(4.2)**
nueve nine
nuevo another, different, new **(1.3)**
de nuevo again **(3.4)**

el **Año Nuevo** New Year
el **Nuevo Mundo** New World
numeral numeral
numérico numerical
un **número** number
    un **número de matrícula** license plate **(4.2)**
    un **número de teléfono** telephone number
numeroso numerous
nunca never **(1.1)**

o

o or **(1.3)**
* **obedecer** to obey **(2.1)**
un **obelisco** obelisk
un **objetivo** objective
un **objeto** object **(1.3)**
una **obligación** (pl. **obligaciones**) obligation
obligado obliged, obligated
una **obra** work
    una **obra de teatro** (theatrical) play **(2.4)**
    una **obra maestra** work of art, masterpiece
    una **obra teatral** (theatrical) play
la **observación** observation
observar to observe
* **obtener** (e → ie) to obtain, get **(8.1)**
obvio obvious
una **ocasión** (pl. **ocasiones**) occasion
occidental western
un **océano** ocean
octavo eighth
una **ocupación** (pl. **ocupaciones**) occupation
ocupado occupied, busy
un **ocupante, una ocupante** occupant
ocupar to occupy
ocuparse (de) to occupy oneself (in) **(3.3)**; be busy (in)
ocurrir to occur, happen **(5.3)**
ochenta eighty
ocho eight
ochocientos eight hundred
una **oda** ode

odiar to hate **(1.1)**
el **oeste** West
    una **película del oeste** western
una **oferta** offer
oficial official
oficialmente officially
una **oficina** office **(5.3)**
* **ofrecer** to offer **(2.1)**
el **oído** hearing, ear
    llegar a oídos to reach the ears
* **oír** to hear **(3.4)**
ojalá (que) I wish, let's hope that, if only **(8.4)**
una **ojeada** glance
    dar una ojeada to glance
un **ojo** eye
una **ola** wave
    correr las olas to surf
olímpico Olympic
una **oliva** olive tree
olvidar to forget **(6.3)**
una **olla** pot
una **ópera** opera **(2.4)**
una **operación** (pl. **operaciones**) operation
una **opinión** (pl. **opiniones**) opinion
* **oponerse** to be against **(8.4)**
una **oportunidad** opportunity
la **oposición** opposition
el **optimismo** optimism
optimista optimistic
un **optimista, una optimista** optimist
el **opuesto** opposite
un **orden** order
ordenado ordered
ordinal ordinal
ordinario ordinary
una **organización** (pl. **organizaciones**) organization
    la **Organización de Estados Americanos** Organization of American States (OAS)
organizado organized
* **organizar** to organize
el **orgullo** pride
orgulloso proud **(4.4)**
la **orientación** orientation
oriental oriental, eastern
el **oriente** Orient
un **origen** (pl. **orígenes**) origin
la **originalidad** originality

originarse to originate
una **orilla** bank (of a river), shore
el **oro** gold **(6.4)**
un **Oscar** Oscar (award)
la **oscuridad** obscurity, darkness
un **oso hormiguero** anteater
otro other, another **(1.3)**
un **OVNI** UFO
el **oxígeno** oxygen
¡oye! listen! **(2.3)**
oyen they hear: see **oír**

p

la **paciencia** patience **(8.1)**
    tener paciencia to be patient **(8.1)**
paciente patient
un **paciente, una paciente** patient
pacífico peaceful
el **Pacífico** Pacific
un **padre** father **(1.2)**
    los **padres** parents
la **paella** paella (rice dish with fish and chicken)
la **paga** pay, payment
el **paganismo** paganism
* **pagar** to pay
un **país** country **(3.4)**
un **paisaje** landscape
los **Países Bajos** the Low Countries (Netherlands, Belgium, Luxembourg)
un **pájaro** bird
una **palabra** word **(4.4)**
una **palabrota** dirty word
un **palacio** palace
pálido pale **(6.2)**
una **palma** palm tree
el **pan** bread **(6.1)**
una **panadería** bakery **(6.1)**
Panamá Panama
un **panameño, una panameña** Panamanian
unos **pantalones** pants
    unos **pantalones cortos** shorts
un **pañuelo** handkerchief **(2.3)**
papá dad **(1.2)**
    el **Papá Noel** Father Christmas, Santa Claus
un **papagayo** parrot

una **papaya** papaya
el **papel** paper, piece of paper (4.4)
    una **toalla de papel**
       paper towel
un **papel** role, part (3.4)
    hacer el papel to play
      the part (3.4)
un **paquete** package (6.2)
un **par** pair
    para for (1.3); in order to
un **parabrisas** windshield (4.2)
un **paracaídas** parachute
    lanzarse en paracaídas
      to parachute jump
una **parada** stop (6.4)
un **paraguas** umbrella (10.2)
el **Paraguay** Paraguay
    parar(se) to stop (4.3)
un **parasol** parasol
* **parecer** to seem, look (2.1)
* **parecerse** to resemble
un **parecido** similarity
una **pared** wall (6.4)
un **paréntesis** parenthesis
un **pariente** relative (1.2)
un **parque** park (6.4)
un **párrafo** paragraph
una **parte** part
    en (a) alguna parte
      somewhere (5.1)
    en (a) ninguna parte
      nowhere (5.1)
un **participante, una**
    participante participant
un **participio** participle
particular particular
    en particular in particular
particularmente particularly
un **partido** game (2.4)
    un partido de básquetbol
      basketball game
partir to leave (6.4)
pasado last (1.4) (6.4); passed by
el **pasado** past
un **pasajero, una pasajera**
    passenger (8.1)
pasar to happen (4.4) (4.1)
un **pasatiempo** pastime
la **Pascua** Easter, Passover
    la Isla de Pascua Easter
      Island
pasear to walk (10.2)
un **paseo** walk, ride
    dar un paseo to go for a
      walk, ride (4.3)

la **pasión** passion
un **paso** crossing
    un paso de peatones
      pedestrian crossing,
      crosswalk (8.1)
un **pastel** pastry, pie (6.1)
una **pastilla** pill, tablet (8.2)
    una pastilla para dormir
      sleeping pill
una **pata** paw
    meter la pata to blunder
paternal paternal
paterno paternal
el **patinaje** skating (2.4)
patinar to skate (2.4)
los **patines de ruedas** roller
    skates
un **patio** patio
la **patria** mother country,
    homeland
un **patriota, una patriota**
    patriot
el **patriotismo** patriotism
un **payaso** clown (5.1)
    hacer el payaso to clown
      around
la **paz** peace (7.1)
un **peaje** toll booth
un **peatón, una peatona**
    pedestrian (8.1)
    un paso de peatones
      pedestrian crossing,
      crosswalk (8.1)
una **peculiaridad** peculiarity
un **pedazo** piece
un **pedigüeño** leech
pedir (e → i, i) to ask (for)
    (3.1)
    pedir prestado to borrow
      (5.1)
el **pegamento** glue
* **pegar** to stick, glue
peinarse to comb (one's hair)
    (3.2)
un **peine** comb (2.3)
pelar to peel
una **pelea** fight
pelear(se) to quarrel, fight (3.4)
una **película** film, movie (2.4)
    una película de vaqueros
      cowboy movie
el **peligro** danger
    peligroso dangerous (2.4)
el **pelo** hair
una **pelota** ball (1.3)

    una pelota de tenis tennis ball
una **peluca** wig
una **peluquería** barber shop, hair-
    dresser
la **pena** grief
un **pendiente** earring (2.3)
    pensar (e → ie) to think (3.1)
      pensar + inf. to intend (3.1)
      pensar de to think of,
        have an opinion about (3.1)
      pensar en to think about (3.1)
una **peña** rock, large stone, cliff (6.4)
    peor worse (10.3) worst
un **pepino** cucumber
    pequeño small, little (1.3)
una **pera** pear (6.1)
un **percance** mishap
la **percepción** perception
    la percepción
      extrasensorial
      extrasensory perception
    perder (e → ie) to lose,
      waste, miss (3.1)
      perder el tiempo to
        waste time
    perdido lost
    perdonar to pardon, excuse
      perdóneme excuse me
    perezoso lazy (1.2)
la **perfección** perfection
    perfectamente perfectly
    perfecto perfect
un **perfume** perfume
una **perfumería** perfume shop
un **periódico** newspaper (1.3)
un **periodista, una periodista**
    journalist
un **periquito** parakeet
una **perla** pearl
* **permanecer** to stay
    permanente permanent
el **permiso** permission, permit (4.2)
    un permiso de conducir
      driver's license (4.2)
    permitir to permit (4.4)
    pero but (1.3)
un **perrito** little dog
un **perro** dog
* **perseguir (e → i, i)** to chase
una **persona** person
    una persona de edad
      older person (7.2)
un **personaje** character
    personal personal
una **personalidad** personality (5.1)

personalmente personally
una **perspectiva** perspective
la **persuasión** persuasion
* **pertenecer** to belong to, be a member of **(2.1)**
el **Perú** Peru
pesar to weigh
a pesar de in spite of
un **pescado** fish *(caught)*
un **pescador** fisherman
la harina de pescado fishmeal
* **pescar** to fish **(2.2)**
una caña de pescar fishing pole
la **peseta** *money of Spain*
pesimista pessimistic
el **peso** *Hispanic money*
pesquero fishing
el **petróleo** oil
una **petición** *(pl.* **peticiones)** petition
un **pez** *(pl.* **peces)** fish *(live)* **(6.4)**
un **piano** piano
picado minced
un **picnic** picnic
un **pico** peak
pide he (she) asks, you *(formal)* ask; *see* **pedir**
un **pie** foot **(3.4)**
a pie by foot
una **piedra** stone **(2.2)**
la **piel** fur
pienso I think: *see* pensar
pierdo I lose: *see* **perder**
una **pierna** leg
unos **pijamas** pajamas
una **pila** battery
pilotar to pilot
un **piloto** pilot
el **pimiento** pepper
el **ping pong** ping-pong **(2.4)**
jugar al ping pong to play ping-pong **(2.4)**
pintado painted
pintar to paint **(2.4)**
pintarse to put on makeup **(3.2)**
un **pintor, una pintora** painter
pintoresco picturesque
la **pintura** painting **(2.4)**
una **pipa** pipe
una **pirámide** pyramid
un **pirata** pirate
pisar to step on
una **piscina** swimming pool **(1.3)**

un **piso** floor *(of a building)* **(4.3)**
una **pistola** pistol
una **pizza** pizza
un **plan** plan
planear to plan
un **planeta** planet **(7.1)**
una **planta** plant **(6.4)**
la **planta baja** street floor
una **plantación** *(pl.* **plantaciones)** plantation
plantar to plant
el **plástico** plastic
la **plata** silver
un **plátano** plantain, banana
un **platillo volador** flying saucer
un **plato** dish, plate **(5.3)**
una **playa** beach **(1.3)**
una **plaza** plaza, square
la plaza mayor main square
una plaza de toros bullring
una **pluma** feather
el **pluscuamperfecto** pluperfect
la **población** population **(7.1)**
poblar to populate
pobre poor **(1.2)**
pobre de ti poor you
un **pobre, una pobre** poor person
pobrecito poor you, poor him
poco little **(1.1)**
pocos few
un poco a little **(2.1)**
* **poder (o → ue)** to be able (to), can **(3.1)**
el **poder** power **(9.3)**
poderoso powerful
podremos we will be able to: *see* **poder**
un **poema** poem
la **poesía** poetry
un **poeta, una poeta** poet
el **póker** poker
jugar al póker to play poker
la **policía** police
un **policía** police officer **(2.1)**
policíaco detective
una película policíaca detective movie
la **política** politics
un **político, una política** politician
un **polvo** powder
los polvos particles, dust
un **pollo** chicken **(6.1)**
un **poncho** poncho
pondrá he (she) (you) *(formal)* will put: *see* **poner**

* **poner** to put, put on **(3.4)**
* **ponerse** to become, to put on *(clothing)* **(3.4)**
ponerse + *adj.* to get, become + *adj.* **(3.4)**
ponerse rojo to blush
popular popular
la **popularidad** popularity
* **popularizar** to popularize
poquito little bit
por for **(2.3)**, during, in, by, along, through, in exchange for **(2.3) (7.2)**
ciento por ciento one hundred percent **(1.2)**
por ciento percent **(1.2)**
por ejemplo for example
por el día during the day **(3.2)**
por eso because of that **(3.1)**
por favor please
por fin finally
por la mañana in the morning **(1.4)**
por la noche at night **(1.4)**
por la tarde in the afternoon **(1.4)**
por lo general in general **(10.3)**
por lo menos at least
por lo tanto even, therefore
¿por qué? why? **(1.1)**
por supuesto of course
por todos lados everywhere **(7.4)**
por un lado on one hand
¡va por … ! it's a deal for … !
porque because
portarse to behave
portarse bien to behave **(3.3)**
portarse mal to misbehave **(3.3)**
porteño *from Buenos Aires*
un **portero, una portera** doorkeeper
portugués *(f.* **portuguesa)** Portuguese
un **portugués, una portuguesa** Portuguese
una **posada** inn
las posadas *pre-Christmas celebration*
una **posesión** *(pl.* **posesiones)** possession

una **posibilidad** possibility
posible possible **(5.1)**
posiblemente possibly
una **posición** *(pl.* **posiciones)**
    position
positivamente positively
positivo positive
postal postal
una **postal** postcard
el **postre** dessert
un **pozo** well
una **práctica** practice, custom
práctico practical
un **precio** price
precioso precious
precolombino pre-Columbian
precoz precocious
* **predecir** to predict **(9.3)**
una **predicción** *(pl.* **predicciones)**
    prediction
una **preferencia** preference, right
    of way
preferir (e → ie, i) to prefer
    (3.1)
una **pregunta** question
preguntar to ask, ask a
    question
prehistórico prehistoric
un **premio** prize **(8.3)**
    el **premio Nóbel** Nobel prize
preocupado preoccupied,
    worried **(1.4)**
preocupar to worry **(2.4)**, to
    preoccupy
me preocupa(n) I am
    worried (by) **(2.4)**
preocuparse (por) to be
    worried (because of) **(3.3)**
una **preparación** *(pl.*
    preparaciones)
    preparation
preparar to prepare
prepararse to get ready **(3.2)**
una **preposición** *(pl.*
    preposiciones)
    preposition
la **presencia** presence
    la **presencia de ánimo**
        presence of mind **(4.4)**
presentar to introduce **(10.1)**
presente present
el **presente** present
un **presidente, una presidente**
    president
prestado borrowed

pedir prestado to borrow
    (5.1)
prestar to lend **(2.2)**
    prestar atención to pay
        attention
el **prestigio** prestige
presumido stuck up, snobbish
el **pretérito** preterite, past tense
primero first **(3.4)**
un **primo, una prima** cousin **(1.2)**
principal principal, main
    lo principal the main
        thing
principalmente principally,
    mainly
un **príncipe** prince
un **principio** principle, beginning
una **prisa** hurry
    darse prisa to hurry **(3.2)**
    de prisa quickly **(4.2)**
    tener prisa to be in a
        hurry **(5.4)**
una **prisión** *(pl.* **prisiones)** prison
un **prisionero, una prisionera**
    prisoner
privado private
pro favor, advantage
    en pro for, in favor of
la **probabilidad** probability
probable probable **(9.3)**
probablemente probably
probar (o → ue) to try out
    (4.2), test, taste **(3.1)**
    probar fortuna to try
        one's luck **(7.3)**
un **problema** problem
proclamar to proclaim
un **prodigio** prodigy, marvel
* **producir** to produce
un **producto** product
un **productor, una productora**
    producer
profesional professional
un **profesor, una profesora**
    professor, teacher **(2.1)**
profundamente profoundly
un **programa** program **(2.4)**
    un programa de
        variedades variety show
progresivo progressive
el **progreso** progress **(7.1)**
la **prohibición** prohibition **(8.4)**
prohibir to prohibit **(6.1)**
    se prohibe it is forbidden
una **promesa** promise

prometer to promise **(3.4)**
prometido promised
un **promotor, una promotora**
    promoter
un **pronombre** pronoun
* **pronosticar** to predict
pronto soon, quickly **(7.1)**
una **pronunciación** *(pl.*
    pronunciaciones)
    pronunciation
una **propina** tip
propio own **(4.3)**
* **proponer** to propose
una **propiedad** property
el **propósito** aim, meaning
próspero prosperous
la **protección** protection
un **protector, una protectora**
    protector
* **proteger** to protect
provecho: ¡buen provecho!
    enjoy it!, good appetite!
una **provincia** province
próximo next **(1.4)**
prudente cautious, careful **(4.4)**
prudentemente carefully
la **psicología** psychology
psicológico psychological
un **psicotest** psychotest
* **publicar** to publish
la **publicidad** publicity
público public
el **público** public
pude I could: *see* **poder**
un **pueblecito** small town
un **pueblo** town **(8.1)**
puedo I can: *see* **poder**
un **puente** bridge **(7.3)**
una **puerta** door
un **puerto** port
Puerto Rico Puerto Rico
un **puertorriqueño, una**
    puertorriqueña Puerto Rican
pues then, therefore, well
puesto put: *see* **poner (6.3)**
un **puesto** stand
pulcro neat
pulido polished
una **pulsera** bracelet **(2.3)**
    un reloj de pulsera wrist
        watch **(2.3)**
una **punta** end
un **punto** point **(5.2)**, dot
    en punto on the dot **(8.4)**
puntual punctual

la **puntualidad** punctuality
una **pupila** pupil (*eye*)
un **purista, una purista** purist
puro pure
puse I put: *see* **poner**

q

que who, whom, which, that
(9.4), than
hay que one has to, one
ought to, it is necessary
que Dios te ayude may
God help you (8.3)
¡**qué**! what!, how!
¡**qué ...**! what a ...!
(2.4)
¡**qué alivio**! what a relief!
(7.4)
¡**qué barbaridad**! what
nonsense! (1.4)
¡**qué bueno**! how great!
(3.1)
¡**qué horror**! how
horrible!
¡**qué lástima**! what a
pity! (3.1)
¡**qué lata**! what a bore! (3.1)
¡**qué lío**! what a mess! (3.1)
¡**qué malo**! how awful! (3.1)
¡**qué será de mí**! what
will become of me! (7.4)
¡**qué va**! nonsense! (3.1)
¿**qué**? what? (1.1)
¿**por qué**? why? (1.1)
¿**qué cosa**? what thing?,
what is it? (2.3)
¿**qué hay**? what's up?,
what is it? (2.3)
¿**qué más**? what else?
¿**qué pasó**? what
happened? (4.4)
quebrado broken (6.2)
quebrar (e → ie) to break
(6.2)
el **quechua** *Inca language
spoken in Peru*
quedarse to stay (3.2);
remain
me queda(n) ___ I have ___
left (8.3)
quejarse de to complain
about (3.3)

quemado burned, scorched
(6.2)
una **quemadura** burn
una **quemadura de sol**
sunburn
quemar to scorch, burn (5.3)
* **querer (e → ie)** to want,
wish (3.1)
querer a to like, love
(*someone*) (3.1)
querido dear, loved
querrá he (she) (you)
(*formal*) will want: *see*
querer
el **queso** cheese (6.1)
el **quetzal** quetzal, *money of
Guatemala*
quien who, whom (9.4)
¿**quién(es)**? who?, whom? (1.1)
¿**de quién(es)**? whose?
quiero I want: *see* **querer**
quieto quiet, peaceful
la **química** chemistry
químico chemical
quince fifteen
quinientos five hundred
la **quinina** quinine
quinto fifth
quirúrgico surgical
quise I wanted, tried: *see*
querer
quitarse to take (*something*)
off (3.2)
quizá perhaps, maybe (2.1)

r

racial racial
racional rational
racionalmente rationally
un **radiador** radiator (4.2)
el **radical** root, stem (*of a word*)
la **radio** radio (*emission*)
un **radio** radio (*set*) (1.3)
una **raíz** (*pl.* **raíces**) root
un **ramo** bouquet
un **ramo de novia** bridal
bouquet
una **rana** frog
un **rancho** ranch
rápidamente rapidly, quickly
rápido rapid, fast (4.4)
una **raqueta** racket (1.3)
raro rare, strange (5.1)

raras veces rarely
un **rascacielos** skyscraper
un **rasgo** characteristic
un **rastro** flea market
un **ratito** little while
un **rato** short time
un **ratón** (*pl.* **ratones**) mouse
una **raya** line, line between two
countries, frontier
una **raza** race, generation
la **razón** reason (9.3)
no tener razón to be
wrong (5.4)
tener razón to be right (5.4)
una **reacción** (*pl.* **reacciones**) reaction
reaccionar to react (7.3)
real real, royal
la **realidad** reality
realista realistic
* **realizar** to accomplish
* **realizarse** to come true
realmente really
una **reata** lariat
una **rebelión** (*pl.* **rebeliones**)
rebellion
una **receta** recipe
recibido received
recibir to receive, get (1.4)
reciente recent
recientemente recently
la **reciprocidad** reciprocity
recíproco reciprocal
* **recoger** to pick up (6.4)
una **recomendación** (*pl.*
recomendaciones)
recommendation
recomendar (e → ie) to
recommend (8.4), to advise
una **recompensa** reward (4.4)
* **reconocer** to recognize (7.2)
una **reconquista** reconquest
* **reconstruir** to reconstruct
recordar (o → ue) to
remember (3.1)
rectangular rectangular
un **recuerdo** memory
un **recurso** resource
redondo round
* **reemplazar** to replace
referir (e → ie, i) to refer
reflejar to reflect
un **reflejo** reflex, reflection
reflexivo reflexive
un **refrán** (*pl.* **refranes**) proverb,
saying (6.4)

493

un **refresco** refreshment
una **refrigeradora** refrigerator
un **refugiado, una refugiada** refugee
    refugiarse to take refuge
un **refugio** shelter
    regalar to give *(as a gift)* **(2.2)**
un **regalo** gift **(1.3)**
* **regar (e → ie)** to spill
un **régimen** *(pl.* **regímenes)**
    regimen, diet
una **región** *(pl.* **regiones)** region
una **regla** rule
    regresar to return **(4.1)**
    regular regular
    regularmente regularly
una **reina** queen
un **reino** kingdom
    reír (e → i, i) to laugh **(3.1)**
    reírse (e → i, i) de to laugh,
    make fun of
una **relación** *(pl.* **relaciones)** relation
    relativo relative
una **religión** *(pl.* **religiones)** religion
    religioso religious
un **reloj** watch, clock **(1.3)**
    un reloj pulsera wrist
    watch **(2.3)**
una **relojería** watch shop
un **remedio** remedy
    remoto remote
    rendirse (e → i, i) to surrender
    reparar to repair **(6.1)**
un **repaso** review
    repente: de repente
    suddenly **(5.3)**
    repetido repetitive, repeated
    repetir (e → i, i) to repeat **(3.1)**
la **representación**
    representation
un **representante, una**
    representante
    representative
    representar to represent
una **república** republic
la **República Dominicana**
    Dominican Republic
    requerir (e → ie, i) to
    require
un **requisito** requirement
una **res** head of cattle
    la carne de res beef
    reservado reserved
una **residencia** residence
    resistir to resist
    respectivamente respectively

    respecto a with respect to
    respetable respectable
    respetado respected
    respetar to respect **(1.3)**
el **respeto** respect
    responder to respond,
    answer **(1.4)**
una **responsabilidad**
    responsibility
    responsable responsible
una **respuesta** response, answer **(2.1)**
un **restaurante** restaurant **(1.3)**
el **resto** rest, remainder
    los restos remains
un **resultado** result
    como resultado as a
    result **(10.2)**
un **resumen** summary
    retirarse to retire, retreat
un **retraso** delay
    retratar to paint a portrait
un **retrato** portrait
    reunido united
    reunirse (u → ú) con to
    meet **(3.2)**
    revelar to reveal
    revisar to check **(4.2)**
una **revista** magazine **(1.3)**
una **revolución** *(pl.* **revoluciones)**
    revolution
    revolucionario revolutionary
    revolver (o → ue) to stir
un **revólver** revolver
    revuelto rough
    revuelve he (she) stirs, you
    (formal) stir: *see* **revolver**
un **rey** king
* **rezar** to pray
    ricamente richly
    rico rich **(1.2)**
    ridículo ridiculous **(9.2)**
    riego I spill: *see* **regar**
    río I laugh: *see* **reír**
un **río** river **(6.4)**
las **riquezas** riches
la **risa** laughter
    robar to rob **(7.4)**
un **robo** robbery, burglary
un **robot** robot
el **rock** rock music
    el rock and roll rock and roll
una **rodaja** slice
    rodeado surrounded
    rodear to surround
un **rodeo** rodeo

* **rogar (o → ue)** to beg **(8.4)**
    rojo red
    la **Caperucita Roja** Little
    Red Riding Hood
    ponerse rojo to blush
    romano Roman
    romántico romantic
    una película romántica
    romantic movie
un **rompecabezas** puzzle
    romper to break, **(4.3)**, to
    tear
    romperse to break *(part of*
    oneself) **(4.3)**
    ronco hoarse
la **ropa** clothing
una **rosa** rose **(6.4)**
    color de rosa rose-
    colored, "fun"
    rosado pink
el **rosbif** roast beef
las **rositas de maíz** popcorn
    roto broken: *see* **romper** **(6.3)**
    rubio blond **(1.2)**
una **rueda** wheel **(4.2)**
un **ruedo** ring
un **ruido** noise **(3.4)**
una **ruina** ruin
    rural rural
    ruso Russian
el **ruso** Russian *(language)*
un **ruso, una rusa** Russian
    (person)
una **ruta** route
una **rutina** routine

S

    sábado Saturday **(1.3)**
    el sábado (on) Saturday
    (1.3)
    los sábados (on)
    Saturdays **(1.3)**
la **sabana** savanna
una **sábana** sheet
un **sabelotodo, una sabelotodo**
    know-it-all **(5.1)**
* **saber** to know **(2.2)**
un **sablista, una sablista**
    sponger **(5.1)**
    sabrá he (she) (you) *(formal)*
    will know: *see* **saber** **(4.2)**
* **sacar** to take out **(4.2)**, get
    (1.1)

sacar fotos to take pictures (1.1)

el **sacar** getting

un **sacerdote** priest (8.4)

un **saco** sack, bag

un **saco de dormir** sleeping bag (8.3)

un **sacrificio** sacrifice

sacudir to shake

sagrado sacred

la **sal** salt

una **sala** living room (7.4)

una **sala de clase** classroom

un **salario** salary

una **salchicha** sausage

saldrá he (she) (you) (formal) will leave: see **salir**

una **salida** departure (7.2), exit

* **salir** to leave, go out (3.4), to come out

el **Salón de Fama** Hall of Fame

* **salpicar** to splatter

la **salsa** salsa (dance)

saltar to jump (5.3)

saltar a la cuerda to jump rope

la **salud** health (8.2)

saludar to greet (5.2)

salvar to save

una **sandalia** sandal

una **sandía** watermelon

un **sándwich** sandwich

la **sangre** blood

sangriento bloody

sano healthy (2.4)

un **santo, una santa** saint

la **Semana Santa** Holy Week

saqué I took: see **sacar**

una **sardina** sardine

una **sartén** (pl. **sartenes**) frying pan (8.3)

un **satélite** satellite

* **satisfacer** to satisfy

satisfecho satisfied (9.4)

se (to) himself, herself, yourself (formal), themselves, yourselves, onself (3.2), each other (3.4)

sé I know: see **saber**

sé be: see **ser**

una **secadora** dryer (3.2)

* **secarse** to dry (oneself) (3.2)

seco dry (8.2)

un **secretario, una secretaria** secretary

un **secreto** secret

secundario secondary

la **sed** thirst

tener sed to be thirsty (5.4)

la **sede** seat, headquarters

una **seguida** series

dos veces seguidas twice in a row

en seguida immediately (7.2)

* **seguir** (e → i, i) to follow, continue to be (3.1)

seguir + pres. part. to keep on, still be (3.1)

según according to (1.2)

segundo second

seguramente surely

la **seguridad** safety

un **cinturón de seguridad** safety belt

seguro sure, safe (4.4)

el **seguro** insurance

una **compañía de seguros** insurance company

seiscientos six hundred

una **selección** (pl. **selecciones**) selection

seleccionar to select

una **selva** forest, jungle

un **sello** stamp (2.1)

un **semáforo** traffic light (8.1)

una **semana** week

el **fin de semana** weekend (1.4)

la **Semana Santa** Holy Week

sencillo simple (5.1)

sentado seated

sentarse (e → ie) to sit down (3.2)

un **sentido** sense

un **sentido del humor** sense of humor

sentimental sentimental

un **sentimiento** sentiment, feeling

sentir (e → ie, i) to feel, regret, be sorry about (3.1)

sentirse (e → ie, i) to feel

me siento I feel (3.3)

una **señal** sign, signal (6.1)

una **señal de tránsito** traffic sign (8.1)

sepa he, she, you (formal) know (subjunctive of **saber**)

separado separated

separar to separate

un **separatista, una separatista** separatist

septiembre September

séptimo seventh

* **ser** to be (1.2)

ser de to belong to (2.1)

volver a ser to become

un **ser** being

un **ser humano** human being

una **serenata** serenade

una **serie** series

serio serious (1.2)

una **serpiente** serpent, snake

servicial helpful

un **servicio** service

una **estación de servicio** service station

servir (e → i, i) to serve (3.1)

sesenta sixty

setenta seventy

sexto sixth

si whether, if

sí mismo oneself

sido been: see **ser**

siempre always (1.1)

una **sierra** mountain range

un **siglo** century (8.2)

un **significado** meaning, significance

* **significar** to signify, mean

sigo I follow: see **seguir**

siguiente following

lo siguiente the following

el **silencio** silence

una **silla** chair (6.1)

un **sillón** (pl. **sillones**) armchair (6.1)

un **símbolo** symbol

similar similar

la **simpatía** liking, friendliness

simpático nice, pleasant (1.2)

simplemente simply

sin without

sin aliento out of breath

sin duda doubtless

sin embargo however, nevertheless

sinceramente sincerely

sincero sincere

sino but (4.4)

sinuoso winding

siquiera: ni siquiera not even

una **sirena** siren, mermaid

un **sistema** system
    el sistema de aire
      acondicionado air
      conditioning system **(7.4)**
un **sitio** place
una **situación** (*pl.* **situaciones**)
    situation
    situado situated
    sobre on, over, about **(6.2)**
    sobre todo above all
    sobrenatural supernatural
    sobrevivir to survive
una **sobrina** niece
un **sobrino** nephew
    sociable sociable
    social social
una **sociedad** society
un **sofá** sofa
    sois you (*fam. pl.*) are: *see*
    ser
    el dios-sol sun god
el **sol** sun **(2.2)** *money of Peru*
    el dios-sol sun god
    hace sol it's sunny **(2.2)**
    tomar el sol to sunbathe **(1.1)**
    una quemadura de sol
      sunburn
    unos anteojos de sol
      sunglasses **(2.2)**
    solamente only **(2.1)**
    solar solar
    la calefacción solar solar
      heating **(7.4)**
    soleado sunny **(2.2)**
    solicitar solicit, seek, to need **(6.1)**
    se solicita we need, we're
      looking for **(6.1)**
    solito alone
    solo alone **(4.1)**
    sólo only
    soltero single
una **solución** (*pl.* **soluciones**)
    solution
una **sombra** shadow
un **sombrero** hat **(2.2)**
    somos we are: *see* **ser**
    son they (you) (*pl.*) are: *see*
    ser
    sonar (o → ue) to ring, sing
      out
    sonreír (e → i, i) to smile
      (3.1)
    soñar (o → ue) (con) to
      dream (about) **(3.1)**
    soñar despierto to
      daydream
la **sopa** soup

    sorprenderse to be surprised
      (4.4)
    sorprendente surprising **(9.2)**
una **sorpresa** surprise **(2.1)**
    sospechar to suspect
    sospechoso suspicious **(2.3)**
un **sospechoso**, una **sospechosa**
    suspect
* **sostenerse** (e → ie) to
    support
un **sótano** basement **(7.4)**
    soy I am: *see* **ser**
    su, sus his, her, your (*formal,
      fam. pl.*), their **(2.1)**
    suave delicate
    subir (a) to go up, get (in,
      on), climb **(4.3)**
el **subjuntivo** subjunctive
    sublevarse to rebel
un **submarino** submarine
una **sucesión** (*pl.* **sucesiones**)
    succession
un **suceso** event
un **sucesor**, una **sucesora**
    successor
    sucio dirty **(4.4)**
el **sucre** *money of Ecuador*
    sudamericano South
      American
    Suecia Sweden
el **suelo** floor **(4.3)**; ground
el **sueño** sleep
    tener sueño to be sleepy
      (5.4)
un **sueño** dream
la **suerte** luck **(1.3)**
un **suéter** sweater
una **sugerencia** suggestion **(8.4)**
    sugerir (e → ie, i) to suggest
      (8.4)
    Suiza Switzerland
un **sujeto** subject
    sumar to add
    supe I knew, I found out: *see*
    saber
    superficialmente superficially
    superior superior
un **supermercado** supermarket
un **super-optimista**, una **super-**
    optimista superoptimist
una **superstición** (*pl.*
    supersticiones)
    superstition
    supersticioso superstitious
la **supervisión** supervision
* **suponer** to suppose

    suprimir to suppress **(7.1)**;
      omit
    supuesto: por supuesto of
      course
el **sur** south
    la América del Sur
      South America
    suramericano South
      American
* **surgir** to arise
el **suroeste** southwest
una **suscripción** (*pl.*
    suscripciones)
    subscription
una **sustancia** substance
un **sustantivo** noun
    suyo his, her, your (*formal*),
      their **(4.2)**

t

el **tabaco** tobacco
una **tabla hawaiana** surfboard
un **taco** *meat in folded tortilla*
    Tahiti Tahiti
los **taínos** *Arawak tribe*
    tal such
    con tal que so that,
      provided that
    ¿qué tal? how are you?
    tal + noun such a +
      noun **(3.3)**
    tal como just as
    tal vez perhaps **(1.2)**
un **talento** talent
un **talismán** (*pl.* **talismanes**)
    good-luck piece
el **tamaño** size
    también also, too **(1.1)**
    tampoco neither, not either **(5.1)**
    tan so **(2.1)**; that
    tan (*adj.*) **como** as (*adj.*) as
      (6.4)
el **tango** tango (*dance*)
un **tanque** tank **(4.2)**
    tanto so
    por lo tanto therefore
    tanto ___ como as much ___
      as
una **taquilla** ticket office **(6.4)**
    tardar (en) to be late (in)
      (8.2), to delay
    tarde late **(5.2)**
una **tarde** afternoon, evening **(1.4)**

por la tarde in the afternoon, evening **(1.4)**

una **tarea** task, work

    las **tareas** homework

una **tarjeta** card **(6.1)**

un **taxi** taxi

un **taxista, una taxista** taxi driver

una **taza** cup

te you, to you **(2.3)**; yourself *(fam.)* **(3.2)**

el **té** tea

teatral theatrical

    una **obra teatral** *(theatrical)* play

un **teatro** theater **(1.3)**

    una **obra de teatro** *(theatrical)* play **(2.4)**

técnico technical

la **tecnología** technology

un **techo** roof **(7.4)**

telefonear to telephone

un **teléfono** telephone

    llamar por teléfono to call on the telephone

    un **número de teléfono** telephone number

un **telegrama** telegram

un **telescopio** telescope

la **televisión** television *(transmission)*

un **televisor** television *(set)* **(1.3)**

    un **televisor de color** color television

un **tema** theme

un **temblor** trembling

temer to fear **(9.1)**

el **temor** fear

temperamental temperamental

una **tempestad** storm

una **temporada** season

temprano early **(5.2)**

tendrá he (she) (you) *(formal)* will have: see **tener**

* **tener (e → ie)** to have **(1.3)**

    no tener razón to be wrong **(5.4)**

    tener __ años to be __ years old **(1.3)**

    tener calor to be *(feel)* hot **(5.4)**

    tener celos to be jealous **(5.4)**

    tener cuidado to be careful **(5.4)**

    tener éxito to be successful **(5.4)**

tener frío to be *(feel)* cold **(5.4)**

tener ganas de to want to, to feel like **(1.3)**

tener hambre to be hungry **(5.4)**

tener la bondad (de) to be good enough (to) *(would you please)* **(8.1)**

tener la culpa to be guilty, to be at fault **(5.4)**

tener lugar to take place

tener miedo to be afraid **(5.4)**

tener paciencia to be patient **(8.1)**

tener prisa to be in a hurry **(5.4)**

tener que + *inf.* to have to **(1.3)**

tener razón to be right **(5.4)**

tener sed to be thirsty **(5.4)**

tener sueño to be sleepy **(5.4)**

tener suerte to be lucky **(1.3)**

tener vergüenza to be ashamed **(5.4)**

tengo I have: *see* **tener**

el **tenis** tennis **(2.4)**

    jugar al tenis to play tennis **(2.4)**

    unos zapatos de tenis sneakers, tennis shoes

la **tensión** tension

tenso tight

la **tentación** temptation

un **teólogo** clergyman

una **teoría** theory

tercer, tercero third

terminar to end **(3.4)**

un **terremoto** earthquake

terrible terrible

un **territorio** territory

un **tesoro** treasure **(7.3)**

    un **buscador de tesoro** treasure-hunter

un **testigo, una testigo** witness **(5.4)**

un **testimonio** testimony

un **texano, una texana** Texan

un **texto** text

ti you *(fam.) (after prep.)*

    pobre de ti poor you

una **tía** aunt **(1.2)**

un **tiburón** *(pl.* **tiburones)** shark

el **tiempo** time, weather

    a tiempo on time **(5.2)**

    ¿cuánto tiempo? how long?

    ¿qué tiempo hace? what is the weather like? **(2.2)**

una **tienda** store **(1.3)**

    una **tienda de campaña** tent **(8.3)**

la **tierra** earth, land **(7.1)**

un **tigre** tiger

unas **tijeras** scissors **(3.2)**

tímido timid, shy

un **tío** uncle **(1.2)**

    los **tíos** uncles and aunts **(1.2)**

típicamente typically

típico typical

un **tipo** type

    un **«tipo»** "character"

tirar to pull

tirarse to throw oneself

un **título** degree

una **toalla** towel **(2.2)**

    una **toalla de papel** paper towel

un **tocadiscos** record player **(1.3)**

* **tocar** to touch **(9.3)**; play *(a musical instrument)* **(1.1)** be one's turn

    me toca it's my turn

    tocar la bocina to honk *(horn)* **(8.1)**

todavía still, yet **(4.2)**

    no ... todavía not yet **(6.3)**

todo every, all, the whole, **(4.1)** everything **(3.3)**

    después de todo after all

    por todos lados everywhere

    sobre todo above all

    todo el mundo everyone **(3.3)**

    todo el tiempo all the time **(1.3)**

    todos every **(2.4)**; all, everyone **(2.1)**

    todos los días every day **(2.4)**

tolerante tolerant

tolerar to tolerate **(8.4)**

tomar to take **(1.1)**

    tomar el sol to sunbathe **(1.1)**

tomar una decisión to make a decision

tomarse por to take oneself for, think one is (3.3)

un tomate tomato

la tontería foolishness

tonto foolish (1.2)

tordo dapple-gray

un torero, una torera bullfighter

una tormenta storm

estalla una tormenta a storm breaks out

un tornado tornado

un torneo tournament

un toro bull

una corrida de toros bullfight

una plaza de toros bullring

unos toros de lidia fighting bulls

una torre tower

una torta cake (6.1)

una tortuga tortoise

toser to cough

la tostada toast

tostado toasted (6.2)

tostar (o → ue) to toast (6.2)

total total

totalmente totally

un trabajador, una trabajadora worker

un trabajador del campo field worker

un trabajador social social worker

trabajar to work (1.1)

un trabajo job

una tradición (pl. tradiciones) tradition

tradicional traditional

tradicionalmente traditionally

* traducir to translate (2.1)

* traer to bring (3.4)

una tragedia tragedy (2.4)

traje I brought: see traer

un traje suit (2.2)

un traje de baño bathing suit (2.2)

un traje de luces "suit of lights"

tranquilamente tranquilly

tranquilo tranquil, calm (1.4)

transcurrir to pass (away), elapse

un transeúnte, una transeúnte passer-by (8.3)

transformar to transform (7.1)

el tránsito traffic (8.1)

un lío de tránsito traffic jam

una señal de tránsito traffic sign (8.1)

transmitido transmitted

el transporte transportation

un tranvía tramway, streetcar (8.1)

tras after, behind (5.4)

trasladar to move, transfer (9.3)

tratar de to try (8.2)

un trébol clover

trece thirteen

treinta thirty

tremendo tremendous

un tren train

trepar to climb (5.4)

trescientos three hundred

un triángulo triangle

una tribu tribe

el trigo wheat

triste sad (1.4)

la tristeza sadness (7.4)

un triunfo triumph

un trofeo trophy

un trombón (pl. trombones) trombone

una tropa troop

* tropezar (con) (e → ie) to stumble (against) (4.3), to bump into

tropical tropical

tu, tus your (fam.) (2.1)

tú you (fam.) (1.1)

un turista, una turista tourist

turístico tourist

tutear to use "tú" with someone (6.3)

tuve I had: see tener

tuyo yours (fam.) (4.2)

u

u or (before words beginning with o or ho) (1.3)

Ud. you (formal sing.) (1.1)

Uds. you (pl.) (1.1)

último last

un, una one, an, a (1.2)

único unique, only (1.4)

una unidad unit

unido united

los Estados Unidos United States

unirse to join

universal universal

una universidad university

universitario university

el universo universe

uno one

cada uno each one

unos some (1.2)

unos + number about + number

una uña fingernail (3.2)

urbano urban

la urgencia urgency, emergency

el Uruguay Uruguay

usar to use

el uso use

usted (Ud.) you (formal sing.)

ustedes (Uds.) you (pl.)

un utensilio utensil

útil useful (2.4)

v

va he (she) goes, you (formal) go: see ir

¡qué va! nonsense! (3.1)

¡va por ...! it's a deal for ...! (2.3)

va y viene coming and going

una vaca cow

las vacaciones vacation (4.1)

estar de vacaciones to be on vacation (4.1)

ir de vacaciones to go on vacation (4.1)

vaciar (i → i) to empty

vacilar en to hesitate (8.2), to vacilate, to waver

vacío empty (6.2)

el valenciano language of Valencia

un valenciano, una valenciana person from Valencia

la valentía courage

valer to be worth, protect

valer la pena to be worthwhile (9.2)

¡válgame Dios! God help
me! (4.3)
valiente courageous, brave (7.3)
valioso valuable
el valor value (5.1) courage
vamos let's go, we go: see ir
vamos a ver let's see (1.4)
vanidoso vain
vano vain
en vano in vain
un vaquero cowboy
una película de vaqueros
cowboy movie
una variación (pl. variaciones)
variation
una variedad variety
un programa de
variedades variety
show
una varilla stick
varios several
el vasco language of the
Basque region
un vasco, una vasca Basque
un vaso (drinking) glass
vaya he, she, it goes, you
(formal) go (subjunctive of ir)
ve go: see ir
un vecino, una vecina neighbor (2.1)
la vegetación vegetation
veía I (he) (she) was seeing,
you (formal) were seeing:
see ver
veinte twenty
veinte y uno twenty-one
una vela sail
un bote de vela sailboat
una vena vein
un venado deer
* vencer to beat, conquer
un vendedor, una vendedora
salesperson (8.3)
un vendedor viajero
traveling salesperson
vender to sell (1.4)
vendrá he (she) (you)
(formal) will come: see
venir
venenoso poisonous
la hiedra venenosa
poison ivy
venezolano Venezuelan
Venezuela Venezuela
* venir (e → ie, i) to come (4.4)
una ventana window (4.3)

* ver to see (1.4)
a ver let's see (1.2)
veranear to spend the summer
veraneo: un campamento de
veraneo summer camp
el verano summer
un verbo verb
verdad true
la verdad truth (1.1)
es verdad that's right,
true (1.1)
no es verdad that's not
right, true (1.1)
verdaderamente truly, really
verdadero true (5.1), real
verde green
vergonzoso embarrassing
la vergüenza shame
tener vergüenza to be
ashamed (5.4)
un verso verse
vestido dressed
un vestido dress
un vestigio vestige
vestirse (e → i, i) to get
dressed (3.2)
me visto I get dressed
una vez (pl. veces) time
a veces at times (1.3)
alguna vez ever, sometime
¿cuántas veces? how
many times?
de vez en cuando from
time to time, once in a
while (3.1)
dos veces seguidas twice
in a row
en vez de instead of
raras veces rarely
tal vez perhaps
una vez once (5.1)
vi I saw: see ver
viajar to travel (1.1)
un viaje trip (3.4), voyage
estar de viajes to be on a
trip
hacer un viaje to take a
trip (3.4)
una agencia de viajes
travel agency
viajero traveling
un vendedor viajero
traveling salesperson
una víctima victim
victorioso victorious

la vida life
el estilo de vida lifestyle
ganarse la vida to earn a
living
un vidente, una vidente fortune
teller
un vidrio glass (7.4)
viejo old (1.2)
viene he (she) (it) comes, you
(formal) come: see venir
va y viene coming and
going
el viento wind (2.2)
hace viento it's windy (2.2)
un molino de viento
windmill
viernes Friday (1.3)
el viernes (on) Friday (1.3)
los viernes (on) Fridays (1.3)
un vikingo Viking
el vinagre vinegar
vine I came: see venir
vinieron they (you) (pl.)
came: see venir
el vino wine
la violencia violence
violento violent (2.4)
un violín (pl. violines) violin
la Virgen Virgin Mother
un virrey viceroy
una virtud virtue (5.2); quality
una visión (pl. visiones) vision
una visita visit
de visita (en) on a visit
(to, in)
un visitante, una visitante
visitor
visitar to visit (1.1)
visto seen: see ver
vistoso showy
¡viva __ long live __!
vivir to live (1.4)
vivo lively, alive
un vivo living person
un vocabulario vocabulary
volador flying
un platillo volador flying
saucer
volante flying
volar (o → ue) to fly (9.3)
un volcán (pl. volcanes)
volcano
el volibol volleyball
jugar al volibol to play
volleyball

volver (o → ue) to return (3.1)

    volver a ser to become

volverse (o → ue) to become, turn (5.3)

vosotros(as) you *(fam. pl.)*

voy I go: *see* ir

una voz *(pl.* voces) voice (4.2)

    en voz alta aloud

vuela he (she) flies, you *(formal)* fly: *see* volar

un vuelo flight

una vuelta turn, stroll

    dar una vuelta to take a walk, ride (4.2)

vuelto returned: *see* volver

vuelvo I return: *see* volver

vuestro yours, of yours *(fam. pl.)*

W

el wiski whisky

Y

y and (1.3)

ya already, yet (6.3)

    ya no no longer

los Yankis Yankees

un yate yacht

yo I (1.1)

el yogur yogurt

yoruba yoruba

Z

una zapatería shoe store

un zapato shoe

    unos zapatos de tenis tennis shoes, sneakers

zoológico zoological

    un jardín zoológico zoo

un zoológico zoo

ENGLISH-SPANISH VOCABULARY

The English-Spanish Vocabulary lists only the active words and expressions in the student text.

a

a un, una **(1.2)**
able: to be able *poder (o → ue) **(3.1)**
about sobre **(6.2)**
absent-minded distraído **(9.1)**
absurd absurdo **(9.2)**
accident un accidente
according to según **(1.2)**
to act actuar (u → ú) **(7.3)**
active activo **(1.2)**
activity una actividad
to be acquainted with *conocer **(2.1)**
adjective un adjetivo
to admire admirar **(1.3)**
adults los mayores **(5.1)**
adventure una aventura
   adventure film una película de aventuras
adverb un adverbio
advertisement un anuncio **(6.1)**
advice unos consejos **(5.2)**
   piece of advice un consejo **(5.2)**
to advise aconsejar **(8.4)** recomendar **(8.4)** (e → ie)
affection el cariño **(3.4)**
affirmative afirmativo
afraid: to be afraid tener miedo **(5.4)**
after después (de) **(1.4)** tras **(5.4)**
afternoon una tarde **(1.4)**
   in the afternoon por la tarde **(1.4)**
again de nuevo **(3.4)**
against contra **(7.1)**
   to be against *oponerse a **(8.4)**
ago hace + *period of time* **(4.4)**
to agree on estar de acuerdo **(4.2)** *convenir (e → ie, i) en **(8.2)**
agreeable agradable **(9.2)**
air conditioning system el sistema de aire acondicionado **(7.4)**
air pollution la contaminación del aire **(7.1)**
alertness: mental alertness la presencia de ánimo **(4.4)**
all todo **(4.1)** todos **(2.4)**

all the time todo el tiempo **(1.3)**
almost casi **(2.4)**
alone solo **(4.1)**
along: to get along (with) llevarse (con) **(3.4)**
already ya **(6.3)**
also también **(1.1)**
although aunque **(1.2)**
always siempre **(1.1)**
American americano, *(from the U.S.)* norteamericano **(1.2)**
to amuse divertir (e → ie, i) **(3.3)**
amusing divertido **(1.2)**
an un, una **(1.2)**
and y (e *before words starting with* i *or* hi) **(1.3)**
angel un ángel **(5.2)**
angry enojado **(9.1)**
   to get angry (with, at) enfadarse (con) **(3.3)** enojarse (con) **(3.3)**
to annoy molestar **(3.3)**
another otro **(1.3)**
answer una respuesta **(2.1)**
to answer responder **(1.4)** contestar
antique antiguo **(5.1)**
anything algo **(5.1)**
apartment building un edificio de apartamentos **(4.3)**
apple una manzana **(6.1)**
to approach *acercarse (a) **(4.4)**
arm un brazo **(3.4)**
armchair un sillón *(pl.* sillones) **(6.1)**
around alrededor (de) **(6.2)**
arrival una llegada **(7.2)**
to arrive *llegar **(5.2)**
article un artículo
artistic artístico
as como
   as *(adj.)* as tan *(adj.)* como **(6.4)**
   as a result como resultado **(10.2)**
ashamed: to be ashamed tener vergüenza **(5.4)**
to ask pedir (e → i, i) **(3.1)** preguntar
to ask for pedir (e → i, i) **(3.1)**

asleep: to fall asleep dormirse (o → ue, u) **(3.2)**
aspect un aspecto
at a
   at times a veces **(1.3)**
athletic deportista **(1.2)**
attentive atento **(5.2)**
aunt una tía **(1.2)**
automobile un automóvil
awful: how awful! ¡qué malo! **(3.1)**

b

back: in back of detrás de **(6.2)**
backpack una mochila **(8.3)**
bad malo **(1.2)**
   in a bad mood de mal humor **(1.4)**
   too bad! ¡qué lástima! **(3.1)**
bad-mannered mal educado **(5.2)**
badly mal **(1.1)**
bakery una panadería **(6.1)**
ball una pelota **(1.3)**
ban una prohibición *(pl.* prohibiciones) **(8.4)**
banana una banana **(6.1)**
bank un banco **(3.4)**
basement un sótano **(7.4)**
basketball el básquetbol **(2.4)**
bath un baño
   to take a bath bañarse **(3.2)**
bathing suit un traje de baño **(2.2)**
to be *ser **(1.2)** *estar **(1.4)**
   to be __ (years old) tener __ años **(1.3)**
   to be a member (of) *pertenecer (a)
   to be able *poder (o → ue) **(3.1)**
   to be afraid tener miedo **(5.4)**
   to be against *oponerse a **(8.4)**
   to be ashamed tener vergüenza **(5.4)**
   to be at fault tener la culpa **(5.4)**
   to be careful tener cuidado **(5.4)**

501

to be cold tener frío (5.4)

to be good enough (to) tener la bondad (de) (8.1)

to be happy (about) alegrarse (de) (3.3)

to be hot tener calor (5.4)

to be hungry tener hambre (5.4)

to be in a hurry tener prisa (5.4)

to be jealous tener celos (5.4)

to be late in tardar en (8.2)

to be lucky tener suerte (1.3)

to be on vacation estar de vacaciones (4.1)

to be out estar en la calle (4.1)

to be patient tener paciencia (8.1)

to be right tener razón (5.4)

to be sleepy tener sueño (5.4)

to be successful tener éxito (5.4)

to be thirsty tener sed (5.4)

to be to blame tener la culpa (5.4)

to be warm tener calor (2.2)

to be wrong no tener razón (5.4)

beach una playa (1.3)

beard una barba

beautiful guapo (1.2) hermoso (5.1)

because porque, como

because of that por eso (3.1)

to become volverse (o → ue) (5.3) *hacerse (+ *noun)* (3.4) *ponerse (+ *adj.)* (3.4)

what will become of me! ¡qué será de mí! (7.4)

bed una cama (6.1)

to go to bed acostarse (o → ue) (3.2)

bedroom un dormitorio (7.4)

beef la carne de res (6.1)

before antes (de) (1.4), delante (de) *(position)* (6.2)

the __ before (last) el __ antepasado (6.4)

the day before yesterday anteayer (6.4)

the night before last anteanoche (6.4)

to beg *rogar (o → ue) (8.4)

to begin *comenzar (e → ie) (3.1), *empezar (e → ie) (3.1)

to behave portarse bien (3.3)

behind detrás (de) (6.2), tras (5.4)

to believe *creer (1.4)

to belong *pertenecer (2.1)

to belong to *ser de (2.1)

below debajo (de) (6.2)

belt un cinturón *(pl.* cinturones) (10.2)

beside al lado (de) (6.2)

besides además (1.2)

best mejor (1.2)

best one el mejor

better mejor (3.1)

between entre (6.2)

beverage una bebida (8.2)

bicycle una bicicleta (1.3)

big grande (1.3)

bill un billete *(money)* (2.3)

binoculars unos gemelos (8.3)

birthday un cumpleaños

blackmail el chantaje (2.3)

blackout un apagón *(pl.* apagones) (9.1)

blame: to be to blame tener la culpa (5.4)

blanket una manta (8.3)

blond rubio (1.2)

blunder: to make a blunder meter la pata (9.1)

boat un bote (2.2)

book un libro (1.3)

bookstore una librería (6.1)

bore: what a bore! ¡qué lata! (3.1)

bored aburrido (1.4)

to be bored estar aburrido (1.4)

to get bored aburrirse (3.3)

boring aburrido (1.2)

to be boring ser aburrido (1.2)

to borrow pedir prestado (5.1)

boss un jefe, una jefa (2.1)

to bother molestar (3.3)

it bothers (me) (that) (me) molesta (que) (9.1)

boy un chico (1.2), un muchacho (1.2), un niño (1.2)

boyfriend un novio (1.2)

bracelet una pulsera (2.3)

brakes los frenos (4.2)

brave valiente (7.3)

bread el pan (6.1)

to break quebrar (6.2), romperse (4.3)

to break (one's leg) romperse (la pierna) (4.3)

bridge un puente (7.3)

to bring llevar (1.1), *traer (3.4)

broken quebrado (6.2), roto (6.3)

brother un hermano (1.2)

brothers and sisters los hermanos (1.2)

brush un cepillo (3.2)

to brush cepillar(se) (3.2)

to build *construir (4.3)

building un edificio (4.3)

apartment building un edificio de apartamentos (4.3)

to bump into *chocar con (4.3)

to burn quemar (5.3)

burned quemado (6.2)

bus un autobús *(pl.* autobuses) (1.3)

bus stop la parada (del autobús) (6.4)

businessman un hombre de negocios (7.2)

but pero (1.3), sino (4.4)

butcher shop una carnicería (6.1)

butter la mantequilla (6.1)

to buy comprar (1.3)

C

café un café (2.1)

cafeteria una cafetería

cake una torta (6.1)

calculator una calculadora (1.3)

call: phone call una llamada (4.4)

to call (up) llamar (por teléfono) (1.3)

calm tranquilo (1.4)

camera una cámara (1.3)

camping el camping (8.3)

to go camping ir de camping (8.3)

can: to be able *poder (o → ue) (3.1)

Canadian canadiense (1.2)

candy los dulces (2.3)

car un coche (1.3), un automóvil

card una tarjeta (6.1)

care el arreglo, el cuidado (5.4)

to take care of cuidar (2.1)

career una carrera (8.4)

careful cuidadoso (4.4), prudente (4.4)

to be careful tener cuidado (5.4)

careless imprudente (4.4)

carnation un clavel **(6.4)**

case: in case (that) en caso de **(10.1)**

cassette una cinta **(1.3)**

cautious prudente **(4.4)**

century un siglo **(8.2)**

certain cierto **(7.1)**

chair una silla **(6.1)**

champion un campeón, una campeona **(8.2)**

to change cambiar **(2.3)**

to check revisar **(4.2)**

cheese el queso **(6.1)**

cherry una cereza **(6.1)**

chicken un pollo **(6.1)**

child un niño, una niña **(1.2)**

childhood la niñez **(5.2)**

children los niños **(1.2)**

to choose *escoger **(6.4)**

city una ciudad **(1.3)**

class una clase

classical clásico

classmate un compañero, una compañera **(1.2)**

clean limpio **(4.4)**

to clean limpiar **(4.2)**

clerk un dependiente, una dependienta **(2.1)**

clever listo **(1.2)**

to climb escalar **(2.4)**, subir (a) **(4.3)**, *(a tree)* trepar **(5.4)**

 mountain climbing el alpinismo **(2.4)**

clock un reloj **(1.3)**

close (to) cerca (de) **(6.2)**

to close cerrar (e → ie) **(3.1)**

closed cerrado **(6.2)**

cloudy nublado **(2.2)**

 it's cloudy está nublado **(2.2)**

clown un payaso **(5.1)**

coffee el café

coin una moneda **(2.3)**

cold frío **(2.2)**

 it's cold *(weather)* hace frío **(2.2)**

 to be (feel) cold tener frío **(5.4)**

to collect coleccionar **(2.4)**

collection una colección *(pl.* colecciones) **(2.4)**

 coin collection una colección de monedas **(2.4)**

 stamp collection una colección de sellos **(2.4)**

comb un peine **(2.3)**

to comb (one's hair) peinarse **(3.2)**

to come venir (e → ie, i) **(4.4)**

to come back regresar **(4.1)**, volver (o → ue) **(3.1)**

comedy una comedia **(2.4)**

comfortable cómodo **(9.2)**

command un mandato **(8.4)**

common común **(5.1)**

comparative el comparativo

to complain (about) quejarse (de) **(3.3)**

complement un complemento

complicated complicado **(5.1)**

computer una computadora **(7.1)**

concert un concierto **(1.3)**

condition una condición *(pl.* condiciones)

 on the condition con la condición de **(10.1)**

conductor un conductor **(8.1)**

to congratulate felicitar **(4.4)**

conjunction una conjunción *(pl.* conjunciones)

to consist (of, in) consistir (en) **(8.2)**

to construct *construir **(4.3)**

construction la construcción

content contento **(1.4)**

to continue *seguir (e → i, i) **(3.1)**

continuous continuo

contrary: on the contrary al contrario **(4.3)**

conversation una conversación *(pl.* conversaciones)

to cook cocinar **(1.1)**

cooking la cocina **(2.4)**

cool fresco **(2.2)**

 it's cool *(weather)* hace fresco **(2.2)**

corner una esquina **(8.1)**

to cost costar (o → ue) **(3.1)**

to count contar (o → ue) **(3.1)**

to counsel aconsejar **(8.4)**

country un país **(3.4)**

country(side) el campo **(1.3)**

courageous valiente **(7.3)**

cousin un primo, una prima **(1.2)**

 cousins los primos **(1.2)**

to cram atestar **(6.2)**

crazy loco **(1.2)**

cream una crema **(6.1)**

to create crear **(3.3)**

credulous crédulo **(9.3)**

to criticize *criticar **(1.3)**

to cross *cruzar **(5.4)**

crosswalk un paso de peatones **(8.1)**

to crowd atestar **(6.2)**

crowded atestado **(6.2)**

to cry llorar **(7.4)**

to cultivate cultivar **(6.4)**

curious inquisitivo **(2.3)**

customer un (una) cliente

to cut cortar(se) **(3.2)**

cutlets las chuletas **(6.1)**

d

daily diario **(3.2)**

dairy una lechería **(6.1)**

daisy una margarita **(6.4)**

dance un baile **(2.4)**

to dance bailar **(1.1)**

dangerous peligroso **(2.4)**

dark moreno **(1.2)**

daughter una hija **(1.2)**

day un día **(1.1)**

 during the day por el día **(3.2)**

 every day todos los días **(2.1)**

 one day un día **(1.1)**

 per day al día **(7.1)**

 someday un día **(1.1)**

deal: it's a deal for __! ¡va por __! **(2.3)**

death la muerte **(9.3)**

defect un defecto **(5.2)**

definite definido

to deliver *entregar **(2.1)**

to demand *exigir **(8.4)**

demanding exigente **(10.3)**

to demonstrate demostrar (o → ue) **(9.2)**

demonstrative demostrativo

dentist un (una) dentista **(2.1)**

to deny *negar (e → ie) **(9.3)**

department store un almacén *(pl.* almacenes) **(1.3)**

departure una salida **(7.2)**

departure salida

to descend bajar (de) **(4.3)**

to deserve *merecer **(2.1)**

to desire desear **(1.1)**

detail un detalle **(3.3)**

to develop desarrollar **(7.1)**

devil un diablo **(5.2)**

difficult difícil **(5.1)**

diminutive el diminutivo

dining room un comedor **(7.4)**

direct directo

to direct *dirigir **(2.1)**

direction: in the direction of hacia **(4.2)**

directional lights *(on a car)* las (luces) direccionales **(4.2)**

dirty sucio **(4.4)**

disagreeable antipático **(1.2)**

to disappear *desaparecer **(6.4)**

disappointed desilusionado **(9.1)**

to discover descubrir **(7.1)**

discovered descubierto **(6.3)**

dish un plato **(5.3)**

district un barrio **(9.4)**

to do *hacer **(3.4)**

doctor un médico, una médica **(2.1)**

dollar un dólar

door una puerta

dot: on the dot en punto **(8.4)**

to doubt dudar **(9.3)**

doubtful dudoso **(9.3)**

downtown el centro **(1.3)**

to dream (about) soñar (o → ue) (con) **(3.1)**

to dress, get dressed vestirse (e → i, i) **(3.2)**

drink una bebida **(8.2)**

to drink beber **(1.4)**, tomar **(1.1)**

to drive *conducir **(4.4)**

    driver un conductor, una conductora **(8.1)**

    driver's license un permiso de conducir **(4.2)**

dry seco **(8.2)**

to dry *secar(se) **(3.2)**

dryer una secadora **(3.2)**

dummy un bobo, una boba **(5.1)**

duration la duración

during durante **(1.4)**

    during the day por el día **(3.2)**

e

each cada **(3.2)**

    each one cada uno **(3.2)**

each other se, nos **(3.4)**

early temprano **(5.2)**

to earn ganar **(1.1)**

earring un pendiente **(2.3)**

earth la tierra **(7.1)**

ease: at ease cómodo **(9.2)**

easy fácil **(5.1)**

to eat comer **(1.4)**

effect: in effect en efecto **(7.2)**

elegance la elegancia

to eliminate eliminar **(7.1)**

emotion una emoción (*pl.* emociones)

employee un empleado, una empleada **(2.1)**

empty vacío **(6.2)**

to end terminar **(3.4)**

English (el) inglés **(1.2)**

to enjoy *gozar (de) **(4.1)**

    I enjoy me agrada(n) **(2.4)**

enough bastante **(1.1)**

to enter entrar (en) **(7.3)**

entertainment las diversiones

to escape escaparse **(5.3)**

essential esencial **(9.2)**

eternal eterno **(9.3)**

even aun **(3.4)**

evening una tarde **(1.4)**

    in the evening por la tarde **(1.4)**

ever alguna vez **(6.3)**

every todo **(4.1)**, todos los **(2.4)**

    every day todos los días **(2.4)**

    everybody todo el mundo **(3.3)**

    everyone todo el mundo **(3.3)**; todos **(2.1)**

    everything todo **(3.3)**

    everywhere por todos lados **(7.4)**

exact en punto **(8.4)**

except excepto **(5.1)**

exchange un intercambio **(7.2)**

    in exchange for por **(2.3)**

to exchange cambiar **(2.3)**

to exclaim exclamar **(4.3)**

experience una experiencia

to explain *explicar **(4.2)**

to express (oneself) expresarse **(9.2)**

expression una expresión (*pl.* expresiones)

eye un ojo

f

face una cara

facing enfrente (de) **(6.2)**, frente a **(4.3)**

fact un hecho **(10.1)**

    in fact de hecho **(1.1)** en efecto **(7.2)**

fair justo **(1.4)**

    it's not fair no es justo **(2.4)**

to fall *caer **(3.4)**

    to fall asleep dormirse (o → ue, u) **(3.2)**

    to fall down *caerse **(3.4)**

to fall in love (with) enamorarse (de) **(3.4)**

false falso **(5.1)**

to be familiar with *conocer **(2.1)**

family una familia

    (of the) family familiar **(10.3)**

far (from) lejos (de) **(6.2)**

fashion la moda **(1.4)**

fast *(adj.)* rápido **(4.4)**

fast *(adv.)* de prisa **(4.2)**, rápidamente

fat gordo **(1.2)**

father un padre **(1.2)**, (el) papá **(1.2)**

fault un defecto **(5.2)**

    to be at fault tener la culpa **(5.4)**

to fear temer **(9.1)**

to feel sentir (e → ie, i) **(3.1)**, sentirse (e → ie, i) **(3.3)**

    to feel very much like tener ganas de **(1.3)**

feeling un sentimiento

fiesta una fiesta **(1.3)**

to fight pelear(se) **(3.4)**

to fill llenar **(4.2)**

film una película **(2.4)**

    adventure film una película de aventuras

    horror film una película de horror

to find encontrar (o → ue) **(3.1)**

fingernail una uña **(3.2)**

to finish terminar **(3.4)**

first primero **(3.4)**

fish *(caught)* un pescado, *(live)* un pez (*pl.* peces) **(6.4)**

to fish *pescar **(2.2)**

five cinco

to fix arreglar **(2.1)**

flashlight una linterna eléctrica **(8.3)**

to flee *huir **(4.4)**

floor *(of a building),* un piso **(4.3)**, *(of a room)* el suelo **(4.3)**

    street floor la planta baja **(7.4)**

flower una flor **(6.4)**

to fly volar (o → ue) **(9.3)**

to follow *seguir (e → i, i) **(3.1)**

fool un bobo, una boba **(5.1)**

foolish tonto **(1.2)**

foot un pie **(3.4)**

for para **(1.3)**, por **(2.3)**

to forbid prohibir **(6.1)**

foreign extranjero **(6.1)**

forest un bosque **(6.4)**

to forget olvidar **(6.3)**
form una forma
formation una formación (*pl.*
formaciones)
fortunate afortunado **(4.4)**
French (el) francés (*f.* francesa)
(1.2)
Friday viernes **(1.3)**
friend un amigo, una amiga **(1.2)**
best friend el mejor amigo
(1.2)
friendship la amistad **(3.4)**
from de **(2.1)**, desde **(4.3)**
from there desde allí **(4.3)**
from time to time de vez en
cuando **(3.1)**
front: in front of delante (de)
(6.2), enfrente (de) **(6.2)**
fruit una fruta **(6.4)**
fruit market una frutería **(6.1)**
fruit tree un árbol de frutas
(6.4)
frying pan una sartén (*pl.* sartenes)
(8.3)
full lleno **(6.2)**
fun divertido **(1.2)**
to have fun divertirse (e → ie, i)
(3.3)
to make fun of burlarse de
(3.3)
funny divertido **(1.2)**
furious furioso **(1.4)**
furniture shop una mueblería
(6.1)
future el futuro

g

game un partido **(2.4)**
soccer game un partido de
fútbol **(2.4)**
garden un jardín (*pl.* jardines) **(6.4)**
gasoline la gasolina **(4.2)**
gender el género
general: in general por lo general
(10.3)
genius un genio **(3.3)**
to get recibir **(1.4)**, *obtener
(e → ie) **(8.1)**
to get + *adj.* *ponerse + *adj.*
(3.4)
to get a grade sacar una nota
(1.1)

to get angry (at) enfadarse
(con) **(3.3)**, enojarse (con)
(3.3)
to get bored aburrirse **(3.3)**
to get happy alegrarse **(3.3)**
to get in, on subir (a) **(4.3)**
to get interested interesarse
to get irritated irritarse **(3.3)**
to get married casarse **(3.4)**
to get near *acercarse **(4.4)**
to get off bajar (de) **(4.3)**
to get ready prepararse **(3.2)**
to get tired (of) cansarse (de)
(3.3)
to get to *llegar **(5.2)**
to get up levantarse **(3.2)**
to get used to acostumbrarse a
(8.2)
to get worried preocuparse **(3.3)**
ghost un fantasma **(9.3)**
gift un regalo **(1.3)**
girl una chica **(1.2)**, una muchacha
(1.2), una niña **(1.2)**
girlfriend una novia **(1.2)**
to give *dar **(2.2)**, *ofrecer **(2.1)**
to give (*as a present*) regalar
(2.2)
to give back devolver (o → ue)
(3.1)
glass el vidrio **(7.4)**
to go *ir **(1.3)**, *andar **(9.4)**
to go away *irse **(3.2)**
to go camping ir de camping
(8.3)
to go for a ride dar una vuelta
(4.2)
to go for a walk, ride dar un
paseo **(4.3)**
to go on a vacation ir de
vacaciones **(4.1)**
to go out *salir **(3.4)**
to go quickly ir de prisa **(4.2)**
to go shopping ir de compras
(4.1)
to go slowly ir despacio **(8.1)**
to go to bed acostarse (o → ue)
(3.2)
to go to the other side *cruzar
(5.4)
to go towards *dirigirse (a) **(4.2)**
to go up subir (a) **(4.3)**
goal una meta **(6.4)**
God el Dios **(4.3)**
God help me! ¡Válgame Dios!
(4.3)

may God help you que Dios le
ayude **(8.3)**
gold el oro **(6.4)**
gone ido
good buen, bueno **(1.2)**
in a good mood de buen humor
(1.4)
my goodness! ¡Dios mío! **(4.3)**
good-looking buen mozo **(9.4)**
goodbye adiós
gossip un chismoso, una chismosa
(5.1)
grade una nota
grandfather un abuelo **(1.2)**
grandmother una abuela **(1.2)**
grandparents los abuelos **(1.2)**
greasy grasoso **(8.2)**
great gran **(1.3)**, grande **(1.3)**
how great! ¡qué bueno! **(3.1)**
to greet saludar **(5.2)**
to grow cultivar **(6.4)**
to guess adivinar **(4.4)**
guide un (una) guía
guidebook una guía **(6.1)**
guilty culpable **(4.3)**
guitar una guitarra
gullible crédulo **(9.3)**
gum el chicle **(2.3)**

h

habit una costumbre, un hábito
(10.4)
hair el pelo
half una mitad **(7.3)**
ham el jamón **(6.1)**
hand una mano **(3.4)**
handkerchief un pañuelo **(2.3)**
handsome guapo **(1.2)**
to happen ocurrir **(5.3)**, pasar
(4.4)
what happened? ¿qué pasó? **(4.4)**
happiness la felicidad **(8.3)**
happy alegre **(1.4)**, contento
(1.4), satisfecho **(9.4)**
to get (be) happy alegrarse (de)
(3.3)
hat un sombrero **(2.2)**
to hate odiar **(1.1)**
I hate me disgusta(n) **(2.4)**
to have *tener (e → ie) **(1.3)**,
tomar (*used with something to
drink*) **(1.1)**, *haber (*auxiliary*) **(6.3)**

I do not have no tengo **(1.3)**, me falta(n) **(2.4)**

to have fun divertirse (e → ie, i) **(3.3)**

to have lunch *almorzar (o → ue) **(3.1)**

to have to tener que + *inf.* **(1.3)**

he él **(1.1)**

headlight un faro **(4.2)**

health la salud **(8.2)**

healthy sano **(2.4)**

to hear *oír **(3.4)**

hello: to say hello saludar **(5.2)**

to help ayudar **(1.3)**

God help me! ¡Válgame Dios! **(4.3)**

may God help you que Dios le ayude **(8.3)**

her ella *(after prep.);* la *(dir. obj.)* **(2.1)**; su, sus *(poss. adj.)* **(2.1)**

to her le **(2.2)**

hers suyo **(4.2)**

herself se **(3.2)**

here aquí **(2.2)**

here is, here are aquí tiene(s) **(10.1)**

to hesitate vacilar en **(8.2)**

hidden escondido **(6.2)**

to hide esconder **(6.2)**

highway una carretera

him él *(after prep.);* lo *(dir. obj.)* **(2.1)**

to him le **(2.2)**

himself se **(3.2)**

his su, sus **(2.1)**; suyo **(4.2)**

home una casa **(1.3)**, a casa **(1.3)**

homework la(s) tarea(s)

to honk tocar la bocina **(8.1)**

to hope desear **(1.1)**, esperar **(1.1)**

let's hope that ojalá que **(8.4)**

horror el horror

horror film una película de horror

horse un caballo

horseback riding la equitación **(2.4)**

hospital un hospital **(2.1)**

hot caluroso **(2.2)**

it's hot *(weather)* hace calor **(2.2)**

to be (feel) hot tener calor **(5.4)**

house una casa **(1.3)**

at __'s house a la casa de __ **(1.3)**

how? ¿cómo? **(1.1)**

how is the weather? ¿qué tiempo hace? **(2.2)**

how many? ¿cuántos? **(1.3)**

how much? ¿cuánto? **(1.1)**

hundred cien *(before nouns),* ciento

one hundred percent ciento por ciento **(1.2)**

hungry: to be hungry tener hambre **(5.4)**

to hunt *cazar **(2.4)**

hunting la caza **(2.4)**

hurry: to be in a hurry tener prisa **(5.4)**

to hurry darse prisa **(3.2)**

hurt: my __ hurt(s) me duele(n) __ **(3.1)**

husband un esposo **(3.4)**

i

I yo **(1.1)**

ice cream el helado

ice cream parlor una heladería **(2.1)**

idea una idea

ill enfermo **(1.4)**

ill-mannered mal educado **(5.2)**

immediately inmediatamente, en seguida **(7.2)**

impatient: to get impatient impacientarse **(3.3)**

imperfect imperfecto

impolite descortés **(5.2)**, mal educado **(5.2)**

important importante **(9.2)**

impossible imposible **(5.1)**

to impress impresionar **(5.1)**

improbable improbable **(9.3)**

in en **(6.2)**

in a way de una manera **(3.2)**

in fact de hecho **(1.1)**, en efecto **(7.2)**

in general en general

in love enamorado **(1.4)**

in the afternoon por la tarde **(1.4)**

in the evening por la tarde **(1.4)**, por la noche **(1.4)**

in the morning por la mañana **(1.4)**

indicate *indicar

indicative indicativo

indirect indirecto

indispensable indispensable **(9.2)**

infinitive un infinitivo

information un aviso **(8.4)**

inquisitive inquisitivo **(2.3)**

inside dentro (de) **(6.2)**

to insist (on) insistir (en) **(8.2)**

intellectual intelectual **(1.2)**

intelligent inteligente **(1.2)**

to intend pensar (e → ie) + *inf.* **(3.1)**

interesting interesante **(1.2)**

I am interested in me interesa(n) **(2.4)**

interrogative interrogativo

interview una entrevista **(6.4)**

into en **(6.2)**

to introduce presentar **(10.1)**

to invite invitar **(1.3)**

irregular irregular

irritable irritable **(1.4)**

irritated: to get irritated irritarse **(3.3)**

is es, está **(1.4)**

it lo, la **(2.1)**

its su, sus **(2.1)**

j

jealous: to be jealous tener celos **(5.4)**

joke un chiste **(3.1)**, una broma **(5.1)**

July julio

to jump saltar **(5.3)**

just: to have just acabar de + *inf.* **(4.1)**

k

to keep guardar **(5.1)**, conservar **(10.4)**

to keep on *seguir (e → i, i) + *pres. part.* **(3.1)**

to keep quiet callarse **(3.2)**

key una llave **(2.3)**

kind amable **(2.1)**

kind una clase **(2.4)**

kiss un beso **(5.4)**

kitchen una cocina **(7.4)**

knife *(small, folding knife)* una navaja **(2.3)**

to know (facts) *saber (2.2), (people) *conocer (2.1)
    to know how saber + inf. (2.2)
know-it-all un (una) sabelotodo (5.1)

l

to lack faltar (2.4)
    I lack me falta(n) (2.4)
ladder una escalera (5.4)
lake un lago (6.4)
lamp una lámpara (6.1)
land la tierra (7.1)
large grande (1.3)
last pasado (6.4)
    last Friday el viernes pasado (6.4)
    last night anoche (6.4)
to last durar (3.4)
late tarde (5.2)
    to be late in tardar en (8.2)
to laugh reír (e → i, i) (3.1)
lazy perezoso (1.2)
    lazy bum un holgazán, una holgazana (5.1)
to learn aprender (a) (1.4)
to leave marcharse (3.2), *salir (3.4), *irse (3.2)
    to take leave despedirse (e → i, i) (3.2)
left izquierda (5.2)
    on the left a la izquierda (5.2)
left: (I) have left (me) queda(n) (2.3)
to lend prestar (2.2)
less menos (1.1)
    in less than (two months) en menos de (dos meses) (10.1)
    more or less más o menos (3.4)
let's see a ver (1.2)
letter una carta
library una biblioteca (1.3)
license: driver's license un permiso de conducir (4.2)
    license plate un número de matrícula (4.2)
lie una mentira (5.1)
to lie mentir (e → ie, i) (3.1)
life la vida
light una luz (pl. luces) (4.2)
    directional lights (on a car) las (luces) direccionales (4.2)

to light encender (e → ie) (6.2)
like como
to like *querer (e → ie) a (3.1), gustar (2.4)
    I like me gusta(n) (1.1)
    I like very much me encanta(n) (1.1)
    I would like me gustaría(n) (1.1)
line una línea (6.2)
lipstick un lápiz de labios (3.2)
listen! ¡oye! (2.3)
to listen (to) escuchar (1.1)
little pequeño (1.3)
    a little poco (1.1), un poco (2.1)
to live vivir (1.4)
living room una sala (7.4)
loafer un holgazán, una holgazana (5.1)
to lock cerrar (e → ie) con llave (3.1)
logical lógico (9.2)
to look mirar (1.1)
    to look for *buscar (1.3)
    to look like *parecer (2.1)
to lose perder (e → ie) (3.1)
lot: a lot of mucho (1.1)
lottery la lotería (8.3)
love el amor (3.4)
    in love enamorado (1.4)
to love (someone) *querer (e → ie) a (5.1)
    to fall in love (with) enamorarse (de) (3.4)
luck: to try one's luck probar fortuna (7.3)
lucky afortunado (4.4)
    to be lucky tener suerte (1.3)
lunch: to have lunch *almorzar (o → ue) (3.1)

m

magazine una revista (1.3)
mailman un cartero (2.1)
majority la mayoría (8.2)
make (of a car) una marca
to make *hacer (3.4)
    to make a blunder meter la pata (9.1)
    to make a mistake *equivocarse (3.3)
    to make fun of burlarse de (3.3)
makeup: to put on makeup pintarse (3.2)
man un hombre (1.2)

manager un (una) gerente (2.1)
manner una manera (9.2)
mannered: ill-mannered mal educado (5.2)
    well-mannered bien educado (5.2)
manners los modales (5.2)
    bad manners los malos modales (5.2)
    good manners los buenos modales (5.2)
many muchos (1.3)
    how many? ¿cuántos? (1.3)
map un mapa (6.1)
market un mercado (1.3)
    fruit market una frutería (6.1)
marriage el matrimonio (3.4)
to marry, get married casarse (con) (3.4)
marvelous maravilloso (1.1)
match un partido (2.4)
    soccer match un partido de fútbol (2.4)
math las matemáticas
matter una cuestión (9.2)
    it doesn't matter to me no me importa(n) (6.3)
    it matters to me me importa(n) (2.4)
maybe quizá (2.1), tal vez (1.2)
me me (2.3)
    to me me (2.3)
means un medio (7.1)
means: this means es decir (10.4)
mechanic un mecánico, una mecánica (2.1)
medal una medalla (2.3)
to meet encontrarse (o → ue) (con), reunirse (u → ú) (3.2)
member: to be a member (of) *pertenecer (a) (2.1)
memo book una libreta (2.3)
mental alertness la presencia de ánimo (4.4)
mess: what a mess! ¡qué lío! (3.1)
method un método (8.2)
Mexican mexicano (1.2)
middle: in the middle of en medio de (6.2)
milk la leche (6.1)
mind el ánimo (4.4) la mente (9.3)
mine mío (4.2)
minute un minuto
    wait a minute! ¡un momento! (2.4)

mirror un espejo **(2.3)**
to misbehave portarse mal **(3.3)**
to miss perder (e → ie) **(3.1)**
mistaken: to be mistaken
   *equivocarse **(3.3)**
to mistreat maltratar **(5.2)**
modern moderno **(5.1)**
money el dinero
mood el humor **(1.4)**
   in a bad mood de mal humor
   (1.4)
   in a good mood de buen humor
   (1.4)
moon la luna **(7.1)**
moral moral
more más **(1.1)**
   more or less más o menos **(3.4)**
more than más de **(8.2)**
moreover además **(3.4)**
morning una mañana **(1.4)**
   in the morning por la mañana
   (1.4)
mother una madre **(1.2)** (la) mamá
   (1.2)
motor un motor **(4.2)**
motorcycle una moto **(1.3)**
mountain una montaña **(6.4)**
   mountain climbing el alpinismo
   (2.4)
mouth una boca
to move *(emotionally)* emocionar,
   trasladar **(9.3)** mudarse **(10.4)**
to move away alejarse **(8.3)**
moved *(emotionally)* emocionado
movement el movimiento
movie theater un cine **(1.3)**
much mucho **(1.1)**
   how much? ¿cuánto? **(1.1)**
   too much demasiado **(1.1)**
museum un museo
music la música **(2.4)**
must: one must hay que **(2.4)**
mustache un bigote **(3.2)**
my mi, mis **(2.1)**
my goodness! ¡Dios mío! **(4.3)**
myself me **(3.2)**
mysterious misterioso **(2.3)**

n

nail una uña **(3.2)**
nationality la nacionalidad
natural natural **(9.2)**

nature la naturaleza
near cerca (de) **(6.2)**
   to get near *acercarse (a) **(4.4)**
necessary necesario **(2.4)**
   it is necessary to hay que **(2.4)**
necklace un collar **(2.3)**
to need necesitar **(1.3)**
negation la negación
negative negativo
neighbor un vecino, una vecina **(2.1)**
neighborhood un barrio **(9.4)**
neither ni, tampoco **(5.1)**
   neither ___ nor ni ___ ni **(5.1)**
nervous nervioso **(1.4)**
neuter neutro
never nunca **(1.1)** jamás **(5.1)**
new nuevo **(1.3)**
news las noticias **(2.1)**
newspaper un periódico **(1.3)**
next próximo **(1.4)**
   next Saturday el sábado
   próximo **(1.4)**
   next to junto **(6.2)**
nice simpático **(1.2)**
night una noche **(1.4)**
   at night por la noche **(1.4)**
   last night anoche **(6.4)**
   the night before (last)
   anteanoche **(6.4)**
no no **(1.1)** ningún, ninguno **(5.1)**
   no one nadie **(5.1)**
nobody nadie **(5.1)**
noise un ruido **(3.4)**
none ningún, ninguno **(5.1)**
nonsense! ¡qué va! **(3.1)**
   what nonsense! ¡qué
   barbaridad! **(1.4)**
nor ni **(5.1)**
   nor do I yo tampoco **(5.1)**
not no **(1.1)**
   not any ningún, ninguno **(5.1)**
   not anyone nadie **(5.1)**
   not anything nada **(5.1)**
   not yet no ... todavía **(6.3)**
notebook un cuaderno
nothing nada **(5.1)**
notice un letrero **(6.1)**
noun un sustantivo
novel una novela
now ahora **(1.4)**
nowadays hoy día **(8.2)**
nowhere en (a) ninguna parte **(5.1)**
numeral numeral
nurse un enfermero, una enfermera
   (2.1)

o

to obey *obedecer **(2.1)**
object un objeto **(1.3)**
to obtain *obtener (e → ie) **(8.1)**
to occupy (oneself) ocuparse **(3.3)**
to occur ocurrir **(5.3)**
of de **(2.1)**
offer *ofrecer **(2.1)**
office una oficina **(5.3)**
   post office un correo **(2.1)**
   ticket office una taquilla **(6.4)**
often a menudo **(1.3)**
oil el aceite **(4.2)**
old antiguo **(5.1)** viejo **(1.2)**
   older person una persona de
   edad **(7.2)**
on en **(6.2)** sobre **(6.2)**
   on (Monday) el (lunes) **(1.3)**
   on the weekend el fin de
   semana **(1.4)**
on the other hand de lo contrario
   (6.4)
   on time a tiempo **(5.2)**
once una vez **(5.1)**; alguna vez
   (6.3)
   once in a while de vez en
   cuando **(3.1)**
one un, uno, una **(1.2)**
   one hundred cien (*before
   nouns*), ciento
   one hundred percent ciento
   por ciento **(1.2)**
oneself se **(3.2)**
only *(adj.)* único **(1.4)**
only *(adv.)* solamente **(2.1)**
open abierto **(6.2)**
to open abrir **(1.4)**
open-air market un mercado **(1.3)**
opera una ópera **(2.4)**
opposite en frente de, frente a **(6.2)**
or o (u *before words beginning with*
   o *or* ho) **(1.3)**
orange *(fruit)* una naranja **(6.1)**
order un mandato **(8.4)**
in order to para
to order mandar **(8.4)**
ordinal ordinal
other otro **(1.3)**
others otros **(1.3)**
   the others, the other people
   los demás **(3.3)**
otherwise de lo contrario **(6.4)**
our nuestro **(2.1)**

ours nuestro (4.2)
ourselves nos (3.2)
out: to be out estar en la calle (4.1)
outside (of) fuera (de) (2.1)
over sobre (6.2)
to owe deber (1.4)
own propio (4.3)

p

to pack a suitcase hacer la maleta (3.4)
package un paquete (6.2)
"pain" un chinchoso, una chinchosa (3.3)
to paint pintar (2.4)
painting la pintura (2.4)
pale pálido (6.2)
paper el papel (4.4)
pan: frying pan una sartén (pl. sartenes) (8.3)
parents los padres (1.2)
park un parque (6.4)
to park estacionar (6.1)
parlor: ice cream parlor una heladería (2.1)
participle un participio
party una fiesta (1.3)
passenger un pasajero, una pasajera (8.1)
passer-by un transeúnte, una transeúnte (8.3)
past pasado
pastime un pasatiempo
pastry un pastel (6.1)
patience la paciencia (8.1)
to be patient tener paciencia (8.1)
patient un (una) paciente
peace la paz (7.1)
pear una pera (6.1)
pedestrian un peatón (pl. peatones) (8.1)
pen un bolígrafo (2.3)
pencil un lápiz (pl. lápices)
people la gente (4.4)
per por (1.2)
percent por ciento (1.2)
per day al día (7.1)
perfect perfecto
perhaps quizá (2.1) tal vez (1.2)
period una época (5.2)
permission el permiso (4.2)
permit un permiso (4.2)
to permit permitir (4.4)
person una persona

older person una persona de edad (7.2)
young person un (una) joven (1.2)
personal personal
personality una personalidad (5.1)
phone call una llamada (4.4)
to phone llamar por teléfono (1.3)
photo una foto (2.4)
photography la fotografía (2.4)
physical físico
piano un piano
to pick *coger (6.4)
to pick up *recoger (6.4)
picture una foto (2.4)
pill una pastilla (8.2)
ping-pong el ping pong (2.4)
pity: it's a pity es lástima (9.2)
what a pity ¡qué lástima! (3.1)
place un lugar (6.1)
to plan pensar (e → ie) + inf. (3.1)
planet una planeta (7.1)
plant una planta (6.4)
plate un plato (5.3)
license plate un número de matrícula (4.2)
play una obra de teatro (2.4)
to play (sports) *jugar (u → ue) (2.4)
(a musical instrument) *tocar (1.1)
to play a part hacer un papel (3.4)
to play ping-pong jugar al ping pong (2.4)
to play soccer jugar al fútbol (2.4)
player: record player un tocadiscos (1.3)
pleasant agradable (9.2)
pleasure: to take pleasure (in) *complacerse (en) (8.2)
pluperfect el pluscuamperfecto
plural el plural
pocket un bolsillo (2.3)
poem un poema
point un punto (5.1)
police officer un (una) policía (2.1)
polite atento (5.2) cortés (5.2), bien educado (5.2)
pollution: air pollution la contaminación del aire (7.1)
pool: swimming pool una piscina (1.3)
poor pobre (1.2)
population la población (7.1)
position una posición (pl. posiciones)

possession una posesión (pl. posesiones)
possessive posesivo
possible posible (5.1)
post office un correo (2.1)
poster un letrero (6.1)
pot un cacharro (8.3)
pottery la cerámica (2.4)
to make pottery hacer cerámica (2.4)
power un poder (9.3)
practical práctico
to predict *predecir (9.3)
to prefer preferir (e → ie, i) (3.1)
I prefer prefiero (3.1) me gusta(n) más (1.1)
preoccupied preocupado (1.4)
prepared listo (1.4)
preposition una preposición (pl. preposiciones)
present (tense) el presente, (gift) un regalo (1.3)
to preserve conservar
preterite el pretérito
pretty bonito (1.2)
priest un sacerdote (8.4)
prize un premio (8.3)
probability la probabilidad
probable probable (9.3)
program un programa (2.4)
progress el progreso (7.1)
progressive progresivo
to prohibit prohibir (6.1)
prohibition una prohibición (pl. prohibiciones) (8.4)
to promise prometer (3.4)
pronoun un pronombre
proud orgulloso (4.4)
proverb un refrán (pl. refranes) (6.4)
provided that con tal que (10.1)
to pull out *arrancar (4.2)
purse un bolso (2.3)
to push empujar (4.2)
put puesto (6.3)
to put *poner (3.4) meter (9.1)
to put on (clothing) *ponerse (3.4)
to put on makeup pintarse (3.2)

q

quantity una cantidad (6.1)
to quarrel pelearse (3.4)

question una pregunta
quick rápido (4.4)
quickly de prisa (4.2) pronto (7.1)
quiet: to keep quiet callarse (3.2)
to quit dejar (de) (8.2)

r

race una carrera (8.4)
racket una raqueta (1.3)
radiator un radiador (4.2)
radio *(set)* un radio (1.3)
to rain llover (o → ue) (3.1)
rapid rápido (4.4)
rare raro (5.1)
rather bastante (1.1)
razor una afeitadora (3.2)
to react reaccionar (7.3)
to read *leer (1.4)
reading la lectura (2.4)
ready listo (1.4)
    to get ready prepararse (3.2)
to realize darse cuenta (de) (3.3)
reason la razón (9.3)
to receive recibir (1.4)
reciprocity la reciprocidad
to recognize *reconocer (7.2)
record un disco (1.3)
    record player un tocadiscos (1.3)
recorder: tape recorder una
    grabadora (1.3)
reflexive reflexivo
to regret sentir (e → ie, i) (3.1)
regular regular
relative relativo
relatives los parientes (1.2)
relief: what a relief! ¡qué alivio!
    (7.4)
to remember recordar (o → ue) (3.1)
to rent alquilar (6.1)
to repair reparar (6.1)
to repeat repetir (e → i, i) (3.1)
repeated repetido
to respect respetar (1.3)
response una respuesta (2.1)
rest: the rest los demás (3.3)
to rest descansar (1.1)
restaurant un restaurante (1.3)
result: as a result como resultado
    (10.2)
to return regresar (4.1) volver
    (o → ue) (3.1) *(objects)* devolver
    (o → ue) (3.1)

review un repaso
reward una recompensa (4.4)
rich rico (1.2)
ride: to go for a ride dar una
    vuelta (4.2) dar un paseo (4.3)
    to ride a horse montar a
      caballo (2.4)
ridiculous ridículo (9.2)
riding: horseback riding la
    equitación (2.4)
right: that's right es verdad (1.1)
    to be right tener razón (5.4)
right la derecha (5.2)
    on the right a la derecha (5.2)
ring un anillo (2.3)
river un río (6.4)
to rob robar (7.4)
rock: large rock una peña (6.4)
rocket un cohete (7.1)
role un papel (3.4)
romantic romántico
roof un techo (7.4)
room un cuarto, una habitación (9.4)
rose una rosa (6.4)
to run correr (1.4) *(function)*
    *andar (9.4)

s

sad triste (1.4)
sadness la tristeza (7.4)
safe seguro (4.4)
to sail *navegar (en un bote de
    vela) (2.2)
sailboat un bote de vela (2.2)
salesman un vendedor (8.3)
saleswoman una vendedora (8.3)
same mismo (2.1)
sand la arena (2.2)
satisfied satisfecho (9.4)
Saturday sábado (1.3)
to say *decir (2.2) exclamar (4.3)
    say! ¡dime! (2.3)
    that is to say es decir (10.4)
    to say goodbye despedirse
      (e → i, i) (3.2)
    to say hello saludar (5.2)
    to use "tú" with someone
      tutear (6.3)
saying un refrán *(pl.* refranes) (6.4)
to scale escalar (2.4)
school una escuela (1.3)
scientist un científico, una científica
    (9.3)

scissors unas tijeras (3.2)
to scorch quemar (5.3)
scorched quemado (6.2)
sea el mar
seat un asiento (6.2) una silla
    (6.1)
to see *ver (1.4)
    let's see a ver (1.4)
to seek *(employees)* solicitar (6.1)
to seem *parecer (2.1)
to select *escoger (6.4)
to sell vender (1.4)
to send mandar (2.2)
serious serio (1.2)
to serve servir (e → i, i) (3.1)
service un servicio (2.1)
    service station una estación de
      servicio (2.1)
several algunos (4.1) varios
shampoo el champú (3.2)
to share compartir (5.2)
to shave afeitar(se) (3.2)
she ella (1.1)
shoe un zapato
    shoe store una zapatería
shop: butcher shop una carnicería
    (6.1)
    furniture shop una mueblería
      (6.1)
shopping las compras (4.1)
    to go shopping ir de compras
      (4.1)
short bajo (1.2)
should deber + *inf.* (1.4)
to show enseñar (2.2) mostrar
    (o → ue) (3.1) demostrar (o → ue)
    (9.2)
to shut cerrar (e → ie) (3.1)
sick enfermo (1.4), malo (1.4)
    sick person un enfermo, una
      enferma (2.1)
sidewalk una acera (8.1)
sight un espectáculo (4.3)
sign un letrero (6.1) una señal
    (6.1)
silly tonto (1.2)
simple sencillo (5.1)
since como (3.2)
to sing cantar (1.1)
sister una hermana (1.2)
to sit (down) sentarse (e → ie) (3.2)
situated situado
to skate patinar (2.4)
skating el patinaje (2.4)
to ski esquiar (i → í) (1.1)

skinny flaco (1.2)

skis unos esquís

    waterskis unos esquís acuáticos

slave un esclavo (10.4)

to sleep dormir (o → ue, u) (3.1)

    to be sleepy tener sueño (5.4)

    to fall asleep dormirse
        (o → ue, u) (3.2)

sleeping bag un saco de dormir (8.3)

slow lento (4.4)

slowly despacio (8.1)

small pequeño (1.3)

smart listo (1.2)

to smile sonreír (e → i, i) (3.1)

to smoke fumar (6.1)

so tan (2.1)

    so do I yo también (1.1)

    so (it is that) así (es que) (3.1)

    so much tanto

soap el jabón (3.2)

soccer el fútbol (2.4)

social social

sock un calcetín (pl. calcetines)

solar heating la calefacción solar
    (7.4)

to solicit solicitar (6.1)

some algún, alguno (4.1) unos (1.2)

    some day un día (1.1) algún
        día (4.1)

somebody alguien (5.1)

someone alguien (5.1)

something algo (5.1)

sometimes a veces (1.3)

somewhere en (a) alguna parte
    (5.1)

son un hijo (1.2)

    sons and daughters los hijos
        (1.2)

song una canción (pl. canciones)

soon pronto (7.1)

Spanish (el) español (1.2)

to speak hablar (1.1)

specialized especializado

spectacle un espectáculo (4.3)

spectator un espectador, una
    espectadora

to spend (money) gastar (4.4)
    (time) pasar (4.1)

spirit el ánimo (4.4)

sponger un sablista, una sablista
    (5.1)

sport un deporte (2.4)

    sports-loving deportista (1.2)

    team sports unos deportes de
        equipo (2.4)

stairs una escalera (5.4)

stamp un sello (2.1)

stand un puesto

star una estrella (8.3)

to start *comenzar (e → ie) (3.1)
    *empezar (e → ie) (3.1)

to start a car *arrancar (4.2)

state un estado (4.4)

station una estación (pl. estaciones)
    (2.1)

    service station una estación de
        servicio (2.1)

to stay quedarse (3.2)

steak el bistec (6.1)

still todavía (4.2)

stone una piedra (2.2)

stop una parada (6.4)

    bus stop la parada del autobús
        (6.4)

    streetcar stop la parada del
        tranvía (6.4)

to stop parar (4.3) dejar (de) (8.2)

    to stop (oneself) pararse (4.3)

store una tienda (1.3)

    department store un almacén
        (1.3)

    watch store una relojería

story un cuento

strange raro (5.1)

street una calle (2.1)

    street floor la planta baja (7.4)

streetcar un tranvía (8.1)

student un (una) estudiante (1.2);
    un alumno, una alumna (1.2)

to study estudiar (1.1)

to stumble (against) *tropezar
    (e → ie) (con) (4.3)

stupid estúpido (1.2)

subjunctive el subjuntivo

successful: to be successful tener
    éxito (5.4)

such a ... tal ... (3.3)

suddenly de repente (5.3)

to suggest sugerir (e → ie) (8.4)

suggestion una sugerencia (8.4)

suit un traje (2.2)

    bathing suit un traje de baño
        (2.2)

suitcase una maleta (3.4)

    to pack a suitcase hacer la
        maleta (3.4)

summary un resumen

summer el verano

sun el sol (2.2)

to sunbathe tomar el sol (1.1)

sunglasses unos anteojos de sol
    (2.2)

sunny soleado (2.2)

    it's sunny hace sol (2.2) está
        soleado (2.2)

to suppress suprimir (7.1)

sure seguro (4.4) cierto (7.1)

to surf correr las olas (2.2)

surprise una sorpresa (2.1)

to be surprised sorprenderse (4.4)

surprising sorprendente (9.2)

suspicious sospechoso (2.3)

sweater un suéter

to swim nadar (1.1)

swimming la natación (2.4)

    swimming pool una piscina
        (1.3)

t

table una mesa (6.1)

tablet una pastilla (8.2)

to take tomar (1.1) (photos) *sacar
    (4.2)

    to take a bath bañarse (3.2)

    to take a ride dar una vuelta
        (4.2)

    to take a trip hacer un viaje (3.4)

    to take a walk pasear (10.2)

    to take along llevar (1.1)

    to take away robar (7.4)

    to take care of cuidar (2.1)

    to take off (clothing) quitarse
        (3.2)

    to take oneself for tomarse por
        (3.3)

    to take out *sacar (4.2)

    to take pleasure (in)
        *complacerse (en) (8.2)

to talk hablar (1.1)

tall alto (1.2)

tan un bronceado (8.2)

to tan tostar (o → ue) (6.2)

tank un tanque (4.2)

tanned bronceado (6.2)

tape una cinta (1.3)

    tape recorder una grabadora
        (1.3)

to taste probar (o → ue) (3.1)

tattletale un chismoso, una
    chismosa (5.1)

tea el té

to teach enseñar (a) (2.2)

teacher un profesor, una profesora;
(2.1) un maestro, una maestra
team un equipo (2.4)
telephone un teléfono (1.3)
television la televisión
television set un televisor (1.3)
to tell contar (o → ue) (3.1) *decir
(2.2)
tell me! ¡dime! (2.3)
ten diez
tennis el tenis (2.4)
tent una tienda de campaña (8.3)
to test probar (o → ue) (3.1)
that ese (f. esa) (adj.) (2.2) que
relative pron.) (9.4) tan (adj.); eso
neuter pron.) (2.3)
that (over there) aquel (f.
aquella) (2.2)
that is to say es decir (10.4)
that one ése, aquél (2.2)
that's true es verdad (1.1)
the el, la, los, las (1.2)
theater un teatro (1.3)
movie theater un cine (1.3)
their su, sus (2.1)
theirs suyo (4.2)
them ellos, ellas (after prep.); los,
las (dir. obj.) (2.1)
to them les (2.2)
themselves se (3.2)
then entonces (2.4) luego (3.2)
there allí, ahí (2.2)
over there allá (2.2)
there is, there are hay
therefore así (es que) (2.1)
they ellos, ellas (1.1)
thick grueso (8.2)
thin delgado (1.2)
thing una cosa (1.3) un objeto (1.3)
what thing? ¿qué cosa? (2.3)
to think pensar (e → ie) (3.1)
to think about pensar en
(3.1)
to think of pensar de (3.1)
to think one is tomarse por
(3.3)
thirsty: to be thirsty tener sed (5.4)
this este (f. esta) (2.2); esto (neuter
pron.) (2.3)
this one éste (2.2)
though aunque (1.2)
to thrill emocionar
ticket una entrada (2.4) un billete
(8.3)
ticket office una taquilla (6.4)

time el tiempo, una época (5.2)
una vez (5.1)
all the time todo el tiempo
(1.3)
at times a veces (1.3)
at what time? ¿a qué hora?
from time to time de vez en
cuando (3.1)
on time a tiempo (5.2)
tire una llanta (4.2)
tired cansado (1.4)
to get tired of cansarse de
(3.3)
to a
toast la tostada
to toast tostar (6.2)
toasted tostado (6.2)
today hoy (1.1) hoy día (8.2)
together juntos (3.1)
to tolerate tolerar (8.4)
tomorrow mañana (1.4)
tonight esta noche (6.4)
too también (1.1)
too, too much demasiado (1.1)
tooth un diente (3.4)
top: on top of encima de (6.2)
to touch *tocar (9.3)
toward hacia (4.2)
towel una toalla (2.2)
town un pueblo (8.1)
toy un juguete (5.2)
traffic el tránsito (8.1)
traffic light un semáforo (8.1)
traffic sign una señal (de
tránsito) (8.1)
tragedy una tragedia (2.4)
train un tren
to transfer trasladar (9.3)
to transform transformar (7.1)
to translate *traducir (2.1)
to travel viajar (1.1)
treasure un tesoro (7.3)
tree un árbol (5.4)
fruit tree un árbol de frutas
(6.4)
trip un viaje (3.4)
to take a trip hacer un viaje
(3.4)
trolley car un tranvía (8.1)
truck un camión (pl. camiones) (8.1)
true verdadero (5.1)
that's not true no es verdad
(1.1)
that's true es verdad (1.1)
truth la verdad (1.1)

to try probar (o → ue) (4.2) tratar
(de) (8.2)
to try one's luck probar fortuna
(7.3)
tú: to use "tú" with someone
tutear (6.3)
to turn volverse (o → ue) (5.3)
to turn (a corner) doblar (8.1)
to turn off *apagar (6.2)
to turn on encender (e → ie) (6.2)
TV set un televisor (1.3)
type una clase (2.4)
typewriter una máquina de escribir

ugly feo (1.2)
umbrella un paraguas (10.2)
unbelievable increíble (4.3)
uncle un tío (1.2)
uncles and aunts los tíos (1.2)
under(neath) debajo (6.2)
to understand comprender (1.4)
entender (e → ie) (3.1)
unforgettable inolvidable (8.2)
unfortunate desafortunado (4.4)
unhappy triste (1.4)
unique único (1.4)
United States los Estados Unidos
unless a menos que (10.1)
unlucky desafortunado
unpleasant antipático (1.2)
desagradable (5.2)
until hasta
us nosotros(as) (after prep.); nos
(obj. pron.) (2.3)
to us nos (2.3)
use el uso
to use usar
useful útil (2.4)
useless inútil (2.4)

vacation(s) las vacaciones (4.1)
to be on (a) vacation estar de
vacaciones (4.1)
to go on (a) vacation ir de
vacaciones (4.1)
value valor (5.1)
variety una variedad (2.4)

variety show un programa de variedades (2.4)

vegetable una legumbre (6.4) un vegetal

vendor un vendedor, una vendedora (8.3)

verb un verbo

very muy (1.1)

violent violento (2.4)

virtue una virtud (5.2)

to visit visitar (1.1)

vocabulary el vocabulario

voice una voz *(pl.* voces) (4.2)

to wait (for) esperar (1.3)
  wait a minute! ¡un momento! (2.4)

waiter un camarero (2.1)

waitress una camarera (2.1)

to wake up despertarse (e → ie) (3.2)

to walk *andar (4.3) caminar (2.2)
  to go for a walk dar un paseo (4.3) dar una vuelta (4.2) pasear (10.2)

wall una pared (6.4)

wallet una billetera (2.3)

to want *querer (e → ie) (3.1)

warm: to be warm *(sensation)* tener calor (2.2)

warning un aviso (8.4)

to wash lavar (3.2)
  to wash (oneself) lavarse (3.2)

to waste perder (e → ie) (3.1)

watch un reloj (1.3)
  watch store una relojería

to watch mirar (1.1)

water el agua *(f.)* (5.3)

to waterski esquíar en el agua (2.2)

water skis unos esquís acuáticos

way: in a way de una manera (3.2)
  (in) no way de ninguna manera (5.1)
  (in) some way de alguna manera (5.1)

we nosotros(as) (1.1)

to wear llevar

weather el tiempo (2.2)
  how's the weather? ¿qué tiempo hace? (2.2)

wedding una boda (3.4)

Wednesday miércoles (1.3)

week una semana (1.4)

weekend el fin de semana (1.4)
  on the weekend el fin de semana (1.4)

well bien (1.1)
  well-mannered bien educado (5.2)

western (movie) una película del oeste

what lo que (5.1)

what? ¿qué? (1.1)
  at what time? ¿a qué hora?
  what happened? ¿qué pasó? (4.4)
  what is it? ¿qué cosa? (2.3)
  what is it? what's up? ¿qué hay? (2.3)

what! ¡qué!
  what a ...! ¡qué ...! (2.4)
  what a bore! ¡qué lata! (3.1)
  what a mess! ¡qué lío! (3.1)
  what a pity! ¡qué lástima! (3.1)
  what a relief! ¡qué alivio! (7.4)
  what nonsense! ¡qué barbaridad! (1.4)
  what will become of me! ¡qué será de mí! (7.4)

wheel una rueda (4.2)

when cuando (10.2)
  when? ¿cuándo? (1.1)

where donde
  where? ¿dónde? (1.1)

which? ¿cuál(es)? (2.4)

while mientras (5.3), al + *inf.*
  once in a while de vez en cuando (3.1)

who? whom? ¿quién(es)? (9.4)

the whole todo (4.1)

whose? ¿de quién(es)? (2.1)

why? ¿por qué? (1.1)

wife una esposa (3.4)

to win ganar (1.1)

wind el viento (2.2)
  it's windy hace viento (2.2)

window una ventana (4.3)

windshield un parabrisas (4.2)

to wish desear (1.1)

to wish to tener ganas de (1.3)

with con (2.3)

witness un (una) testigo (5.4)

woman una mujer (1.2)

wood la madera (7.4)

woods un bosque (6.4)

word una palabra (4.4)

to work trabajar (1.1) *(function)* *andar (4.3)

world el mundo (1.3)

worried preocupado (1.4)
  I am worried (by) me preocupa(n) (2.4)
  to get worried (because) preocuparse (por) (3.3)

worse peor (10.3)

worthwhile: it is worthwhile vale la pena (9.2)

would: I would like me gustaría (1.1)

wow! ¡caramba! (1.3)

wrist watch un reloj de pulsera (2.3)

to write escribir (1.4)

written escrito (6.3)

wrong: to be wrong no tener razón (5.4)

yesterday ayer (6.4)
  the day before yesterday anteayer (6.4)

yet todavía (4.2) ya (6.3)
  not yet no ... todavía (6.3)

you tú *(fam.)*, Ud. *(formal)*, Uds. *(pl.)* (1.1) te (2.3) lo, la, los, las *(obj. pronouns)* (2.1)ti, Ud., Uds. *(after prep.)*
  to you te *(fam.)* (2.3) le *(formal)*, les *(pl.)* (2.2)

young joven *(pl.* jóvenes) (1.2)

young person un (una) joven (1.2)

younger menor (4.1)

your tu, tus *(fam.)*; su, sus *(formal sing., pl.)* (2.1)

yours tuyo *(fam.)* suyo *(formal)* (4.2)

yourself te *(fam.)*, se *(formal)* (3.2)

youth la juventud (8.2)

INDEX

PHOTO CREDITS

Pages iii - 1, all DCHV; 2, Peter Menzel; 3, David Mangurian; 9, Stuart Cohen; 12, DCHV; 13, Stuart Cohen; 18, 20, l, David Mangurian, r, DCHV; 21, Olivier Rebbott/Stock; 30, t, DCHV, B, Peter Menzel; 41, Peter Menzel; 42, 43, all Historical Pictures Service, Chicago; 45, both, Terry McCoy; 46, t, Peter Borsai/Alpha; 46, b, Jeff Slocomb/The Picture Group; 47, t, Eddie Adams/Gamma Liaison, b, Jerry Watches/Focus On Sports; 48, Bernard Kupferschmid; 50, both, Alix Coleman/Bruce Coleman; 51, Norman Prince; 52–53, all DCHV; 55, DCHV; 57, 66, Stuart Cohen; 75, 77, DCHV; 83, Mark Antman/The Image Works; 93, Stuart Cohen; 94–95, all, DCHV; 97, 98, Stuart Cohen; 107, Robert Frerck; 117, Stuart Cohen; 123, Peter Menzel; 126, DCHV; 129, Stuart Cohen; 131, Wide World Photos; 133, Peter Menzel; 134, l, Historical Pictures Service, Chicago, r, The Granger Collection; 135, Historical Pictures Service, Chicago; 135, r, Rafael Millan; 136, Esty Epstein/Alpha; 137, both, Peter Menzel; 138, 139, Historical Pictures Service, Chicago; 140, Wide World Photos; 141, Brian McLaughlen/Globe Photos; 143, UPI; 144, The Granger Collection; 146–147, all, DCHV; 149, David Hurn/Magnum; 157, DCHV; 165, Stuart Cohen; 174, 184–185, DCHV; 188, Historical Pictures Service, Chicago; 197, Robert Frerck/Woodfin Camp & Assoc.; 207, Gabe Palmer/The Stock Market; 216, Stuart Cohen; 219, DCHV; 222, Peter Menzel; 227, Stuart Cohen; 228, t, Michael Parrish, bl & br, Historical Pictures Service, Chicago; 229, l, The Granger Collection, r, Historical Pictures Service, Chicago; 230, t, Peter Menzel, b, Michael Parrish, inset, & 231 both, David Mangurian; 232, t, David Mangurian, b, Chip Peterson; 233, Peter Menzel; 234, David Mangurian; 235, Michael Parrish; 236, 237, all, Peter Menzel; 238, both, Earl Kage (Museographics); 240–241, all, DCHV; 244, Stuart Cohen; 252, DCHV; 259, Peter Menzel; 269, Stuart Cohen; 276–277, all, DCHV; 280, UPI; 288, 290, Stuart Cohen, 290, inset, 293, DCHV; 298, Jonathan Blair/Woodfin Camp; 307, DCHV; 315, Stuart Cohen; 316, t, Ira Kirschenbaum/Stock Boston, b, 317, Historical Pictures Service, Chicago; 318, t, Stuart Cohen/The Stock Market, b, Peter Menzel; 319, t, bl, David Mangurian, br, Messerschmidt/Alpha; 320, t, David Mangurian, bl, Chip Peterson, br, & 321, Peter Menzel; 322, t, Larry Reynolds, b, Wide World Photos; 323, t, Norman Prince, b, Historical Pictures Service, Chicago; 324, tl, Norman Prince, ml, Françoise Gohier/Photo Researchers Inc., bl, Grossman/FPG, tr, Bruce Coleman Inc., br, Frank Schreider/Photo Researchers Inc.; 325, all, Historical Pictures Service, Chicago; 326, The Granger Collection; 328–329, all, DCHV; 331, 340, Stuart Cohen; 349, DCHV; 357, Peter Menzel; 370–371, all, 373, 382 both, 388, 395, DCHV; 401 all, Stuart Cohen; 409, Peter Menzel; 410, l, Robert Frerck, r, Owen Franken/Stock Boston; 411, Historical Pictures Service, Chicago; 412 all, Peter Menzel; 414 all, Historical Pictures Service, Chicago; 415, Peter Menzel; 416, t, Globe Photos; 423 all, DCHV; 426, Peter Menzel; 430, DCHV; 435, Peter Menzel; 440, Stuart Cohen; 442 all, Peter Menzel; 443, DCHV; 449, Peter Menzel.

Every attempt will be made to correct errors and omissions to this credits list in subsequent printings.